Sobre *A Essência do Bhagavad Gita*

"É duvidoso que haja surgido, nos últimos cinqüenta anos, uma obra mais inspiradora e monumental no campo da espiritualidade. Graças a uma mente abençoada com extrema clareza, Swami Kriyananda transmitiu-nos suas vívidas lembranças das explicações de Paramhansa Yogananda sobre o Bhagavad Gita, permitindo-nos ouvir como nunca antes as Melodias vibrantes do Divino. Finalmente a 'Canção do Senhor' deixa de ser um mistério para nossa mente, tornando-se apenas música para nossos ouvidos! Que presente! Que tesouro! Minha gratidão a Swami Kriyananda será eterna."

— **Neale Donald Walsch**, autor de *Conversations with God*

"De onde viemos, por que estamos aqui e aonde esta vida vai nos levar? Swami Kriyananda é o filósofo mais experiente capaz de nos ajudar a entender as respostas que o Bhagavad Gita dá a essas perguntas. Graças [a este livro], as pessoas ... descobrirão sua natureza e seu potencial divinos."

— **Bikram Choudhury**, fundador do Bikram's Yoga College of India e autor de *Bikram's Beginning Yoga Class*

"Swami Kriyananda escreve no mesmo espírito de compaixão e inteligência cultivado por seu mestre, Paramhansa Yogananda. Neste livro extraordinário, ele honra sua linhagem mostrando, com suprema maestria, que esta mensagem é mais importante e urgente que nunca."

— **Dean Ornish, M.D.**, fundador do Preventive Medicine Research Institute e autor de *Reversing Heart Disease*

"Grandes almas, grandes mentes e mesmo grande sabedoria combinam-se aqui para abrir as portas à evolução da consciência e do espírito. Nunca, em tempos recentes, surgiu uma obra em que a própria Presença dos mestres iluminados se tornou tão próxima e acessível. Este livro é um presente, à nossa época, do passado e do futuro. Sua simples leitura estimula a alma enquanto ilumina o caminho que a humanidade deverá tomar."

— **Jean Houston**, autor de *Jump Time* e *A Passion for the Possible*

"Esta visão profunda do grande yogue Paramhansa Yogananda abre uma nova janela que deixa a luz da sabedoria do Bhagavad Gita, as palavras do Abençoado, brilhar como fonte de sublime paz no coração de muitos."

— **Tulku Thondup Rinpoche**, autor de *The Healing Power of Mind*

"Este livro encherá a mente do leitor de espanto e maravilhamento. Mostrará ser uma fonte confiável de idéias sobre as maiores perguntas que os homens jamais fizeram sobre a natureza do mundo – e da vida, da morte, da consciência."
— **Ervin Laszlo**, Ph.D., indicado para o Prêmio Nobel da Paz, presidente do Club of Budapest, autor de *Science and the Reenchantment of the Cosmos*

"Retomando a mensagem do Bhagavad Gita, a escritura imemorial da Índia, Swami Kriyananda capta a essência de uma tradição do yoga que seu mestre, Paramhansa Yogananda, corporifica."
— **Pandita Rajmani Tigunait**, Ph.D., líder espiritual do Himalayan Institute

"Swami Kriyananda traz com habilidade um antigo ensinamento de verdade eterna para a luz da moderna compreensão, evocando minuciosamente as palavras de Paramhansa Yogananda e sua própria erudição diligente."
— **Vyaas Houston**, fundador do American Sanskrit Institute

"Swami Kriyananda capta verdadeiramente a profundidade das escrituras e a voz de seu Guru. Revela os segredos ocultos e as mensagens místicas das escrituras, muitas vezes confundidos na interpretação dos filósofos, panditas e psicólogos."
— **Yogue Amrit Desai**, fundador do Amrit Yoga Institute

"... uma estimulante visão nova desse clássico antigo tão crucial para a mente contemporânea. O livro, que reflete os ensinamentos de Paramhansa Yogananda, talvez o maior guru do yoga a residir no mundo ocidental no século XX, oferece inúmeras idéias importantes relativas aos desafios da vida espiritual hoje."
— **Dr. David Frawley**, fundador do American Institute of Vedic Studies e autor de *Yoga and the Sacred Fire*

"Um dos livros mais profundamente satisfatórios que jamais li. Nunca antes as verdades espirituais foram explicadas com tamanha clareza. As questões capitais de nossa existência são respondidas com extraordinária lucidez e senso prático."
— **Joseph Cornell**, fundador da Sharing Nature Worldwide e autor de *Listening to Nature*

"As idéias de Yogananda são contundentes, inesperadas e profundamente sábias. Esse é o Bhagavad Gita como nunca o vimos antes. Altamente recomendável!"
— **Linda Johnsen**, autora de *Daughters of the Goddess: The Woman Saints of India*

"Muito inspirador! [Este livro] revela a visão de um yogue. As palavras de Swami Kriyananda são agradáveis, lúcidas e no entanto sublimes. Fluem alegremente como o Ganges para o oceano da realização em Deus."
— **Swami Nikhilananda**, diretor regional da Chinmaya Mission, Delhi, e autor de *The Art of Forgiveness*

"Esta não é apenas mais uma explicação comum do Bhagavad Gita. Equipara-se aos grandes comentários dos clássicos feitos pelos três grandes mestres, Shankaracharya, Madhvacharya e Ramanujacharya. Este livro contém não apenas a essência do Bhagavad Gita, mas também a essência do hinduísmo. ... Somos muito gratos a Swamiji por nos ter dado esta jóia de Sabedoria e Discernimento. Ele escreveu muitos livros, mas este é certamente a obra-prima de sua vida."
— **Mata Devi Vanamali**, Vanamali Ashram, Rishikesh, autora de *The Play of God: Visions of the Life of Krishna*

"Este livro é um tributo às grandes contribuições espirituais da Índia ao mundo, tais quais explicadas pelo grande guru Paramhansa Yogananda a seu brilhante discípulo Swami Kriyananda, em benefício de milhões de aspirantes à espiritualidade."
— **Swami Gokulananda**, diretor do Ramakrishna Math, Nova Delhi, autor de *Swami Vivekananda – The Ideal of the Youth*

"De novo, vivenciamos o conhecimento sensível de Paramhansa Yogananda, que desta feita traz à luz a compaixão de Sri Krishna no Bhagavad Gita. Graças ao relacionamento apaixonado de Swami Kriyananda com seu Guru e o Gita, as lições dessa escritura sagrada transitam do passado ao presente dourado, banhando-nos com Sabedoria Divina e inspiração em vários níveis."
— **Nischala Joy Devi**, autora de *The Secret Power of Yoga: A Woman's Perspective on the Heart* e *Spirit of the Yoga Sutras*

"A canção de Deus é doce em todos os lábios. Mas é inefavelmente melíflua quando cantada por um mestre como Yogananda a um discípulo como Kriyananda, que por seu turno a entoa para os estudantes modernos em estilo atualizado."
— **Hart De Fouw**, autor de *Light on Life: An Introduction to the Astrology of India*

"Este livro galvaniza! Tenho ensinado a meus pacientes, na prática médica, alguns exercícios simples de meditação e yoga, para reduzir-lhes os níveis de stress e ansiedade. Freqüentemente, eles reaparecem desejosos de aprender a filosofia e as lições espirituais que inspiram essas técnicas do yoga. Enfim, tenho o livro ideal para recomendar. Belamente escrito e cheio de esperança, esse comentário ao Gita é espiritualmente estimulante, mas eminentemente acessível a neófitos. Mesmo estudantes avançados de yoga o acharão rico em idéias e espiritualmente instigante."
— **Peter Van Houten**, co-autor de *Yoga Therapy for Overcoming Insomnia*

"Swami Kriyananda fez de novo! Captou, num livro, a essência de uma das obras mais inspiradoras do mundo, o Bhagavad Gita, tal como interpretada por um dos grandes mestres espirituais de nosso tempo, Paramhansa Yogananda."
— **Rev. Justin Epstein**, Unity Church

"Swami Kriyananda teve o privilégio de despender mais de 60 anos sintonizando sua consciência com a de seu grande guru Sri Paramhansa Yogananda. Por isso pôde rememorar ... as palavras do mestre e insuflar-lhe na obra um novo alento, tornando os temas mais simples, claros, lógicos e atraentes para todos, tanto no Oriente quanto no Ocidente. O autor conseguiu também cruzar referências com o pensamento contemporâneo e as escrituras de outras religiões, inclusive o cristianismo, o judaísmo e o islamismo."
— **D. R. Kaarthikeyan**, ex-diretor da CBI e National Human Rights Commission, ex-diretor-geral da Central Reserve Police Force, Índia.

"... este comentário é valiosíssimo para os que encetam o caminho espiritual. Sentimos Swami-ji ao nosso lado, como um guru amistoso, ao longo de todo o livro."
— **Ashok Arora**, advogado, Suprema Corte da Índia

A Essência do Bhagavad Gita

Explicada por Paramhansa Yogananda

Evocada por seu discípulo
Swami Kriyananda
(J. Donald Walters)

Tradução
GILSON CÉSAR CARDOSO DE SOUSA

Revisão técnica
ADILSON DA SILVA

Editora
Pensamento
SÃO PAULO

Título original: *The Essence of the Bhagavad Gita.*

Copyright © 2006 Hansa Trust.

Copyright da edição brasileira © 2007 Editora Pensamento-Cultrix Ltda.

1ª edição 2007.

6ª reimpressão 2018.

Crystal Clarity Publishers, 14618 Tyler Foote Road, Nevada City, CA 95959
www.crystalclarity.com

Todos os direitos reservados. Nenhuma parte deste livro pode ser reproduzida ou usada de qualquer forma ou por qualquer meio, eletrônico ou mecânico, inclusive fotocópias, gravações ou sistema de armazenamento em banco de dados, sem permissão por escrito, exceto nos casos de trechos curtos citados em resenhas críticas ou artigos de revistas.

A Editora Pensamento não se responsabiliza por eventuais mudanças ocorridas nos endereços convencionais ou eletrônicos citados neste livro.

Dados Internacionais de Catalogação na Publicação (CIP)
(Câmara Brasileira do Livro, SP, Brasil)

Kriyananda, Swami
   A essência do Bhagavad Gita / explicada por Paramhansa Yogananda ; evocada por seu discípulo Swami Kriyananda (J. Donald Walters) ; tradução Gilson César Cardoso de Sousa ; revisão técnica Adilson da Silva – São Paulo : Pensamento, 2007.

   Título original: The essence of the Bhagavad Gita
   ISBN 978-85-315-1499-9

   1. Bhagavad Gita – Crítica e interpretação I. Yogananda, Paramhansa, 1893-1952. II. Título.

07-4933   CDD-294.5924046

Índices para catálogo sistemático:
1. Bhagavad Gita : Livros sagrados : Hinduísmo : Interpretação e crítica
   294.5924046

Direitos de tradução para a língua portuguesa
adquiridos com exclusividade pela
EDITORA PENSAMENTO-CULTRIX LTDA.
Rua Dr. Mário Vicente, 368 — 04270-000 — São Paulo, SP
Fone: (11) 2066-9000 — Fax: (11) 2066-9008
E-mail: atendimento@editorapensamento.com.br
http://www.editorapensamento.com.br
que se reserva a propriedade literária desta tradução.
Foi feito o depósito legal.

"Perguntei à Mãe Divina quem eu deveria escolher para me ajudar na tarefa de preparar este livro – e tua face, Walter, apareceu.

"Para me certificar, consultei-A mais duas vezes e mais duas vezes tua face apareceu. Por isso eu estou te convocando."
— Paramhansa Yogananda

Nota de agradecimento: A Editora Pensamento agradece à gentil colaboração de Marcelo Brandão Cipolla pelas informações a respeito de Vedanta e Hinduísmo.

*Dedicado aos milhões de pessoas
que, conforme a predição do meu Guru,
encontrarão Deus graças a este livro.*

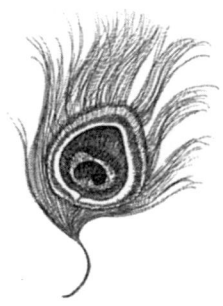

Sumário

Preâmbulo 15

Nota Explicativa 21

Prefácio 23

Introdução 25

1. O que é o Bhagavad Gita? 31
2. O que é Sanaatan Dharma? 34
3. A alegoria do Gita 39
4. Alegoria na Escritura 44
5. A gênese da história 49
6. Por que primos? Por que inimigos? 56
7. A espinha: caminho para a salvação 62

8. A Escritura começa 66
   Gita, Capítulo 1: verso 1

9. Sanjaya fala 72
   Gita, Capítulo 1: versos 1-47
   Gita, Capítulo 2: versos 1-9

10. A natureza da morte – alegórica e literal 78
    Gita, Capítulo 2: versos 10-39

11. A consolação de Krishna 86
    Retomada; Gita, Capítulo 2: versos 1-40

12. A natureza da reta ação 98
    Gita, Capítulo 2: versos 40-72

13. Por que lutar? 131
    Gita, Capítulo 3: versos 1-9

14. Evolução direcionada 147
    Gita, Capítulo 3: versos 10-16

15. Liberdade por meio de ação 161
    Gita, Capítulo 3: versos 17-43

16. A ciência suprema do conhecimento de Deus 180
    Gita, Capítulo 4: versos 1-42

17. Liberdade por meio da renúncia interior 218
    Gita, Capítulo 5: versos 1-29

18. O verdadeiro yoga 240
    Gita, Capítulo 6: versos 1-47

19. Conhecimento e sabedoria 282
    Gita, Capítulo 7: versos 1-30

20. Universo interior e universo exterior 318
    Gita, Capítulo 8: versos 1-16

21. Libertação final 333
    Gita, Capítulo 8: versos 17-28

22. O Senhor Supremo de tudo 345
    Gita, Capítulo 9: versos 1-34

23. Do oculto ao manifesto 362
    Gita, Capítulo 10: versos 1-42

24. A visão divina 373
    Gita, Capítulo 11: versos 1-55

25. O caminho do Bhakti Yoga 383
    Gita, Capítulo 12: versos 1-20

26. O campo de batalha 389
    Gita, Capítulo 13: versos 1-34

27. Como transcender os três gunas 412
    Gita, Capítulo 14: versos 1-27

28. O yoga da criatura superior 429
    Gita, Capítulo 15: versos 1-20

29. A natureza do divino e do demoníaco 435
    Gita, Capítulo 16: versos 1-24

30. Os três níveis da prática espiritual 455
    Gita, Capítulo 17: versos 1-28

31. Vinde a mim 471
    Gita, Capítulo 18: versos 1-78

Glossário 511

Sobre o autor 519

Sobre a pintora 523

Ananda Sangha 525

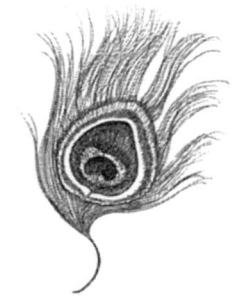

Preâmbulo

Chegamos à Índia, para uma visita de três semanas, no momento em que Swami Kriyananda começava a escrever este livro. Durante semanas, inquietara-o o problema de como levar a cabo a tarefa.

"Minha primeira idéia", disse-nos, "era redigir um volume de poucas páginas, conforme, aliás, esclareci na primeira introdução que preparei. Por muito tempo, eu havia cogitado analisar o Gita inteiro, mas esse projeto, embora valiosíssimo para mim, também me intimidava – tanto por sua magnitude quanto por sua suprema importância. A perspectiva de que a chegada de vocês", prosseguiu ele, "pudesse confundir minha linha de raciocínio foi exatamente o que me 'encostou à parede', no sentido de levar-me à solução do dilema! Senti que *devia* iniciar o trabalho ou então esqueceria as idéias que já havia burilado para o projeto."

Na verdade, foi só mais ou menos uma semana antes da nossa chegada que ele percebeu ter decidido (ou ter sido *levado* a decidir!) elaborar, não o "resumo" que havia planejado, mas o estudo do Gita inteiro!

Durante o período de nossa visita, Swamiji, embora se comportasse como anfitrião dos mais amáveis – conversando conosco horas a fio, acompanhando-nos às compras e a jantares –, passava todo o tempo livre trabalhando no seu manuscrito. Em resposta à nossa preocupação de que talvez o estivéssemos distraindo, tranquilizou-nos: "Ao contrário, a presença de vocês tem sido muito útil para mim! Acho o projeto tão imponente que me sinto quase esmagado por ele. Vocês me ajudam a encará-lo com serenidade, um dia de cada vez. Suas opiniões também têm sido úteis e, embora não aprofundem as que já trago nítidas no espírito, pelo menos me mantêm com os pés no chão mentalmente, enquanto luto com conceitos sutis que *preciso*, seja como for, tornar acessíveis a todos." Depois da nossa partida, outras pessoas visitaram Swamiji. Ele fez como antes, assegurando-lhes que, longe de perturbá-lo, mantinham-no "com os pés no chão", ligando o que escrevia a necessidades e realidades concretas.

Parece incrível, mas Swamiji terminou sua tarefa – que compreendia, no primeiro esboço, seiscentas páginas – em menos de dois meses! Para todos, e até para ele mesmo, aquilo pareceu um milagre.

"Felizmente", explicou-nos, "tenho ótima memória e posso evocar com clareza os dias que passei na companhia do Mestre, lendo de ponta a ponta seu manuscrito e ajudando-o a prepará-lo. Disse-lhe, na ocasião: 'Senhor, esta é a melhor coisa que jamais li!'" Nós, ao examinar o manuscrito, achamos o mesmo. Um dia, Swamiji falou-nos: "Sinto como se o Mestre também trabalhasse enquanto escrevo – não apenas através de mim, mas *comigo*."

Para nós, este livro – um dos 85 que Swami Kriyananda escreveu ao longo da vida – é sua obra-prima. Sem que haja necessidade de dizer-lhe, o leitor prontamente constatará que se trata de um livro inspirado.

Qual autor, de outro modo – sobretudo um que tenha sempre trabalhado com afinco para tornar simples e claros seus pensamentos – realizaria uma tarefa dessas em menos de dois meses?! Ele próprio nos confessou: "Na verdade eu pensava que teria de devotar dez anos da minha vida à redação dessa obra." Acrescente-se a isso sua idade atual – 80 anos – e o que estamos dizendo parecerá bem a descrição de um "trabalho de Hércules". Disse-nos Swamiji: "Meu único receio era não viver o bastante para vê-la terminada."

Foi em maio de 1950, quando ele tinha apenas 23 anos, que seu guru, Paramhansa Yogananda, convidou-o ao seu retiro a fim de prepararem juntos a edição de seus comentários sobre o Bhagavad Gita. Swamiji morava a uns sete quilômetros de distância, no retiro dos monges, e ocupava-se do "preparo" (sempre põe entre aspas o trabalho que então executou, o que reflete quão jovem era na época!) do estudo do Mestre sobre *O Rubaiyat* de Omar Khayyam. O Mestre o mantivera consigo durante os primeiros dias, ditando-lhe os comentários a respeito do Gita. Depois, pedira-lhe que continuasse a tarefa sozinho, enquanto ele se concentrava inteiramente nos comentários. Agora estava pronto para começar o trabalho com Swamiji (a quem, na época, chamava de "Walter") no preparo do novo manuscrito.

O Mestre havia dito a seus discípulos monges em janeiro daquele ano, quando levou "Walter" consigo para o deserto: "Orei à Mãe Divina e perguntei-Lhe quem eu deveria escolher para me ajudar na tarefa de preparar o livro. Tua face apareceu, Walter. Por isso estou te convocando."

Em maio, após completar o manuscrito, ele pediu ao jovem discípulo que viesse para ajudá-lo na revisão do livro. Durante dois meses, trabalharam juntos. No dia em que "Walter" chegou, seu guru exclamou com entusiasmo: "Uma nova escritura nasceu! Milhões de pessoas encontrarão Deus graças a ela. Sim, *milhões*, não milhares! Eu vi, eu sei!"

Na ocasião, ele disse a seu discípulo: "Tua tarefa neste mundo é ensinar, escrever e publicar." Mais tarde, acrescentou: "Divulgando minhas palavras, tu próprio crescerás espiritualmente." E acrescentou, como já lhe assegurara diversas vezes: "Tens um grande trabalho a fazer."

Parece claro, em retrospecto, que Yogananda sabia desde o começo que Kriyananda estava destinado a publicar seus comentários sobre o Gita. No entanto, a despeito das muitas indicações de que realmente o sabia, o Mestre não poderia dizê-lo por enquanto: outro editor, bem mais velho que "Walter", já estava encarregado da tarefa. Enquanto isso, Kriyananda tinha mais o que fazer. Foi encarregado, por seu guru, de cuidar dos monges. Escreveu cartas para o Mestre. Reorganizou a sua comunidade. Viajou muito, dando palestras. Ensinou. E orientou as atividades de inúmeros centros pelo mundo afora. Muitos anos se passariam ainda antes que se cumprissem as profecias do guru a respeito da obra de sua vida.

Yogananda percebeu sem dúvida que seus comentários sobre o Gita não viriam à luz naquele ano, conforme desejava. Sua pressa em vê-los imediatamente publicados deve ter sido motivada pela certeza de que isso deveria acontecer enquanto vivesse, do contrário a publicação se arrastaria por anos. De fato, só foram publicados em 1995 – 45 anos após terem sido terminados.

Durante esse tempo, todas as outras profecias do guru sobre Kriyananda foram cumpridas. A "grande obra" que o Mestre havia antevisto incluía a redação de 85 livros, a composição de quatrocentas peças musicais e a fundação de sete comunidades onde, hoje, cerca de mil pessoas vivem entregues a Deus. Além disso, ele tirou mais ou menos quinze mil fotografias, muitas das quais figuram nas obras que publicou.

Em 1990, após passar quarenta anos produzindo livros e músicas de cunho espiritual, fazendo palestras e ensinando milhares de pessoas no mundo todo, sentiu-se inspirado a publicar as palavras do seu mestre. Daí por diante, publicou livros como *The Essence of Self-Realization* (com dizeres do seu guru); *The Rubaiyat of Omar Khayyam Explained* (coletânea dos escritos de Yogananda sobre o assunto); *God Is for*

Everyone (edição revista do livro de Yogananda *The Science of Religion*) e uma última compilação das declarações do seu guru, *Conversations with Yogananda*.

Em 2003, Swamiji ouviu o apelo do seu guru para realizar uma nova obra na Índia. Ele vive hoje na terra natal do guru, tem um programa de televisão (pré-gravado) em duas emissoras nacionais, elaborou um curso por correspondência (*Material Success Through Yoga Principles*) e, além disso, escreveu vários livros. Mas sua principal ambição, por muitos anos, foi escrever este livro.

"Quando, finalmente, a primeira edição foi publicada em 1995", confessou-nos, "fiquei desapontado. Lembrava-me bem do material que meu Guru havia ditado para mim em 1950. Mas, agora, quanta diferença do original! O livro não tinha a beleza singela, a clareza de que me recordava. Por todo lado, deixava pistas das constantes e drásticas interferências. Eu queria depor a seus pés uma versão nova da obra que ele próprio realizou quando o conheci. Não tinha acesso ao original, mas felizmente fui abençoado com uma memória muito boa. Poderia eu, talvez, reconstituir de cabeça o que ele fez? Decerto não me lembraria das palavras textuais, mas espantava-me quanto do contexto pude reter. Quem sabe... quem sabe!? Bem, deveria ao menos tentar!"

E assim, em outubro de 2005, ele achou que havia chegado a hora de ao menos iniciar a obra sobre os comentários de Paramhansa Yogananda sobre o Gita, para a qual seu guru o havia treinado durante os meses de inverno e primavera de 1950 – 55 anos antes. O que começou como um "resumo" logo se transformou num estudo estrofe por estrofe. Percorreu por alto a versão publicada, porém mais como recurso mnemônico, já que as explicações muito minuciosas ali contidas não coincidiam com suas reminiscências. Preferiu sintonizar-se com a consciência de Yogananda, que estava muito além daquilo que lia.

Para nós, foi uma verdadeira bênção estar na Índia durante as primeiras semanas desse projeto, que ele finalmente empreendeu. Disse-nos então: "Os pensamentos do Mestre insinuaram-se sem dificuldade na minha mente, ajudando-me a encher página após página com idéias profundas e inspiradas."

Com um olhar radiante no rosto, Swami Kriyananda às vezes trabalhava até altas horas. Outras vezes, retomava o trabalho bem cedo, muito antes do amanhecer. Com silenciosa humildade e imensa alegria íntima, disse aos que o rodeavam: "Sinto-me tão abençoado enquanto escrevo que nem consigo pensar em outra coisa! Percebo a profunda satisfação que meu Guru tem com este trabalho."

Eis aqui, pois, o livro que é um tributo vivo a duas das maiores contribuições espirituais da Índia ao mundo: a sabedoria do Bhagavad Gita e a importância da relação guru–discípulo. Ao longo de toda uma existência de dedicação e sintonia com seu guru, Swami Kriyananda transmitiu – sentimos isso vivamente – a verdade e o poder vibrantes da explicação original que seu mestre deu sobre essa amada escritura. Yogananda orientou a vida e os pensamentos de seu discípulo por quase sessenta anos, capacitando-o com isso a cumprir a missão que lhe havia sido confiada há décadas.

Parece-nos que essa grande escritura, conhecida há eras simplesmente como o Bhagavad Gita (a "Canção do Senhor"), teve de esperar por nossa época, onde impera a consciência renovada de que matéria é energia e de que o ensino da religião deve basear-se tanto na revelação quanto no discernimento.

Como está dito no Bhagavad Gita (10:11), "Por pura compaixão, Eu, o Um Divino que reside em todas as coisas, acendi em seu coração a lâmpada fulgurante da sabedoria". Possa também o leitor encontrar a luz divina que mora dentro de si por meio dessa grande e nova revelação de uma escritura antiga, imemorial.

Jyotish e Devi Novak

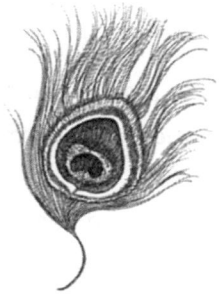

Nota explicativa

Os números dos capítulos deste livro não têm nenhuma relação especial com os dezoito capítulos do Bhagavad Gita. No texto que se segue, todas as referências a capítulos são aos capítulos do Gita, não aos 31 do presente comentário.

Explicações sobre a pronúncia e a grafia

As palavras sânscritas escritas com "*jn*", mas pronunciadas com um "*gy*" levemente nasal, são tratadas de maneira fonética neste livro. O que se segue é o excerto de uma conversa que mantive com meu Guru, Paramhansa Yogananda, em 1950. Percorríamos alguns dos seus escritos quando nos deparamos com o vocábulo *gyana* (sabedoria). "Jnana", observou ele, "é como os estudiosos geralmente o grafam. Não sei por quê. Não se pronuncia 'J-nana'. Mas de que outro modo você o pronunciaria se só o vê transliterado assim? Eis um exemplo simples do pedantismo acadêmico." *Gyana* seria mais correto, embora no sânscrito puro exista um som nasal que os estudiosos tentaram (futilmente) captar com seu *"jnana"*.

"Outra transliteração que os intelectuais preferem", prosseguiu meu Guru, "é o 'v' em lugar do 'b'. Não grafam 'Bibaswat', mas 'Vivaswat'; nem 'Byasa', mas "Vyasa"."

Na verdade, em muitas línguas, só há uma pequena diferença, quase imperceptível para estrangeiros, entre o "b" e o "v"; mas o som de "b", para o sânscrito, aproxima-se mais do correto.

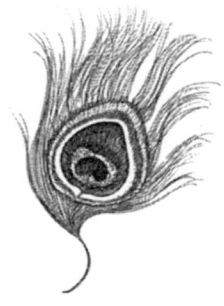

Prefácio

Por que este livro?

Este livro, que se segue à publicação de *God Talks With Arjuna* pela Self-Realization Fellowship (Yogoda Satsanga Society), foi escrito em resposta a uma necessidade publicamente expressa de uma versão mais simples e mais clara do tema.

A primeira versão só apareceu 45 anos após ser escrita. É exaustiva e abrangente. Mas como algo pode ser abrangente sem ser completo? Certos ensinamentos, e mesmo certas histórias importantes para mim no original, não se acham na primeira versão publicada.

Devo esclarecer que trabalhei pessoalmente com Paramhansa Yogananda enquanto ele redigia a maior parte desta obra. Ele disse aos monges em 1950, antes de retirar-se para o deserto a fim de encetar a missão: "Perguntei à Mãe Divina quem eu deveria escolher para me ajudar na tarefa de preparar o livro – e tua face, Walter [era assim que me chamava], apareceu. Para certificar-me, consultei-A mais duas vezes e mais duas vezes tua face apareceu. Por isso estou te convocando."

Li o manuscrito original e nele trabalhamos juntos (embora não muito a fundo). A cópia que usei e existe ainda nos arquivos da SRF contém minhas anotações. Estava eu então no início da casa dos 20 anos e não tinha a necessária experiência como editor. Agora que estou beirando os 80 anos, creio haver amadurecido nessa função – sobretudo pelos 85 livros que (espero) tenho a meu crédito.

O que ele ditava era fluente, fácil de entender e belo. Lembro-me de ter exclamado na ocasião: "Senhor, esta é a melhor coisa que jamais li!" Por muitos anos (desde 1995, ano da publicação pela SRF), foi meu mais profundo desejo apresentar uma versão que se aproximasse o máximo possível do original. Mas a esse original não tenho acesso.

Felizmente, minha memória é excepcionalmente lúcida e a ela recorri para escrever outros livros, dos quais o mais recente é *Conversations with Yogananda*. Também andei ensinando essas verdades por perto de sessenta anos, como discípulo devoto do meu Guru, e trago os ensinamentos, por assim dizer, "na algibeira". Embora precisasse, é claro, me referir a seu livro, só o fiz de passagem. Este não é, de modo algum, uma paráfrase ou cópia dele.

O que a presente obra representa é meu sincero empenho em reproduzir o livro que li há 55 anos e amei de todo o meu coração. Era um grande livro. Procurei retomá-lo de um modo que, penso eu (e sinceramente espero), possa ser agradável a meu Guru, com ao menos um pouco do impacto do original. Suas idéias são as mais surpreendentes, impressionantes e úteis de que já tive notícia sobre o Bhagavad Gita.

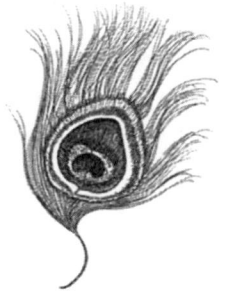

Introdução

Estas páginas contêm uma exposição dos significados ocultos no Bhagavad Gita tais como foram explicados por meu grande Guru, Paramhansa Yogananda, e (antes dele) por toda uma linhagem de mestres.

O leitor, hoje, se vê diante de um amontoado quase assustador de traduções do Bhagavad Gita e comentários sobre uma escritura que, pelo fato mesmo de ser universal, convida cada pessoa a considerá-la nos termos de sua visão peculiar da verdade. Quem é ativo por natureza encontra no Gita orientação sobre como se comportar sabiamente para livrar-se do apego emocional ao mundo. Quem é por natureza racional extrai dele lições supremas a respeito das atitudes impessoais necessárias para viver com sábio e calmo desprendimento. As pessoas devotas retiram do Gita inspiração para amar unicamente a Deus. Enfim, aqueles que buscam Deus por meio de uma meditação serena colhem dessa escritura profundos ensinamentos sobre as atitudes corretas ao meditar.

A verdade é uma só. As pessoas tentam fatiá-la como um bolo, mas até as fatias de um bolo convergem para um centro único. O Gita mostra que, por mais aspectos que a verdade exiba, todos se irradiam desse centro.

Yogananda enfatizava em seus escritos, especialmente nos comentários sobre o Bhagavad Gita, que o homem é uma tríplice entidade: física, mental e espiritual. Todas as partes da natureza humana precisam ser desenvolvidas, para que uma não obstrua as outras.

Meu Guru observou certa vez, com relação às abordagens unilaterais ao Bhagavad Gita (e há muitas): "Mesmo Swami Shankara, por mais profundos que fossem seus comentários, negou a importância da realidade física. Ele valorizou demais o lado espiritual em seus escritos. Estava certo ao dizer que tudo é aparência; mas convém acrescentar que, *neste mundo de* aparências, *maya* tem sua própria realidade. Sim, tudo é sonho – mas mesmo os sonhos, *como sonhos*, são reais."

O Bhagavad Gita examina cada aspecto importante do caminho espiritual: na atividade, *Karma-Yoga* (o yoga da reta ação); na reflexão e no discernimento, *Gyana-Yoga* (o yoga da sabedoria e da lucidez); no sentir e vivenciar emoções, *Bhakti-Yoga* (o yoga da devoção). Há, porém, um ensinamento fundamental no Bhagavad Gita que junta todos os caminhos como os regatos se juntam num rio caudaloso.

"Esse rio", dizia Yogananda, "é a energia que flui pela espinha dorsal. As vertentes do yoga oferecem orientação a pessoas de diferentes temperamentos básicos: o ativo, o lúcido, o 'emotivo'. O rio largo que conduz à iluminação, contudo, é revelado pelo *Raja-Yoga*, o yoga real: o caminho da espinha dorsal."

"O Raja-Yoga", prosseguia ele, "conduz-nos diretamente, pelo caminho central da espinha, ao silêncio interior da comunhão divina. Enfim, é o ensinamento desse yoga que faz do Bhagavad Gita, verdadeiramente, uma escritura para toda a humanidade. Por isso Krishna conclama no Gita: 'Ó Arjuna, sê um yogue!'."

INTRODUÇÃO

Uma das coisas que diferencia os comentários de Paramhansa Yogananda dos demais é a sua abrangência. Ele próprio me disse, após terminar de escrevê-los: "Agora sei por que meu Guru aconselhou-me a não ler outros comentários sobre o Bhagavad Gita. Não queria que minha mente fosse influenciada por opiniões humanas. Queria, isto sim – e foi o que fiz –, que eu me sintonizasse com Beda Byasa, o autor do Gita. Foi o próprio Beda quem escreveu essa grande obra pela minha mão."

Anos depois, vim a entender mais claramente como esse grande sábio, que viveu há milhares de anos, conseguiu cruzar a voragem do tempo que separa sua época da nossa. Eu sabia, já então, que meu Guru não havia burilado uma simples imagem poética, como a dizer que ele apenas havia honrado o *espírito* de Beda Byasa. Não: o que ele fez foi sintonizar a consciência sempre viva daquele sábio inigualável.

Tudo isso eu podia aceitar sem grande dificuldade. Mas uma pergunta me atormentava: teria Byasa, literalmente, ditado o comentário a Yogananda? Ou a comunicação ocorreu por outros meios?

A comunicação supraconsciente nunca se confina à mera expressão verbal; existem tantas intuições profundas que jamais caberiam em palavras. Em *Autobiography of a Yogi*, Yogananda nos conta que seu grande guru, Swami Sri Yukteswar, apareceu-lhe após a morte. Na ocasião, o guru descreveu-lhe diversos aspectos dos universos astral e causal. No Capítulo 43 daquele livro: "A Ressurreição de Sri Yukteswar", Yogananda recorda: "Minha mente estava em tão perfeita harmonia com a do meu guru que ele se comunicava comigo em parte pela fala e em parte pela transmissão do pensamento. A recepção das suas idéias sucintas era, pois, rápida."

Os mestres dispõem de meios diretos com que se comunicar intimamente uns com os outros. Presenciei o efeito dessa comunicação, há muitos anos, em Sydney, Austrália. Eu tinha acabado de publicar minha edição de *The Rubaiyat of Omar Khayyam Explained*, de Paramhansa Yogananda. A Sociedade Teosófica de Sydney havia me convidado para falar sobre esse livro a seus membros. Após a palestra, um ouvinte ergueu a mão e indagou qual era a interpretação que meu Guru dava a respeito de uma determinada estrofe.

"A meu ver", disse ele, "o que Yogananda escreve aqui não se relaciona claramente às palavras da estrofe."

"Compreendo o seu problema", repliquei, "pois também estive às voltas com ele ao preparar a edição do livro. Contudo, meditando bastante sobre a estrofe e a explicação que meu Guru lhe deu, pude perceber a conexão, por mais obscura que havia me parecido a princípio."

Nisso, uma senhora da platéia também levantou a mão e declarou: "Sou do Irã e conheço bem o persa antigo. Sei de cor a estrofe a que o cavalheiro se referiu. O problema é que ele está tentando cotejar a *tradução* de Edward FitzGerald com o comentário de Paramhansa Yogananda. A conexão é vaga, concordo. Mas, comparando o comentário com o original persa, descobri que as palavras de Omar Khayyam e as de Paramhansa Yogananda condizem à perfeição."

Como eu já disse, a comunicação supraconsciente quase nunca é verbal; e, quando é, nunca o é inteiramente. Faz-se de maneira instantânea, transmitindo intuições profundas e diretas que jamais poderiam ser expressas apenas por palavras. As mentes comuns são cerceadas pelo intelecto, que costuma ponderar os prós e os contras em todas as questões. Muitas pessoas acham difícil entender esse nível superior de comunicação. Eis uma dúvida natural para elas: "Se as palavras de Yogananda foram inspiradas pela supraconsciência, por que precisaram ser revisadas?" A resposta é simples: trata-se de dois níveis muitíssimo diferentes de comunicação. A comunicação por palavras é lenta e pesada, especialmente quando tentamos ser claros e precisos. As palavras, além disso, abrem amplo espaço às interpretações equivocadas.

Eu próprio estou bastante familiarizado com o processo literário, pois passei mais de setenta anos tentando aperfeiçoar minha capacidade de expressão em forma verbal. Vem-me à mente o poema de Coleridge,

"Kubla Khan" – um *tour de force* de grande beleza do qual, quando jovem, decorei inúmeras passagens. Mas esse poema, em que pese o seu ritmo e metáforas maravilhosas, na verdade não comunica nenhuma mensagem! É um belo exemplo de falsa inspiração, como que induzida por drogas. De minha parte, sempre procurei escrever tendo em mira o conteúdo. De um modo geral achava, a despeito dos meus esforços mais conspícuos, que mesmo quando o texto fluía quase por si mesmo, o trabalho ainda precisava de revisão. Tive de fazer correções em todos os livros que escrevi, embora às vezes poucas. Corrigir é como instalar encanamentos: ajustar palavras, frases e períodos de modo a permitir que as idéias fluam livremente.

Trazer verdades espirituais para o plano material é o mesmo que baixar uma nuvem diáfana para onde seu vapor se torne um oceano irrequieto e batido pelos ventos. O próprio processo de transferência dificulta o processo de criatividade. Quando o fluxo criativo é vigoroso, não se pode atentar preferencialmente para o aprimoramento do modo exterior de expressão. Entendo bem por que os grandes mestres quase nunca burilam suas frases com o cuidado exigido por um estilista meticuloso e elegante. Cabe a seus discípulos – se houver algum dotado da necessária competência – "juntar as peças". De fato, como meu Guru me confidenciou, essa seria a maneira pela qual eu próprio cresceria espiritualmente.

Deus criou o universo de maneira semelhante, manifestando Sua consciência por meio de camadas de idéias, energia e níveis sutis de matéria que foram se adensando em minerais grosseiros.

Antes de ditar, Paramhansa Yogananda erguia as pupilas para o olho espiritual em sua fronte. Depois, em ritmo cadenciado a fim de dar à sua secretária, Dorothy Taylor, tempo para datilografar o que ouvia, falava à medida que as instruções lhe brotavam do íntimo. Raras vezes o vi baixar desse elevado nível divino para tecer comentários – ou, de vez em quando, comparar o que estava dizendo com a interpretação de

Swami Pranabananda, um discípulo livre de Lahiri Mahasaya. Penso que o livro desse swamiji servia-lhe para averiguar se algum detalhe importante não estava sendo omitido naquilo que fluía através dele.

Ao ver seu trabalho terminado, ele exclamou repetidamente, com alegria arrebatadora e êxtase: "Uma nova escritura nasceu!"

"Milhões", acrescentou, "encontrarão Deus graças a ela. Sim, *milhões*, não milhares! Eu *vi*, eu *sei*!"

Tive o privilégio de ler o manuscrito e ajudar meu Guru durante o processo de revisão, no qual ele próprio se empenhou a fundo. Ao contrário de muitas obras filosóficas, este livro era, conforme declarei em minha autobiografia, *O Caminho*, "fresco e vivo, cada página um regato borbulhante de idéias originais. Graças ao toque seguro de um mestre consumado, verdades profundas se iluminavam aqui e ali com vestígios de gracioso humor ou histórias encantadoras e instrutivas, sempre enriquecidas com breves pinceladas de informação nova e às vezes surpreendente. ... Melhor que tudo, as verdades expressas no livro eram sempre ilustradas ... por uma seqüência de imagens".

Nas palavras do meu Guru: "Este livro veio inteiramente de Deus. Não é filosofia (o simples *amor* à sabedoria): *é* sabedoria."

De novo ele exclamou, com um sorriso beatífico: "Uma nova escritura nasceu!"

Capítulo 1

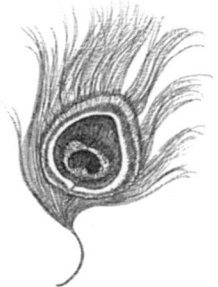

O que é o Bhagavad Gita?

Bhagavad Gita significa "A Canção do Senhor". E é mesmo uma canção: obra de arte ao mesmo tempo que afirmação da verdade. Com efeito, eu a chamaria de escritura perfeita. Declaro isso como ocidental criado na tradição cristã e agora crente devoto no *Sanaatan Dharma*.

O "Gita", conforme o chamam afetuosamente na Índia, é a mais conhecida e amada escritura desse país. Texto conciso, profundo, poético e dos mais inspiradores, foi com muita propriedade classificado como "A Bíblia Hindu" por ser a palavra definitiva da antiga religião do país mais antigo do mundo.

As verdades do Bhagavad Gita são ensinadas com extraordinária clareza. Mas, fato interessante, devido a essa própria clareza elas abrem amplo espaço à reflexão. Daí o valor dos comentários, de que existe grande número. Há, no Gita, níveis de significação para os quais ele mesmo é uma alegoria. Baseio o conteúdo destas páginas nos comentários feitos por meu grande Guru, Paramhansa Yogananda. Visitei-o em 1950, como mencionei na Introdução, em seu retiro de Twenty-Nine Palms, Califórnia, enquanto ele ditava a maior parte da obra.

Paramhansa Yogananda iniciou a redação declarando que o Bhagavad Gita é a quintessência dos antigos ensinamentos da Índia, dos quais o mais venerável e completo são os volumosos *Vedas*. Entender os *Vedas* não é fácil. Conforme explicou Swami Bharati Krishna Tirtha, o Shankaracharya de Gowardhan Math em Puri, o significado de muitas de suas palavras se alterou ao longo dos séculos desde sua concepção (devendo-se acrescentar que só foram lançados por escrito em idade tardia, quando as pessoas já não os conseguiam recitar de memória. A invenção da escrita não é indício de progresso da civilização e sim de decadência da acuidade humana, que obrigou a registrar pensamentos em letras).

Bharati Krishna Tirtha explica que inúmeras palavras de conteúdo profundo adquiriram, com o tempo, significados mais superficiais. As palavras mudam, é claro. Por exemplo, *knave* ("patife") significava simplesmente "rapaz", não "mau rapaz". Esse termo, com efeito, vem do alemão *knabe*, com a acepção de "menino". De igual modo a palavra *go*, no antigo sânscrito, queria dizer "luz" e não "vaca" como agora. Os estudiosos ocidentais, diante de vocábulos como esses, confundiram o significado profundo dos *Vedas*.

Somente pessoas com profunda compreensão espiritual conseguem penetrar a essência desses escritos antigos. A casta brahmin, que se supõe muito versada (o que nem sempre é o caso) nas escrituras, geralmente proclama seu tradicional conhecimento nesse campo com nomes que aludem a seus supostos graus na escala da cultura védica: *Chatturveda* (quatro Vedas), *Trivedi* (três Vedas) ou *Dubey* (dois Vedas).

Os *Upanishades* são um resumo dos *Vedas*. E mesmo eles parecem obscuros às mentes modernas.

A quintessência dos *Upanishades*, por sua vez, encontra-se no Bhagavad Gita. A glória atemporal do Sanaatan Dharma, "A Religião Eterna", nome antigo e verdadeiro do que hoje conhecemos por hinduísmo, foi, de maneira sucinta e atraente, apregoada nessa obra-prima que resiste ao tempo.

Capítulo 2

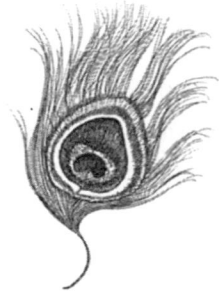

O que é Sanaatan Dharma?

O Sanaatan Dharma compreende as verdades atemporais que estão enraizadas na eternidade. Elas antecedem a formação do mundo e não se confinam a nenhuma religião terrena. O Sanaatan Dharma engloba, de fato, toda a existência manifesta. Na Índia, assume uma forma diferente de quaisquer outras religiões porque não foi difundido por nenhum mestre e expressa a substância da sabedoria revelada em tempos remotos.

Os cristãos se julgam de posse da única revelação divina, a que chamam Bíblia Sagrada. Essa crença trai um entendimento equivocado da própria palavra "revelação". A Bíblia, mera *declaração* da verdade, não logra transmitir a *experiência* da verdade, que é o significado autêntico de *revelação*.

A sabedoria não se contradiz. Todos os grandes mestres alcançam a mesma visão da verdade: una e eterna, a que damos o nome de Deus.

A visão divina transcende diferenças sectárias; ela é a contemplação direta da verdade atemporal, que forma a base do Sanaatan Dharma. Essa verdade lembra ao homem quem e o que ele é: uma alma divina, indestrutível. O verdadeiro propósito da escritura reside, pois, em mostrar ao homem como encontrar a liberdade eterna em Deus.

Jesus Cristo disse a todos os que buscam a verdade: "Portanto, sede vós perfeitos como perfeito é o vosso Pai celeste." (Mateus, 5:48) A perfeição é o objetivo de toda religião verdadeira. A perfeição é um estado de existência, não de simples crença. O Bhagavad Gita, dessa perspectiva, é uma escritura revelada que, no entanto, enfatiza a necessidade da *revelação íntima*, sem a qual nenhuma palavra explicará a verdade. Os grandes mestres de todas as religiões, tendo conhecido Deus (o Ser Supremo) diretamente, enfatizaram repetidas vezes, em todas as línguas, que o Espírito Supremo é a essência de tudo o que existe.

Muitos mestres autênticos explicaram que há inúmeros caminhos para se alcançar o divino. De fato, pode-se dizer que há tantos caminhos quantos seres humanos neste mundo. Cada qual tem de iniciar sua busca da iluminação segundo seu próprio entendimento. Esse entendimento, por sua vez, depende das características humanas da pessoa, que o Bhagavad Gita descreve: devoção, ação reta, meditação e sabedoria (ou discernimento). Os nomes das grandes religiões do mundo – cujas principais são o budismo, o cristianismo, o hinduísmo, o judaísmo e o islamismo – podem suscitar equívocos quando não parecem expressar as "necessidades" espirituais de sua época. A verdade precisa ser exposta de acordo com a compreensão das pessoas a quem é ensinada.

Buda surgiu num tempo em que os homens passaram a depender dos rituais védicos de tal maneira que esperavam favores divinos repetindo cerimoniais e fórmulas orais sem fazer nenhum esforço em prol da purificação pessoal e da autotransformação. Sua crença não passava de superstição. Buda não se insurgiu contra os *Vedas* em si: insurgiu-se contra aqueles que dependiam excessivamente das práticas exteriores ali preceituadas.

Jesus Cristo veio ao mundo quando os judeus pensavam que apenas pela obediência a regras religiosas – de novo, sem autopurificação – agradariam a Deus.

Maomé apresentou-se a um povo mergulhado na idolatria supersticiosa – povo que, também ele, não via necessidade de autopurificação.

Dentro do próprio hinduísmo, grandes mestres assumiram sucessivamente a missão de corrigir equívocos e distorções das verdades sutis do Sanaatan Dharma. Swami Shankaracharya surgiu para sanar o erro, disseminado entre os budistas da época, de que Deus não existe. Deus existe, declarou ele, mas sem forma eterna. Deus é *Satchidananda* – uma Bênção (é assim que Paramhansa Yogananda traduz o termo) sempre existente, sempre consciente e sempre nova.

Em cada religião há, digamos, uma "atitude": valiosa para uns, insignificante para outros. Há o melancólico anseio de eternidade do canto gregoriano; a solicitude pura e singela do budismo; a devoção jubilosa e vibrante, mas intensamente pessoal, dos cânticos hindus e o compromisso judaico de viver em harmonia com as leis de Deus. Vemos também, no Islã, uma submissão heróica à vontade divina. Tudo isso, de certa maneira, se inclui naquilo que Yogananda chamou de "romance" da religião: o espírito vigoroso que induz os devotos a viver as verdades divinas sem necessariamente saber que verdades são essas.

Os caminhos para Deus variam amplamente segundo a natureza das pessoas e só superficialmente segundo suas diversas crenças religiosas. Assim, cristãos e budistas inclinados à devoção dirigem essa devoção de modo diferente, embora o fluxo de energia que ascende do coração seja o mesmo. As pessoas de natureza ativa e prestimosa podem servir em nome de Jesus Cristo, Buda ou outro grande mestre, mas o princípio de serviço é o mesmo, não se concentrando no eu insignificante de quem quer que seja. Quem tem natureza propensa ao discernimento desenvolve a serenidade e se livra das paixões conforme seu sistema religioso; mas, em qualquer caso, a sabedoria na atitude assumida é a de aniquilar as paixões e buscar a serenidade.

Em todos os casos, pessoas devotas de diferentes religiões assemelham-se mais umas às outras do que aos membros de sua própria crença que seguem os caminhos díspares do serviço ou do discernimento. Os monges cristãos sentem maior afinidade natural com os monges budistas ou hindus do que com seus colegas de mosteiro. As preces e a música, a dedicação ao próximo e as atitudes calmas da sabedoria desapaixonada cruzam a barreira aparente das diversas crenças religiosas, dentro de cada grupo, com mais facilidade do que as diferenças entre correligionários.

Um aspecto verdadeiramente impressionante do Bhagavad Gita é sua universalidade. Quaisquer que sejam as necessidades de um dado povo ou época, essa grande escritura fala a todos do patamar mais elevado.

No hinduísmo, como um todo, nenhum aspecto da verdade é rejeitado. Os ensinamentos hindus enfatizam o modo universal da vida que almeja a suprema realização espiritual. Esses ensinamentos se preocupam muito mais com a prática do que com a crença, descrevendo a luta de cada ego em sua longa ascensão da ignorância para a luz da auto-realização*.

Portanto, o ensinamento do Gita não é especificamente hindu: é todo-abrangente. Ele não apenas se mostra isento de quaisquer laivos de sectarismo como revela às pessoas que até suas experiências mundanas poderão, ao fim, ajudá-las espiritualmente – talvez ao cabo de inúmeras

---

*   A palavra "auto-realização", tradução de self-realization (termo com o qual Paramhansa Yogananda designava em inglês a libertação absoluta ou moksha), não se refere à realização das vontades e desejos individuais, nem mesmo à realização ou atualização de todas as potencialidades humanas, mesmo as mais elevadas; designa, isto sim, a gnose (jnana) atual e plena da identidade absoluta entre a alma individual, jivatma, e o Si Mesmo ou "Eu" universal, paramatma. Portanto, não é um estado psicológico, mas um conhecimento que impregna definitivamente todo o ser e que, segundo a tradição hindu, pode ser obtido inclusive por animais e seres inanimados. Em outros livros publicados pela Editora Pensamento, o mesmo conceito foi traduzido pela expressão "realização do Si Mesmo".

vidas –, tecendo os fios da variada experiência humana na vasta tapeçaria que compreende a história da jornada de cada alma rumo à perfeição definitiva em Deus.

É que essa jornada enfrenta inúmeras voltas e desvios. Só uma coisa pode apontar o rumo certo: a estrela-guia da divindade que existe em cada um de nós. O Bhagavad Gita nos orienta nessa direção universalmente verdadeira.

CAPÍTULO 3

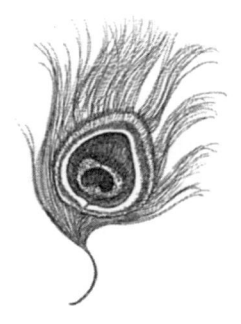

A alegoria do Gita

A história em que o Bhagavad Gita se baseia é um curto episódio da mais volumosa epopéia do mundo, o *Mahabharata*. O Gita põe em cena duas personagens de destaque dessa epopéia, Arjuna e Krishna, que transitam entre dois grandes exércitos alinhados para a batalha no campo de *Kurukshetra*.

Arjuna simboliza o devoto – a pessoa que busca a salvação divina e a união com Deus. Krishna simboliza o próprio Deus, o Eu Divino em cada ser humano. Assim, nos ensinamentos hindus, auto-realização aparece como o verdadeiro objetivo de toda luta espiritual, independentemente da religião. Os dois conceitos, auto-realização e conhecimento de Deus, são sinônimos.

Na história do *Mahabharata*, Arjuna convida Krishna para ser seu cocheiro. O Bhagavad Gita é o relato do diálogo que ocorre enquanto Krishna conduz Arjuna, no carro de guerra, para o espaço entre os dois exércitos, atendendo ao pedido de Arjuna, que queria observar de perto as duas forças em confronto.

Arjuna, seus irmãos, os Pandavas, e todas as tropas que o seguem simbolizam os paladinos da virtude. Os inimigos são os Kauravas, primos dos Pandavas, liderados por Duryodhana, que havia usurpado o trono. O confronto é, como dissemos, alegórico – fato atestado, entre outras coisas, pelo próprio pedido de Arjuna. Ele é o comandante supremo do seu exército. Iria um general pedir algo aparentemente tão tolo como ser conduzido para o espaço entre dois exércitos encarniçados, ao alcance do inimigo e quase no início da batalha? Seguramente, em termos práticos, esse pedido era absurdo!

Enquanto Arjuna e Krishna transitam entre os dois exércitos, o primeiro fala das suas dúvidas quanto à justiça da guerra prestes a eclodir. "Seria trucidar meus próprios parentes!", exclama ele. "Como posso cometer semelhante pecado?" Krishna replica a essa dúvida muito razoável descartando-a. Em seguida, põe-se a expor a essência dos ensinamentos do próprio Sanaatan Dharma.

Obviamente, esse relato é alegórico. Os exércitos representam a oposição, no íntimo de todo ser humano iluminado, entre suas tendências superiores e inferiores. As superiores são suas qualidades boas; as inferiores, as que o induzem a buscar o engano ou o mal. A guerra de Kurukshetra não ocorre literalmente num campo de batalha qualquer, embora as campinas de Kurukshetra ainda possam ser percorridas na Índia. Esse local histórico e o relato que nasceu da guerra simbolizam o eterno conflito no interior do homem.

Ao mesmo tempo, as verdades propostas no Gita aplicam-se a todos os níveis da vida: material, mental, emocional e espiritual.

Paramhansa Yogananda insiste em que toda grande escritura tem vários níveis, abordando as necessidades humanas, em cada um deles, do ponto de vista da sabedoria divina. Assim, as lições de Krishna são verdadeiras também no sentido literal, já que salientam a necessidade da coragem numa luta justa. Pois causas justas evidentemente existem.

Mas Krishna transforma uma causa exterior justa em descrição do eterno conflito, dentro de todos os homens, entre inspiração elevada e auto-indulgência. Num sentido profundo, a guerra de Kurukshetra é a peleja infindável que se trava na mente entre o bem e o mal. Seu objetivo consiste na libertação definitiva. O próprio Krishna explicita a natureza alegórica do seu diálogo atemporal com Arjuna. Num capítulo posterior do Gita, diz ele: "*Este corpo é o campo de batalha.*"

Arjuna, vendo o inimigo de perto, encara o fato assustador de que muitos daqueles a quem irá enfrentar são membros de sua família! Afinal, os Pandavas cresceram juntos com seus primos, os Kauravas. Estudaram com o mesmo mestre, Dronacharya. Quando criança, brincaram e brigaram uns com os outros, como quaisquer garotos em toda parte. Os laços que formaram, embora nem todos amigáveis, eram ainda assim profundos e fortes.

O primeiro capítulo do Gita não é, como supuseram muitos estudiosos, mera descrição dos principais guerreiros de ambos os lados de um conflito prestes a eclodir. Esses guerreiros são as forças que existem dentro da própria natureza humana. Até seus nomes, aproximados das raízes sânscritas, tornam-se nomes de qualidades psicológicas.

Os que se opõem a Arjuna são, pois, seus primos muito conhecidos e mesmo amados. O *Mahabharata* relata toda a história dessa guerra iminente, explicando como os desejos materiais e a ambição do primo mais velho de Arjuna, Duryodhana, chefe dos Kauravas, forçaram o desentendimento recusando aos Pandavas o trono a que tinham direito. Agora Arjuna, vendo as duas famílias aparentadas prestes a engalfinhar-se para mútua destruição, lamenta ter de lutar. "Decerto", diz a Krishna, "seria um pecado matar gente do meu próprio sangue! Não deveria antes, por justiça, renunciar de vez ao trono?"

Mas essa guerra não é um simples conflito de ambições. Vem descrita, no *Mahabharata*, como uma disputa necessária entre o bem e o mal. Caso Duryodhana, o usurpador, permaneça rei, o povo sofrerá sob seu domínio ilegítimo. A guerra de Kurukshetra, que deverá começar no dia seguinte, oporá princípios elevados à ambição orgulhosa, aspirações da alma a qualidades que, na natureza humana, mantêm o ego submisso à ilusão.

Krishna conforta Arjuna em sua tristeza. A própria morte, assegura ele, seria preferível a uma vida de injustiça. Aqui, não estão em jogo unicamente a vida física ou a morte. Em confronto, acham-se a vida espiritual e o abandono das qualidades que levam à bênção da alma. A morte do corpo, lembra Krishna, não é nada: um simples despir de vestes. Não afeta a consciência da pessoa, que continua a existir na eternidade. Repelir os princípios espirituais, contudo, significa acatar a morte espiritual. "Luta!", aconselha Krishna a seu discípulo. A guerra não é um combate mortal, físico, mas um esforço íntimo em prol da vitória dos princípios da alma sobre a indolência do espírito e o conforto material. Eis a primeira e mais importante mensagem do Bhagavad Gita.

Krishna prossegue explicando que existem inúmeros caminhos para Deus, segundo, não as crenças das pessoas, mas seus temperamentos. Ele descreve as atitudes corretas para o devoto, as muitas ilusões que o impedem de encontrar Deus e a maneira de superá-las. Num soberbo capítulo, delineia-se sob forma altamente metafórica a experiência suprema do divino.

Embora a batalha encenada seja alegórica, o conselho dado nessa escritura pode ser útil para todos os níveis da existência, inclusive a guerra justa. Uma escritura verdadeira, assegura-nos Paramhansa Yogananda, contempla em sua inteireza as necessidades humanas.

Os fatos narrados no *Mahabharata* têm também, com efeito, caráter histórico e, embora muitas de suas personagens sejam fictícias, outras viveram de fato na Terra. Hoje, na ficção histórica, é comum incluir figuras reais conhecidas a fim de dar autenticidade ao relato. Byasa (ou Vyasa), o autor do *Mahabharata*, afastou-se dessa técnica principalmente ao transformar suas personagens principais em personagens históricas, enquanto as de segundo plano se prestavam a simbolizar o vasto conjunto de aspectos da natureza humana. As personagens principais viveram, como dissemos, historicamente, inclusive os irmãos Pandavas (Yudhisthira, Bhima, Arjuna, Nakula e Sahadeva), alguns dos Kauravas e umas poucas mais. Os demais personagens Byasa inventou, adequando episódios da vida deles à alegoria que estava tecendo como um tapete.

O tema que anima esse grande épico é a primeira separação da alma, há incontáveis éons, de Deus: a longa viagem da alma pela terra devoluta da ilusão e seu regresso final, após inúmeras provas e tribulações, à Grande Fonte de toda vida. Essa é a história pela qual toda alma deverá passar quando toma o caminho exterior da existência e, ao mesmo tempo, opta por seguir o caminho interior do divino despertar.

A guerra de Kurukshetra descreve a luta final da alma para desvencilhar-se dos grilhões de *maya*, ou ilusão. A guerra em si, embora seja também um evento histórico, ilustra o combate que todo aspirante espiritual, cedo ou tarde, terá de enfrentar.

Capítulo 4

Alegoria na Escritura

A mescla de fato e ficção para fins alegóricos é comum nas escrituras. Sugere a mescla que existe também na vida: o aspecto onírico da existência na Terra associado às verdades profundas da alma. Vemos um exemplo desse recurso literário no livro do *Êxodo*, da Bíblia, quando os judeus escapam a anos de cativeiro no Egito. Essa fuga é um fato histórico. No *Êxodo*, porém, os detalhes do episódio foram elaborados em forma de alegoria. O *Êxodo* relata, por exemplo, que o povo judeu vagou durante quarenta anos pelo deserto do Sinai. Sem dúvida, não poderia de modo algum gastar tanto tempo em sua busca. Um simples olhar ao mapa da área mostra que o deserto é pequeno demais para uma jornada tão longa – a menos, é claro, que aquela gente toda estivesse envolta nas brumas da ilusão. Acreditar que os judeus precisaram de quarenta anos para cruzá-lo exige vôos excessivamente ousados de imaginação! Demarcou-se assim o tempo, deliberadamente, a fim de sugerir um significado mais profundo por trás da busca da Terra Prometida.

Deserto, nos escritos espirituais, é um termo muitas vezes usado alegoricamente para figurar o silêncio interior que se goza graças à comunhão com a alma. Nesse silêncio, as flores refinadas dos prazeres dos sentidos jamais desabrocham. A marcha de quarenta anos pelas areias do Sinai representa a longa busca da iluminação espiritual.

No *Êxodo*, todos quantos haviam nascido em cativeiro teriam de morrer antes que a nova geração entrasse na Terra Prometida. O significado, aqui, é que toda característica manifestada sob o "jugo" da consciência egóica precisa ser transcendida. Somente as qualidades da alma, aprimoradas graças à expansão da comunhão divina, estão aptas a entrar no Reino Eterno. A Terra Prometida descrita na Bíblia é a união com Deus: o país da consciência cósmica.

As qualidades ilusórias, nascidas da consciência egóica, enraízam-se na consciência da separação de Deus. O ego não é o Eu verdadeiro. Todos fomos feitos à imagem e semelhança de Deus. A Bíblia, no primeiro capítulo do Evangelho de São João, diz-nos que somos Seus filhos. Se nos considerarmos diferentes d'Ele, teremos de transcender essa visão de nós mesmos antes de, como almas puras, penetrar no reino divino. Qualidades do ego como egoísmo, ódio, paixão, inveja, ambição pessoal, cobiça, ciúme e cólera são pesos que impedem o balão do discernimento de voar para os céus do Espírito. Por isso São João nos diz também: "Nenhum homem jamais viu Deus." Em outras palavras, por meio da consciência humana, do ego, nunca poderá o Divino ser percebido. A verdade divina está muito acima das realidades humanas. E a Bíblia prossegue: "Porque os meus pensamentos não são os vossos pensamentos, nem os vossos caminhos são os meus, diz o Senhor." (Isaías, 55:8)

A Terra Prometida é o prêmio final daqueles que buscam Deus honestamente. O *Êxodo* contém um vislumbre esotérico que reforça essa verdade. A Terra Prometida é "uma terra donde emana leite e mel". Diz a Bíblia: "Disse ainda o Senhor: Certamente, vi a aflição do meu povo, que está no Egito ... por isso desci a fim de livrá-lo ... e para fazê-lo subir daquela terra a uma terra boa e ampla, terra que mana leite e mel." (Êxodo, 3:7,8)

De fato, alguns aspectos do caminho espiritual são mais sutis que o conhecimento vulgar – a saber, mais sutis que tudo quanto uma pessoa carente de experiência pessoal das realidades interiores pode compreender. Esses aspectos, porém, são familiares aos yogues e outros que meditam demoradamente. Temos aí verdades vislumbradas tanto na Bíblia quanto no Bhagavad Gita.

Consideremos, de passagem, esse relato específico da Bíblia. Em estado de êxtase profundo, sucede às vezes que a língua se volte automaticamente para cima, na direção do cérebro. Na ponta da língua há um magnetismo positivo que, quando unido a seu complemento negativo na cavidade nasal, provoca um "curto-circuito", por assim dizer, no fluxo de energia do corpo e conserva-o no cérebro. Graças a essa junção física forma-se uma espécie de "néctar", descrito pelos yogues como a contrapartida interior da união sexual exterior. As escrituras hindus afirmam que esse néctar tem o gosto de uma mistura de manteiga clarificada, ou *ghee* – o leite em sua forma mais pura –, com mel. Os Vedas hindus dão-lhe o nome de *soma*. Uma escritura inteira foi chamada de *Soma Veda*. Esse néctar pode sustentar o corpo por longos períodos de tempo enquanto a alma permanece imersa no êxtase, conhecido nos ensinamentos do yoga como *samadhi*.

A Terra Prometida não é, pois, um mero local terreno. Israel simboliza a verdadeira pátria da alma: a consciência cósmica.

Ressalve-se aqui que os judeus não eram, como raça, o povo eleito de Deus. Com efeito, havia e sempre houve os bons e maus judeus: a mesma mistura de santos e pecadores que se encontra em toda parte. Os judeus, nessa história, simbolizam os que aspiram sinceramente, em qualquer país e religião, a romper as cadeias dos sentidos e fundar dentro de si o Reino de Deus. Como costuma repetir Paramhansa Yogananda: "Deus escolhe os que O escolheram."

A história de Moisés e da saída dos judeus do Egito encerra outros símbolos místicos, yogues por natureza, uma vez que se relacionam a verdades mais freqüentemente consideradas parte dos ensinamentos do yoga. Vemos Moisés, por exemplo, suscitando o poder da serpente da *Kundalini*: "Disse o Senhor a Moisés: Faze uma serpente abrasadora, põe-na sobre uma haste, e acontecerá que aquele que for picado, ao olhá-la, viverá. Fez Moisés uma serpente de bronze e a pôs sobre uma haste; sendo alguém picado por alguma serpente, se olhava para a de bronze, sarava." (Números, 21:8,9) Aqui, dois tipos de energia característicos da serpente são descritos: a força descendente, que arrasta a consciência para o prazer mundano e sensual, e o fluxo ascendente, que libera a consciência da ilusão.

A "haste" é a espinha dorsal. Muitos swamis, na Índia, carregam consigo um *danda*, espécie de cajado que usam para nunca se esquecer de permanecer concentrados na espinha. A "haste" descrita na história de Moisés é feita de bronze. A serpente presa a ela fulgura, a sugerir a luz interior que sobe com o despertar espiritual. Só quando essa luz, ou energia Kundalini, se alça é que a "picada venenosa" da ilusão pode ser curada.

Por isso também Jesus Cristo disse: "E do modo por que Moisés levantou a serpente no deserto, assim importa que o Filho do homem seja levantado." (João, 3:14) Jesus não falava de sua morte próxima na cruz. Aquele era um evento que ninguém, então como agora, poderia antecipar. Um comentador tardio, portanto, é que deve ter dado semelhante interpretação. Jesus queria dizer, isso sim, que a *consciência humana* tem de ser erguida tal qual Moisés ergueu a dele no "deserto" do silêncio interior, alçando o poder da Kundalini na espinha.

O autor destas linhas perguntou certa vez a Paramhansa Yogananda se Moisés foi um mestre espiritual. "Sem dúvida", respondeu Yogananda com inteira segurança. "A Bíblia afirma que ele 'levantou a serpente [isto é, o poder da Kundalini] no deserto'."

Esses breves excertos da Bíblia são aqui apresentados a fim de preparar o leitor, sobretudo se judeu ou cristão, para ensinamentos igualmente profundos do Bhagavad Gita. Mesmo os hindus, após refletir sobre a universalidade dessas lições, talvez achem mais fácil harmonizá-las com os aspectos profundos da grande escritura hinduísta.

Capítulo 5

A gênese da história

A figura principal do *Mahabharata* e, portanto, do Bhagavad Gita, é o Senhor Krishna, cuja existência real está imersa em lendas. Que ele foi uma pessoa real na história, não resta dúvida: os fatos básicos de sua biografia são conhecidos. As lendas, no entanto – os dias de infância entre os *gopis* e *gopals* (meninas e meninos pastores) de Brindaban, por exemplo –, devem ser interpretadas como alegorias.

Há também, por exemplo, a história de como sua mãe adotiva, Yasoda, tentou amarrá-lo, ainda criancinha, para impedi-lo de fazer traquinagens (ele gostava de roubar queijo fresco da cozinha!). Arranjou uma faixa que, a seu ver, era comprida o bastante para a tarefa. Mas, inexplicavelmente, revelou-se curta demais. Ela trouxe outra faixa e emendou-a à primeira – e também essa extensão não bastou! Vários outros pedaços foram acrescentados. Não importava o comprimento atingido, a faixa nunca era suficiente. Por fim, Yasoda compreendeu seu equívoco: o Infinito não pode ser contido por nada! Como esperar que a mente humana abarque a vastidão divina? Então Yasoda, humildemente, pediu a Bala (a criança) Krishna: "Senhor, por obséquio, permite que Te amarre a fim de poder completar meus afazeres!" Com todo o gosto, vendo-se assim tão respeitosamente instada, a criança divina permitiu que ela agisse conforme seu desejo.

Essa história é alegórica, sem dúvida nenhuma. Mesmo que tenha acontecido, alegórica ainda seria no sentido de conter um significado profundo. Quando os relatos da infância de Krishna são postos em seqüência, fica claro que se destinam a instruir os devotos, não a registrar acontecimentos reais.

A epopéia inteira do *Mahabharata* é também uma longa alegoria. Para as finalidades aqui propostas, seria contraproducente condensar essa comprida e complicada história, que descreve o mergulho do Espírito no ego e a ilusão da separação – de Deus, dos outros egos, de tudo –, além da luta para ascender de novo à unidade com o Espírito. Bastará, pois, um breve resumo.

Os Pandavas eram a descendência de Pandu: os três mais velhos, filhos dele e de Kunti; os dois mais novos, dele e de Madri. As personagens principais da epopéia de fato existiram. Beda Byasa teceu sua alegoria em torno de pessoas reais e eventos históricos. As figuras de segundo plano, porém, são fictícias: representam qualidades psicológicas do homem.

Pandu simboliza o discernimento, ou *buddhi*. O autor o descreve como de cor branca (seu nome deriva de *pand*, "branco"). Metaforicamente, o branco significa pureza; uma inteligência pura revela um discernimento aguçado.

Kunti, a mãe dos três primeiros Pandavas, representa o "poder da serenidade". Seus filhos, nascidos de Pandu, são Yudhisthira (divina calma), Bhima (domínio da força vital, *prana*) e Arjuna (autocontrole).

Madri, a mãe dos dois Pandavas mais jovens, que são gêmeos, representa o "poder do apego à serenidade".

A fim de entender por que havia duas mães para os cinco Pandavas, cumpre estar familiarizado com o simbolismo aqui presente. Cada Pandava corresponde a um dos cinco chakras ou centros espinais. O yoga explica – pormenorizadamente em *God Talks with Arjuna* – que o caminho do despertar divino é, conforme dissemos, a espinha. A energia penetra no corpo através da medula oblonga, na base do cérebro. A partir desse ponto o espermatozóide e o óvulo, unindo-se, iniciam a formação do embrião. A energia, já então solidificada em matéria, transita pelos nervos (depois de criá-los) até o cérebro, desce pela espinha e projeta-se para fora a fim de moldar o corpo. Quando, por ocasião da morte, a consciência se retira do corpo, a energia primeiro recua das extremidades para a espinha, sobe por ela e sai pela medula oblonga, deixando o corpo.

Durante o êxtase da meditação, o yogue (ou santo, como seria chamado em outras religiões) recolhe sua energia e consciência pelos mesmos caminhos. A meditação profunda é um processo de "morrer" conscientemente – com a possibilidade, no entanto, de voltar ao corpo depois, para reassumir suas atividades normais. Como declara São Paulo no Novo Testamento da Bíblia (Paramhansa Yogananda freqüentemente citava essa passagem), "Morro todos os dias".

Enquanto recolhe sua energia e consciência dos sentidos para a espinha dorsal, o yogue procura fazê-las subir pela espinha até o cérebro. Nota-se uma curiosa diferença, no cérebro, entre o yogue supraconsciente, ou santo, e a pessoa mundana não-iluminada. A medula oblonga tem dois pólos, o negativo e o positivo. O negativo (*agya chakra*) acha-se na própria medula. O positivo – que reflete a medula – é o *Kutastha*, o olho espiritual localizado entre as sobrancelhas.

O homem não-iluminado regride, quando da morte, ao sono negativo. Ele precisa cruzar o rio Letes, como o chamavam os gregos: as águas do esquecimento. Depois de algum tempo poderá, caso não seja de todo materialista, despertar no mundo astral e gozar, por breve espaço e em graus variados, suas belezas antes que os desejos materiais o arrastem de volta à Terra para reencarnar num corpo físico. As questões relativas ao gozo no mundo astral serão discutidas mais adiante. Por ora, preocupemo-nos com o caminho espinal para a iluminação.

O yogue capaz de concentrar toda a sua atenção no olho espiritual abandona voluntariamente o corpo, quer no êxtase profundo, quer na morte. Pode-se perguntar: o olho espiritual é puramente simbólico? Não, é real e constitui, de fato, um reflexo da luz da medula, a partir da qual a energia desce a espinha por três *nadis* ou canais sutis de força vital, chamados *sushumna, vajra* e *chitra*. O *brahmanadi* é a "espinha" do corpo causal, assim chamada porque é o principal canal por onde Brahman – a divina consciência – desce para o corpo. O olho espiritual, quando visto com nitidez, é sempre o mesmo: um campo de luz azul-escura envolvido por um halo dourado e em cujo centro se destaca uma estrela de cinco pontas. A auréola dourada representa o mundo astral; o campo azul dentro dela, o mundo causal e também a onipresente consciência crística; a estrela no centro, o Espírito para além da criação.

Paramhansa Yogananda explica que o homem foi feito, como diz a Bíblia, à imagem e semelhança de Deus porque essa estrela de cinco pontas lembra um corpo humano: com as pernas afastadas, os braços estendidos lateralmente e a cabeça no alto, o homem tem mesmo a forma de uma estrela. Simbolicamente (cumpre acrescentar), uma estrela de cinco pontas com a quinta voltada para baixo não é nada auspiciosa.

A espinha é o canal principal por onde a energia flui. O fluxo ascendente da energia pode ser bloqueado por alguns plexos na espinha, de onde ela passa para o sistema nervoso e daí para o corpo, sustentando e ativando os diferentes órgãos e membros. Quando em meditação profunda, o yogue transfere energia do corpo exterior para a espinha e a faz subir para o cérebro, ele encontra essa passagem bloqueada pelo fluxo externo de energia proveniente daqueles plexos (chamados "centros" em nossas traduções dos tratados yogues; no original sânscrito, recebem o nome de chakras). A energia de cada chakra deve ser conduzida para a espinha a fim de prosseguir sua jornada ascendente.

Cada Pandava no *Mahabharata* representa um dos chakras espinais – da base até a medula oblonga. Na alegoria, Draupadi simboliza o poder da Kundalini. Draupadi, em virtude de uma série de circunstâncias (que não precisam ser mencionadas aqui), torna-se esposa de todos os cinco irmãos Pandavas. O que é então a Kundalini?

Quando penetra no corpo e desce pela espinha, a energia fica, por assim dizer, bloqueada no pólo inferior (cujo oposto é o *anahata chakra*, no coração). Para que a energia possa subir pela espinha, é necessário primeiro que a Kundalini seja "despertada" – quer dizer, seu domínio sobre a consciência material tem de ser anulado. A extensão desse domínio depende do grau de apego à matéria na mente. O desapego à matéria liberta a energia, que pode então subir pela espinha. À medida que vai passando pelos chakras, vê-se impedida como que por uma porta "fechada". Esse bloqueio se deve ao fluxo de energia que escapa para fora através dos plexos. A Kundalini ascendente precisa "acordar" espiritualmente cada chakra. Quando o portal deste é aberto, uma nova onda de discernimento e poder espiritual é liberada, aguçando a percepção.

No *muladhara*, ou centro coccígeo (o chakra mais baixo na espinha), a energia despertada pela Kundalini e a mover-se para o alto tem como símbolo o mais jovem dos Pandavas, Sahadeva.

O próximo chakra no caminho para cima, *swadisthana* ou centro sacral, é representado em sua energia ascendente por Nakula, o mais velho dos gêmeos. Esses gêmeos são a prole de Pandu e Madri, com Madri simbolizando o "poder do apego à serenidade".

Despertado o segundo chakra, a energia flui dali para os chakras superiores, onde é simbolizada pelos filhos de Pandu e Kunti – Kunti, o "poder da serenidade". A diferença entre as qualidades de Madri (o poder do apego à serenidade) e Kunti (o poder da serenidade) reflete o grau de envolvimento do ego. No apego à serenidade ainda há muito do pensamento inferior "*Eu sou* sereno"; a serenidade em si é abstrata, não revelando mais a consciência pessoal de "possuí-la".

Quando reinicia a subida a partir do *swadisthana*, ou centro sacral, a energia de novo se vê bloqueada no *manipura*, ou centro lombar oposto ao umbigo. Esse chakra é simbolizado por Arjuna. O chakra seguinte é o *anahata*, o centro do coração (ou dorsal), representado por Bhima. Finalmente, o último e mais elevado chakra da espinha é *bishuddha*, o centro cervical, simbolizado por Yudhisthira.

Cada chakra, uma vez desperto, proporciona graças a esse estado um certo vislumbre espiritual. Sahadeva, a energia ascendente no chakra inferior, propicia o poder divino da resistência (à tentação). Nakula, a energia no próximo chakra, o poder do apego à virtude. Essas duas qualidades são os *yamas* e *niyamas* do caminho óctuplo para a iluminação segundo Pantanjali: o poder de evitar o erro e aderir ao acerto. Temos aí os dois poderes que constituem a base imprescindível para toda evolução espiritual séria.

Arjuna, o "Príncipe dos Devotos" conforme o chama Krishna no Gita, reside no *manipura* ou centro lombar e representa o sólido autocontrole. Esse autocontrole se aprimora quando o yogue se torna apto a seguir as regras prescritivas e proibitivas do caminho espiritual.

Bhima, o segundo irmão mais velho, representa a qualidade do coração e, também, o controle da força vital. No *Srimad Bhagavatam*, outra escritura profunda do mesmo autor, Beda Byasa, o devoto é instruído a visualizar seu coração, enquanto medita, sob a forma de lótus. Deve voltar mentalmente as pétalas para cima a fim de permitir que a energia flua na direção do cérebro. Os desejos do ser humano concentram-se no coração. O yogue precisa dirigir cada raio da energia do desejo para o alto, na divina aspiração de alcançar o olho espiritual entre as sobrancelhas.

O mais elevado dos chakras espinais é o *bishuddha*, ou centro cervical, logo atrás da garganta. Quando a energia acumulada nesse ponto é dirigida para cima, a mente adquire serenidade e expansão verdadeiramente divinas. O símbolo aqui é Yudhisthira, o mais velho dos irmãos Pandavas.

Os gêmeos, prole de Pandu e Madri, representam o ego voltado unicamente para a liberdade interior e amparam o yogue principiante em suas práticas espirituais. Os três irmãos mais velhos, filhos de Pandu e Kunti (o poder da serenidade), propiciam força e inspiração para a elevação interior, espiritual.

Portanto, é importante desde o início compreender que o Bhagavad Gita (tal qual o *Mahabharata* no qual se baseia) proporciona sólida orientação e inspiração espiritual. É bem mais que uma escritura recheada de máximas piedosas: trata-se de um guia eloqüente e prático para a união com Deus.

Mas mesmo que fosse apenas um manual para a bondade e a vida espiritualizada na esfera do cotidiano, ainda assim teríamos nele uma grande e importante escritura. O que torna o Bhagavad Gita tão notoriamente útil para o caminho espiritual é o fato de oferecer orientação em inúmeros níveis, como veremos nas páginas seguintes.

Capítulo 6

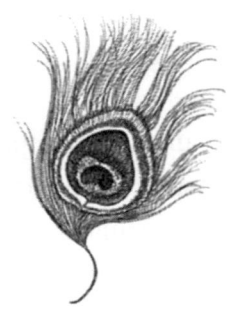

Por que primos?
Por que inimigos?

A infusão do espírito na matéria é explicada alegoricamente, com o máximo cuidado, no *Mahabharata*. Aqui, passamos ao largo de boa parte do simbolismo dessa infusão, pois ela antecede a história do Bhagavad Gita. Devemos, ao contrário, começar do ponto em que nós próprios, seres humanos, entramos em cena. Essa portentosa escritura, com efeito, é a obra, não a história, da evolução espiritual do homem. Nossa real necessidade, conforme explica o Bhagavad Gita, não é saber como nos abismamos na ilusão e sim como havemos de *sair* dela.

Dhritarashtra, o pai dos Kauravas ou Kurus, teve por mãe Ambika (Dúvida Negativa). Nasceu cego – como cego se é, espiritualmente, quando o conhecimento provém apenas dos sentidos. Pandu, pai dos cinco Pandavas, nasceu de Ambalika, co-esposa com Ambika, que representa a faculdade positiva do discernimento.

Essas duas esposas de Bichitrabirya (o ego divino ou senso da divina individualidade) são os opostos que se equilibram: a Dúvida Negativa em face da Faculdade Positiva do Discernimento. Dhritarashtra (a mente cega), com sua primeira esposa, Gandhari (símbolo do poder do desejo), gera Duryodhana e seus 99 irmãos. (A segunda mulher de Dhritarashtra, Vaishya, representa os vínculos formados em conseqüência dos desejos; esses dão nascença a Yuyutsu, imagem da ânsia de combater ativamente para preservar os próprios desejos egoístas.)

Duryodhana, primeiro filho de Gandhari, simboliza os desejos inspirados pelo ego. Paramhansa Yogananda, em seus comentários do Gita, chama-o de Rei Desejo Material. Todas as tendências sensoriais subordinam-se ao desejo supremo do ego de alimentar sua própria importância.

Pandu é filho de Ambalika. Ambalika, vale lembrar, representa a faculdade positiva do discernimento. Assim, Pandu simboliza a aplicação prática dessa faculdade positiva, ou seja, a inteligência lúcida, positiva.

Os Kauravas, ou Kurus, filhos de Dhritarashtra (a mente cega), são primos-irmãos dos Pandavas (os filhos de Pandu). Esse parentesco se deve ao fato de descenderem todos da mesma consciência humana. Mas são também inimigos, pois seus interesses se contradizem diametralmente.

O campo de batalha é, como dissemos, a espinha dorsal. Aqui a guerra se trava entre as tendências inferiores (por um lado), que abismam a consciência no mundo dos sentidos, e as tendências superiores (por outro lado), que a elevam para a fonte verdadeira do Espírito. Que essas duas forças fluem em direções contrárias na espinha, vemo-lo em muitas realidades corriqueiras da vida.

Várias palavras que as pessoas empregam traem essa diferença. É de crer que existam expressões equivalentes a estas em todas as línguas: "Estou por cima", "Sinto-me nas alturas" – ou "Estou por baixo", "Desmoronei" (cf. em inglês "*I feel uplifted*", "*I feel high*"; "*I'm feeling downcast*", "*I feel low*"; e em italiano "*Mi sento su*" e "*Mi sento giù*").

Tais palavras devem sua existência a fatos simples da natureza humana: quando a consciência e a energia sobem pela espinha, sentimo-nos felizes; quando a energia e a consciência se movem para baixo, sentimo-nos deprimidos e amargurados.

Se nossos sentimentos nos impelem a ceder aos desejos materiais, nossa energia desce pela espinha e depois escapa dali para dentro (e através) dos sentidos. A inspiração espiritual soergue a energia e a consciência na espinha, direcionando-as para o olho espiritual. Em qualquer caso a energia é a mesma, influenciando a mesma consciência. Características negativas como ódio, ciúme, raiva e luxúria pertencem tanto à "família" da consciência quanto as qualidades que, por serem positivas, erguem a percepção para o céu. Essas características ou qualidades positivas incluem o amor, a gentileza, o perdão, a compaixão e o autocontrole.

Há, na maioria das pessoas, uma mescla de qualidades positivas e negativas. No ego, elas se identificam com ambos os grupos.

O Bhagavad Gita revela um quadro fascinante da natureza humana. Mostra que cada pessoa é uma nação em si mesma, consistindo sua "população" de todas as suas qualidades, boas e más. Verdadeiramente, cada qualidade humana pode com inteira justiça ser equiparada a um indivíduo. No fundo, nenhum de nós é aquilo que nos caracteriza: apenas manifestamos os traços de nosso caráter. Como escreveu Paramhansa Yogananda em *Autobiography of a Yogi*, "Os pensamentos têm raízes universais, não individuais". Características diversas desenvolvem-se em nós segundo a maneira como agimos e reagimos sistematicamente no mundo, em resposta a pessoas e circunstâncias. Ninguém, em sua verdadeira natureza, é *essencialmente* colérico, ciumento ou licencioso. Permitimos que essas qualidades se desenvolvam em nós identificando nosso ego com coisas que nos acontecem ao longo da vida.

Se o ego de uma pessoa se sente ameaçado e ela conclui que deve enfrentar a ameaça com coragem agressiva, pode com o tempo apurar estas duas qualidades: agressividade e coragem. Se, por outro lado, acreditar-se incapaz de encarar a ameaça com êxito, talvez vá aos poucos desenvolvendo uma postura temerosa, invejosa ou ressentida. Ao fim, as inúmeras experiências por que passou na vida e *o modo como as enfrentou* acabarão fomentando nela uma série de "complexos". Em outras palavras, certos aspectos de sua natureza irão dispô-la ao ataque, enquanto outros a induzirão, à maneira da tartaruga, a um recolhimento autoprotetor. E outros ainda permanecerão choramingando aos fundos por causa dos "golpes da fortuna adversa", quando não resolverem iniciar uma campanha de tagarelice maliciosa para pôr o "mundo" de seu lado. Haverá também todo um grupo promovendo à meia-voz uma campanha de boatos malévolos a fim de colocar "o mundo" de seu lado; enquanto outro grupo de cidadãos do país da mente, em termos figurados, se recolherá ao seu tugúrio para implorar tolerância, clemência, doce aceitação ou sereno desapego.

"As circunstâncias", assevera Paramhansa Yogananda, "são sempre neutras. Achamo-las positivas ou negativas conforme as reações correspondentes do coração." São incontáveis as reações possíveis a praticamente todas as circunstâncias. Uma reação, às vezes (e isso acontece com a maioria dos seres humanos), parece-nos transitória, sem nenhum vínculo permanente com o eu ou a natureza da pessoa. Para dar um exemplo: de vez em quando podemos dizer algo pouco lisonjeiro a respeito de alguém e em seguida dar uma risadinha, como a significar: "Estão vendo? Minhas palavras grosseiras em nada me afetaram pessoalmente!" A ação, porém, jamais acontece no vácuo. Todo ato, todo *pensamento* tem suas conseqüências específicas.

Há, na natureza humana, outro aspecto que transforma pensamentos transitórios em características definitivas. É a força do hábito. Assim, no *Mahabharata* e no excerto relativamente breve dessa epopéia chamado Bhagavad Gita, temos o fascinante papel desempenhado por Drona, também conhecido como Dronacharya (*acharya* significa "mestre").

Dronacharya foi o guru, ou mestre, tanto dos Kurus quanto dos Pandavas. Tem, no épico, a função de ensinar-lhes as artes marciais, inclusive a prática mais importante da época, a do arqueiro.

O arco, no *Mahabharata*, simboliza a espinha. Quando o arco está estirado, a corda lembra a espinha e a madeira encurvada se parece um pouco com a frente do corpo. A flecha disparada simboliza o poder da concentração. Sob esse aspecto, podemos visualizar também as sobrancelhas como as duas metades curvas de um arco, sendo o ponto central entre ambas a parte onde se firma a seta.

O melhor aluno de Dronacharya foi Arjuna. Conta-se que o mestre propôs um teste a seus discípulos. Chamou um por um e pediu-lhe que acertasse a cabeça de um pássaro pousado no galho mais alto de uma árvore. Quando o aprendiz se apresentava, o mestre lhe inquiria: "Que está vendo?"

Cada qual enumerava as muitas coisas que incidiam em seu campo de visão. Uma resposta típica era: "Vejo o pássaro, a árvore, as nuvens que flutuam." Dronacharya sabia então que o arqueiro não acertaria a cabeça do pássaro. E assim aconteceu com todos.

Finalmente, chegada a sua vez, Arjuna deu um passo à frente.

"Que está vendo?", perguntou Drona.

"A cabeça do pássaro", respondeu o jovem guerreiro.

"Nada mais?", insistiu o guru.

"Nada mais! Apenas a cabeça do pássaro", repetiu Arjuna.

"Dispare a flecha!", ordenou Dronacharya orgulhosamente, certo do êxito de Arjuna. Só ele passou no teste.

Dronacharya era, como dissemos, o guru de ambas as famílias aparentadas. Na guerra de Kurukshetra, porém, ele lutou ao lado dos Kauravas. Por que agiu assim? Arjuna não era seu discípulo predileto, o melhor de todos? Há uma razão sutil para semelhante escolha.

Psicologicamente, o que acontece nas disputas entre aspirações elevadas e tendências mundanas da pessoa é que o hábito se alia a estas últimas. Nossa necessidade é substituir maus hábitos por hábitos bons. Os hábitos bons, no entanto, cedem a um poder superior e é isso que nos dá a verdadeira força.

O poder de concentração exibido por Arjuna, bem como todas as demais qualidades boas necessárias à evolução espiritual, dependem inicialmente de bons hábitos. Mas aquilo que empresta a essas boas qualidades sua força real transcende o hábito: trata-se de uma força que provém da inspiração supraconsciente. Assim, não são tanto os nossos bons hábitos que garantem a vitória espiritual, mas sim o influxo da graça, orientação e inspiração divina. Entrementes, a força do hábito em geral passa para o lado negativo. Com efeito, até os bons hábitos precisam ser modificados pela inspiração divina, do contrário a pessoa, caso seja destituída de um entendimento superior, reverterá aos hábitos perniciosos.

Drona se bandeou para o lado errado. Isso significa que não devemos depender unicamente de nossos bons hábitos para enfrentar testes psicológicos e espirituais. O hábito oriundo de ações passadas pode nos propiciar um bom karma; mas o karma, em si, tem de ser transcendido em dedicação à verdade.

Enquanto isso, todas as nossas qualidades assumem as características das personalidades individuais, à medida que vamos nos aferrando a elas pela repetição dos atos que a elas nos associam. Devido ao hábito, essas qualidades se firmam como verdadeiras "cidadãs" de nossa nação da consciência. Toda pessoa, já o dissemos, é uma nação em si mesma. Milhares de milhões de "cidadãos" vagam dentro desse território, cada qual empenhado em satisfazer seus próprios desejos e ambições. Sigmund Freud mal arranhou a superfície da psicologia humana com suas pesquisas. Trabalhou basicamente com tipos psicológicos anormais, mas na verdade todo ser humano, vivendo na ilusão, é uma massa de qualidades conflitantes ou "complexos". Freud vislumbrou apenas o conflito entre desejo pessoal e expectativas sociais. Na realidade, o problema é infinitamente mais complexo.

CAPÍTULO 7

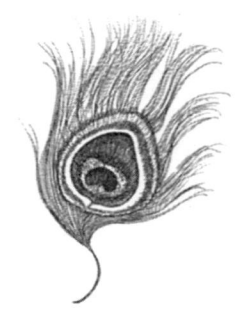

A espinha: caminho para a salvação

Pense-se numa barra imantada. O que a diferencia de outros pedaços de metal – sobretudo de ferro – é o fato de suas moléculas se voltarem todas para uma direção só, produzindo com isso uma polaridade norte–sul. Na maioria das barras, as moléculas, cada qual com sua polaridade norte–sul, voltam-se para todos os lados, cancelando-se assim uma à outra. Só quando as moléculas se orientam numa direção única é que, por agirem juntas, adquirem força magnética. O magnetismo é *gerado*, não criado. Sua presença é latente em qualquer peça de metal – de fato, nos níveis mais sutis de manifestação, em tudo. As pessoas podem, portanto, ser magnéticas; seu magnetismo faz com que as outras se sintam atraídas ou repelidas por elas.

Existem vários tipos de magnetismo. Nossas qualidades individuais lembram as moléculas de ferro no sentido de que, caso focalizem um objetivo único, poderão produzir resultados igualmente miraculosos na aparência. Por outro lado, quando se orientam ao acaso, tornam-nos ineficientes. O magnetismo é a chave para o sucesso em tudo.

Há quem costume dizer: "Vivo tentando ser bom. Por que não consigo nunca?" ou "Procuro trabalhar duro para ser competente em minha profissão. Por que não tenho êxito?" ou ainda "Faço tudo para superar os meus maus hábitos. Por que eles teimam em voltar, como ervas daninhas?" A todas essas perguntas a resposta, um tanto desalentadora talvez, é: "Você criou em si mesmo o magnetismo do fracasso. Precisa que muitos cidadãos de sua população interior o amparem, pois só assim conseguirá realizar a mudança completa. O lado bom do problema é que, quando conseguir arrastar cidadãos mentais suficientes para as fileiras do bem, eles superarão em número os rebeldes e, aos poucos, os dominarão, daí resultando o rápido progresso espiritual a que você aspira."

Devemos transformar nossas falhas em virtudes. Os acessos de cólera, incontroláveis a princípio, têm de ser redirecionados para um comportamento positivo. Encarnações – muitas, talvez – serão necessárias, conforme o caso, para uma completa autotransformação. Não obstante, uma jornada de milhares de quilômetros sempre começa com o primeiro passo. Não se deve nunca esmorecer. O esmorecimento, em si, é apenas uma característica a ser enfrentada e vencida pela pressão constante, indomável, da coragem resoluta. Se você pensar: "Acontece que não tenho esse tipo de coragem", saiba que *pode* desenvolvê-la com o tempo. Toda característica humana nasce na mente. Nada que um homem realize ou mesmo conceba é inacessível a outro.

O Bhagavad Gita, no entanto, ensina mais que o necessário para superar nossas falhas e fraquezas individuais. Oferece também métodos práticos que removem obstáculos do caminho. Um desses métodos vem descrito no Capítulo 4, verso 35, onde Krishna fala a Arjuna da importância do guru ou salvador espiritual. Um guru não é apenas um professor. O poder que ele tem pode transferir seu magnetismo para o discípulo capaz de sintonizar-se com sua consciência. Esse magnetismo ajudará a transformar toda falha na virtude oposta, redirecionando a energia na espinha do discípulo – em certo sentido, reorientando as "moléculas" de tendências e obrigando-as, cada vez mais, a fluir para o alto. Um rio, quando seu fluxo é impetuoso, dissolve quaisquer redemoinhos que se agitem pelas margens, forçando-os, e aos detritos que neles turbilhonam, a acompanhar a corrente majestosa até o oceano. De igual modo, um poderoso fluxo ascendente de energia na espinha consegue anular todos os *"vrittis"*, ou redemoinhos de paixões, e carregá-los para o olho espiritual. Daí a definição de yoga dada por Patanjali: *"Yogas chitta vritti nirodha"* ("O yoga é a neutralização dos redemoinhos ou sorvedouros de paixão na consciência"). A ajuda sutil de um guru verdadeiro, ou *Sat*, leva o discípulo a modificar suas tendências pessoais e direcioná-las para Deus.

Nada disso, todavia, se concretizará sem a cooperação ativa do discípulo. É um processo que, também, pode ser cientificamente acelerado pelas técnicas do yoga, sobretudo a grande e antiga ciência do *Kriya Yoga*. O Bhagavad Gita enfatiza repetidamente a importância do yoga e alude mais de uma vez a essa que é a mais elevada ciência yóguica. Com efeito, o aspecto científico da iluminação está por trás de cada ensinamento do Gita. Já mencionamos isso anteriormente.

Quando se coloca uma barra de metal não-magnetizada perto de um ímã, ela aos poucos vai adquirindo um magnetismo próprio, com suas moléculas se alinhando também na direção norte–sul. Esse é o verdadeiro poder do Satguru, ou salvador, auxílio essencial a que meu mestre aludia freqüentemente. Ele endossava sem reservas a tradição indiana segundo a qual é preciso ter um guru para encontrar Deus. O papel do guru não consiste em moldar os discípulos à sua própria imagem, mas em partilhar com eles seu magnetismo a fim de elevar-lhes a consciência. Essa influência ajuda a redirecionar as "moléculas" de energia no corpo dos discípulos, sobretudo na espinha, para o "norte", rumo ao olho espiritual e ao alto da cabeça (o *sahasrara*).

Afora o auxílio do guru, o que de mais se precisa para a auto-realização é, conforme dissemos, a colaboração com ele. Eis o que, principalmente, se entende por trabalhar espiritualmente em si mesmo. A autotransformação se concretiza não tanto pelo empenho em purificar e espiritualizar cada falha quanto pelo direcionamento da energia ao olho espiritual. Esse fluxo ascendente de energia é como um rio, neste caso correndo para cima e não para baixo até a "foz" do olho espiritual, onde a alma finalmente se mistura ao mar.

Não quer dizer que a pessoa deva fugir aos esforços penosos para se transformar. Não: o Bhagavad Gita começa por reconhecer o estado de guerra constante, dentro de todos os seres humanos, entre vício e virtude.

Mas, quando consideramos a enormidade da tarefa necessária para superar uma única falha profundamente enraizada em nós, ela nos parece infindável. Pense-se no tempo que leva um alcoólatra para acabar com esse vício isolado. Se conseguir vencer sua fraqueza, terá motivos para comemorar. O número de falhas que um homem tem de sanar parece, pois, esmagador.

Pensemos naquela barra de ferro. Ela contém, talvez, bilhões de moléculas que se cancelam uma à outra pelo fato de apontarem para direções diferentes. Suponhamos então que devêssemos trabalhar essas moléculas uma por uma: quanto tempo levaríamos para orientá-las todas na direção norte–sul? Quando houvéssemos percorrido uma curta distância no processo e fôssemos passar a outro nível (por assim dizer), é bem provável que as primeiras moléculas já se tivessem voltado de novo para direções aleatórias. Não existiria ainda o magnetismo capaz de mantê-las na posição certa.

CAPÍTULO 8

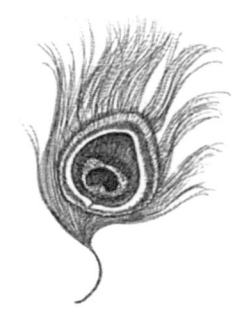

A escritura começa

O Bhagavad Gita começa com Dhritarashtra, o rei cego, pai de Duryodhana, querendo saber como vão as coisas no campo de batalha de Kurukshetra. Repetimos: Dhritarashtra é cego. Sua cegueira representa o aspecto da mente que só consegue perceber a realidade por meio dos sentidos. A guerra de Kurukshetra não é travada literalmente num campo de batalha físico, mas ocorre *dentro* de cada pessoa. Dhritarashtra consulta Sanjaya, que simboliza a introspecção: só esta pode dizer à mente cega qual dos lados está vencendo.

Sanjaya tem o dom espiritual de ver a distância. Assim, a ele Dhritarashtra (que naturalmente quer saber o que está acontecendo *no momento*) faz sua pergunta. Mas fá-la de uma maneira muito interessante. Não pergunta, como se esperaria, "Que lado está vencendo?", mas "Que lado venceu?" – no tempo verbal passado.

Paramhansa Yogananda explica que essa pergunta, solicitando informação sobre algo que já aconteceu, mostra claramente que o Bhagavad

Gita inteiro se ocupa do campo da consciência, não de um campo de batalha. Tratando-se de um campo de batalha, é natural inquirir: "Que lado está vencendo?" Esperam-se notícias frescas sobre os altos e baixos da luta, sobre quais alas se mantêm firmes, sobre quem começa a ceder à pressão e sobre que regimentos ameaçam romper as fileiras inimigas. Num confronto psicológico, contudo, só *depois* do desfecho é que brota a pergunta: "Quem obteve a vitória?"

A estrofe 1, Capítulo 1, dessa grande escritura declara:

"Dhritarashtra indagou assim de Sanjaya: 'No campo de batalha de Kurukshetra, onde meus filhos e os filhos de Pandu se perfilaram uns contra os outros, ávidos de combate, qual foi o resultado?'"

Essa pergunta aparentemente simples constitui a essência do Bhagavad Gita. A vitória sobre a ilusão é de importância crucial para a verdadeira felicidade e liberdade do homem. É, porém, muito difícil saber o que vem a ser uma vitória autêntica; o que vem a ser uma vitória passageira; e, embora pareça uma vitória, o que ao fim se revelará uma derrota esmagadora.

Meu Guru contou-me a seguinte história: "Um homem, na Índia antiga, vivia atormentado por um demônio. Resolveu usar um mantra védico para banir essa peste. Tomando um punhado de areia, recitou o mantra sobre ele, infundindo-lhe (conforme pensava) o poder do encantamento. Em seguida, atirou a areia no demônio. Este apenas riu: 'Antes mesmo de você recitar o mantra', motejou, 'eu me meti na areia. Como, então, poderá esse mantra me prejudicar?'

"Aí está", prosseguiu meu Guru, "a própria mente com que tentamos banir a ilusão já está emaranhada na ilusão que tentamos banir! Não é sequer fácil separar sempre o certo do errado. A introspecção ajuda e, sem dúvida, é essencial. Todavia, mais importante ainda é a orientação intuitiva de um sábio guru, sobretudo o que está dentro de nós."

Que lâmpada tem o homem para guiá-lo em meio à longa noite da ignorância? "Uma compreensão cega!", foi a resposta de Omar

Khayyam. A mente cega deve consultar a introspecção, mas a introspecção tem de ser tratada com cautela, pois está já confundida com a própria ignorância que procura dissipar.

Alguns indícios podem nos ajudar a descobrir que lado foi o vencedor numa batalha psicológica. Um deles é a expansão íntima de felicidade ou, melhor ainda, de alegria. Outro, a expansão da consciência. Um terceiro, mais importante ainda, a expansão da compaixão. E um quarto, tão importante quanto os demais, a serenidade interior.

A mente arma inúmeros embustes para convencer o homem de que ele encontrou mesmo esses tesouros. Felicidade e alegria são indícios de comportamento acertado, mas emoções enganadoras podem mascarar a ambas. Uma pista para sua natureza ilusória é o fato de provocarem excitação em vez de calma profunda.

A expansão da consciência parece acompanhar todo aumento de poder, domínio ou mesmo conhecimento. No entanto, essas realizações muitas vezes nos dão, em lugar da expansão da consciência, um senso vazio de importância pessoal, de auto-envolvimento, e uma cabeça vã.

A expansão da solidariedade pode cercear-nos quando provoca expectativas com relação aos outros, tornando-nos possessivos ou preocupados com suas exigências emocionais e não com sua sabedoria.

Até a serenidade pode ser um ludíbrio quando provoca indiferença.

Como saber o que é certo ou errado na vida? Primeira regra: "Faça aquilo que funciona." Por isso "Que estão fazendo no momento?" é menos importante que "Qual foi o resultado?" Só com base no resultado de um curso de ação pode-se saber com alguma certeza se o ato foi ou não correto. A máxima "Os fins justificam os meios" é verdadeira apenas na medida em que visualizamos os fins *em teoria*, com antecedência. Só depois que os fins foram alcançados, porém, constataremos se os meios foram realmente justos. Meios ruins para uma suposta finalidade boa acabarão por produzir desarmonia e fracasso.

"Uma cega compreensão!" Ai, isso não é nada fácil para o homem que tropeça pela estrada da vida! Só o tempo dirá, com segurança, se determinado curso de ação foi certo ou errado. Por isso, o Gita diz aqui muito a propósito: "Qual foi o resultado?"

Em termos simples, um curso correto de ação produzirá harmonia, saúde, equilíbrio e capacidade para perseguir, com bom senso, o objetivo estabelecido com discernimento.

Onde houver alegria, expansão da consciência, solidariedade e serenidade interior, haverá sempre um fluxo ascendente de energia na espinha. Os estados que se opõem a estes – tristeza, contração da percepção e do sentimento, impaciência – são invariavelmente acompanhados por um fluxo descendente de energia na espinha. Até a postura da pessoa trai a mínima mudança no fluxo energético, pois, quando ela está "por cima", senta-se ereta, com os ombros recuados, o peito protraído; parece, naturalmente, mais animada. Porém, quando sua energia está "por baixo", ela dobra o corpo, encolhe os ombros, mantém o peito cavo e tende a parecer abatida.

"Que fizeram eles?", pergunta Dhritarashtra. Uma maneira de avaliar o grau de qualquer vitória ou derrota interior é submetê-lo aos critérios acima. Você acha que conseguiu, sob o fogo inimigo, manter-se calmo? Se sua resposta for "Bem, estou calmamente decidido a trucidá-lo da próxima vez!", então poderemos concluir: "Você não se saiu lá muito bem!" Ou então: "Isso não é resposta."

Uma maneira de saber se resolvemos devidamente uma situação é avaliá-la pelas reações dos outros. Mas mesmo essas reações não são muito confiáveis. Aquilo de que as pessoas *gostam* nem sempre é *bom*; quase todas se orientam pelo que amam ou detestam, pelo interesse pessoal ou pelo que *lhes* agrada ou não. Essa é uma das razões por que a introspecção (Sanjaya) é a mais sábia fonte de entendimento. Desde que estejamos sinceramente empenhados na busca da verdade e, acima de tudo, de Deus (se, mediante a introspecção, examinarmos as reações de nossos próprios cidadãos mentais), teremos uma compreensão mais clara do que devíamos ou não devíamos ter empreendido, além do modo como nos convirá agir no futuro.

Alinhadas contra nossas aspirações dirigidas para o alto existem incontáveis tendências que nos arrastam para baixo, as quais nós mesmos criamos por meio de más ações passadas e transformamos em maus hábitos. Algumas estrofes à frente (estrofe 10), declara-se que as forças da injustiça [do erro] são "inumeráveis"[1] e as da justiça [retidão], "poucas em número". Incontáveis são as formas pelas quais se pode deslizar para o erro, assim como a área de um grande círculo dá espaço a que se chegue por diversos caminhos ao centro. As virtudes que elevam são poucas, pois conduzem ao centro do ser, do qual já estão muito próximas. O ódio pode ser definido como a soma dos inúmeros objetos capazes de suscitá-lo; o amor, no entanto, brota do ser interior e espalha suas bênçãos, impessoalmente, sobre todos.

Assim, quando Dhritarashtra diz a Sanjaya: "Que fizeram eles?" ou "Qual foi o resultado?", aquele que procura sinceramente a verdade está ouvindo: "Julga teus pensamentos e atos por suas conseqüências – primeiro em ti mesmo, depois nos outros. Disseminam eles a paz? São tão universalmente benéficos quanto possível? Ajudam a expandir tua compreensão e simpatias? Trouxeram maior harmonia a teu ambiente? Ou só geraram confusão? Acaso te inspiram e aos teus semelhantes? Ou provocaram apenas desesperança e até desespero?"

Nem sempre é fácil responder a tais perguntas. A cólera, numa causa justa, pode engendrar o bem. De fato, sendo espiritual essa cólera, não será cólera de modo algum, mas unicamente um vigoroso fluxo de energia no rumo da instauração da justiça. Assim, o fervor sereno às vezes

---

1. Esta palavra foi erroneamente traduzida em certos textos como "invencíveis". Ora, como os Pandavas é que venceram, a afirmativa pareceria falsa. "Inumeráveis" é a tradução sugerida por meu Guru.

parece ira, mas é tudo, menos isso. Sorrisos amistosos, por outro lado, não raro acenam com a virtude – quando, na verdade, estão tentando induzir os outros – ou mesmo a própria pessoa! – a perpetrar o mal.

A primeira estrofe constitui a base de todo o Gita. Mas a pessoa tem muito ainda a aprender antes de poder afirmar com segurança que está seguindo o caminho ascendente para o bem, a verdade e o amor divino em Deus.

CAPÍTULO 9

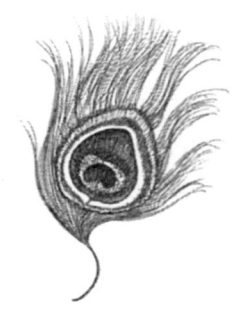

Sanjaya fala

Sanjaya (Introspecção) passa a descrever a cena que vê com sua visão a distância. Começando pelo exército liderado por Duryodhana (filho de Dhritarashtra), Sanjaya narra que esse comandante, observando as forças dos Pandavas perfiladas contra ele, volta-se ansiosamente para Drona, seu preceptor (hábito ou *samskaras*: tendências antigas), buscando encorajamento e conforto.

O Bhagavad Gita aponta desde logo a meditação como a rota mais curta para Deus. Naturalmente, quando o devoto se senta pela primeira vez a fim de meditar, todas as suas antigas tendências mundanas, atiçadas pelo desejo material, levantam-se em protesto. Duryodhana (Rei Desejo Material) contempla amedrontado a força do inimigo que defronta suas hostes. Dhristadyumna (a serena luz interior), filho de Drupada (extremo desapego), é como ele discípulo de Drona e o primeiro a dispor as forças dos Pandavas em ordem de batalha. Dhristadyumna irá por fim matar Drona (não em seu papel de guru, mas como influência de hábitos antigos). Dhristadyumna é também descrito, porém, como aluno "habilidoso" de Drona, pois a serena luz interior só se pode perceber depois de constante prática meditativa, que resulta no hábito de meditar.

Duryodhana não está preparado para ver, postados contra ele, tantos discípulos de seu guru Drona, que, ele espera, levará suas forças de desejo material à vitória.

Convém ressaltar que o Bhagavad Gita mergulha desde o início na vida interior da meditação, a qual, vamos percebendo aos poucos, está reservada a todos. Não temos aqui uma escritura repleta de lugares-comuns piedosos. Ela insta as pessoas, desde o início, a buscar uma profunda comunhão com a alma por meio da experiência íntima e direta de Deus.

Duryodhana prossegue lamentando que tantos outros guerreiros valorosos se ponham contra ele, guerreiros da estirpe dos irmãos Pandavas, Bhima e Arjuna. Trêmulo, cita os nomes de alguns dos que mais se destacam entre eles.

Em seguida, busca coragem mencionando guerreiros de seu próprio exército. São eles: Drona (hábito), Bhishma (o eu essencial ou ego), Karna (apego) e outros, numerosos demais para caber aqui e que só importam ao Bhagavad Gita, não ao *Mahabharata*. Duryodhana diz então: "Nossas forças, protegidas por Bhishma, são difíceis de contar (pois que em grande número), enquanto as deles, defendidas por Bhima, contam-se com facilidade." Assim encorajado por suas forças superiores, Duryodhana exorta suas tropas a se arregimentarem em torno de Bhishma, a fim de resguardá-lo. Uma vez seguro o senso básico de individualidade da pessoa – como crê o Rei Desejo Material –, sua causa está ganha.

A meditação, porém, encaminha a consciência para esferas interiores em que o domínio da consciência separada começa a afrouxar. Até a respiração se normaliza e a energia vai se retirando dos sentidos. Então (estrofe 12), **"O ancestral Bhishma, para alentar Duryodhana, sopra sua concha com um ruído profundo, semelhante ao rugir do leão"**. O sentido, aqui, é fascinante: a "concha" de Bhishma é a respiração. Quando o Ego percebe sua consciência da individualidade esfumando-se durante a meditação profunda, e mais ainda ao sentir que a respiração está prestes a cessar, pensa de súbito: "Esperem! E quanto a mim?!"

O ego é a cavilha que mantém o desejo material no lugar. Pode ser descrito como o centro do vórtice em torno do qual todos os anseios mundanos revolvem. A lembrança súbita da "realidade" costumeira, o corpo, e dos atrativos do mundo material faz com que o hábito subconsciente ative o senso do "eu". Nesse momento, o ato de inspirar com força é sugerido pelo "ruído profundo, semelhante ao rugir do leão" que escapa da concha de Bhishma e redireciona o devoto imerso em meditação para a consciência exterior.

Swami Sri Yukteswar comparava a mente do homem a um passarinho mantido na gaiola durante vinte anos. Se abrirmos a porta da gaiola, o passarinho recuará para os fundos, temendo a "ameaça" iminente: o vasto céu aberto onde, por natureza, deveria voar. Após algum tempo a ave talvez se arrisque a sair, mas voltará quase imediatamente com medo dessa experiência de liberdade para a qual o hábito a deixou despreparada. Só aos poucos, depois de sucessivas saídas para mais e mais longe, conseguirá o passarinho permanecer do lado de fora da gaiola, agitar as asas e, depois de uma pausa, voar livremente para o espaço.

Na estrofe 13, os outros soldados Kurus respondem à concha de Bhishma com tambores, trompas e trombetas. Esse alarido não representa apenas os rumores vindos do mundo exterior por meio dos sentidos, mas o despertar interior dos sons físicos: o pulsar do coração, o latejar do sangue nos ouvidos e outros sons que o corpo produz.

Em resposta ao engodo e ao estrépito dos sons materiais, o mundo interior apela insistentemente ao devoto acenando-lhe com música sedutora: o zumbido da abelha, por exemplo, que emana do *muladhara chakra* ou centro coccígeo, quando a energia estimulada nesse ponto começa a subir a espinha; o som da flauta de Krishna, que provém do *swadisthana chakra* ou centro sacral; os doces arpejos da lira, vindos do *manipura chakra* ou centro lombar; o tanger surdo dos sinos, originário do *anahata chakra* ou centro do coração; o sopro suave, insinuante como o perpassar do vento nas árvores ou o eco distante do trovão, que emana do *bishuddha chakra* ou centro cervical; e, acima de tudo *pranaba*, o ressoar poderoso do AUM (sobre o qual se falará mais adiante).

Esse som poderoso fere o coração de Desejo Material e de seu exército, deixando a todos consternados.

Nessa altura, Arjuna ("aquele cuja bandeira ostenta o emblema do macaco") ergue o arco e faz um pedido a Krishna, seu auriga. O arco, já o vimos, representa a espinha. O macaco é o símbolo da inquietude; desfraldar o "emblema do macaco" significa que Arjuna conseguiu manter sob controle sua mente agitada e poderá comungar conscientemente com o Senhor (Krishna).

"**Ó Krishna Imutável**", diz ele (conforme já mencionamos), "**conduz, se te apraz, meu carro em meio aos dois exércitos para que eu os veja postados um contra o outro e saiba ao certo com quem deverei lutar.**"

Aqui também vemos, com muita clareza, que o Gita é alegórico. Pois qual general, às vésperas de uma batalha, seria tão insensato a ponto de pedir para ser conduzido *em meio* a dois exércitos a fim de ter uma visão melhor do inimigo? O máximo que um general pediria, se desejasse ter essa visão, seria para ser conduzido ao alto de um monte ou outro ponto qualquer de onde pudesse observar sem se expor às flechas, dardos e outros projéteis do adversário.

É bela a história de como Krishna se tornou o cocheiro de Arjuna. Arjuna e Duryodhana apresentaram-se separadamente a Krishna para obter sua ajuda na guerra que se avizinhava. Krishna dormia, de modo que eles aguardaram pacientemente: Duryodhana sentado junto à cabeça do deus, Arjuna a seus pés. Quando Krishna despertou, viu-os ali. E para ser justo com ambos, deu-lhes uma escolha: ou a ajuda de todo o seu exército ou apenas seus conselhos, não sua participação ativa, durante a batalha.

Arjuna devia escolher primeiro, pois, ao despertar, fora ele quem primeiro Krishna avistara. Arjuna quis o deus ao seu lado, ainda que inativo no correr da luta. Duryodhana, o materialista, sentiu-se bem contente por ter um exército inteiro, do qual fosse como fosse seria o comandante.

Krishna tornou-se o auriga de Arjuna. Simbolicamente, o carro é o corpo humano; os cavalos são os cinco sentidos (na verdade, existem também cinco sentidos sutis: audição e *poder* de ouvir; visão e *poder* de ver, etc.). Arjuna convidou o Senhor para guiar o carro de sua vida, segurando as rédeas de seus sentidos e determinando seu curso em plena batalha. Assim, o devoto deve sempre tentar ver Deus como o único Responsável por suas ações.

Dirigir o carro do esforço espiritual em meio a dois exércitos significa, para o devoto imerso em meditação, recolher a energia na espinha e perceber que há realmente duas forças dentro dele, forcejando por arrastá-lo em direções opostas: para cima e para baixo. A finalidade da meditação, segundo a prática do yoga, consiste em alçar a energia na espinha, transferindo assim a inferior para junto da superior e concentrando ambas no ponto entre as sobrancelhas para, finalmente, uni-las ao pólo situado no alto da cabeça (o *sahasrara*).

Arjuna, passando com Krishna pelo meio dos exércitos, se entristece ao concluir que deverá mesmo combater e até matar pessoas tão próximas dele: primos, tios, avós, padrastos, amigos e seu estimado preceptor. O poderoso arco descai-lhe das mãos, significando isso que ele já não consegue manter uma firme postura meditativa.

"Como enfrentarei estes homens, todos eles tão caros aos meus olhos? Ainda que anseiem por matar-me, não poderei cometer o

grave pecado de lutar contra eles." E vai por diante nesse tom, defendendo a causa de *ahimsa* (postura inofensiva) a fim de justificar seu desgosto em prosseguir com a guerra. Depondo o arco e sentando-se no carro, olhos lacrimosos, grita enfim: **"Não lutarei!"** O primeiro capítulo do Gita e o início do segundo registram seu desânimo.

CAPÍTULO 10

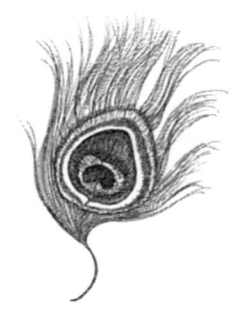

A natureza da morte – alegórica e literal

S ri Krishna, no segundo capítulo, responde em dois níveis de verdade. Primeiro, fala da urgência ocasional de, literalmente, travar uma guerra justa – como aquela. O país, sob o domínio de Duryodhana, enfrenta a penúria e o sofrimento. Sob as leis eqüitativas dos Pandavas, gozaria de paz. Não só a maioria das guerras de autodefesa é justa como, aqui, a felicidade do povo está em jogo.

A crença do Mahatma Gandhi na retidão de ahimsa (não-violência) é ao mesmo tempo válida e improfícua. Devemos sempre, é claro, adotar uma *atitude* de ahimsa. Ou seja, nunca devemos desejar o mal para alguém ou alguma coisa. Mas, como observou Swami Sri Yukteswar, "Este mundo não está muito bem organizado para a prática literal de ahimsa". A frase de Sri Yukteswar dizia respeito à exterminação de mosquitos. Inúmeros insetos são danosos à vida humana e precisam, por isso, ficar sob controle. Além do mais, é difícil, se não impossível, não pisar e esmagar insetos minúsculos; dirigir um carro sem que eles se estraçalhem contra o pára-brisa; ao cozinhar, não eliminar bactérias prejudiciais; e mesmo ao respirar, não destruir criaturas pequeninas e invisíveis. A proibição de fazer o mal, nas escrituras, refere-se à *atitude* da pessoa, afirma Sri Yukteswar. Não devemos *querer* ferir ninguém, mas somos obrigados a liquidar criaturas prejudiciais. De fato, protegê-las a expensas da vida humana seria um pecado, porquanto o corpo humano é espiritualmente mais evoluído do que o de qualquer animal inferior.

Se um lunático aparecesse em nossa vizinhança e começasse a fuzilar pessoas, seria correto e necessário, sob o ponto de vista do karma, matá-lo caso não houvesse outro meio de detê-lo. Mais vale uma morte merecida que muitas indevidas.

Ocasiões há, como dissemos, em que a guerra é justa por ser necessária. Krishna, ecoando a voz de Deus, declara em Kurukshetra que a causa dos Pandavas é honrosa e legítima. Para Arjuna, fugir ao dever de guerreiro nessa guerra será, não uma virtude, mas um pecado.

Krishna então consola Arjuna dizendo-lhe que a alma, aconteça o que acontecer, nunca morre. Ela é parte de Deus e, portanto, não pode ser destruída. A seguir, declara que a reencarnação é um fato. A alma não apenas continua sua existência num plano superior como regressa a este mundo, em sucessivos corpos, até alcançar a libertação.

Krishna não pára por aí, mas prossegue explicando o lado profundo da morte e do renascimento. Com efeito, o Bhagavad Gita é acima de tudo uma alegoria da evolução da alma. (A alma, na verdade, não evolui, pois já é perfeita. O ego, ou *jiva* – a alma ligada ao corpo –, é que percorre o caminho da libertação. Portanto, dizer que a alma evolui é mera conveniência para aludir ao desenvolvimento espiritual, não físico, do ego.)

Diz Krishna: "A energia que se aplica num erro nunca é destruída. Só pode ser transmudada." A energia com que odiamos pessoas, encolerizamo-nos contra elas e tentamos feri-las, ou empenhamos em perseguir os prazeres do mundo, não pode ser eliminada. Ela, pura e simplesmente, se volta para objetivos espirituais.

O que as pessoas mundanas temem, e Arjuna expressa numa linguagem elevada, embora, de fato, fale com sentimento de posse sobre seus próprios "cidadãos" interiores (ou seja, fruto da consciência do ego), é que, se renunciarem a seus hábitos corriqueiros, perderão algo de muito precioso. Krishna está dizendo: "Arjuna, nada se perde jamais. O que depuseres no plano material, recuperarás de maneira mil vezes mais esplendorosa em Deus."

Assim, em 2:11, Sri Krishna explica a Arjuna: **"Com palavras de amor estás aí a lamentar os que piedade alguma merecem. Ao sábio pouco se lhe dá os que vivem na Terra ou os que já a deixaram."** A vida, no dizer de Krishna, não é determinada pela existência ou não-existência de um corpo físico. Não é o corpo que dá a vida. Bem ao contrário, nós é que damos vida ao corpo. A alma existiu sempre e nós somos essa alma: manifestações do Espírito Eterno.

Mesmo depois de abandonar o corpo físico não ficaremos destituídos de corpo. Aquele não passa de uma casca exterior que abriga o corpo astral – e o corpo astral, por seu turno, é mera condensação de energia que envolve o corpo causal, feito de idéias. Nenhum desses corpos alimenta o homem de vida e consciência. Ao contrário, o homem é que os alimenta.

(2:12) Nem sequer estamos neste mundo pela primeira vez. Eu, tu, esses nobres cuja morte (possível) lamentas: todos vivemos aqui antes e nunca deixaremos de existir.

(2:13) Assim como o ego preserva, intacto, o fio da percepção de si mesmo ao longo da infância, adolescência, juventude e velhice, assim a alma encarnada (que infunde consciência ao ego) mantém sua percepção ininterruptamente, não apenas etapa após etapa da vida terrena, mas em cada corpo que penetra.

(2:14) Ó Filho de Kunti, sensações como calor e frio, prazer e dor são gerados pelos sentidos em (seu) contato com o mundo. Não passam de idéias transitórias, cada qual com começo e fim. Ó Descendente de Bharata, suporta-as com paciência!

O caminho da sabedoria não pode ser identificado com nada que esteja fora do Eu.

(2:15) Ó Flor entre os Homens, aquele que permanece calmo e equilibrado, nunca se importa com a dor ou o prazer, pois tem consciência de que viverá eternamente.
(2:16) O irreal não existe. O real não pode deixar de existir. O sábio conhece a natureza última da realidade: o que é e o que não é.
(2:17) Só Ele, o Espírito Imutável, a tudo permeia e jamais perece. Nada pode destruir Sua realidade eterna.
(2:18) O Eu[1] interior nunca se altera, nunca sucumbe, nunca se vê limitado. Apenas o envoltório de carne perece. Por isso, ó Prole de Bharata, acata teu dever (neste corpo) e luta!
(2:19) Aquele que considera seu Eu eterno e verdadeiro capaz de matar (alguma coisa) e se acredita, em essência, capaz de morrer, esse não conhece a verdade. O verdadeiro Eu nem mata nem é morto.
(2:20) O Eu nem nasce nem morre. Existente por si mesmo, a existir continua por toda a eternidade. Sem princípio, imortal, imutável – e sempre o mesmo. O Eu não é eliminado quando o corpo sucumbe.
(2:21) Quem, sabendo que o verdadeiro Eu é imperecível, indestrutível, imutável e não-nascido, achará que esse Eu é capaz de pro-

---

1. Optou-se por traduzir a palavra inglesa *Self*, que traduz o sânscrito *atman*, por "Eu" com inicial maiúscula para sublinhar a distinção existente entre o *atman* ou Si Mesmo universal (*Self*, Eu) e o "eu" comum da individualidade humana. (N. do T.)

vocar a destruição de outro Eu? Ó Partha (Arjuna), quem está matando quem?

(2:22) Assim como a pessoa deita fora as roupas usadas e veste novas, assim a alma que vive num corpo físico (remove-o) e o descarta quando já está gasto, substituindo-o por outro.

(2:23) As armas não podem ferir a alma; o fogo não a pode consumir; a água não a pode embeber; o vento não a pode arrebatar!

(2:24) A alma é invulnerável; não muda, permeia tudo, sempre serena e imperturbável. Vive para sempre.

(2:25) Não se pode sequer conceber a alma por meio da razão. O Eu é imaterial e informe. Aprende essa verdade e abstém-te de lamúrias.

(2:26, 27) Mas ainda que preferisses julgar o Eu perecível, que importa? O que nasce tem de morrer. O que morre tem de renascer. Para que chorar o que não pode ser evitado?

(2:28) (Os períodos) anteriores ao nascimento e posteriores à morte escapam ao teu olhar. Só tens ciência do que vês com os sentidos. Para que chorar o que não pode ser visto?

(2:29) Algumas (pessoas) contemplam a alma, deslumbrados. Outros descrevem (a experiência dela) como maravilhosa. E outros ainda, ouvindo-a, captando-a, declaram-na um prodígio. Os demais, apesar de tudo o que lhes foi dito sobre ela, de modo algum a compreendem.

A última estrofe mostra alguns modos pelos quais a alma é conhecida: como uma luz deslumbrante, cósmica e esplendorosa; como sabedoria cósmica; e, finalmente, como Som Cósmico: a vibração de AUM.

Existem luzes falsas – projeções da mente subconsciente. Elas são vagas, enevoadas e indistintas. A luz da alma é "deslumbrante" graças a seu poder de transformar a consciência do devoto que medita.

Há também sabedoria falsa, usualmente associada ao mero conhecimento intelectual. Paramhansa Yogananda recordava ocasiões, em sua juventude, nas quais se perguntou desnecessariamente: "Quem foi esta ou aquela pessoa em outras vidas? Quem, por exemplo, foi Jesus Cristo, Krishna, Shakespeare?" Se visitarmos um castelo, não será melhor (perguntava retoricamente), em vez de vagar desnorteados pelo jardim, travarmos conhecimento com o senhorio e deixá-lo mostrar-nos o que há por ali? Ele nos mostrará tudo, dando a cada coisa sua devida importância.

Quanto ao som de AUM, será tratado mais à frente: o que é, o que parece e o papel importante que desempenha na meditação profunda.

(2:30) Ó Bharata (Arjuna), existe um Eu em todas as coisas. Esse Eu é inviolável. Não te preocupes, pois, com (o que ocorre) no mundo manifesto.

(2:31, 32) Mesmo quando vemos as coisas pessoalmente, do ponto de vista do dever *dhármico*, não há motivo para sofrimento ou hesitação. Nada convém mais a um *Kshatriya*, cujo dever é lutar pela justiça, do que defender o que é correto e verdadeiro. Feliz e abençoado és tu, que estás disposto a dar a própria vida por semelhante causa. Essa morte te abrirá os portões do paraíso.

Um guerreiro vencido, depois de lutar sem medo por uma boa causa, sobe ao paraíso por ter defendido um ideal maior que a existência mundana. Sua disposição para sacrificar, numa causa justa, a realidade inferior pela superior, dá-lhe o direito de gozar as maravilhosas regiões astrais após a morte.

(2:33, 34) Se, porém, recusares esta oportunidade de travar o bom combate, repelindo assim teus deveres, incorrerás em pecado. As outras pessoas (longe de te reverenciar) enxovalharão teu nome. Para um homem que se respeita, a desonra é verdadeiramente pior que a morte.

(2:35, 36) Os outros guerreiros presumirão que evitaste a luta por medo. Quem te teve em alta conta até hoje te desprezará doravante. Teus inimigos pronunciarão teu nome com desdém e ridicularizarão tuas proezas. Haverá (para um guerreiro) coisa mais dolorosa?

(2:37, 38) Se tombares em combate, ganharás o céu. Se venceres essa guerra, conquistarás glória terrena. Eia, pois, ó Filho de Kunti (Arjuna)! Decide-te a lutar! Sê calmo em presença do prazer ou da dor, da perda ou do ganho, da vitória ou da derrota. Assim, não pecarás.

(2:39) Eis que te explanei a sabedoria última de *Shankhya*. Ouve agora a sabedoria do Yoga, com a qual romperás os grilhões do karma, ó Partha!

Esta última passagem aparece traduzida de vários modos nos diferentes textos. Mas a versão de Paramhansa Yogananda é sem dúvida a mais acurada. A palavra "sabedoria", que consta do original, associa-se a *"Shankhya"* e não significa Gyana Yoga como pensam alguns (que pronunciam Gyana segundo uma tradição pedantesca, mas foneticamente equivocada, como "Jnana" – o que meu Guru deplorou em conversa pessoal comigo). Outras traduções falam em Karma-Yoga, que não aparece no texto original. O Gita alude, isso sim, àquilo que "desatará os laços do karma". Tornei a tradução inglesa mais poética escrevendo "romperás os grilhões do karma", cujo significado, obviamente, é o mesmo.

Paramhansa Yogananda versou as três principais filosofias da Índia: *Shankhya, Yoga* e *Vedanta*. Explicou que a sabedoria ensinada em Shankhya enfatiza a necessidade de fugir de *maya,* ou ilusão. O Yoga ensina o aspirante sincero a empreender com êxito essa fuga. E o Vedanta (que significa literalmente "resumo final" ou "encerramento", nos Vedas) descreve a natureza de Brahman.

A erudição clássica indiana considera essas três "filosofias" diferentes e mesmo incompatíveis. Yogananda explica que todas se baseiam numa só verdade básica: Sanaatan Dharma. Elas apenas enfatizam os três aspectos fundamentais da busca espiritual: ou seja, o *porquê*, o *como* e o *quê*. Esses três aspectos são imprescindíveis. Precisamos saber por que é necessário procurar a verdade, como chegar a ela mais facilmente e o que podemos esperar (tudo posto com a maior clareza intelectual possível, mas insistindo em que só a experiência direta traz a verdadeira compreensão).

O Bhagavad Gita ensina os três "sistemas". Na verdade, como ponderou Yogananda, eles não são "filosofias". *Filosofia* significa, literalmente, "amor à sabedoria" (do grego antigo *philos*, "amor", e *sophia*, "sabedoria"). Yogananda esclareceu que os pensadores ocidentais fazem jus ao rótulo de "filósofos", mas que os grandes rishis e yogues da Índia foram mais "videntes" que filósofos, nunca, em época alguma, se contentaram com teorizar a respeito da verdade, mas viram-na e vivenciaram-na diretamente, por si mesmos. Nem Immanuel Kant, Arthur Schopenhauer ou Friedrich Nietzsche conseguiram revelar sequer uma fração do controle da vida, objetiva e subjetivamente, que desde eras recuadas até os dias de hoje os grandes "cristos-yogues" da Índia demonstraram.

CAPÍTULO 11

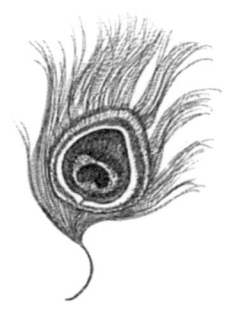

A consolação de Krishna

O Capítulo 2 do Bhagavad Gita começa com Arjuna profundamente entristecido à idéia de ter de combater seus próprios parentes. Em grande parte, as estrofes que se seguem citam as palavras imortais de Krishna sobre consolação, sabedoria e encorajamento.

Sucede às vezes que o devoto, desapontado com seu progresso espiritual até o momento, se sinta invadir pelo desânimo. Pensa então: "Troquei prazeres reais por alegrias intangíveis. Agora estou sem nada!" Essencialmente, esse desalento se enraíza na ânsia de liberdade espiritual. Arjuna não diz – à maneira do respeitável, mas nada devoto asceta de uma deliciosa história que Paramhansa Yogananda gostava de contar: "Até mais ver, Deus e toda a tua corja de dementes!", como que saudoso dos falsos "prazeres" dos sentidos. Sente-se desencorajado, antes, porque suas esperanças de experiência espiritual ainda não se cumpriram. Hesitando entre dois mundos, mas acreditando no caminho ascendente, senta-se no "carro" e desabafa: "Nada mais posso fazer!"

Krishna, que representa a Divina Presença interior – a saber, a alma –, conforta o devoto bem em seu íntimo e anima-o com tocante firmeza.

O crescimento espiritual quase nunca ocorre de súbito, a menos que a pessoa esteja já abençoada desde o berço com um karma excepcionalmente favorável. O Senhor nem sempre se manifesta com lábios e olhos humanos, embora se deixe entrever sob forma física por meio de um guru. Mas mesmo o guru ensina recorrendo principalmente à própria percepção intuitiva do discípulo.

Até as lágrimas de desapontamento de Arjuna são salutares espiritualmente, pois expressam também o desejo não-satisfeito de verdade divina, fixando a mente nas aspirações superiores, com seu anseio inquebrantável pelas alegrias indescritíveis da comunhão divina.

Depois de pensar logicamente, o devoto cede por completo à percepção intuitiva, que é lúcida embora não seja racional. Sem essa atitude, não haverá progresso do espírito.

É preciso entender que mesmo esse encorajamento oriundo da intuição tácita é indício de intenso trabalho espiritual em encarnações anteriores. Pode parecer cruel da parte de Deus não responder de imediato às dúvidas, medos e hesitações do homem; mas pense-se nas inumeráveis existências durante as quais o ego vagou distanciado de Deus, desdenhando as menores provas de Seu amor e buscando sempre realização no mundo dos sentidos. Arjuna já não se sente atraído por esse mundo: chegou a um ponto em que ele não mais o deslumbra e, ainda assim, hesita em pô-lo inteiramente de parte. O fato de Deus, nessa etapa, querer oferecer sólidas esperanças, além da consolação das percepções e intuições a serem alcançadas com o tempo, é já um indício de considerável progresso interior.

A piedade de Arjuna por seus "parentes" inimigos prova que ele apetece de novo os prazeres aos quais renunciou? Como o Gita foi escrito para orientar todos quantos buscam a Deus, talvez essa nostalgia seja mesmo problema de Arjuna também, embora o texto não o afirme explicitamente. Seu desalento pode dever-se ao fato de ele não ter ainda alcançado a realização espiritual. Como quer que seja, o Senhor lhe diz: "Aquela gente é tua inimiga. Não a trates com 'brandura', pois seu intento verdadeiro é destruir-te." Lamentar antigos prazeres pode, de novo, abrir o abismo criado entre a pessoa e eles. No caminho espiritual, grande equívoco é brincar, ainda que por desfastio, com pensamentos sobre o que passou. Renunciar ao mundo tanto em pensamento quanto em ação é essencial.

Devemos vigiar o coração para banir quaisquer traços de apego aos prazeres que porventura ainda restem ali. Podemos nos sentir seguros contra os desejos mundanos; mas se, no fundo do coração, percebermos o menor laivo de excitação, se ouvirmos mesmo falar em gozos dos sentidos ou escutarmos histórias a respeito deles – "piadas sujas", por exemplo –, exterminemos tudo isso como se fosse uma infecção. Haverá quem repudie semelhante atitude, exclamando: "Ora, são coisas da mente!" Exato! A mente é o campo de batalha. Não existe outro.

O deleite dos sentidos parece agradável apenas por um esforço de imaginação. Uma mãe, por exemplo, pode durante uma fase de penúria convencer-se de que, alimentando os filhos, está se alimentando também. Todavia, com o tempo, mesmo esse ato de autonegação já não lhe será possível. A identificação vicária é como supor que se está preservando a felicidade por meio dos sentidos. O verdadeiro Eu só pode ser mantido por estados espirituais de consciência como amor divino, serenidade e bem-aventurança.

Os prazeres dos sentidos não são experimentados nem sequer na superfície do corpo, como se supõe. Os nervos transmitem as sensações da beleza visual e musical, do olfato, do paladar e do tato ao cérebro. Se são aceitas com prazer ou desgosto, isso depende inteiramente do condicionamento mental da pessoa. A mente humana, ao contrário da dos animais inferiores, consegue se adestrar para gostar de tudo. O ditado: "Gosto não se discute" é equivocado, pois o "gosto" depende da associação mental constante. Mesmo sensações que, para a maioria das pessoas, são desagradáveis podem agradar a outras – se, por exemplo, elas vivem num ambiente onde é comum experimentá-las.

A bem-aventurança da alma, que se manifesta sobretudo durante a meditação profunda, nasce com o Eu. Por isso o sábio Patanjali afirma que a iluminação é um processo de *smriti* ou memória. Logo que a bem-aventurança ou o amor são sentidos, a alma reconhece-os instantaneamente. Não há necessidade de aprendê-los, não há necessidade de familiarizar-se com eles. Assim também, quando o som cósmico, AUM, é realmente ouvido, a pessoa constata com certeza intuitiva que poderá continuar ouvindo-o por toda a eternidade sem enfadar-se. A música mais bela, ao contrário, acaba por aborrecer e até irritar com o tempo.

"Paraíso", nas estrofes 32 e 37, significa mais que os céus astrais para onde vão os guerreiros após a morte. O Bhagavad Gita é uma escritura. Tal como nos ensinamentos de Jesus Cristo, onde a maioria das referências ao paraíso significa o estado de unidade com Deus, aquilo a que Krishna alude aqui em termos mais profundos é a esfera ilimitada da consciência divina. Para o devoto, os lauréis da vitória são a liberdade da alma na eterna bem-aventurança.

Ao contrário do que comumente se prega nas igrejas ou da transigência com os mais elevados ideais a que panditas de segundo tomo fazem vistas grossas, o Bhagavad Gita insiste com firmeza nas verdades supremas que ensina! Raras vezes se ouve nos templos cristãos a advertência de Jesus: "Amai a Deus de todo o coração, alma, mente e força!" E quando este conselho é citado, "Sede, pois, perfeitos como perfeito é o vosso Pai que está nos céus", seu significado se dilui nos adendos "Sede bons" ou "Sede bons porque Deus, em Sua Perfeição, espera de vós a bondade". Os mestres hindus dos satsangs da Índia raramente instam os ouvintes a viver as verdades supremas contidas no Gita. "Dá-me teu coração; adora-Me" é traduzido como "Ama-Me também". A frase de Sukdeva, "Tempo que não se gasta na busca de Deus é tempo perdido", costuma ser deliberadamente esquecida quando se diz às pessoas que riqueza e prazeres humanos normais são sancionados pelas escrituras. São, sim – quando nos satisfazemos apenas com um bom karma e com os altos e baixos do giro constante da roda das reencarnações! O ensino supremo de Krishna, porém, é intransigente.

Convém esclarecer de vez que o Bhagavad Gita é para todos – tal qual a doutrina semelhante de Jesus Cristo. Como diz Krishna mais adiante no poema, "A prática, ainda que mínima, dessa religião livrará a pessoa de medos terríveis e sofrimentos colossais." (2:40)

Na estrofe 10, não citada acima, mas implícita no sumário geral, Krishna, antes de exortar Arjuna à batalha, falou "como que sorrindo". Essa frase, diz Yogananda, tem grande importância por indicar que Deus não é nenhum juiz inflexível do comportamento humano, mas está "do nosso lado". Ele *quer* que nos desenvolvamos espiritualmente e para sempre perdoará nossos erros. A expressão "como que sorrindo" mostra que Arjuna já evoluíra o bastante para merecer essa prova do amor de Deus. Como Krishna fica inativo durante a batalha, limitando-se a conduzir o carro de Arjuna, às vezes parece distante do devoto e até indiferente aos esforços mais fatigantes para alcançá-Lo. O "sorriso" de Krishna, porém, está aí para quem quer que O busque honestamente. Não é fácil merecê-lo, mas, sob uma ou outra forma, ele nos tranqüiliza de quando em quando. O devoto sente, no coração, o apoio amoroso de Deus. Com o tempo, toma consciência desse sorriso interior. É com ele nos lábios que Krishna discursa no Bhagavad Gita. É com o amor mais suave que Deus exorta o devoto a procurá-Lo incondicionalmente, como a única fonte de realização que existe.

O devoto, enquanto isso, não deve esperar, ansioso, pelo sorriso tranqüilizador de Deus, mas prosseguir com calma rumo a seu objetivo, cumprindo serenamente os deveres a ele impostos pelo karma. Ser "calmo e jovial" em todas as circunstâncias é o primeiro dever do yogue. Isso não significa, é claro, encarar com leviandade os sofrimentos alheios! Devemos respeitar sua dor e mesmo solidarizar-nos com ela – como fez Krishna. Já quanto aos sofrimentos próprios, o aspirante a yogue tem de banir com firmeza toda idéia de identificação egóica tanto com o prazer quanto com a dor. Esta talvez "aconteça" de fato, mas ele não precisa concluir que lhe pertence. Quanto mais o aspirante resistir aos estados de oposição da natureza – as dualidades de *maya* (*dwaita*) –, mais descobrirá que consegue permanecer calmo interiormente, em todas as circunstâncias. Graças a essa calma, além de tudo, afora não sofrer vendo os outros acossados pela dor, ele perceberá que também não sofre pessoalmente mesmo ao ter de enfrentar igual padecimento. Estará no centro da serenidade a partir do qual poderá executar movimentos apropriados instantaneamente, em qualquer direção.

Um traço que sempre achei surpreendente na vida de meu Guru era sua capacidade de ter sem demora a resposta adequada a qualquer circunstância. Devo dizer que, durante os três anos e meio de nosso convívio, jamais o vi olhar ou reagir exatamente da mesma maneira.

Uma boa prática para o devoto consiste em submeter-se espontaneamente a opostos extremos: calor e frio, prazer e dor, etc. Deve, contudo, zelar para não ir além de suas possibilidades atuais. Fazer mais do que se pode é fanatismo, quando não ato contraproducente. Após horas debaixo do chuveiro frio, a pessoa mal consegue sentir calor de novo por meses! Pode-se mesmo prejudicar a saúde. Outro conselho importante, além do de permanecer jovial e sereno, é: use o bom senso.

Para obter serenidade, uma ótima prática é renunciar a gostos e aversões. Meu Guru costumava dizer: "Se algo vier por si, que venha." Repetimos: eliminar por vontade própria os altos e baixos dos sentimentos costuma ser um recurso muito útil. Coma um petisco de que você de fato não gosta (desde que não lhe faça mal!); ofereça a outra pessoa um prato ou qualquer outro prazer que você aprecia.

Lembre-se, os opostos da dualidade são inseparáveis. Quanto mais para a frente for o balanço de uma criança, no parquinho, mais para trás automaticamente irá. O prazer excessivo dos sentidos produz "ressacas" de vários tipos – uma dor de cabeça (no caso de excesso de bebida), uma indigestão (no caso de excesso de comida), uma baixa de humor (no caso de excesso de hilaridade) ou uma sensação de isolamento (depois de se estar com muitas pessoas).

A felicidade vem quando nos concentramos calmamente em nosso eu, mesmo quando esse "eu" é escrito com "e" minúsculo. Quem é calmo por dentro consegue ver as coisas como são. Pode ser tido como a única pessoa sã em meio a tresloucados!

Muito importante para se ser "calmo e jovial" é examinar a questão que Krishna levanta no Capítulo 2 do Bhagavad Gita: o medo natural da morte e do morrer. Todos morrerão, mais cedo ou mais tarde. A própria vida é uma preparação para o "exame final" da morte. Convém, pois, enfrentar esse acontecimento com realismo, sem arroubos doentios. Quando você estiver se banhando, por exemplo, diga a si mesmo: "Este braço que agora lavo será algum dia reduzido a cinzas ou pó. Ele não sou eu!" À noite, antes de ir para a cama, faça uma fogueira mental de todas as suas posses, desejos, apegos. Atire-os um por um às chamas e contemple-os enquanto crepitam alegremente e desaparecem. *Nada* pertence a você – nem sequer seu próprio ego! Assumir com firmeza essa atitude é o caminho para a liberdade interior. *Divirta-se* vendo tudo se esfumar nas labaredas mentais. Nada, nem mesmo a morte, pode afetá-lo tal qual você de fato é no íntimo.

Mas, enquanto isso, cumpra suas responsabilidades conscienciosamente no mundo, dia após dia, numa atitude de desprendimento interior. Entregue tudo a Deus e tente sempre comprazê-Lo. Não fique ansiosamente à espera de Seu sorriso de aprovação, mas vá adiante na certeza de que já o tem, pois, quanto mais livre for dentro de você mesmo, mais feliz se sentirá.

Viva no Eu: concentre-se nele, porquanto é nessa realidade que você reside. O resto não passa de uma dança à volta do "mastro" desse Eu interior. Não se deixe prender por nada. O que quer que faça, sinta-se livre por dentro. Essa liberdade pode ser descrita como a mais elevada de todas as virtudes.

A prática que a todas supera no caminho espiritual é tudo aquilo que nos possa ajudar a repelir o envolvimento com o ego. Não nos cabe deixar de agir, conforme Krishna deixa claro mais tarde. Mesmo a inatividade é uma forma de ação. As pessoas costumam dar este falso conselho: "Se você vir alguém jazendo inerme num fosso, deixe-o lá, pois do contrário estará desafiando o karma." Que conselho absurdo! Em primeiro lugar, auxiliando o próximo, você se propicia um *bom* karma, que até certo ponto compensará os maus atos cometidos no passado. Em segundo, não agindo nesse caso, você estará na verdade criando karma – um mau karma! A decisão de não agir é como sopear um cavalo pelas rédeas: implica um esforço de vontade e, portanto, uma ação qualquer.

Que é o ego? Imagine a Lua se refletindo em diversos vasos de água. Cada vaso exibe o mesmo reflexo, que no entanto parece único. Mas quando olhamos para o céu percebemos que os reflexos são um só, como uma só é a Lua. Não bastasse isso, os reflexos podem variar também quando a água de um vaso é agitada, contém fragmentos flutuantes ou apresenta cor diferente. A alma de cada ser humano reflete a mesma beatitude do Espírito, mas, porque essa beatitude se reflete no ego individual, sua forma e natureza nos parecem grandemente modificadas. Se a mente é inquieta, sua beatitude natural fica distorcida; se muito distorcida, chega a lembrar sofrimento e dor. De igual modo, na medida em que os sentimentos da pessoa contenham "fragmentos" de desejos e apegos, a beatitude real refletida pelo ego se alterará – embora a alteração ocorra unicamente no reflexo. Além disso, caso a percepção se tolde como pode ocorrer à superfície da água – por causa de preconceitos, gostos e aversões ou noções equivocadas –, também essas máculas comprometerão a nitidez da beatitude intrínseca associada à alma, a qual, por outra forma, refulgiria na consciência da pessoa. Com efeito, a evolução espiritual não consiste em *realizar* alguma coisa, mas sim, pura e simplesmente, em corrigir as distorções que velam a natureza da alma. Todas essas distorções se manifestam nos reflexos confusos que engendramos da verdadeira bem-aventurança de nosso ser. Ao final, quando ofertamos nosso pequenino reflexo à Lua, descobrimos face a essa beatitude transcendente que até nosso velho e desprezado ego continua conosco – como lembrança imorredoura.

Pode-se perguntar: Por que o ego, após a morte, não se funde de novo com a unidade do Espírito? A questão é que temos outros corpos a transcender. Imagine-se uma garrafa com água do mar flutuando no oceano. Se a garrafa se quebrar, naturalmente seu conteúdo se misturará à água em derredor, não mais se podendo distingui-la do resto. Mas se a garrafa estiver dentro de outra e esta dentro de uma terceira, a quebra da última não liberará a água contida na primeira.

O corpo físico é como a garrafa externa. Em seu interior está o que poderíamos chamar de modelo original desse corpo – o corpo astral de luz e energia. Como o corpo astral foi "poluído" por desejos materiais, precisa criar outro corpo físico para se proteger.

Decerto, nenhuma imagem é perfeita. Como fato real, a garrafa externa ficaria em estreito contato com o mar, cujas águas a envolveriam por todos os lados. Como "fato" espiritual, porém, a consciência corpórea permanece bem longe do Espírito Supremo e viver conscientemente no corpo astral nos aproxima deste último.

Mesmo no corpo astral de energia, contudo, subsiste um derradeiro envoltório: o corpo causal, feito de idéias.

O corpo físico consiste de sangue, carne e ossos. Formam-no, diz a ciência, dezesseis elementos. Paramhansa Yogananda, comparando os corpos astral e causal ao físico, disse que o corpo astral contém dezenove elementos, ativados por diferentes tipos de energia: os cinco sentidos, o poder no interior desses sentidos, mente, intelecto, ego e sentimento (*mon, buddhi, ahankara, chitta*). É interessante ver o próprio ego mencionado como "elemento" do corpo astral. O corpo causal, finalmente, tem 35 "elementos", compostos dos dezesseis físicos e dos dezenove astrais.

Fato interessante, o termo "elemento" aparece na tradição clássica tanto do Oriente quanto do Ocidente. Aplica-se às *etapas*, não aos elementos químicos, da manifestação física: éter, ar, fogo, água e terra. Fato igualmente interessante, essas etapas se identificam com os cinco chakras espinais e, portanto, com os cinco irmãos Pandavas.

Quando a matéria se manifesta pela primeira vez, surge o espaço, que no dizer de Yogananda é em si mesmo uma vibração distinta, identificável com o éter. A segunda manifestação da matéria são os gases galáticos, as nebulosas. Estas vão aos poucos se condensando como bolas de matéria ígnea; depois, como "água" ou líquidos (lava pastosa, por exemplo, que é matéria em estado líquido); finalmente, como "terra" ou matéria sólida. Quando o yogue alça sua consciência ao longo dos cinco chakras espinais, adquire certo poder sobre as etapas elementares da manifestação: a capacidade de fazer-se inamovível e pesado como as rochas. Pode caminhar sobre a água e, depois, em meio ao fogo. Pode levitar. Pode dilatar sua consciência espaço afora.

Em última análise, é possível visualizar a realidade como um oceano infinito: a imensidão do Espírito. Nesse oceano alteiam-se ondas, moldando formas individuais. Cada ego é representado por uma onda. O objetivo de *sadhana* (prática espiritual) consiste em devolver a onda individual de manifestação ao mar, onde se tornará, literalmente, infinita.

Yogananda recorria ao seguinte exemplo para explicar o que eu disse a propósito da volta e reabsorção do ego pelo Espírito infinito. Um homem chamado João manifestou-se ao longo dos éons em ondas multiformes no oceano do Espírito. Nunca deixou de ser Espírito, independentemente da forma assumida. Mas parecia uma entidade separada. Quando a onda de individualidade de João retornava ao oceano, deixava de ser aquela onda, mas ele se percebia como Deus a tornar-se João por muitas encarnações. Finalmente, constatou que a separação era ilusória. Todavia, quando voltava a ser Deus, o "João" individual não deixava de existir. A *lembrança* do que era, encarnação após encarnação, persistia. Por causa dessa lembrança, o próprio ego sobrevive na Consciência Infinita e pode manifestar-se de novo sempre que o Infinito assim determinar.

Assim Krishna, considerado mesmo quando vivia na Terra o próprio Deus (e como tal representado no Gita), não era somente a divindade infinita sob essa forma acanhada de manifestação, mas também *a mesma lembrança individual* do ego que se transfundira em incontáveis formas humanas até a libertação final. Reza a tradição que Krishna era uma encarnação de Vishnu. Mas o próprio Vishnu não passa de um aspecto da Consciência Infinita: uma das três vibrações de AUM – de que, porém, falaremos mais tarde.

É interessante observar que as ondas do oceano não constituem realidades fixas. Tudo que flutua numa onda sobe e mergulha à medida que ela passa. A onda só é real como um tipo de vibração. Mesmo o ego é, digamos, apenas uma vibração na superfície do infinito.

Deus enviou o homem à Terra para que ele se harmonizasse com o movimento cósmico. Mas, infelizmente, os apegos e desejos ensombreceram-lhe a consciência. Imerso na realidade aparente do movimento, o homem se esqueceu de que era mero raio de luz de um projetor, delineando as imagens artificiais impressas no celulóide. Se o homem pudesse viver inteiramente desprendido neste mundo, reconheceria de novo que tudo não passa de um espetáculo: não mais que luz e sombras. A única realidade é o foco imutável que produz essas imagens passageiras, com a beatitude que está dentro dele.

Ponto a realçar no consolo que Krishna ministra a Arjuna: seu ensinamento não exige que as pessoas sejam insensíveis. O amor humano faz parte do amor divino. Só se torna um equívoco quando privilegia apenas uma ou algumas formas particulares. A morte nos separará de nossos entes queridos – quando morrerem eles ou morrermos nós. Por isso devemos ter sempre em mente, com lucidez, que os seres humanos e tudo o mais emanam do mesmo Deus – portanto, só Ele deve merecer as primícias de nosso amor.

E assim chegamos à estrofe 40, ao começo dos ensinamentos de Krishna sobre o Yoga.

Capítulo 12

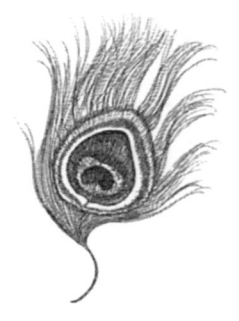

A natureza da reta ação

O yoga é inseparável da ação, pois o ensina "como fazer" do caminho espiritual. Não se trata, porém, de uma ação com começo e fim, típica dos empreendimentos humanos. Não encerra nenhum ato incompleto, também típico dos empreendimentos humanos, cujas conseqüências possam ser desviadas por aquilo que Yogananda chamou de "contracorrentes que colocam obstáculos ao ego". Além disso, todo ato inspirado pelo ego provoca uma reação, ao passo que, na prática do yoga, não se observa essa reação dualista porque ela almeja o fim da atividade do karma. Essa é a lição da estrofe seguinte:

(2:40) Nesse caminho (da ação yóguica) não existe o risco de "assuntos inconclusos" nem há, latentes nele, os efeitos contrários da dualidade que o possam anular. Mesmo uma limitada prática dessa religião libertará o homem de medos terríveis e sofrimentos colossais (inerentes aos ciclos incessantes de morte e renascimento).

Convém saber que na prática do yoga, como, obviamente, em qualquer busca sincera de Deus (o Eu uno, para além de toda dualidade), nenhum esforço se perde e nenhum karma é inútil. Em suma, não há "entraves" à procura de Deus. Em se tratando de qualquer outro esforço, por gloriosas que sejam as conseqüências, sempre é legítimo perguntar: "Que há de errado aí?" Só com respeito à busca divina a resposta será um sonoro "Não há absolutamente nada de errado!" Mesmo o fracasso nessa busca traz bom karma.

Pense-se em outras realizações na vida. *Fama*? Um homem famoso suspirou: "Gozei de celebridade a princípio, logo depois tudo se transformou em pó. Hoje, isso nada significa para mim."

Dinheiro? A Howard Hughes, então o homem mais rico do mundo, perguntaram se ele alcançara a felicidade. E ele respondeu com amargura: "Não, não creio que a tenha alcançado."

Amor humano? Quão mais bela é a história de envolvimento com o amor divino, infinito, que a alma vivencia ao encontrar Deus!

Poder? Joseph Stalin, o onipotente ditador da ex-União Soviética, ficou literalmente louco ao final da vida, temendo que todos à sua volta estivessem tramando sua destruição!

Conhecimento? Repare nas faces chupadas, no semblante carregado, nos ombros caídos daqueles que perseguiram o saber intelectual a vida inteira. Ouça a sua voz sumida!

Não, nada neste mundo traz realização duradoura. E ainda quando algumas pessoas pareçam realizadas por algum tempo, a ninguém ocorreria que seus feitos constituem o bem supremo da existência. Só num ponto há perfeita unanimidade: na busca de Deus, especialmente em se tratando daqueles que O encontraram. Não importa a religião, o país ou o povo, os que encontraram Deus estão de perfeito acordo: *esse* é o objetivo de todo afã humano. Sem exceção, quem O encontrou aceita de bom grado perseguições – mesmo morte dolorosa – para transmitir essa experiência aos semelhantes. Deus, *sabem-no* bem, é o *único* objetivo que conta na vida.

No entanto, quantas vezes aqueles que O buscam são ridicularizados – ou coisa pior!

Mais à frente no Bhagavad Gita, Krishna responde de forma encantadora, com palavras repassadas de esperança, à pergunta de Arjuna: "Que acontece aos fracassados?" Já na estrofe que ora comentamos, ele diz: "Nenhum esforço se perde no caminho para Deus." Não significa que todas as práticas a serviço de Deus sejam certas. Quando as pessoas praticam yoga (ou outras formas de religião) por motivos equívocos ou egoístas – para desenvolver poderes espirituais ou obter controle sobre o próximo –, condenam-se a pagar o preço kármico porque se devotaram a fins dualistas, tendo por isso de arcar com as conseqüências de opor suas energias às dos outros. Existindo, porém, anseio desinteressado pela verdade e por Deus, esta estrofe do Gita tranqüiliza imensamente a todos.

Desejar sinceramente a salvação, ainda que uma só vez, é tomar o caminho para a liberdade final. Todos os desejos, com efeito, precisam ser realizados. Mesmo assim, esse desejo por si só, uma vez entranhado no coração, pode nos tornar livres.

Portanto, a passagem aqui examinada é uma das mais profundamente inspiradas e inspiradoras que se possa encontrar em qualquer escritura.

(2:41) Neste yoga, só há uma direção (sem oposto polar). Os arrazoados da mente indecisa, apanhada na dualidade, são infinitamente vários e divergentes.

Krishna não diz apenas que o caminho para Deus é reto, sem desvios, mas também que só ele devemos seguir na vida! Há, de fato, inúmeros rodeios na busca de Deus em religião – para não falar do "rodeio" supremo, que é a ilusão. Os porta-vozes das religiões só têm explicações vagas para "perfeição", limitando-se a esclarecer que Deus espera do homem apenas a prática do bem. O céu é usualmente oferecido como isca: um lugar onde as pessoas passam a eternidade num cenário idílico, de inefável beleza natural, cercadas de "anjos". Aos olhos do aspirante espiritual sincero, nada pode ser mais aborrecido do que passar a eternidade aferrado a um ego, ainda que o corpo onde viva permaneça para sempre saudável, flexível, jovem e cheio de energia.

Poucas pessoas conseguem imaginar um período maior que mil anos – o milênio que Jesus Cristo, de fato, reservou aos cristãos como promessa de perfeição suprema. Hoje, sabendo graças à ciência da astronomia que todas as estrelas vistas no céu são apenas a orla de uma única galáxia, e que existem pelo menos cem bilhões de galáxias no universo físico, esse número, *mil*, parece verdadeiramente insignificante! Ora, quantas pessoas conseguem imaginar um milhão de anos? Um bilhão? *Cem* bilhões? Tais números são inconcebíveis. A consciência divina, porém, é eterna. E também "um centro em toda parte, uma circunferência em parte alguma", portanto dotada de onipresença, ou seja, conscientemente presente na maior das estrelas e no menor "grão de terra" de um planeta da mais distante galáxia – em verdade, no seixo minúsculo de nosso jardim e, até, num dos incontáveis átomos que se agrupam num fragmento desse seixo.

É espantoso constatar até que ponto as verdades divinas foram distorcidas pelos chamados líderes ou apóstolos religiosos – sacerdotes, imãs, rabinos, panditas e outros que ostentam honrosos títulos eclesiásticos por todo o mundo. Com efeito, apenas o hinduísmo (e digo isso como alguém que foi, ele próprio, educado no cristianismo ortodoxo) ensina formalmente a *moksha*, ou libertação do ego interior, em conjunção com a consciência divina e onipresente. Jesus Cristo ensinou-a. Mas poucos, se algum, de seus autoproclamados seguidores acreditam que, quando ele falava do céu, referia-se a esse mesmo estado de *moksha*: libertação absoluta. Quando, na igreja aos domingos, os pregadores cristãos citam a parábola do grão de mostarda, quantos deles entendem a comparação que Jesus Cristo traçou entre o céu e essa pequenina semente – comparação que não tem nenhum vínculo perceptível com o paraíso astral de que falam os tais pregadores? O céu que Jesus descreveu como um grão de mostarda cresce, a partir de proporções minúsculas, até o porte de uma árvore frondosa em cujos galhos "as aves do céu vêm se aninhar". No versículo seguinte, Mateus 13:33, ele compara o "reino dos céus" ao fermento usado no fabrico do pão, que faz crescer a massa. Crescimento, expansão: Jesus falava da expansão rumo à onipresença. Uma vez que só nos acenam com verdades espirituais inferiores, os mestres religiosos, pela maioria, desmentem sua própria doutrina.

Paramhansa Yogananda costumava dizer: "Jesus foi crucificado uma vez só, mas seus ensinamentos o são diariamente, por toda a Cristandade, desde aquela época." A princípio, a diluição talvez haja sido deliberada, para manter o "rebanho" sob controle. Hoje, os sacerdotes já não se lembram – se é que alguma vez o souberam – de que a perfeição pregada por Jesus não era perfeição *humana* (verdadeiramente, um paradoxo!). O que ele dizia era: "Sede, pois, perfeitos como perfeito é *o Vosso Pai que está nos céus.*"

O judaísmo parece mais empenhado em seguir as leis de Moisés do que em alcançar a salvação eterna da alma e a bem-aventurança na comunhão com Deus. Acreditarão mesmo os judeus que é possível alcançar o céu após a morte? Muitos deles ressalvam, à maneira dos homens de ciência materialistas, que semelhantes questões não podem ser resolvidas racionalmente e, portanto, nem sequer vale a pena examiná-las. Basta, sustentam eles, viver aqui na Terra uma vida às-direitas, que agrade a Deus.

Os budistas enveredaram pelo mesmo caminho. Dado que Buda se absteve de falar em Deus, limitando-se a imprimir na mente das pessoas a necessidade de fazer um esforço pessoal de purificação, seus seguidores logo incidiram na falácia do ateísmo. Sim, Deus de fato não tem forma humana; é Beatitude pura, absoluta – infinita, eterna e sempre consciente, conforme proclamou mais tarde Shankaracharya. Shankara desejava persuadir as pessoas de que as formas com que haviam revestido Deus eram meramente para fins de devoção: não tinham realidade literal. O *nirvana* do budismo ortodoxo, segundo um documento oficial publicado há alguns anos na Tailândia, equivale à beatitude de que falou Shankara, mas dura apenas um instante e é logo substituído pelo nada eterno. Irá então alguém se esforçar para alcançar o *nada*?! Decerto, chegada a hora de enfrentar a escolha final – contentar-se com o vazio absoluto ou esperar uma nova "oportunidade" –, o ego preferirá, cheio de medo, ser um "bodhisattwa" indefinidamente, por "pura compaixão" pela humanidade. Compaixão, talvez; mas parece bastante natural preferi-la ao *nada*!

A autopreservação é o instinto de vida mais poderoso. Não pode estar, e não está, fundada numa ilusão, do contrário como poderia a própria ilusão brotar de uma ausência total de consciência? Essa idéia desafia inteiramente a lógica.

E quanto ao Islã? Como poderá um muçulmano piedoso acreditar que sua alma ganhará o paraíso pelo simples fato de ele matar um "infiel"? E que "paraíso" é esse? Terá alguma vez sido descrito em termos que lembrem a libertação absoluta na onipresença, ou *moksha*?

Se só o hinduísmo ensina essa verdade espiritual, seguramente tal se dá porque só o hinduísmo não ficou confinado à "camisa-de-força" da organização religiosa! Cresceu naturalmente, bem ao contrário, e não foi sufocado pela atmosfera densa dos decretos oficiais que prescreviam qual é e qual não é a verdade suprema.

Yogananda mostrava-se cáustico em relação aos rituais religiosos encenados para proveito dos sacerdotes. O Gita, sustentava ele, adverte contra o anseio até mesmo de um paraíso astral como recompensa de uma vida santa na Terra. Quem deseja um "paraíso" qualquer que não a unidade com Deus – a única e excelsa Fonte de Bem-Aventurança Absoluta – mergulha na ilusão. O Bhagavad Gita ensina as verdades superiores; mas quantos hindus – até eles – captam a mensagem? Muitos querem também alcançar algum plano limitado como *Swarga* ou *Vaikuntha* – imagens de um "paraíso" agradável ao ego.

Para inúmeras pessoas, o Bhagavad Gita ensina apenas o Karma-Yoga – como ser bom, fazer o bem, servir ao próximo. Nenhuma ação edificante é má, por certo; mas convém entender com precisão que o ensino de Krishna nessas passagens do Gita aponta para uma verdade além da dualidade – verdade que não reconhece contraposição nem possibilidade de queda futura, nenhuma limitação da consciência do ego, apenas liberdade absoluta no Eu Infinito. Até o samadhi deve ser buscado num espírito de completo repúdio à identificação mesquinha com o corpo, o ego, a família, os gozos astrais ou terrenos. Com efeito, para o verdadeiro yogue, os próprios paraísos astrais são um ideal menor, algo a ser antes desdenhado que perseguido.

Finalmente, como escreveu meu Guru, "O viandante contumaz do caminho da teologia raramente prova um gole ao menos da água pura e divina da verdade. Apetece unicamente beberagens coloridas e artificiais! Esse desejo por novidades só o conduz para a região desértica da dúvida intelectual". Mas aquele que tem sede de Deus, conclui Yogananda, anseia apenas pelo néctar da bem-aventurança absoluta, infinita.

(2:42) Ó Partha (Arjuna), a fixidez do estado de samadhi está fora do alcance daqueles que se aferram ao poder pessoal e aos prazeres dos sentidos. Quem ficou turbado pelas promessas enganosas de mestres que, eles próprios ignorantes, prometem o céu como a maior das recompensas, não supõe que exista algo superior a isso.

(2:43) Os rituais védicos (e outras práticas formais) não levam à união com Deus, o mesmo sucedendo a promessas (ou esperanças) de prazeres inefáveis no mundo astral. Tudo isso só leva, na verdade, a sucessivos nascimentos na Terra.

(2:44) Aqueles que, incapazes de discernir entre o certo e o errado, almejam o poder pessoal e os prazeres intensos dos sentidos

(quer na Terra, quer no mundo astral após a morte) recorrendo a rituais védicos, reforçam seus laços com o ego. Não logram obter o equilíbrio interior que se estabelece com a meditação e ainda erram o único alvo verdadeiro da vida: a união com Deus.

Até aqueles que se entregam a práticas religiosas superficiais fazem enormes sacrifícios em sua busca da realização definitiva, terrena ou astral. Mas, ai!, erram o único alvo verdadeiro que existe: a união com Deus. Nem mesmo o melhor dos karmas conduzirá alguém para junto de Deus, pois esse karma é constituído por ações executadas com a consciência do ego, apegada unicamente aos resultados delas. Tais resultados, em virtude desse apego, precisam regredir à sua fonte. Boas ações, por si sós, não propiciam liberdade espiritual, pois, na medida em que o ego está nelas envolvido – ou seja, na medida em que se pensa "Fui eu quem fez isso" –, existe servidão. Mais importante que as boas ações são os *motivos* que as inspiram.

Os *resultados* de tudo quanto fazemos devem ser consignados a Deus. O próprio fazer deve ser consignado a Deus. Em última análise, é Ele quem faz tudo. Não estamos aqui recomendando a passividade. Precisamos sempre fazer o melhor, mas tendo em mente – e só isso conduz à auto-realização – que um Poder Superior habita em nós, opera por nosso intermédio e por nosso intermédio de tudo usufrui. Como disse Yogananda, "Ore assim: 'Raciocinarei, quererei e agirei; mas guia Tu minha razão, minha vontade e minha atividade pelo caminho reto, em todas as coisas'".

Apego e desejos são como a estática do rádio: impedem a percepção nítida dos programas que se quer ouvir. A mente deve estar livre dessa estática, que a mantém em perpétua inquietude.

A reencarnação, por qualquer outro motivo que não seja, sendo livre a alma, regressar aqui para ajudar os semelhantes, é causa de profundo desgosto. Pense-se nos anos praticamente perdidos da vida de uma pessoa: infância, meninice, adolescência, juventude – cujo tempo, pela maior parte, é desperdiçado no simples preparo para mais uma luta em busca de sucesso, para aprender umas poucas lições (muito *poucas* mesmo, usualmente!) antes da aposentadoria, do mergulho na decadência física, depois talvez mental, e da morte. O karma espiritual nos impele para cima, mas o ambiente também exerce forte influência. Será nosso karma espiritualmente forte o bastante para, em todas as circunstâncias, nos manter no caminho reto que conduz a Deus? Não podemos ter inteira certeza. Desvios às vezes nos levam temporariamente para longe do caminho! Que pessoa, em sua mente superior, sabedora de que o objetivo da vida é a realização no divino, arriscaria renovar a ignorância em outro corpo antes de o bom karma induzi-lo de novo a compreender que, na vida, o que ela quer *realmente* é Deus? A menos que essa pessoa esteja já bastante evoluída espiritualmente, a probabilidade de ver-se detida a ponto de a libertação se tornar difícil, embora possível, é simplesmente grande demais. Lembremo-nos das mães lacrimosas (vida após vida!), das esposas rixentas, dos maridos dominadores, dos filhos desobedientes, dos vizinhos incômodos – todos conspirando para nos manter atados à roda dos renascimentos! Bem anda aquele que, entrevista a oportunidade de buscar Deus, agarra-a com ambas as mãos.

(2:45) Ensinam os Vedas que o universo é um composto de três qualidades básicas ou *gunas*. Teu dever, Arjuna, é ficar livre das três, tanto quanto da dualidade da Natureza. O caminho para isso é permanecer sempre calmo no Eu, alheio a quaisquer pensamentos de aceitação ou posse.

Entre os opostos da dualidade existe um estado intermediário que tanto pode uni-los quanto separá-los. Toda onda no oceano tem uma crista, uma base e uma parte média. Essa parte média divide, como dissemos, mas também aproxima. Grandes ondas produzem cristas elevadas: tais são os egoístas deste mundo, que alardeiam suas proezas, espezinham seus semelhantes e se combatem uns aos outros em feroz competição.

Quando de uma tormenta, a superfície do oceano se agita furiosamente e não conhece paz. As ondas não apenas se alteiam como se chocam entre si, qual se uma quisesse abater todas as demais. Também na vida os egos inflados não experimentam sossego. Quanto mais tentam distanciar-se das profundezas tranqüilas do oceano, exaltando sua individualidade, gostos e aversões, ambições e sede de vitória, mais agitados e inquietos se tornam no íntimo.

Mesmo a onda mais alta tem sua base na vastidão do mar. Similarmente, todo ser humano é parte fundamental de Deus e, portanto, divino em sua essência. Deus mora em cada ego, embora muitos egos se esforcem para esquecer essa Presença interior afirmando a própria importância. Assim, a parte mais próxima do oceano fica encoberta e fora de vistas, porquanto os egos das pessoas se projetam para o alto e dispersam energia por meio dos sentidos, no afã de prazeres, excitação, poder e domínio sobre os outros.

A parte mais próxima do oceano é *sattwa guna* – a qualidade que com mais precisão sugere a calma das profundezas marinhas. Mas, para cada encrespamento da superfície, há sempre as três partes da onda: a inferior, mais perto do oceano; a média, que se levanta soberba para se afirmar; e a superior, ou crista, que age como se quisesse proclamar sua independência absoluta do oceano. No santo ainda mais humilde persistem as três partes de sua onda de manifestação, pois, na manifestação, tudo se compõe dos três gunas ou qualidades: *sattwa*, *rajas* e *tamas*.

Tamas ou *tamoguna* é a parte da onda de manifestação que se projeta mais longe a partir de sua realidade básica e que mais obscurece a própria existência dessa realidade. Assim, almas espiritualmente anuviadas, cegas pelo egoísmo, se consideram na posse de uma realidade própria, isolada.

Rajas ou *rajoguna* representa a porção principal da onda: a central, que dá substância à onda inteira e suporte à arrogância simbolizada pela crista. Quanto mais a pessoa projeta sua consciência para longe da fonte em Deus, lisonjeando e inflando o ego qual se fora um balão, mais se divorcia desse manancial autêntico de poder. Os cultores do ego, em geral, produzem muito "som e fúria", mas, com seu orgulho, apartam-se da força interior, estreitando-a numa crista pequenina – que freqüentemente se torna mera orla de espuma – e, por isso, se debilitam. Todos conhecemos o provérbio: "Quanto maior o orgulho, maior a queda." A onda perde apoio ao lançar-se longe demais de sua base e esfacela-se. Tamoguna é entorpecimento e inércia: conseqüência da força gasta do ego.

A imagem não é perfeita; nenhuma pode ser. Há, por exemplo, egos que não se projetam do fundo do oceano por orgulho: apenas, são obtusos demais para perceber qualquer realidade além de si mesmos. Suas ondas, por isso, parecem morosas, nunca exuberantes. Tal pode ser o caso, por exemplo, da superfície oceânica após um vazamento de petróleo. Não obstante, a realidade de sua fonte abundante aparece menos no topo da onda do que na base.

A força ascensional de uma onda provém de sua parte média: da agitação produzida pelos ventos e do impulso para cima das águas. Rajoguna é ativa, incansável, ambiciosa, "agressiva". É ela que, alçando-se para afirmar o ego, acaba consumindo a força da crista, que desaba, ou provocando a separação, nem por isso menor, de sua fonte. Em todos os casos, a crista de uma onda representa tamoguna.

Sattwa guna é, como vimos, a base da onda – não a força que sobe, mas a que encrespa o oceano, sabe de onde deriva seu poder e, se a onda não passa de uma ligeira protuberância, mal parece destacar-se do oceano. Os homens santos podem ser descritos como ondas pequenas ou, mesmo, leves encrespamentos. Sabem estar sempre perto de Deus. Mas até eles, na medida em que conservam percepção individual, manifestam os três gunas, embora sua manifestação principal seja sattwa guna. A parte de sua natureza mais afastada de Deus denuncia seu grau insignificante de tamoguna. É que mesmo os santos às vezes manifestam tamoguna até certo ponto; a não ser assim, eles próprios não poderiam se manifestar de modo algum. Mostram-se a essa luz, por exemplo, quando dormem ou descansam descuidosamente. O grau de "tamas" que exibem pode parecer até mesmo da natureza de *sattwa* em outras pessoas, pois toda a criação expressa a relatividade direcional do que está perto, longe ou muito distante da Fonte.

Rajoguna é o terreno intermediário. Desse modo, também a dualidade da Natureza aparece na mistura universal dos três gunas.

Arjuna foi instado a superar a identificação com os três gunas e, conseqüentemente, com os estados contrários da dualidade. Krishna recomendou-lhe isolar-se da identificação com o exterior graças à calma interior absoluta. O desprendimento íntimo pressupõe deixar em repouso o anseio do ego de continuar se definindo como realidade separada, individual.

A consciência do ego é o impulso interior para erguer cada vez mais alto a onda da individualidade, com o fito de, por fim, superar as outras ondas. Aqui, de novo, nenhuma imagem é perfeita. No caso do oceano, é o vento que primeiro levanta as ondas na superfície. No caso do ego, esse "vento" é o da ilusão, que em certo sentido voa pelo mundo confundindo as pessoas quanto à natureza essencial da realidade. O poder da ilusão, no entanto, vem principalmente de dentro de nós, não de fora. É a ilusão *íntima* que nos leva a dar *respostas* equivocadas às circunstâncias exteriores.

A primeira medida, no caminho para a sabedoria, consiste em calar o anseio do ego de ostentar exteriormente, e afirmar interiormente, sua individualidade separada. Mais à frente, no Gita, Krishna sugere várias maneiras pelas quais esse anseio pode ser amenizado e depois extirpado. Todas elas, esclarece Krishna também aqui, pressupõem que a pessoa busque respostas sobretudo dentro de si mesma. Nem a escritura substitui o esforço pessoal.

(2:46) Para quem conhece Brahman (o Espírito Supremo), os Vedas são tão inúteis quanto um poço quando toda a terra em derredor está alagada.

Há uma história sobre a vida de São Francisco de Assis, na Itália. Uma mendiga idosa e quase cega pediu-lhe esmola. Não podia ver que o santo estava tão pobremente vestido quanto ela própria e que, com toda a probabilidade, nada tinha para dar. Mas o fato de nada poder dar entristeceu-o. Lembrou-se então de que possuía ainda alguma coisa: seu surrado exemplar da Bíblia. Deu o livro à mulher, na esperança de que ela o pudesse vender por algumas moedas. E orou, quase em tom de desculpa: "Senhor, para ajudar esta pobre anciã despojei-me até mesmo de Tua palavra!"

Uma voz dentro dele sussurrou-lhe: "Francisco, plantei minha palavra dentro de teu coração. Não precisas de uma mera cópia escrita dessa palavra."

Quer se trate dos Vedas, do Gita, da Bíblia ou de qualquer outra grande escritura, o importante é que a verdade de Deus esteja impressa nas páginas do coração. Pois, é óbvio, Krishna alude aqui não apenas aos Vedas, mas a todas as escrituras verdadeiras de um modo geral. A referência aos Vedas, porém, enseja a oportunidade de tratar deles especificamente, sem romper o fio do comentário, acrescentando as idéias que Yogananda expressou a respeito dessa obra.

Os Vedas são únicos entre as escrituras do mundo porque foram compostos numa idade áurea em que não havia, como hoje, diferença entre religião e experiência cotidiana. As pessoas, então, não necessitavam de lugares ou momentos especiais de culto. Em certo sentido, a vida em si era, para eles, um culto – e todo ato, uma oferenda a Deus.

À medida que a compreensão dos homens foi diminuindo com o correr dos tempos, tornou-se necessário grafar as verdades que outrora as pessoas conseguiam trazer de memória sem esforço. Impôs-se, por essa época, uma explicação dos gunas, da dualidade inerente às coisas e do modo como tudo passou a existir.

Na era de decadência, também pareceu oportuno prescrever ao povo práticas religiosas capazes de ajudá-lo a, cada vez mais, satisfazer suas necessidades mundanas e afirmar seu ego – rituais que lhes permitiriam alcançar o que desejavam em termos de poder, amizades, filhos e sucesso. Embora a consciência das pessoas se fosse toldando, subsistia ainda um impulso espiritual em tudo que faziam. Criaram-se, pois, rituais que possibilitassem aos homens trabalhar em cooperação com os *devas*, seres astrais (anjos) de natureza superior, e também com entes inferiores a fim de consumar seus objetivos.

Hoje, a humanidade acabou por esquecer essas entidades superiores, ou pelo menos sutis, que de outra forma lhes proporcionariam alimento, bom tempo e energia para o sucesso, além de outros incontáveis benefícios que pessoas mais em sintonia com a Natureza buscam como coisa natural. Há quem mofe dos espíritos da natureza, como as fadas, mas, como afirma Swami Sri Yukteswar, citado em *Autobiography of a Yogi*, eles realmente existem. A indiferença dos homens a seu respeito fez com que essas energias desertassem o nosso planeta. Essa é uma conseqüência natural do fato de tais criaturas permanecerem ignoradas. Os cientistas sustentam, de fato, que os alimentos têm hoje menos energia do que há cem anos. Os ambiciosos que tentam aumentar sua produção por meios químicos ignoram que a vida depende da força vital e não do que carece dessa força.

As entidades astrais, em eras anteriores, constituíam objeto de culto. A atitude de reverência é desnecessária; basta reconhecê-las – e amá-las (por que não?), pois devemos amar todas as criaturas de Deus como Suas manifestações exteriores. Reverenciá-las, porém – como sucedeu nos tempos de decadência, quando o entendimento humano fraquejou –, é entrar, passo a passo, na consciência mercantil que diz: "Dou-te o que queres desde que me dês algo em troca."

Assim, os espíritos da natureza, também eles dotados de ego, apreciam a atenção reverente e especial daqueles que os buscam para obter favores.

Krishna, à época em que transmitiu o Bhagavad Gita a Arjuna, precisava ter em vista também esse defeito da consciência popular. Buda, que viveu possivelmente uns dois séculos depois, advertiu o povo com veemência ainda maior sobre a dependência dos Vedas e seus rituais como alternativa à autopurificação.

Em essência, diz Krishna nessa estrofe, não devemos propiciar os "deuses" menores das forças naturais, cuja atitude é ainda *"quid pro quo"* no sentido de esperar algum tipo de pagamento material por favores prestados. O Senhor não é nenhum comerciante! Aqueles que verdadeiramente anseiam por Ele nada pedem em troca, apenas oram desinteressadamente por Seu amor.

O que Krishna diz então é: "Buscai a experiência direta de Deus. Não vos contenteis com menos."

Também Jesus Cristo ensinou: "Procurai primeiro o reino de Deus e Sua justiça, e todas as outras coisas vos serão acrescentadas."

A quem persegue sinceramente a verdade é que Krishna se dirige aqui, como de resto na maior parte dessa grande escritura. Os que imploram favores menores a Deus estão pedindo um punhado de terra quando podem conquistar o reino todo.

Obviamente, o problema na mente das pessoas é que elas imaginam *possuir*. Mas Krishna deseja que elas se *tornem*. Só o ego pode possuir coisas – pelo menos, na fantasia! A alma se torna uma com Deus e, nessa unidade, "possui" o universo inteiro.

Uma grande santa da Índia foi certa feita convidada a visitar outro país. "Por que eu iria lá", replicou ela, "se lá já estou?"

(2:47) O agir (nesta esfera de vibração) é um dever, mas que o teu ego não cobice os frutos da ação. Não te apegues nem à ação nem à inação.

Sejamos como uma cotovia divina, que canta por prazer sem tentar impressionar nem obter coisa alguma de ninguém. Os que agem movidos pelo ego são enredados na teia de *maya*. O universo passou a existir graças ao poder da Vibração Cósmica, o grande som de AUM. Enquanto a pessoa vive na esfera da manifestação e não se abisma no Espírito, acha impossível não agir de alguma maneira. O importante é agir corretamente.

Para atingir a consciência divina, é necessário desapegar-se da idéia do "eu" e do "meu". A consciência infinita parece finita no ego, como no átomo. Mas isso não passa de aparência. O átomo não pode impedir-se de girar em sua realidade minúscula; mas o ego, por ser consciente, pode aspirar a livrar-se da manifestação vibratória. Como escreveu Patanjali, "*Yogas chitta vritti nirodha*" ("O Yoga é a neutralização dos redemoinhos de paixão na consciência"). O dever espiritual de todo ego é interromper o movimento que gera libertando-se de pensamentos "redemoinhantes" como "O que quer que eu faça, faço-o em benefício próprio!" Ser escravo da ilusão nada mais é que referir constantemente aquilo que se faz (ou pensa, ou goza, ou sofre) ao próprio eu. Não só a ação, mas também todos os prazeres do mundo – e os padecimentos –, são contaminados pela idéia: "Sou eu quem faz, sou eu quem goza, sou eu quem sofre." E depois pela pergunta indignada: "Mas *por que* sou *eu* o sofredor?"

A solução não é impedir-se de agir. Algumas pessoas – eremitas, por exemplo – pensam evoluir espiritualmente sem nada fazer. Essa idéia é outra ilusão. Se temos de respirar, pensar e andar, como haveremos de ficar realmente inativos? O yogue que se senta imóvel e com o fôlego contido em samadhi já é outra coisa. Para ir além da ação, precisamos mesclar nossa consciência ao Som Cósmico de AUM, permitindo-lhe agir em nós e à volta de nós até nos confundirmos com essa vibração infinita e depois, ultrapassando-a, nos diluirmos na serena consciência do Espírito Supremo. Mas, na medida em que formos conscientes de nosso corpo, apenas nos ludibriaremos caso tentemos alcançar o estado de inação sem agir. Seremos apenas preguiçosos embotados!

Para chegar a Deus, é necessário primeiro agir sem motivos egoístas: por Deus, não por recompensa pessoal. Com efeito, cumpre estarmos sempre ativos a serviço de Deus para desenvolver essa percepção aguçada que, só ela, nos alça à supraconsciência. Os ociosos não encontrarão Deus!

No entanto, em tudo o que fizermos, convém ter em mente que Deus atua por nosso intermédio. Lave o corpo, alimente-o, dê-lhe descanso – faça o que for preciso para mantê-lo saudável e cheio de energia –, mas pense sempre: "É a Deus que estou servindo por meio desse instrumento físico." Até o gozo de um prato saboroso, de uma bela paisagem e das outras boas coisas da vida tem de ser ofertado a Deus. Partilhe esses momentos com Deus em vez de privar-se deles. O que se deve pôr de lado são os pensamentos "Estou fazendo", "Estou desfrutando" e mesmo "Sou eu quem sofre".

Também na meditação é importante não levar em conta resultados. A fim de eliminar a tensão e o esforço que sobrevêm quando *tentamos* nos concentrar, eliminemos antes o pensamento "Estou meditando". Pensemos, de preferência: "A Vibração Cósmica está reafirmando, através de mim, sua realidade. Através de mim, o amor cósmico anseia pelo amor de Deus. Através de mim a alegria cósmica se rejubila em nosso Infinito Bem-amado".

(2:48) Ó Dhananjaya (Arjuna), mergulha no pensamento do yoga (união com Deus), sê desprendido no íntimo e permanece sempre o mesmo no sucesso ou no fracasso. A perfeita equanimidade da mente e do sentimento é, ela própria, a definição do yoga.

A única maneira de alcançar a perfeição descrita aqui é meditar. Fazer afirmações sobre a serenidade em estado de tensão muitas vezes produz o efeito contrário de *gerar mais* tensão! Seja como for, só se pode aludir produtivamente à serenidade quando o íntimo está sereno. E a calma interior só se estabelece quando são repelidos os pensamentos na meditação.

(2:49) A ação com vistas a resultados é muitíssimo inferior à ação orientada pela sabedoria. Por isso, ó Dhananjaya, que em tudo a sabedoria te oriente. O fracasso aguarda as ações executadas com o objetivo de colher frutos.

(2:50) Quem está unido à sabedoria cósmica não sofre os efeitos nem da virtude nem do vício, ainda que viva num corpo. Por isso, devota-te, pela sabedoria, a alcançar a unidade do yoga. Essa é a única ação reta.

(2:51) Aqueles que dominaram seus pensamentos escapam aos limites da mente e mergulham na sabedoria cósmica. Eles (percebendo a natureza ilusória do ego) se libertam das cadeias do renascimento e atingem o estado que transcende todas as aflições.

O sofrimento nunca foi parte deliberada do plano de Deus. Esse plano previa que todas as ações realizadas em contradição com ele gerariam dor. Tratava-se de uma necessidade impessoal: por exemplo, se o calor de um forno não nos queimasse quando o tocássemos, como nos protegeríamos de possíveis danos ao nosso corpo? Nossa dor é também nossa proteção, não um indício de que Deus *deseja* nosso sofrimento.

Reza a lenda que, quando criou o universo, Deus o fez perfeito. Homens e mulheres, reconhecendo a necessidade de viver em perfeição, puseram-se a meditar e logo retornaram ao seio de Brahman.

Uma e mais vezes fizeram isso, sempre com o mesmo resultado. Deus então decidiu: "Imponhamos a ilusão aos homens. Eles precisam lutar, progredir por tentativa e erro, descobrir o tipo de ação e atitude conveniente que os conduzirá à bem-aventurança e à liberdade." Eis por que nos vemos nesta "enrascada". Escrituras como o Bhagavad Gita se propõem a conduzir o homem do "labirinto" de *maya* para o "ar livre" da comunhão com a Fonte Infinita da Bem-aventurança.

(2:52) Quando tua percepção varrer as névoas escuras da ilusão, ficarás indiferente a tudo quanto porventura tenhas ouvido a respeito deste mundo e do próximo.

Em outras palavras, você se estabelecerá firmemente na esfera da percepção da verdade.

(2:53) Quando teu discernimento já não for abalado pelas opiniões, mas permanecer sereno na beatitude da alma, então alcançarás a união final com Deus.

(2:54) Disse Arjuna: "Ó Keshava (Krishna), como saber se alguém conquistou a sabedoria serena e ora permanece em união com Deus? Como ele fala, se senta, caminha?"

A pergunta de Arjuna é típica daqueles que ainda não têm luzes suficientes para indagar: "Como se comporta o homem de Deus? Pode a sua santidade ser notada a partir do modo como fala, se senta, caminha? Haverá outros aspectos (essa a implicação da pergunta de Arjuna) que distinguem essa pessoa da gente comum?"

A resposta de Krishna, como veremos, alude à *causa* do comportamento santo, não a seus efeitos. Uma pessoa divina não difere, em essência, das demais. Sua *consciência* interior é que engendra as diferenças porventura observáveis.

O yogue (uma vez que Krishna não dá resposta direta a essa pergunta, embora ela talvez seja do interesse de muitos) exibe um alegre magnetismo no próprio tom de sua voz. No caso de meu Guru, quer ralhasse ou encorajasse, pregasse (às vezes com voz estrondejante) a uma multidão ou falasse descontraidamente a um pequeno grupo, suas palavras sempre vibravam num tom de beatitude ponderada e sábia.

O yogue senta-se ereto, como meu Guru fazia sempre, permitindo que a energia flua livremente pela espinha. Quando caminha, caminha tranqüilamente, sem pressa nem precipitação. Seu andar revela que ele está concentrado na região da espinha.

(2:55) Ó Partha (Arjuna), quem renunciou a todos os desejos e se contenta apenas com o Eu, a esse se pode considerar imerso na sabedoria.

Em suma, seus movimentos e gestos mostram seu estado interior de consciência. Sua voz tem a vibração da sabedoria serena. Sua postura é descontraída, nunca inquieta, e demonstra contentamento absoluto. Seu passo é regular e sereno.

Um dia Yogananda, jovem ainda e percorrendo os Estados Unidos com a missão de divulgar os princípios do yoga, estava atrasado para uma palestra e saiu às carreiras a fim de chegar a tempo. Alguém o advertiu: "Não fique nervoso!"

"Pode-se correr nervosamente", replicou o Mestre, "ou correr calmamente. Mas não correr quando necessário é sinal de indolência!"

(2:56) Aquele cuja consciência não se abala com a aflição nem se excita com a boa fortuna; aquele que já não apetece os afetos terrenos, não sente medo ou cólera: esse homem merece ser considerado um *muni* de sólido discernimento.

Muni significa aquele que dissolveu sua consciência egóica em Deus, afastando-a do testemunho distorcido dos sentidos.

O medo nasce da idéia de fracasso quando se quer obter o sucesso. A cólera, do desejo frustrado. O muni está além dessas emoções centradas no ego.

(2:57) Aquele que, independentemente das circunstâncias, a nada se apega, não se inebria com o bem e não se deprime com o mal é um homem de sólida sabedoria.

Assim como o cisne desliza à flor das águas sem que estas o toquem, assim o homem sábio vai pelas correntes da vida sem que estas o afetem.

Paramhansa Yogananda empregava freqüentemente a analogia dos filmes, ressaltando que eles criam a ilusão de realidade pela simples associação de luz e sombra – e, mais recentemente, de cor –, não passando tudo isso de emanações do raio único de luz que sai do projetor. Um sábio iluminado não se deixa afetar, no íntimo, pelo "filme" da vida. Não quer dizer que seja empedernido e indiferente. Sua impessoalidade deriva do fato de nada desejar para si mesmo. E, como sua percepção de tudo e de todos vem *de dentro*, com todos e tudo simpatiza, rejubilando-se, *por causa deles*, quando estão bem e lamentando-os quando estão mal. Também teme por suas más ações e as conseqüências que terão *para eles*. Seu único desejo – se, por compaixão, ainda cultivar algum – é ajudar os semelhantes a encontrar Deus.

(2:58) Quando o yogue, como a tartaruga que recua a cabeça e membros para dentro da carapaça, consegue retirar sua energia dos objetos da percepção sensorial, consolida-se na sabedoria.

O controle daquilo que Yogananda chamava de "telefones dos sentidos" é imprescindível para a meditação profunda. Controlar os sentidos pela retirada da energia é o significado verdadeiro de *pranayama*: *"yama* (controle) do prana (energia)". *Pranayama* é uma condição, não uma técnica. A prática de *pranayama* visa obter o controle da energia.

Esta estrofe oferece uma prova, entre muitas outras, de que o Bhagavad Gita, embora contemple todos os caminhos para Deus, dá ênfase especial ao Raja Yoga, que ensina *como* atingir o objetivo, a união com o divino, e não diz apenas: "Buscai a Deus." O prana é muitas vezes identificado com a respiração e *pranayama*, com os exercícios respiratórios. Há, de fato, uma ligação estreita entre a respiração e o fluxo de energia no corpo. Paramhansa Yogananda não se fartava de dizer: "Não respirar é não morrer." Os exercícios respiratórios do yoga têm o propósito de capacitar o praticante a vencer a necessidade normal de respirar, típica do corpo.

A não-respiração não é *kumbhaka* no sentido de reter *intencionalmente* o fôlego. Não: a verdadeira *kumbhaka* ocorre quando o corpo já não exige ar para manter-se. A finalidade da respiração consiste em expelir dióxido de carbono dos pulmões e absorver oxigênio. Nos exercícios de *pranayama*, ela é utilizada para gerar um estado de equilíbrio físico, estado no qual a atividade corpórea da inspiração e expiração já não é requerida para manter o organismo em condição de equilíbrio.

Quando se supera a necessidade de respirar, as batidas do coração se desaceleram e depois cessam por completo.

Há um vínculo sutil, por meio da medula oblonga, entre respiração e ritmo cardíaco. Quando a primeira deixa de ser necessária, o segundo, como dissemos, vai diminuindo até parar. Entre esses dois fenômenos – respiração e ritmo cardíaco, por um lado; percepção sensorial, por outro –, existe mesmo uma ligação íntima.

A energia dos sentidos, como do corpo todo, se descontrai e recua – o que também acontece, em menor escala, durante o sono. Quem dorme pode ser chamado em altos brados – e até sacudido – antes de se dar conta de que o estão solicitando. Esse envolvimento atenuado com a realidade objetiva ocorre porque, durante o sono, a energia se retrai parcialmente do corpo e dos "telefones dos sentidos", tal como a tartaruga encolhe a cabeça e os membros para dentro da carapaça.

Só quando os "telefones dos sentidos" são postos "fora do gancho" é que a mente pode se absorver inteira no mundo interior da meditação. A energia dos nervos motores também tem de ser recolhida, o que acontece naturalmente à medida que os sentidos vão se aquietando.

O núcleo da energia corpórea é a espinha. Na meditação profunda, essa energia deve abandonar a superfície do corpo, como vimos, e, subindo pela espinha de chakra em chakra, chegar ao cérebro. O fluxo normal para fora, que ajuda a manter o corpo, precisa ser revertido para dentro.

Talvez seja útil, a esta altura, fazer uma pausa e examinar a relação entre a respiração e o fluxo de energia na espinha. Em primeiro lugar, no que toca à espinha, temos os dois nervos superficiais chamados *ida* e *pingala*, localizados respectivamente nos lados esquerdo e direito da espinha. Quem come peixe conhece os dois nervos que correm por toda a extensão de ambos os lados da espinha do animal. O fluxo de energia por esses nervos superficiais está ligado ao processo reativo das emoções, o qual, por seu turno, se liga à respiração. O fluxo ascendente de energia pela espinha astral, ao longo do chamado *ida nadi* (canal nervoso) situado no corpo astral, aciona o ato de inspirar. O fluxo descendente ao longo do *pingala nadi* é a causa sutil da expiração. É esse fluxo de energia pela espinha astral que resulta na respiração física. De outro modo, não haveria compulsão física para respirar; ninguém saberia o que fazer da necessidade de expelir dióxido de carbono e absorver oxigênio.

O que, pois, provoca o ato de inspirar é o fluxo ascendente de energia na espinha superficial; e este provém do fluxo mais intenso para cima que, durante a respiração profunda, avança para a iluminação espiritual. Portanto, o fluxo ascendente pelo *ida* acompanha toda reação emocional positiva, de sorte que, não importa qual seja essa reação –

alegria, esperança, triunfo – a um estímulo externo, a energia corre automaticamente pela espinha, forçando os pulmões a inspirar.

Quando, ao contrário, a reação é negativa – dor, tristeza, desespero –, a energia desce automaticamente pelo *pingala* e provoca a expiração. Assim, se por algum motivo a pessoa reage com prazer a um estímulo – física, emocional ou mentalmente –, ela inspira de imediato. E se, ao contrário, reage com desgosto, expira. Por isso, tão logo nos sentimos emocionalmente deleitados, tomamos uma inspiração profunda de maneira automática e, tão logo desapontados, automaticamente suspiramos.

O processo respiratório, obviamente, não vem sempre acompanhado de reações emocionais positivas ou negativas. Seria ridículo sorrir e resmungar toda vez que inspirássemos ou expirássemos! A consciência se detém, comumente, em um ou vários chakras espinais. As pessoas mundanas – aquelas que, por assim dizer, se interessam sobretudo pelos gozos dos sentidos, e particularmente os de natureza erótica – concentram sua consciência em um ou alguns dos três chakras inferiores, na maioria das vezes os dois últimos. As pessoas espiritualizadas, por outro lado – sobretudo as inclinadas à devoção –, mantêm-na no *anahata chakra* ou centro do coração.

Mesmo quem se concentra no *anahata* deve tomar cuidado, caso seja um aspirante a místico, para manter sua energia fluindo para cima, do coração até o olho espiritual. Se não for cuidadoso, sua energia – subitamente atraída por algum desejo desperto (embora inesperado) – pode de maneira súbita descer de novo do coração para os chakras inferiores. A energia precisa ser constantemente impulsionada em direção ao olho espiritual pelo magnetismo que emana do Kutastha, a fim de não despencar inadvertidamente em resposta a algum estímulo mundano.

No *Srimad Bhagavatam*, escritura também escrita por Beda Byasa (autor do *Mahabharata* e do Bhagavad Gita), somos instados a visualizar o coração como um lótus, com as pétalas voltadas para cima, para o cérebro.

O melhor ponto a fixar é o olho espiritual, entre as sobrancelhas. O centro do ego é o *agya chakra*, situado na medula oblonga; por isso, aconselha-se também a fixar ali a mente (sua posição natural) e, dali, *mirar adiante*, se assim nos podemos expressar, em direção ao olho espiritual.

A vida começa seu envolvimento com o mundo objetivo ao primeiro choro do bebê, ou antes, ao primeiro hausto necessário para produzir esse choro. O primeiro hausto dá início ao processo reativo, instalando assim o bebê no mundo das coisas. Esse momento lhe é crucial para a existência terrena e constitui o ponto com base no qual se deve elaborar seu horóscopo.

Por ocasião da morte, ao contrário, ocorre o que chamamos de "estertor": a expiração final, quando a energia entra no *pingala nadi* e a força do ego flui para dentro com maior ímpeto, regressando à medula. Assim ela se prepara para deixar o corpo, saindo pelo mesmo "portal" por onde entrara, quando o espermatozóide e o óvulo se uniram para engendrar o corpo.

A energia do yogue espiritualmente evoluído penetra fundo na espinha durante a expiração e sobe pelo *sushumna* até o olho espiritual, localizado na fronte. O Kutastha, onde se localiza o olho espiritual, é o pólo positivo cujo oposto é a medula oblonga. Yogues e santos de outras religiões aptos a abandonar o corpo pelo olho espiritual não precisam cruzar o que os antigos gregos, conforme já dissemos, chamavam de "águas do Letes". Em suma, os yogues não retroagem temporariamente, como acontece com os egos comuns, ao repouso subconsciente, mas ascendem para a supraconsciência.

Os yogues aprendem a desviar sua atenção do processo reativo, primeiro, amenizando os sentimentos no coração, que dão nascença a esse processo. Depois, isolam os sentimentos dos altos e baixos da energia reativa na espinha – da influência subjetiva exercida pelo sucesso e fracasso, realização e desapontamento, atração e repulsão, amor e ódio, prazer e dor, alegria e tristeza, triunfo e fracasso. É útil, quando procuramos intensificar o desapego emocional, concentrar nossa energia na espinha e, ali, equilibrar os fluxos ascendente e descendente, que produzem as reações emocionais e ficam inextricavelmente unidos a elas enquanto os sentimentos do coração permanecem aquietados.

Finalmente, o yogue recolhe sua energia no interior da espinha, o *sushumna*. Com isso, ele desperta Kundalini, que, magnetizada para fluir para o alto, inicia agora sua lenta ascensão ao longo da espinha profunda, rumo à iluminação.

Os yogues principiantes devem esforçar-se para perceber a conexão entre suas emoções reativas, positivas e negativas, e o correspondente fluxo de energia para cima e para baixo nos *nadis ida* e *pingala*. Essa prática de centramento na espinha lhes minimizará as preocupações com o que quer que ocorra exteriormente em sua vida ou tenha ocorrido no passado. A prática concentrará a sua atenção no simples movimento da energia na espinha. Assim, enquanto a maioria das pessoas pensa "Que *maravilha*!" ou "Que *desgraça*!", o yogue, mesmo sendo principiante, acha relativamente fácil deixar de definir ocorrências externas como boas ou más.

Se, por exemplo, a pessoa estiver sentada numa cadeira de dentista à espera de um tratamento que as outras poderiam considerar doloroso, deve concentrar-se em Kutastha – ou, se cônscia de alguma reação emocional, no fluxo de energia da espinha. Primeiro, acalmará os sentimentos do coração. Depois respirará, fixando-se na espinha, com inspirações e expirações lentas e profundas – em silêncio, para não perturbar o pobre dentista! –, levando a energia a subir e a descer, e vendo esse fluxo como a *causa* de quaisquer reações emocionais que possa experimentar.

De novo, quando algo ou alguém o ameaçar de alguma forma – não só fisicamente, mas com palavras ásperas, insultos ou acusações –, você deve se concentrar na espinha. Fazendo isso, ganhará confiança de que nada poderá atingi-lo. Como disse Yogananda, "Permaneça inabalável em meio ao choque dos mundos!" A prática que referimos acima preparará você para enfrentar todas as circunstâncias da vida.

(2:59) O homem que (apenas) se abstém dos prazeres sensuais, pode esquecê-los por algum tempo, mas sem lhes perder o gosto. Àquele que se entrega ao Espírito Supremo, porém, só lhe apraz o Infinito.

Um exemplo que Paramhansa Yogananda gostava de dar é o da pessoa que se acostumou a comer queijo curado e, por isso, lhe pegou o gosto: se lhe derem bom queijo fresco a degustar, contudo, ele abandonará o gosto pelo queijo curado.

(2:60) Ó Filho de Kunti (o poder de alhear-se das paixões), Arjuna, até o homem sábio, que cultiva o autocontrole, pode às vezes ser abalado pela turbulência dos sentidos.

A nenhum devoto convém subestimar a força tremenda das tendências subconscientes. Seus tentáculos alcançam mais longe do que tudo o que a mente consciente possa perceber ou imaginar.

Paramhansa Yogananda advertia que, enquanto a consciência egóica persistir, não deve a pessoa considerar-se a salvo da ilusão: "Lembre-se, você não estará seguro até atingir *nirbikalpa samadhi*." Mesmo na etapa inferior de samadhi chamada *sabikalpa* o ego tem de retroagir de sua consciência infinitamente expandida para a percepção exterior. Portanto, quem atinge *sabikalpa samadhi* pode também falhar. Meu Guru me contou vários casos em que isso aconteceu: "Sadhu, tome cuidado!", aconselhou certa feita o grande mestre Sri Ramakrishna a um discípulo, que logo depois se desviou do caminho espiritual.

É bom atentar para o mínimo prurido de excitação no coração quando se examinam os aspectos ilusórios. Esse pequeno movimento da energia deve ser visto como o primeiro sinal de advertência. Um alvoroço no coração, por insignificante que seja, advertirá o yogue para calar imediatamente até mesmo a idéia de ilusão.

Maya é muito sutil. Jamais "mexa com ela". Você nunca terá certeza de poder vencê-la, tanto mais que o próprio discernimento com que pensa dar batalha já está infectado pelo vírus que dela provém.

(2:61) A pessoa que, depois de subjugar os sentidos, uniu-se a Mim, permanece absorta no Eu infinito, que ela sabe ser o Supremamente Deleitável. Só o domínio dos sentidos propicia a solidez da verdadeira sabedoria.

Há duas exigências, acima de tudo, para se atingir a sabedoria. A primeira, desviar a mente não apenas dos objetos dos sentidos, mas dos próprios sentidos; a segunda, permanecer mergulhado na consciência de Deus como a mais inefável das metas a atingir.

Os yogues que apenas se preocupam com subjugar seu corpo e sentidos físicos, ou buscam a abstração da união divina sem a adequada disciplina física e mental, jamais conseguem se firmar num objetivo. Mas arrancar pela raiz a erva daninha da gratificação do ego, sem deixar resquícios, e absorver-se mansamente no Infinito – isso é essencial.

Muitos yogues buscam a gratificação egóica não apenas por meio dos prazeres dos sentidos, mas também do desenvolvimento de poderes espirituais. Outros, vale repetir, andam à cata da abstração da sabedoria intelectual para recompensar o ego. Mas os verdadeiros yogues querem apenas unir suas almas ao Divino Bem-amado.

(2:62, 63) Fixar mentalmente objetos dos sentidos faz com que nos apeguemos a eles. Do apego brota o desejo. Do desejo (quando insatisfeito) brota a cólera. A cólera gera a ilusão. A ilusão produz o esquecimento (do Eu). A perda da memória (memória de quem a

pessoa é verdadeiramente) faz decair o poder do discernimento. À perda do discernimento segue-se a aniquilação do reto pensar.

Cada passo nessa descida tem um único responsável: o ego. Para guindar-se de novo à sabedoria, o ego iludido precisa atingir o ponto onde chegue a compreender que sua compreensão da vida até o momento só lhe trouxe sofrimento. Sua primeira pergunta, então, será: "Acaso *gosto* de sofrer?" (Não, é claro!) E em seguida: "O que aumenta o sofrimento e o que, ao contrário, o diminui?" A resposta é que a dor diminui quando diminui também o interesse exagerado por si mesmo. A apreensão dessa verdade leva aos primeiros lampejos de reconhecimento de uma realidade maior que o ego e o corpo. A névoa da ilusão começa a dissipar-se na mente e já ninguém se insurge contra o mundo por ele não lhe ter dado o que queria. Da aceitação do que *é* vem o afrouxamento dos laços do apego mundano. Do desapego vem a diminuição do interesse pelos objetos dos sentidos e o aumento do anseio pela sabedoria autêntica – anseio que desperta a devoção no coração, o amor à verdade e o desejo intenso de conhecer a bem-aventurança verdadeira e duradoura.

(2:64) O homem que aprendeu perfeitamente a se controlar consegue agir neste mundo sem ser por ele afetado. Livre, no íntimo, de atração e repulsão, já atingiu a calma interior inabalável.

Esse estado, como vimos pelo que Yogananda disse acima, sobrevém unicamente quando a consciência ultrapassou o samadhi condicionado (*sabikalpa*) e alcançou o incondicionado (*nirbikalpa*), firmando-se de tal maneira na unidade com Deus que não há mais ensejo de regredir à exterioridade e às limitações do ego.

(2:65) Alcançada a beatitude da alma, todo vestígio de sofrimento desaparece. A beatitude concede discernimento absoluto e enraíza firmemente a consciência (no Eu).

(2:66) Aqueles cuja consciência não se enraizou carecem de discernimento. Quem não medita não tem paz. E, se não tem paz, como será feliz?

(2:67) Assim como um barco pode ser desviado da rota por um vento repentino, assim o discernimento pode desgarrar-se pelas fantasias da influência sensorial.

Eis os versos de um cântico favorito de Paramhansa Yogananda:

Fiz de Ti a estrela-guia de minha existência.
Sejam embora tenebrosos os meus mares e fugidias minhas estrelas,
Ainda vislumbro o caminho por Tua graça.

Aquele que busca as coisas espirituais pode às vezes ver-se desviado de seu curso ascendente por tentações exteriores – não apenas os prazeres sensoriais, mas também o desejo de conquistas intangíveis acenadas por *maya* a fim de alimentar a consciência de seu ego: nome, fama, poder, importância e todo um bando de outras ilusões lisonjeiras. Longe de esfalfar-se com sentimentos de culpa e auto-recriminações (que só aguçarão sua suscetibilidade à ilusão), deve ele regressar calmamente ao curso antigo.

Enganos no caminho são sempre possíveis. O devoto precisa identificá-los (ao menos no foro íntimo) honesta e francamente para depois esquecê-los sem cometer mais o erro de irritar-se consigo mesmo. Tem de manter a mente firmemente voltada para a estrela-guia de seu objetivo autêntico: a união com Deus. Porquanto o ego é uma ilusão, tudo o que o induzir a afirmar sua própria realidade isolada será uma ilusão também. Dá-se o mesmo com o desengano que a pessoa sente por ter sucumbido às tentações ilusórias.

Quando se atira um seixo a um lago, surgem ondulações. De igual modo, quando ocorre na vida algo que provoca reação emocional, ondas de sentimento afloram. As ondas levantadas pelo seixo vogam para a margem e retornam, só aos poucos serenando novamente. Assim também as reações da pessoa a pressões externas vão e vêm, dando forma ao engano suscitado pela reação original.

Com efeito, devemos transformar em prática o ato de separar-nos, na mente, da identificação com seja lá o que for – mesmo em se tratando de identidade de pensamento – e voltar à assertiva "Deus é o Único que Faz". Graças a essa dissociação dos erros que o ego possa cometer, nossa tendência a falhar irá diminuindo aos poucos, os ventos pararão de soprar e a mente se centrará calmamente e se fixará, outra vez, no objetivo divino.

De outro modo, se errarmos espiritualmente, poderá suceder, graças à identificação do ego com o erro, que vagueemos à cata de reencarnações, enveredemos por outros becos sem saída e lutaremos o tempo todo para encontrar o caminho de volta ao curso verdadeiro que outrora tomamos.

(2:68) Por isso, ó Poderosamente Armado (Arjuna), afasta tuas faculdades sensoriais (a capacidade de ver, ouvir, etc.) dos sentidos em si e dos objetos para os quais eles se voltam. Assim, tua sabedoria se firmará.

(2:69) O que é noite para o não-iluminado, para o yogue é dia. E o que é dia para a gente comum é noite para o vidente (o yogue que percebe a realidade interior).

Essa passagem encerra mais de um significado. Superficialmente, recomenda meditar à noite, quando a mente das pessoas mundanas está adormecida, os ruídos que fazem durante as atividades diárias já não enchem o ar e o yogue acha mais fácil encontrar a serenidade interior. Portanto, quando as pessoas mundanas despertam é que o yogue julga conveniente proporcionar-se umas poucas horas de sono.

Num nível mais profundo, o que parece real para o homem do mundo, sempre a viver na mente consciente, passa a ser visto como irreal no nível supraconsciente. A agitação da pessoa mundana não tem interesse algum aos olhos do sábio. Mesmo quando este, para preservar sua existência, acede à atividade exterior e mergulha, por assim dizer, no mundo, ele não *é* do mundo, pois o mundo já não define sua realidade.

(2:70) Feliz é aquele que, como o oceano, absorve em si mesmo, calmamente, todos os rios do desejo. (Ao contrário), aquele cujos desejos se escoam (como de um lago) logo vê esgotada (sua energia).

Desejos generosos – por exemplo, levar alegria aos semelhantes – não drenam nossos reservatórios de paz, mas acrescentam-lhes o júbilo que despertam.

Sempre que você sentir prazer, lembre-se da beatitude interior. Sempre que contemplar a beleza, traga para dentro de si a alegria que ela lhe deu. Que toda alegria terrena lhe lembre a felicidade bem mais inefável do Eu.

Alguns yogues recomendam indiferença completa ao mundo. Que visão mais insípida! Bem melhor, ensinava meu Guru, é gozar *com* Deus as belezas e os prazeres que nos cercam, tendo sempre em mira a alegria íntima, vivenciada durante as experiências que exaltam os sentimentos do coração. Direcione esses sentimentos para Deus em vez de suprimi-los com uma apatia seca, "inspirada" pelo intelecto. Também assim podemos nos absorver em nós mesmos sem atirar fora as alegrias e prazeres que o mundo nos proporciona.

(2:71) Conhece a paz aquele que, desistindo de todos os desejos (consumidores de energia) e plenamente satisfeito com seu estado de desprendimento, já não se vê como um ego individual, à parte.

O ego está na raiz de todas as ilusões. A planta do desejo material é como a erva venenosa que intoxica e mata as plantas louçãs da devoção, do autocontrole, da ternura e de outras qualidades excelsas da alma.

Quando estamos inteiramente satisfeitos com o Eu, sem desejos e livres de todo apego, já não nos vemos como uma onda separada no oceano do Espírito, mas reconhecemos nossa eternidade e unidade com esse oceano.

(2:72) Ó Partha (Arjuna), esse estado é conhecido como *Brahmisthiti*: unidade absoluta com o Infinito. Quem o atinge jamais reincide na ilusão. Mesmo no momento da morte, se se concentra por inteiro nesse estado, obtém a Bem-aventurança perfeita, eterna.

O Dr. M. W. Lewis, primeiro discípulo de Kriya Yoga que Paramhansa Yogananda teve nos Estados Unidos, perguntou certa feita ao Mestre: "Poderá o senhor resolver um dilema para mim? A libertação é um estado que se atinge apenas para o próximo Dia de Brahma? Quando Ele se manifestar de novo na criação, seremos obrigados a romper outra vez com essa unidade e reencetar a luta fatigante?"

"Não tema!", replicou o Mestre. "Depois que a alma conquista a libertação final no Espírito, está livre para todo o sempre."

Tal o objetivo do Bhagavad Gita: ajudar aqueles que buscam com sinceridade a encontrar o caminho para a união perfeita com Satchidananda: a Beatitude eterna, sempre consciente e sempre nova.

Aqui termina o segundo capítulo, intitulado "Shankhya Yoga", dos Upanishades do sagrado Bhagavad Gita, o diálogo em que Sri Krishna e Arjuna debatem sobre o yoga e a ciência da realização em Deus.

Capítulo 13

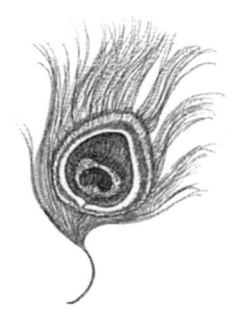

Por que lutar?

(3:1) Arjuna perguntou: "Ó Janardana (Krishna, o Divino Libertador), se (como parece), consideras a compreensão superior à ação, por que, ó Keshava, empurras-me para um ato tão terrível?

(3:2) "Essa aparente contradição me confunde. Dize-me claramente, peço-te: que caminho me conduzirá ao mais elevado bem?"

Arjuna fala aqui como um "Sadhu Qualquer" e faz o papel de "advogado do diabo". Chamando Krishna de seu guru e "Divino Libertador", clama: "Ó Janardana, hesito entre os dois deveres que me impuseste. Por um lado, recomendaste que eu me absorvesse na serenidade do Espírito; por outro, que combatesse meus inimigos naturais – minhas tendências malsãs – tanto para o meu bem quanto para o de outros. Por que não posso simplesmente repousar, calmo e feliz, no Eu Supremo – como também me instaste a fazer?"

Lamentavelmente, o que é "natural" para o ego não o é nem um pouco para o Eu ou alma. A evolução espiritual ocorre em virtude, não do esforço tenso exigido para o êxito mundano, mas de um processo de *relaxamento ascendente*. A evolução espiritual pode ser comparada a um balão de hélio alçando-se aos ares. A subida do balão é natural, só pode ser detida por cordas ou lastro pesado. A devoção e a aspiração divina erguem a consciência para sua fonte em Deus. Os desejos e vínculos humanos, tanto quanto o hábito de dirigir para fora o fluxo de energia, são o lastro e as cordas que resistem ao impulso ascensional da inspiração da alma. O esforço, no caminho espiritual, pode ser comparado ao ato de cortar as cordas que seguram o balão e deitar fora o lastro da cesta.

Parece contraditório dizer que o esforço é absolutamente necessário, porquanto a idéia é atingir um estado em que não se faça esforço algum! Mas, em verdade, o estado divino só pode ser atingido mediante aplicação séria, que é também um tipo de esforço. Fato curioso: esse esforço também *pressupõe relaxamento* na ascensão do fluxo energético pela espinha, que sobe graças a um impulso natural em direção ao cérebro e – não fosse pelos samskars mundanos (lastro) – mergulharia a pessoa ainda mais profundamente na meditação. Dado que os empreendimentos terrenos exigem quase sempre um grande esforço, muitas pessoas, quando se dispõem a praticar a meditação, trabalham "duro" também para obter a serenidade interior. Mas o segredo da meditação correta é o relaxamento – físico, emocional e mental. A energia sobe pela espinha em resposta a outro tipo de "gravidade": o impulso ascensional do Espírito, sentido primeiro no coração, depois no Kutastha, entre as sobrancelhas, que é a sede do olho espiritual. Esse impulso para cima, do amor divino, requer empenho da parte do devoto apenas no princípio, a fim de livrá-lo do impulso para baixo, ou "lastro", dos desejos materiais.

Assim, a guerra de Kurukshetra simboliza o ato de "combater" e vencer nossas próprias tendências más. A "luta" travada, porém, destina-se primordialmente a redirecionar para cima a energia da espinha que haja, até então, ativado o movimento daquelas tendências para baixo. O fluxo ascendente de energia *liberta-a* de quaisquer motivações que, no homem do mundo, insistam em obrigá-la a descer. Todo esforço espiritualmente investido deve *conduzir* ao não-esforço, quando então "Os esforços terminam em repouso", no dizer de Paramhansa Yogananda.

Não raro, custa muito resistir a determinado hábito ou tentação e lançá-los de vez para fora da mente. Um homem (e esta história é real) queria por todos os modos livrar-se em definitivo do alcoolismo. Certo dia, vendo-se na iminência de ceder novamente ao velho e péssimo hábito, sentiu de súbito tamanha raiva de si mesmo que sacou do armário as garrafas de uísque, rum, etc., que ali guardava, levou-as para fora e atirou-as furiosamente ao chão. Quebraram-se todas; e, ao mesmo tempo, os laços que o prendiam ao vício se desvaneceram para sempre de sua consciência. A destruição das garrafas foi mera expressão exterior da renúncia emocional interior, daí por diante inabalável.

Quase sempre, essa renúncia vem acompanhada por uma sensação de calma profunda; mas, no caso de nosso homem, é claro que primeiro foi necessária a repugnância emocional para romper um hábito contumaz.

Um espinho, reza uma escritura indiana, pode ser usado para extirpar outro e depois ambos são jogados fora. A rejeição emocional possibilitou ao homem arrancar o "espinho" profundamente encravado do alcoolismo. Após sua "catarse", tanto a emoção quanto o hábito se foram. O ponto principal, aqui, é que a emoção funcionou: era justamente o de que o homem precisava para curar-se de vez.

Mas esse ato emocional (embora exigisse esforço tanto da mente quanto do corpo) pode também ser comparado ao ato de, pura e simplesmente, esvaziar o balão do lastro para que ele suba seguindo seu impulso próprio. Às vezes, como se lê em *A Imitação de Cristo* (notável obra cristã que meu Guru sempre recomendava), é preciso "fazermos violência" à nossa natureza inferior em nome da libertação final. Essa "violência" não faz aumentar a tensão, pois desata desejos e apegos em vez de suprimi-los.

Acrescente-se que o balão talvez haja, com o tempo, perdido um pouco do gás que o fazia subir. O aspirante às coisas do espírito deve "bombear" mais "gás" para dentro do seu balão de inspiração, com grande devoção e sempre meditando cada vez mais profundamente. Deve continuamente apontar a agulha da bússola de sua atenção para a estrela-guia que o conduzirá até a meta final: Deus. Sem dúvida, isso exige esforço, sobretudo no começo. Mas esse esforço irá se coroando cada vez mais de êxito à medida que for compreendendo que seu ato é um *relaxamento ascendente* rumo ao Eu superior, não um processo de elevar seus pensamentos com base apenas numa força de vontade inflexível. A frase "Quando os esforços terminam em repouso" deve ser sempre trazida de memória por todo aquele que medita, como se fosse uma bandeira. É o "estandarte do macaco" que Arjuna ergue bem alto para representar seu controle sobre a inquietude mental.

Não se trata tanto de tributar amor a Deus quanto de *receber* Seu amor, de *reconhecer* o amor e a alegria como supremamente deleitosos, portanto a única coisa digna de se possuir. A bem-aventurança divina é a mais gratificante de todas as realizações possíveis e só ela, conseqüentemente, merece ser desejada. A devoção é simplesmente uma *resposta* ao chamado de Deus na alma. Verdades supremas não podem ser aprendidas: só podem ser *rememoradas* no Eu. Como pontificou o velho sábio Patanjali, a iluminação é alcançada por um processo de *smriti*: lembrança divina. Quando se vivencia Deus, a alma recupera o que sempre soube, em níveis de consciência mais profundos que o consciente: sua própria realidade eterna.

O caminho espiritual está semeado de contradições aparentes. Yogananda contava a história de um mestre que recomendou a um discípulo: "Deves comer e não comer." O discípulo, naturalmente, objetou: "Mas mestre, o que o senhor diz me parece contraditório!"

"A contradição", explicou o mestre, "está em tua compreensão. Meu conselho tem fundamento. Deves alimentar teu corpo de maneira saudável, para mantê-lo vivo e em boas condições; mas, ao mesmo tempo, resistir à idéia, nascida do ego, 'Estou comendo'. Dize a ti mesmo, de preferência: 'Deus está comendo por intermédio de mim'."

Assim também deve a pessoa agir neste mundo: não motivada pelo ego, mas a fim de cumprir um dever atribuído por Deus e com a certeza de que só Ele faz as coisas por meio de Seu instrumento.

(3:3) O Senhor do Universo disse: "Ó Tu que não tens pecado, no princípio da criação estabeleci dois meios pelos quais o homem poderia salvar-se. O primeiro, pela sabedoria; o outro, pela reta ação."

A verdadeira sabedoria significa uma só coisa: a percepção de Brahman e a unidade com Ele. Quem foi abençoado com essa percepção não precisa fazer nada. Yogananda contava a história de Draupadi, a quem certa feita Krishna perguntara: "Por que não praticas as técnicas da meditação do yoga?"

"Gostaria muito de praticá-las", respondeu ela, "mas como conseguiria? Não posso manter minha mente longe de Ti pelo tempo necessário!"

"Ouvindo essas palavras", concluía o Mestre, "Krishna apenas sorriu."

O caminho do yoga pela sabedoria começa realmente com a visão de Deus. Disse um santo: "Eu costumava pensar que, quando alcançasse *nirbikalpa samadhi*, minha tarefa espiritual estaria concluída. Longe disso, descobri que, com *nirbikalpa*, apenas começara!"

Uma vez atingida a unidade com Deus, compreendendo que só Ele, não o ego, motiva todas as suas ações, a pessoa deve daí por diante atribuir ao Infinito tudo o que fez no passado ao longo de vidas incontáveis, a partir da consciência desse ego. A soma total de suas vidas pode chegar a milhões: encarnações onde ela foi, digamos, um pirata, um fazendeiro, um corretor de ações, uma dona de casa, um guerreiro, um rei, um mendigo.

A tarefa de calar as motivações do ego que animaram bilhões de atos passados pode parecer esmagadora – comparável à de alinhar cada molécula de uma barra de metal na direção norte–sul a fim de transformá-la em ímã. Como vimos acima, levando em conta esse exemplo e relacionando-o à magnetização da espinha para propósitos de evolução espiritual, dois elementos são, na tarefa de libertação interior, infinitamente mais importantes do que voltar cada molécula para a direção norte-sul ou liberar no infinito, uma por uma, as ações realizadas em vidas anteriores.

Paramhansa Yogananda disse que o yogue habituado a meditar profundamente consegue, durante uma única meditação, resgatar as faltas cometidas ao longo de toda uma vida em conseqüência de motivações ilusórias. Ele, por assim dizer, espalha a luz da supraconsciência sobre o panorama inteiro dessa encarnação, vendo Deus como Aquele que esteve por trás de cada um de seus atos – até os maléficos. Portanto, o yogue não precisa examinar atos isolados, pois se dá conta do movimento da energia ao longo de toda a encarnação. Deus, na realidade, é quem age mesmo quando faz o papel de vilão. O próprio Satã, ao final das contas, não passa de instrumento de Deus. Como explicou meu Guru, "O vilão é necessário numa peça de teatro, para que admiremos o herói". E a vilania, nas muitas encarnações passadas de uma pessoa, também é necessária para induzi-la a compreender que fazer o mal aos outros nunca fez bem a ela própria e não lhe proporcionou realização verdadeira até ter aprendido a dar ao ego mais paz e harmonia.

O *jivan mukta* ("liberto em vida"), despojando-se para sempre da consciência egóica, precisa evocar as existências passadas onde esteve sob o jugo dessa consciência e ver-se, em todas as encarnações, como mera manifestação individual do próprio Senhor. Esse caminho de sabedoria conduz ao estado supremo, *kaivalya moksha*, a libertação completa.

Certa vez, perguntei ao meu Guru: "Por quanto tempo permanecemos como *jivan mukta* antes de alcançar a libertação total?"

"Uma vez nesse estado", esclareceu ele, "tal preocupação não existe. Em verdade, já não existe um 'eu' para se preocupar! Você poderá se valer da necessidade de purificar o karma do passado como desculpa para voltar atrás e ajudar os semelhantes ou simplesmente dizer: 'Estou livre' e *ser* livre em Deus para sempre."

Nesse ponto um de meus colegas discípulos disse, conforme relatei em *Conversations with Yogananda*: "Mas se eu proclamasse 'Estou livre', não *estaria* livre, certo?"

"Ah, sim", concordou o Guru. "Acontece, porém, que você respondeu à sua própria pergunta! A frase foi: 'Não estaria, certo?'" Contou então a história, também já citada antes, do homem que tentara livrar-se do demônio recitando uma fórmula encantatória védica sobre um punhado de areia que depois atirou contra o inimigo. O demônio zombou dele: "Antes mesmo de você recitar o encantamento, eu me meti na areia." Yogananda explicou então: "A mesma mente com que afirmamos nossa liberdade já está infectada com o vírus da ilusão. Por isso você deve, primeiro, atingir o estado superior de consciência. Só nesse estado a proclamação de liberdade será efetiva."

Nesse estágio, já não será o "eu" quem dirá "Estou livre". Dos santos mencionados em *Autobiography of a Yogi*, poucos alcançaram a plena libertação. Passei alguns dias em companhia de um desses *param mukta* (assim meu Guru o descreveu, embora não o citasse em sua autobiografia). Perguntei-lhe: "Depois de tudo o que conseguiu, por que tem tão poucos discípulos?"

"Deus fez o que queria com este corpo", foi a singela resposta. Em tal estado, não existe nenhum "eu" para se preocupar desta ou daquela maneira com seja lá o que for. Já se alcançou o objetivo.

Os intelectuais que se inclinam para o caminho da sabedoria devem levar isso em conta. No entanto, é preciso mais que intelecto para penetrar até mesmo no estado inferior de samadhi do *sabikalpa*. Como afirmou meu Guru no capítulo "Experiência de Consciência Cósmica" de *Autobiography of a Yogi*, "A experiência nunca advém unicamente da simples disposição intelectual ou da capacidade de manter a mente aberta. Só a expansão adequada proporcionada pela prática devocional do yoga e do *bhakti* prepara a mente para absorver o choque libertador da onipresença".

O grande poema místico de Yogananda, "Samadhi", que será transcrito na íntegra mais à frente, quando examinarmos a visão divina de Arjuna, teve omitidos em edições posteriores, por inexplicável decisão editorial, inúmeros versos importantes. Entre estes, os seguintes:

Da meditação mais profunda, mais longa e mais intensa, concedida por um guru,
Provém este celestial samadhi.

A salvação ocorre – como, aliás, toda manifestação da criação – por meio de um instrumento de Deus e não da intervenção direta do Espírito. Nesse caso, o instrumento divino é o guru.

Assim, para necessidades práticas, Krishna aconselha o devoto a enveredar pelo caminho do yoga. Como declara mais tarde no Gita, "Arjuna, sê um yogue!"

A atividade meditativa, e não apenas um conjunto de ações religiosamente motivadas, está implícita no que Krishna diz aqui. Assim como a flor da maçã já contém a maçã e é inseparável desse produto final, assim a prática do yoga não se separa de seu fruto: a união com o Infinito.

Deve-se ter bem em conta que o termo *yoga* não se refere a práticas meditativas específicas e limitadas, ensinadas há milhares de anos na Índia por grandes *rishis* ou sábios. Os que buscam as verdades espirituais em qualquer religião, quando meditam e oram com sinceridade, podem com toda justiça ser chamados de yogues. Um grande místico católico, em Roma, foi abordado por um amigo meu que, ao se "confessar" à maneira tradicional, contou ao místico que praticava Kriya Yoga.

"Caramba!", replicou o homem, "não revele isso a mais ninguém, principalmente se for padre! Mas", acrescentou, "você está fazendo a coisa certa!"

O caminho óctuplo (mais literalmente, "de oito membros" ou *ashtanga*) do yoga, tal qual delineado pelo antigo sábio Patanjali, não era um caminho particular para Deus. Todos os que querem unir suas almas a Deus devem seguir a mesma vereda: *yama* e *niyama* (reta ação); *asana* (firmeza de postura, com a espinha dorsal ereta para que a energia suba livremente por ela); *pranayama* (controle sobre a energia do corpo); *pratyahara* (interiorização da mente); *dharana* (concentração orientada); *dhyana* (absorção na meditação profunda) e *samadhi* (unidade). Samadhi, como já vimos, é ao mesmo tempo condicionado e incondicionado: primeiro condicionado (limitado) em *sabikalpa*, pois subsistem ainda os laços sutis da consciência egóica, que não foram inteiramente rompidos, e, depois, incondicionado de todo em *nirbikalpa*.

Quem atinge *nirbikalpa samadhi* atinge o estado mais elevado que há. Precisa apenas livrar-se das lembranças de encarnações passadas, identificadas com o ego. No mais, é como Cristo, Krishna e Buda. Da unidade com Deus, não é possível ir além. Fiéis muitas vezes reivindicam para os fundadores de suas religiões um estado superior ao de qualquer outro santo ou mestre. Tal estado não existe. Como disse certa feita Yogananda, "Quando você se torna um com Deus, você *é* Deus". De fato, não existe nenhum "você" para se tornar algo mais!

Assim, quando Krishna recomenda a Arjuna ser um yogue, não se refere necessariamente a um yogue *hindu*. Todos quantos, em qualquer religião, buscam Deus com sinceridade percorrem a mesma senda, porque sua devoção os faz voltar-se para dentro de si mesmos a fim de vivenciá-Lo. Não poderia ser de outra forma.

O benefício do "caminho" do yoga, em sua tradição clássica, e especialmente o caminho do Kriya Yoga, é que suas técnicas científicas operam de maneira direta enquanto a mais contrita devoção só o faz indiretamente.

Yogananda conheceu numa ocasião um autêntico yogue Bhakti (seguidor do caminho da devoção) e, percebendo-lhe a sinceridade, aconselhou-o a aceitar iniciação em Kriya Yoga. O homem se esquivou, alegando que seguia fielmente os passos de Bhakti Yoga há vinte anos e não queria mudar – "Embora", reconheceu, "ainda me reste vivenciar Deus".

Yogananda explicou-lhe: "Você esteve num cubículo por vinte anos, tentando escapar pelas paredes, pelo teto, pelo chão, e ninguém lhe mostrou a porta. O Kriya Yoga o fará sair pela 'porta' da espinha. Não é minha intenção abalar sua fidelidade. Digo apenas: 'Eis a porta, abra-a e saia para o 'ar livre' da realização divina'. Finalmente, o homem aceitou minha sugestão. Dentro de pouquíssimo tempo teve a experiência de Deus, que buscara por tantos anos."

Entenda-se que o Bhagavad Gita é para todos e não apenas para aqueles que conseguem meditar profundamente. É, mesmo, até para o mais materialista dos seres humanos. Aponta o caminho para todos gozarem a felicidade, depois a alegria e por fim a bem-aventurança perfeita que os homens procuram – muitos, infelizmente, às cegas, tropeçando na escuridão sem rumo certo. O Gita diz: *"Este* é o caminho que, sem exceção, buscais! Nada que seja procurado em outra direção vos dará o que tão ardentemente desejais! Havendo embora cegueira e ignorância do que a vida de fato é, o que quereis resume-se em descobrir o mistério de vosso próprio ser!"

Portanto, este capítulo sobre Karma Yoga, o Caminho da Ação Espiritual, trata de *todas* as ações e do modo de direcioná-las para a realização em Deus.

Ponto importante a lembrar: o objetivo do Karma Yoga não é *agradar* a Deus. É, em certo sentido, *agradar* ao próprio Eu, ou seja, encontrar a beatitude no próprio Eu divino! Essa é também a mensagem de toda escritura verdadeira: fazer o que proporciona, não deleite nem sequer felicidade humana, mas *bem-aventurança*! Privilegiar o ego e seus mesquinhos interesses é abrir caminho para o inferno. Desdenhá-lo graças à expansão da compaixão e da percepção é rumar para o paraíso. Em última análise, o paraíso autêntico que todos procuram é Satchidananda: a Beatitude sempre existente, sempre consciente, sempre nova.

Assim, é espiritual a ação que minimiza a ênfase no ego e em tudo quanto lhe alimente a consciência: desejos, apegos e, um por um, os guerreiros do exército dos Kauravas.

(3:4) Não-ação não é inação. Quem renuncia ao esforço (em nome da divina indiferença à atividade) não pode atingir a perfeição.

É para dar exemplo a seus discípulos que os mestres plenamente libertos, voltando a este mundo como *avatares* (encarnações de Deus), se entregam a várias atividades espiritualmente edificantes. Chegam mesmo, às vezes, a participar de tarefas que visam à emancipação do mundo, como fez Krishna ao matar o demônio Kangsa. Os avatares atuam como partícipes voluntários do drama divino da criação. Mas sua existência destina-se também a servir de exemplo aos devotos, mostrando-lhes que é importante, para todos, empenhar-se ativamente na autolibertação, cada qual segundo a complexidade de sua própria rede de karma. Meu Guru explicou que um mestre liberto, independentemente de sua missão no mundo, jamais perde a percepção íntima da liberdade.

(3:5) Ninguém pode permanecer inativo sequer por um momento; todos somos compelidos (pela Natureza), de bom ou mau grado, a agir motivados pelos gunas (as três qualidades) da Natureza.

(3:6) Aquele que refreia seus órgãos da ação, mas deixa revolutearem na mente pensamentos voltados para objetos dos sentidos, é (com justeza) considerado hipócrita e a si mesmo se ilude.

Imagine-se a ausência total de movimento: nenhuma brisa; nenhuma nuvem a cruzar o céu; nenhuma onda a agitar o oceano; nenhum Sol ou Lua a surgir e desaparecer no horizonte; nenhuma mudança de estação; nada que cresça; nada que decaia; sopro algum de vida; nenhum pensamento; nenhum átomo a vibrar; e, à falta de movimento, inexistência de espaço e, conseqüentemente, de tempo.

Que sandice dos pretensos filósofos, sofisticados pensadores e aspirantes à verdade, imaginar que o estado de não-ação do Espírito Supremo possa ser alcançado por mera omissão! Conseguirão deixar de respirar simplesmente não respirando? Poderão impedir-se de pensar não pensando? Atingirão o silêncio não falando? É de estranhar que um aspirante à sabedoria conceba semelhantes absurdos!

Toda a criação existe em estado vibratório. Os próprios átomos estão em perpétuo movimento. *Prakriti* (Natureza) *força* o homem a ser ativo. Quem tenta ser inativo só se torna preguiçoso. Quem finge desapegar-se do mundo à sua volta não passa de um hipócrita.

Para alcançar o estado de não-ação é imprescindível agir *conscientemente* – não movido apenas pela Natureza, mas com intenção e inteligência, como um surfista *acompanhando* as ondas das circunstâncias.

(3:7) Mas o êxito absoluto, ó Arjuna, espera aquele que disciplina seus sentidos por um esforço da mente, permanece no íntimo sem apegos e usa os órgãos da ação em atividades que nos lembram Deus.

Consideremos isto: que são "atividades que nos lembram Deus"? Elas incluem todo ato ou pensamento que direciona a mente para a supraconsciência. Simples pietismo expresso em orações na igreja, templo ou sinagoga; sentimentos meramente "sagrados", exibidos para impressionar os outros (ou proclamados com fervor para "impressionar" Deus) – em suma, toda mostra de religiosidade só é aceitável se, *por dentro*, formos sinceros. A ânsia de impressionar trai o desejo de colher resultados, nunca a sinceridade dos sentimentos.

A expressão de Krishna "...disciplina seus sentidos por um esforço da mente" revela a importância de não se adotarem apenas meios exteriores de autodisciplina: por exemplo, ficar de pé ou sentado com a mão erguida até que ela se atrofie pelo desuso; nunca se sentar nem deitar como forma de penitência; estirar-se numa cama eriçada de pregos: isso, mais os jejuns intermináveis, a privação do sono e outras formas de embotamento dos sentidos adotadas para obter o autocontrole, sem a contrapartida de um discernimento inteligente, não é o que Krishna recomenda aqui. Austeridades do mesmo tipo, em outras religiões, incluem autoflagelação, inanição e outras que lembram muito as empregadas na Índia. Mencioná-las todas seria inútil, pois todas se destinam a subjugar os sentidos sem o uso adequado da vontade. Esta tem de dar seu *consentimento* ativo para a libertação interior: de nada vale mortificar o corpo para *obrigá-lo* à submissão.

Controlar os sentidos não é tiranizá-los. O que se tem a fazer é *retirar* deles a energia, porquanto a vontade age diretamente sobre ela. Yogananda declarou: "Quanto mais forte a vontade, mais abundante o fluxo de energia." A *direção* desse fluxo pode ser tanto para dentro quanto para fora, tanto para cima quanto para baixo.

Por isso Krishna fala também em desapego *interior*. Privar-se de coisas materiais pode, e freqüentemente o faz, alimentar o fogo dos vínculos ocultos! Nenhuma atividade voltada para impressionar os semelhantes (ou até Deus) dará, no fim, frutos divinos. A evolução espiritual se consegue, acima de tudo, desejando-a intensamente, não infligindo disciplina violenta ao corpo.

Com boa vontade, alegria e devoção, é possível encontrar Deus. Sem o pleno consentimento da vontade e da consciência total da pessoa, este que é o mais nobre dos objetivos – a consciência pura da Bem-aventurança – não será nunca atingido.

(3:8) Cumpre os atos que teu dever te impõe, pois a ação é melhor que a inação. Com efeito, se não agíssemos, nem sequer o ato de manter a vida em nosso corpo seria possível.

O dever de cada homem é aquilo que lhe toca, determinado pelos laços do karma que ele mesmo forjou e deve desatar a fim de se ver livre do apego ao ego. Só assim sua consciência voará para o infinito. As ações necessárias não são obrigatoriamente aquelas para as quais ele foi adestrado. O dever espiritual de uma pessoa com talento para interpretar talvez não seja o de tornar-se ator. Essa pessoa pode sair-se muito bem fingindo ser alguém mais; contudo, tem necessidade inadiável de mostrar-se absolutamente sincera naquilo que ela própria é. Pode ter talento para arrancar aplausos do público e, em virtude desse mesmo sucesso no palco, aferrar-se ainda mais ao orgulho. Não significa isso que interpretar papéis seja, de um modo geral, uma carreira perigosa em termos de karma. Pode ajudar algumas pessoas a identificar-se menos com sua personalidade, ficando assim menos limitadas por ela. E também pode ajudá-las a perceber com mais clareza que a própria vida é uma encenação em que nada, ao fim, é real.

A complexidade dos padrões de karma na vida humana torna praticamente toda atividade honesta um dever dhármico para *alguém*. A tarefa humilde de varrer ruas talvez seja, para algumas pessoas, um simples emprego e uma necessidade social; mas, para outras, será um dever kármico – se, por exemplo, o varredor viveu uma existência passada de pobreza ociosa. O influente cargo de presidente de uma grande empresa às vezes é um ônus pesado para algumas pessoas e causa de futuro agravamento do karma, devido (quem sabe?) a um desejo insopitável de prestígio. No entanto, para quem encara essa posição como oportunidade para servir aos demais e promover uma boa causa, pode ser um passo rumo à libertação do ego.

Como saber qual é o nosso dever kármico? Muitos de nós, há que se admitir, nem de longe percebemos o abismo existente entre o ego e a Consciência Cósmica. Com tantas batalhas kármicas por travar antes de nossas "tropas" mentais empreenderem algum avanço significativo em território inimigo, talvez seja melhor enfrentar os desafios à mão. E melhor ainda aceitar os combates que temos mais certeza de vencer.

Suponha-se, por exemplo, que alguém se sinta incapaz, no momento, de dominar seus impulsos eróticos. Tentar sufocá-los só debilitaria ainda mais sua vontade, pois cada fracasso significaria para ele a confirmação de sua fraqueza. Mais lhe valeria, então, haver-se com um desafio não tão difícil que, uma vez superado, robusteceria sua força de vontade e, aos poucos, o prepararia para o empreendimento maior, ainda à espera.

Aos olhos da pessoa suficientemente afortunada para ter um verdadeiro guru (realizado em Deus), os sábios conselhos deste devem valer mais que um cofre repleto de diamantes e rubis. A obediência a cada palavra do guru será para ela a jangada sobre a qual cruzará os mares turvos da ilusão.

(3:9) As ações empreendidas para fins egoístas estreitam os laços do karma. Por isso, ó Filho de Kunti (isto é, alheamento às paixões), cumpre teu dever sem a nada te apegares, num espírito de entrega religiosa.

O rito religioso do *yagya* (meu Guru preferia essa transliteração à forma erudita *yajna*) faz, simbolicamente, a oferenda do eu egóico ao fogo sacrificial da purificação. Quem aspira à libertação deve fazer tudo num espírito de entrega a Deus. Aqui, portanto, o próprio poder de Deus é representado pelo fogo de yagya. Antes de dormir, visualize-se todas as noites ofertando cada pensamento e sentimento sediados no ego (por exemplo, autocongratulação, autodepreciação e qualquer forma de autojustificação), à chama abrasadora do amor de Deus.

Capítulo 14

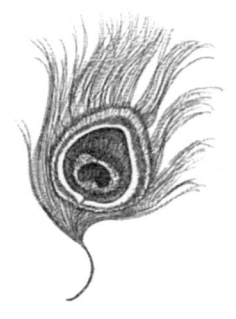

Evolução direcionada

Nesta era de democracia, é fácil para as pessoas – sobretudo as que carecem de refinamento – pensar: "Ninguém é melhor que eu." Sucede, entretanto, que todo crescimento é direcionado. Os próprios valores, embora relativos, são também direcionados: *de* um nível *para* outro. Há o bom, o muito bom e o melhor; o mau, o muito mau e o pior. O comportamento aceitável na criança pode ser suspeito, ou condenável, no adulto. Se um menino aponta sua pistola de plástico para alguém e grita: "Bang, bang!", as pessoas sorriem dessa atitude, sabendo que não há nenhuma intenção ruim por trás dela. Mas, se um adulto faz a mesma coisa, os outros talvez não se sintam tão à vontade com semelhante comportamento.

Vimos que há uma justificativa realista para o sistema de castas – não pelo modo como a sociedade o agravou e sim pelo fato óbvio de que, na natureza humana, existe um certo tipo de evolução ascendente.

Há santos e pecadores. A sociedade é uma mistura de todos os tipos. Um dos incentivos para a busca de Deus é a existência de tantos níveis diferentes de refinamento humano, alguns mais inspiradores que outros e muitos, ao contrário, advertências tácitas para as conseqüências das más ações. Uns haverá que induzam o homem a progredir espiritualmente; outros, que o "inspirem" a agir de modo bem diverso, forçando-o a recuar da ilusão como de uma cobra venenosa.

A vida evolui para cima a partir de níveis que são inferiores até mesmo à simples condição animada. O verme rastejante – relativamente bem-colocado na escala da consciência – pode tornar-se depois uma mosca, um pássaro, um mamífero e, após longa escalada, uma criatura humana. Só depois de muito tempo e inúmeras outras reencarnações essa criatura, que precisa primeiro aperceber-se por completo de sua humanidade, evolui a ponto de querer livrar-se das limitações da consciência do ego e de seu aprisionamento num corpo insignificante.

As pessoas que expandem os impulsos exacerbados de seu ego compartilhando generosamente com os semelhantes vão, após a morte, para um paraíso astral. Ali, poucas se mostram espiritualmente lúcidas o bastante para continuar progredindo. Rodeadas de "gente de sua laia", não recebem incentivo algum para meditar ou tentar, de outros modos, subir além do nível já atingido, que, vale dizer, é muitíssimo mais agradável que o plano material. Contentam-se com permanecer na companhia de anjos ou devas. Estão mais em posição de ser abençoadas que de abençoar.

Os animais evoluem tanto mais rapidamente quanto mais de perto convivem com os seres humanos. Eis o que lhes vale serem bichinhos de estimação. Os tipos *Shudra* de seres humanos, igualmente, podem progredir com mais rapidez quando servem nos lares de tipos humanos superiores: especialmente, talvez, os *Vaishyas*, com cuja visão de mundo eles parecem mais sintonizados.

Os Vaishyas, na mesma linha de raciocínio, andarão bem se misturando com os tipos *Kshatriya* ou, pelo menos, imitando-lhes os costumes. E os Kshatriyas se beneficiarão bastante da proximidade dos tipos Brahmin.

Quando tipos superiores convivem com os de consciência inferior, num espírito de solidariedade que procura ajudá-los a progredir, esses mesmos tipos superiores se beneficiam espiritualmente. De outro modo, o convívio redundaria em seu prejuízo, pois poderia arrastá-los para baixo. Devem, pois, guardar-se sobretudo das afeições, que têm de ser impessoais.

As mulheres, cujo papel na sociedade consiste primordialmente em zelar pelos valores sociais, podem se casar com homens acima de sua casta natural, mas nunca abaixo. Convém não esquecer, todavia, que aqui "acima" e "abaixo" nada tem a ver com a condição da família e sim, exclusivamente, com o tipo individual dos seres humanos.

Assim, não é de modo algum degradante prestar serviços àqueles que nos podem ajudar a evoluir. Uma pessoa de temperamento Brahmin que anseie por conhecer Deus há de se considerar superiormente feliz se encontrar um guru iluminado e ser por ele aceita. Nas escrituras indianas, lemos que mesmo um breve contato com um santo constitui grande bênção. "Um instante", reza o texto, "na companhia de um santo pode representar a jangada para cruzar o oceano da ilusão."

As escrituras enfatizam repetidamente a importância de *satsanga*, a boa companhia (principalmente espiritual). Muitas pessoas, decerto, podem rememorar suas vidas e encontrar nelas uma, duas ou mais figuras que lhes influenciaram o desenvolvimento mental ou espiritual. A vanglória do homem moderno, firme na cega convicção de que "ninguém é melhor do que ele", amplia essa visão também para as coisas religiosas e a crença de que mesmo uma bondade relativa lhe propiciará um lugar definitivo num inefável paraíso astral. "Mas se *todos* somos santos!", brada o cristão protestante quando alguém lhe sugere que a santidade é um ideal ao alcance de toda a humanidade. Ficar para sempre confinado a um ego mesquinho, porém, é o mesmo que ficar preso no inferno, não no céu onde reina a liberdade!

A compreensão que o homem tem do universo aumentou bastante nos últimos séculos. Graças às descobertas de Galileu e outros, o geocentrismo foi substituído, há relativamente pouco tempo, pela crença de que o Sol é o centro de tudo. Só no final do século XIX descobriu-se que essa estrela é apenas uma das muitas que compõem uma gigantesca galáxia. E mais recentemente ainda, em 1918, soube-se que nossa galáxia, chamada "Via-láctea", não passa de uma dentre tantas outras. Nos dias atuais, ninguém ignora que vivemos num universo formado por pelo menos cem *bilhões* de galáxias.

Também nossa visão do progresso humano precisa ser ampliada. A matéria – sabe-se hoje como fato científico – é apenas vibração de energia. Existem, segundo a antiga sabedoria da Índia, inúmeros tipos de energia que emanam do nível astral da manifestação cósmica. Discutimos anteriormente alguns deles: entidades conscientes, egóicas, que engendram e preservam a vida neste planeta. Dessas entidades, umas são mais evoluídas que outras e merecem o nome de devas ou "anjos brilhantes". E há as que podemos chamar de espíritos da natureza – fadas, etc. Finalmente, temos os espíritos inferiores: demônios ou diabos.

Tipos inferiores de humanidade atraem espíritos astrais do mesmo nível. Tipos superiores contam com a orientação e a inspiração dos devas ou anjos, que os ajudam quando eles se mostram receptivos à assistência do alto.

Um amigo do autor foi, durante a juventude, um alpinista que realizou várias escaladas pioneiras. Numa delas, já perto do cume, percebeu que a montanha se projetava em curva, impedindo-o de subir mais e de descer. Só tinha duas opções viáveis: ficar na borda do rochedo até morrer de fome ou dar um salto suicida no precipício.

Ambas as escolhas, concluiu ele, eram inaceitáveis. Embora a razão o advertisse contra a terceira, prosseguiu a escalada. Quando a montanha começou a se curvar, ele tombou de novo na borda do rochedo.

"Posso morrer tentando", decidiu, "ou de fome!" Arriscou-se de novo – e de novo. A cada vez, atingido o mesmo ponto, rolava para a borda.

Talvez na vigésima quinta tentativa, quando já sentia que ia cair novamente, uma força pressionou-o de repente contra o paredão e ali o manteve até que completasse a subida. Do cume, descer pelo outro lado era coisa fácil. Como explicar tal milagre? Seguramente, só se pode atribuí-lo a uma intervenção angélica.

Poucos seres humanos estão preparados para receber a suprema bênção espiritual: o auxílio de um autêntico guru. No entanto, que cada homem precise de toda a ajuda possível, só não é evidente aos olhos do mais arrogante dos egocêntricos. O fato é que, chegado a essa borda superior em sua escalada evolutiva do paredão da consciência, quando então se tem orgulhosamente na conta de possuidor de um ego, o homem deseja usufruí-la durante algum tempo. Não percebe, porém, quanto se demora ali! Uma de minhas amigas ralhava com o filho de dois anos: "Ora vamos, você não é mais um bebê!" E ele replicou: "Mas *gosto* de ser um bebê!" Ocorre o mesmo com a maioria dos egos: *gostam* de ser como são! *Gostam* de ser únicos e diferentes dos demais, brigam por isso e fazem pirraça (quando nada conseguem). Mas para eles a escalada ainda não chegou ao fim: isso só acontecerá no momento em que expandirem a percepção de si mesmos e abarcarem o infinito. Entrementes, a "vantagem" de uma maior lucidez, especialmente com respeito ao ego, vem acompanhada de uma "desvantagem": uma maior suscetibilidade ao sofrimento.

Os outros "eus", cuja ajuda ele repele, estão na verdade estreitamente ligados ao seu próprio. No infinito, são todos expressão de um *mesmo* Eu! A tarefa do homem, no vasto esquema das coisas, consiste em aprender que não passa de uma manifestação insignificante da Consciência Infinita. O trabalho à sua frente, para alcançar o infinito, é colossal! Por menos sábio que seja, haverá de perceber que necessita de toda a ajuda possível.

Auxiliando os outros, auxilia-se a si mesmo, pois multiplica a sua compaixão. Socorrendo os que lhe estão abaixo na encosta da montanha, passa a apreciar mais a vantagem de sua posição superior. Aceitando ajuda dos que lhe estão acima, recomeça a subir com maior desenvoltura. Sem auxílio do alto, talvez resmungue presunçosamente: "Para que continuar a escalada? Estou satisfeito por ter atingido esta plataforma, de onde posso contemplar um panorama mais vasto." Pois então: deverá ele definhar ali até a morte espiritual, sem o alimento da alegria mais sutil? Muitas pessoas, vaidosamente aferradas ao ego, apenas se instalam para uma longa espera da morte. A vida exige progresso contínuo. Não pode ficar parada.

Há devas – anjos – a quem podemos apelar ou com cujas energias é possível trabalhar conjuntamente. À semelhança do que acontece com outros seres humanos, ganharemos mais *ofertando* a eles do que tentando extorqui-los em proveito próprio. Até nos ashrams dos grandes gurus, lucram espiritualmente mais os discípulos que, por gratidão, *fornecem* energia e não procuram *atrair*, egoisticamente, as bênçãos de Deus para si mesmos.

Quando Buda discorreu contra o *karmakand* dos rituais védicos (realizados por interesse pessoal e ganho egoísta), fê-lo numa época em que as pessoas, de um modo geral, já não tinham mais sensibilidade para apreciar algo superior a si próprias e suas necessidades. Os tempos em que ora vivemos são tempos de movimento ascendente (*não Kali Yuga*, como ainda se insiste em crer). Paramhansa Yogananda ensinou para esta nova era de ascensão de *Dwapara Yuga*. Ele percebia já ter chegado a hora de, mais uma vez, urgir as pessoas a relacionar-se com entidades e forças superiores.

A humanidade, em seu materialismo, isolou-se dessas energias sutis. Quem procurou vencer sozinho morreu prematuramente de problemas cardíacos e outros males. Até nosso planeta parece estar perdendo parte de sua força vital. Conforme mencionei antes, descobriu-se cientificamente que o alimento hoje consumido contém muito menos nutrientes do que há cerca de cem anos.

É tempo de recorrermos a seres mais sutis. Eles estão por aí, prontos para nos ajudar. O que os propicia não é a lisonja (se verdadeiramente são *superiores* a nós: devas ou anjos brilhantes). Muito ao contrário, respondem de bom grado a qualidades como coragem, desinteresse, generosidade e – acima de tudo – amor.

Quando amamos alguém, sempre é melhor lhe dar afeto impessoal: ver Deus em tudo e não buscar, nos outros, proveito próprio. O amor deve ser expresso como preocupação pela felicidade alheia, numa atmosfera de impessoalidade sem olhos para vantagens egoísticas. O mesmo se aplica à atitude humana frente aos deuses ou divindades astrais: ela deve ser desinteressada. Eles têm de ser amados como mensageiros de Deus e não, decerto, incensados de ego para ego. Acima de tudo, devemos amar Deus neles.

Os Vedas foram entregues à humanidade numa época mais evoluída que a nossa. Revelam compreensão do poder de que são dotados também os devas. Para encorajar a humanidade a socorrer-se da ajuda das energias sutis, em vez de depender apenas das próprias forças e talentos, os Vedas ensinaram mantras compostos para proporcionar ganhos puramente pessoais: riqueza, poder, filhos, etc. Eis a idéia: buscar essas coisas (que a maior parte das pessoas buscaria de qualquer maneira) em fontes superiores ao plano material direcionaria a gratidão para essas mesmas fontes, fazendo com que as pessoas dependessem mais de uma ajuda excelsa do que da força gerada pelo ego.

Tudo existe em estado de vibração. Foi assim que o Espírito Supremo, imutável, estabeleceu a aparência de uma realidade separada. Assim como as pás de um ventilador, em seu movimento rápido, dão a impressão de um disco sólido, assim a Vibração Cósmica, em seu infinito número de vibrações inconcebivelmente intensas, dão a impressão de substância, variedade e mesmo solidez. Temos, desse modo, as rochas, que aos nossos sentidos parecem bastante consistentes, mas, como hoje se sabe, não passam de vibrações de energia e, mesmo como substância material, compõem-se pela maior parte de espaço.

Os antigos *rishis* ou videntes sabiam que certas vibrações podem trazer harmonia com níveis de consciência capazes de guindar também o homem a planos superiores de percepção. Os mencionados ritos e cerimônias são eficazes quando conduzidos adequadamente e com a devida compreensão. Imaginar, porém, que desafogam o homem da necessidade de fazer esforços pessoais a fim de aprimorar-se, eis o que Buda denunciou na era decadente de *Kali Yuga*.

Krishna, nas estrofes seguintes do Bhagavad Gita, reproduzindo um entendimento herdado de uma época mais evoluída, parece recomendar exatamente o que Buda condenou. Acontece que todo grande mestre fala a partir do mesmo estado de plena realização. Quando dá ênfase diversa a determinados pontos de suas lições, é porque precisa ter em conta as necessidades especiais de sua audiência. Na verdade, Krishna disse o mesmo que Buda: os homens têm, *eles próprios*, de lutar por sua libertação, pois de outro modo a graça de Deus, a ajuda de um guru autêntico e as bênçãos dos seres superiores jamais serão conquistadas.

Não pense você, portanto, que lucrará muito espiritualmente se apenas pagar um *pujari* (sacerdote) para realizar uma cerimônia védica do fogo em sua intenção, recitando os mantras de maneira correta. As bênçãos derivadas desse caminho, conhecido como *karmakand*, podem até ser reais (dependendo também, é claro, do poder do sacerdote), mas irão mantê-lo ainda a vagar pelos atalhos ilusórios da dualidade e do karma.

Uma derradeira pergunta a esse respeito vem a calhar: a quem devemos dirigir nossas preces e cânticos? Quem tem por objetivo final a união com Deus, por que salmodiaria versos a divindades menores – Ganesha, Indra, etc.? Há, é claro, sentimentos envolvidos que precisam ser respeitados. Imagens de Ganesha, o deus da boa fortuna com sua cabeça de elefante, podem ser vistas em praticamente todas as casas de famílias hindus. Sentimentos elevados, não importa quais sejam, merecem não apenas respeito, mas estímulo também. De fato, o homem não consegue viver uma vida inspirada sem algum tipo de imagem que o inspire, lembrando-o das verdades superiores. Mesmo os muçulmanos, conforme observou Guru Nanak, curvam-se na direção da pedra sagrada de Meca. Sem imagens, a devoção é insípida.

Ganesha tem uma imagem agradável. Ele foi "congelado", por assim dizer, numa realidade onde o imobilizou a devoção de milhões de adoradores, ao longo de séculos. Com certeza um hindu deve sentir-se "seguro", filosoficamente, ao rezar para ele!

No entanto, o maior dos cultos deve ser prestado, sempre, ao Senhor Infinito. Pode-se por isso dizer que, instruído a ver Deus em tudo, o devoto O verá em qualquer divindade inferior, entoando cânticos apenas para aquelas formas, e usando apenas aqueles nomes, que lhe evoquem o Infinito.

É que mesmo os deuses consagrados respondem unicamente pelos postos que ocupam, não pelos nomes que ostentam individualmente. Numa antiga lenda hindu, Krishna diz a Uddhava: "Vês este besouro no chão? Outrora, foi Indra." Indra, obviamente apeado da augusta posição que antes ocupara, era agora um nome ou título exibido por outra entidade. A queda daquele que se emaranha de novo em *maya* – e isso pode suceder a todos a qualquer tempo, antes de alcançarem o estado superior chamado *nirbikalpa samadhi* – provoca, verdadeiramente, um grande medo. O assunto é discutido mais adiante no Gita.

Os anjos, ao contrário do que alguns cristãos imaginam, não estão acima dos mestres realizados em Deus e vivem ainda na Terra. Também os anjos trabalham por sua própria salvação. Também eles podem falhar quando seus interesses se voltam para a satisfação pessoal. Diz-se, como todos sabem, que Satã é um anjo caído, embora esse conto pertença mais à esfera da alegoria que ao domínio da história.

(3:10) Prajapati (Deus no papel de Criador) trouxe a humanidade à esfera das coisas manifestas e, assim fazendo, deu ao homem potencial para dedicar-se (por meio de yagya) a uma percepção superior (à humana). Afora esse dom, aconselhou aos homens: "O que quer que desejeis, buscai-o devolvendo, como oferta, energia à fonte de toda energia. Que esse sacrifício (yagya) seja vossa vaca leiteira de realização".

(3:11) (Prajapati continuou): "Com essa oferta, comungai com os devas (anjos brilhantes) para que os devas possam comungar convosco. Graças a essa comunhão mútua, obtereis o mais elevado bem."

(3:12) (Prajapati concluiu): "Pela comunhão com os devas, recebereis deles as realizações (terrenas) a que aspirais. Aquele que goza os dons dos deuses sem lhes ofertar em troca a devida (energia) é, em tudo e por tudo, um ladrão."

Os yogues que meditam para alcançar a unidade com Deus podem extrair significados ainda mais sutis dessas passagens. É que a energia do corpo deve ser continuamente devolvida – para, digamos, entrar em "sintonia fina" com sua fonte. O pólo negativo dessa fonte, no corpo, é a medula oblonga; o positivo, a sede da supraconsciência (no lóbulo frontal do cérebro, localizado entre as sobrancelhas). O verdadeiro yagya é Kriya Yoga, como veremos mais à frente. Kriya Yoga ensina o caminho ascendente da espinha, capacitando a pessoa a unir seu pequenino eu – o ego – com o Eu Infinito: Deus.

Suscitar o poder de Kundalini é o maior dos "rituais do fogo", que leva à completa transferência de energia do corpo para o Infinito. Kundalini inicia esse ritual retirando energia da energia que sustenta o corpo nos chakras. Finalmente, o yogue se oferece para uma perfeita purificação na luz fulgurante de Deus.

(3:13) Pessoas espiritualmente conscientes, ao ofertar o alimento que consomem à sua fonte de energia divina (os devas), não incorrem em pecado. Mas aquelas que se furtam a essa oferenda (comendo apenas por gosto e prazer) estão alimentando o pecado.

A matéria, como a ciência moderna descobriu, é uma vibração de energia. Quanto mais o homem se conscientizar da energia em seu corpo, mais facilmente progredirá em espírito. Ao movimentar o corpo, deve tentar perceber que é a *energia* que dá força a seus músculos e, com isso, lhe permite deslocar-se. Quando inspira, deve sentir que absorve energia com o ar. Em tudo o que fizer, andará bem em considerar a energia como o seu próximo passo na escalada rumo à percepção da união divina.

A seguir, tentará perceber que a energia responsável por seus movimentos e respiração não é de fato sua. O pecado (ilusão) começa pelo pensamento leviano: "Tudo isso me pertence!" É fácil imaginar a matéria como algo que se pode possuir. Mais difícil supor o ar ou, mais sutilmente, a energia como coisa própria. Quando a energia é ofertada (aos devas ou a Deus), a consciência se alça com igual facilidade.

O alimento que ingerimos é, também, energia. Sua substância tosca estimula um prazer correspondentemente tosco no pensamento: "Eu, em pessoa, estou comendo com prazer, deleitando-me com estes sabores todos." Não é uma "transgressão", em termos espirituais, apreciar um alimento; convém, entretanto, fazer com que esse gozo seja um lembrete da alegria imutável da alma. Assim, é útil permitir, no ato de comer, que a satisfação haurida do alimento estimule a alegria no coração, aí concentrando quaisquer deleites proporcionados pelo paladar.

"Empanturrar-se" é inflar não apenas o ventre, mas também o ego. O que faz disso um pecado é o fato de consolidar o erro de ver o corpo como propriedade particular.

"Pecado", aqui, significa simplesmente o ludíbrio da afirmação do ego. É mais uma barra, por assim dizer, na grade da prisão da consciência do ego.

(3:14) Os homens se nutrem de alimentos; os alimentos crescem com a chuva; a chuva é sustentada pelo fogo (o calor do Sol, que faz a água evaporar-se) e o fogo é produzido pela vibração de AUM.

Aqui o Bhagavad Gita alude, com sutileza, às etapas elementares da manifestação divina, que constituem em verdade todo o nosso sustento: terra, água, fogo, as fases visíveis oriundas do poder vibratório do cosmo, AUM. Vibração é ação, ou seja, *karma*.

(3:15) Fica sabendo que essa atividade vibratória divina foi gerada por Brahma, a força criadora do cosmo. Yagya, ou oferenda sacrificial do eu, fecha (finalmente) o grande círculo da manifestação cósmica.

AUM, a Vibração Cósmica, tem três aspectos, dos quais cada qual produz um som distinto: Brahma, a vibração criadora, com o som mais alto; Vishnu, a vibração preservadora, com um som médio; e Shiva, a vibração universalmente destruidora ou dissolvente, com um som baixo, cavo. Essa chamada Trindade não é comparável à Trindade cristã do Pai, Filho e Espírito Santo, como alguns eruditos pretenderam. A Trindade cristã lembra antes as três palavras sânscritas *"AUM-Tat-Sat"*, que indicam os aspectos básicos de Deus: *Sat*, a Verdade eterna de onde provém toda a criação; *AUM*, a Vibração Cósmica responsável pela manifestação do universo; e *Tat*, o reflexo, no âmago de toda vibração, do Espírito imóvel, para sempre imune a essa mesma vibração.

AUM escreve-se corretamente com três letras. A primeira significa Brahma; a segunda, Vishnu e a terceira (que se deve pronunciar como um *hum* levemente alongado), Shiva. O tríplice AUM é, por esse motivo, cantado em três níveis tonais: alto, médio e baixo. Em inglês, escreve-se geralmente "OM". Em outros idiomas – português, por exemplo –, não há como transliterar exatamente a palavra AUM. Em português, o *A* é longo (ou aberto), não breve como deve ser. Também em *Tat* e *Sat* o *a* é breve, como na palavra inglesa a*bout*.

Todas as coisas são manifestações da Vibração Cósmica. Ao meditar, o yogue percebe primeiro o som de AUM em seu ouvido direito. À medida que vai aprofundando essa experiência, começa a ouvi-lo em todo o corpo, pois o corpo todo vibra com esse som. Assim, sentindo o AUM ao longo do corpo, deixa de se identificar com a autoconsciência concentrada na medula e, aos poucos, vai se expandindo juntamente com o som de AUM até se harmonizar com a criação inteira. Essa etapa é conhecida como samadhi AUM.

Sua próxima percepção é de *Kutastha Chaitanya*, ou *Tat*, a consciência crística por trás das vibrações do corpo – e o centro da própria vibração deste, refletindo o Espírito imóvel para além da criação. Gradualmente, sua consciência se dilata com a consciência crística, ou *Tat*, até percebê-la infinita. Depois de atingir essa etapa, explicou meu Guru, é que fazemos jus ao título de mestre. Assim, na expressão sânscrita "*Tat twam asi*" ("Isto és tu"), a palavra "*Tat*" tem significado mais profundo do que muitos supõem. Significa, na verdade, "Tu és '*isto*': a Consciência Infinita".

Para além da consciência crística, no estado de perpétua lucidez, reside o Espírito Supremo, *Sat*.

(3:16) Quem tenta escapar a esse grande círculo em movimento, vivendo no pecado e preferindo o gozo (egocentrado) dos sentidos, vive em vão.

Krishna fala do grande círculo da manifestação cósmica exterior e do retorno para o interior. O ego do homem, de igual modo, é criado pela particularização da alma em forma corpórea, com a qual ela se identifica. Seu retorno à união com o Espírito consegue-se por meio de yagya (oferenda de si mesmo) a Deus, cuja finalidade é fazer com que o ego mergulhe de novo na unidade absoluta.

Em outras passagens do Gita, Krishna aconselha Arjuna (que representa o devoto "comum") a escapar do giro interminável da roda dos nascimentos e renascimentos. Aqui, ao contrário, ele fala do plano cósmico eterno, do qual todas as almas precisam participar conscientemente. Recomendou yagya: o ato de ofertar o eu insignificante à união com o Eu cósmico. Por isso, esclarece que quando nos apegamos à insignificância, atiçados pelo ego separado, individual, vivemos em vão! Semelhante existência, poder-se-ia dizer, em nada difere da de uma larva. Os "grandes" feitos da humanidade, definidos pelo ego, pouco representam perante a realidade universal. Seu único mérito reside naquilo que proporcionam ao próprio homem, apurando-lhe a consciência.

Capítulo 15

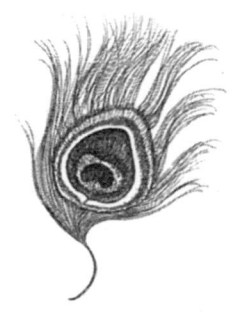

Liberdade por meio de ação

(3:17) Já não restam deveres para aquele cujo amor único é o Eu, que se deleita no Eu e, no Eu, repousa satisfeito.

(3:18) Esse homem nada ganhará se agir no mundo e nada perderá se o fizer. Não é dependente de nada nem de ninguém (fora do Eu).

Paramhansa Yogananda definiu o ego como "a alma identificada com o corpo". Essa identificação estimula o homem a agir com base na falsa crença de que este mundo é real. As estrofes acima não insinuam que as almas iluminadas se abstêm da ação. O próprio Deus (O Divino Dramaturgo), afinal de contas, escreveu, encenou, dirigiu e interpretou todos os papéis em Seu grande drama do universo. O objetivo do drama é levar a humanidade a compreender, pouco a pouco, que tudo não passa de um espetáculo do qual as pessoas participam, mas no qual nunca realmente se envolvem. Deus se satisfaz com saber que os homens anseiam por reabsorver-se n'Ele depois que o pano cair e a unidade com Ele for atingida. Mas Deus precisa de "trabalhadores no local" e, portanto, agradam-Lhe aqueles que decidem permanecer aqui para, movidos por um "desejo sem desejo", ajudá-Lo a produzir a peça.

O importante é não agir por inspiração do ego. Nossa separação de Deus é ilusória. Todo pensamento que ruminamos, todo feito que realizamos e todo desejo que abrigamos são mero reflexo de Sua consciência infinita. O dramaturgo humano escreve todas as cenas de sua peça. Esta precisa de um vilão ou, quando menos, de personagens antagônicas. Sem a tensão dramática não há drama e o público perde o interesse. De fato, se o dramaturgo for bom em seu *métier*, *gostará* de escrever também as cenas dos vilões, pois é preciso habilidade para mostrar a lógica inerente ao mal (de seu próprio ponto de vista!). No fundo de tudo o que acontece há um segredo: a alegria divina, sem a qual o universo não se teria manifestado. As pessoas aferradas ao corpo gritam com angústia: "Mas não pode haver alegria no sofrimento!" Entretanto, quantas histórias desfiam mais tarde! Com uma pontinha de orgulho, discorrem sobre aqueles mesmos tempos em que mais padeceram na vida!

Tudo é, em graus variados de manifestação, bem-aventurança! Até a capacidade de sofrer pressupõe uma capacidade mais refinada para vivenciar a beatitude. O sofrimento provém, sobretudo, do pensamento: "As coisas não deveriam ser como são." Em suma, está implícita no sofrimento a idéia de como as coisas *deveriam* ser e (assim a alma lhes sussurra) possivelmente *acabarão* sendo.

(3:19) Portanto, cuida para te veres livre de apegos ao empreender quaisquer ações, físicas ou espirituais. Não agindo em interesse próprio, encontrarás o Ser Supremo.

As ações físicas são praticadas quando aplicamos a força vital a um nível concreto de realidade. As ações espirituais são praticadas quando *extraímos* a força vital do corpo físico. Agir espiritualmente neste mundo significa ter consciência do Eu interior e irradiar essa consciência para os outros seres e para o mundo. O apego é o caminho para a servidão; o desapego é o caminho para a libertação. Certa vez perguntei ao meu Guru, que desempenhara em encarnações passadas, conforme nos contou, papéis de destaque no mundo, se o mestre sempre conserva a elevada condição de *nirbikalpa samadhi* quando é enviado para desempenhar tarefas ativas em nosso plano. Sua resposta foi das mais enfáticas: "Ninguém perde jamais a consciência íntima de ser livre."

(3:20) Seguindo unicamente a vereda da reta ação, (Raja) Janaka e outros como ele (karmayogues) alcançaram a perfeição. Se queres orientar teus semelhantes, também tu deves ser ativo.

O rei Janaka era já, de fato, um yogue iluminado e uma alma liberta das vidas anteriores. Sua missão, embora terrena, devia constituir exemplo de ação reta para os não-iluminados: cumprir conscienciosamente os deveres, mas sem apegos.

Lahiri Mahasaya costumava citar o ensinamento do grande rishi Ashtavakra: "Se queres ficar livre da reencarnação, evita os prazeres dos sentidos como evitarias veneno açucarado, devotando-te aos atos de perdão, piedade, contentamento, e amor à verdade e a Deus como se bebesses néctar!"

A mais excelsa atitude de *sat* consiste, obviamente, em ser impessoal: perdoar, ser piedoso, sentir contentamento, amar a verdade e Deus – tudo isso de maneira desprendida, sem nada referir ao próprio ego. No ato do perdão, por exemplo, não devemos nunca pensar: "Sou eu quem perdoa", pois esse pensamento pode inundar a mente de orgulho. Convém, antes, dirigir o fluxo de nossa energia e atenção para fora, para a pessoa que estivermos perdoando.

(3:21) Tudo o que o ser superior faz, o ser inferior imita, estabelecendo assim um padrão de comportamento correto no mundo.

O esquema adotado nesta escritura, em estrofes separadas, torna possível aqui e ali interromper seu fluxo para inserir outras idéias. Na estrofe em apreço, encontramos não apenas um motivo para as pessoas voltadas à espiritualidade viverem segundo princípios elevados, mas também uma resposta à crítica que lhes assaca com freqüência a gente do mundo: "Se estão tão preocupadas em fazer o bem, por que não se empenham mais no progresso da humanidade?"

Essa crítica corriqueira é um sofisma que muitas vezes dissuade os idealistas de prosseguir na busca espiritual. "Por que você não faz mais pelos outros?" Ora, há inúmeras maneiras de "praticar o bem" neste mundo sem necessariamente realizar grandes feitos!

Pense-se nas "caixinhas" dos partidos políticos: dinheiro acumulado por adeptos convictos de que este ou aquele figurão irá "mudar tudo" para melhor. Mas que bem duradouro foi jamais praticado? Essa pergunta nem sequer precisa de resposta! "*Plus ça change*", dizem os franceses, "*plus c'est la même chose*": "Quanto mais as coisas mudam, mais permanecem as mesmas."

Tenha-se em mente o ardor com que certas pessoas saem a campo para convencer os outros a "agir como devem". Tais pessoas gritam lemas a plenos pulmões, organizam passeatas turbulentas e gastam montanhas de dinheiro a fim de persuadir os outros a parar com as guerras. A cólera pode, porventura, estabelecer a paz? O grito "Abaixo a bomba!" põe fim aos massacres? Ainda que os homens só dispusessem de varapaus, logo voltariam a se estraçalhar tão logo suas emoções se transformassem em cólera. E quem quer brigar lançará mão, por certo, de quaisquer armas que estejam ao seu alcance.

Um exemplo de loucura quase ridícula – pelo menos, seria ridícula caso não houvesse provocado tanto sofrimento – é o moderno comunismo. Rússia e China trucidaram em conjunto cerca de cem milhões de seus próprios cidadãos para lhes impor uma filosofia supostamente destinada a promover "o maior bem para o maior número".

O que precisa mudar não são os *sistemas sociais* e sim a consciência humana. A melhor maneira de aperfeiçoar a sociedade seria, não resta dúvida, criar sociedades menores capazes de inspirar seus membros a promover as mudanças recomendadas dentro de si próprios, individualmente, em vez de forçá-los a marchar em fila cerrada rumo a um "bem" geral que quase sempre acaba em desastre. Quando um exemplo funciona, outras pessoas podem inspirar-se nele e *querer* mudar. Sem o *desejo* de mudar, ninguém se sairá bem em nada.

A primeira responsabilidade que o universo impõe a cada pessoa é esta: "Muda-te a ti mesmo." A Lua, já se disse, espalha mais luz que todas as estrelas. Um ser humano transformado causa mais impacto benéfico nos semelhantes que um milhão de visionários a clamar por "aperfeiçoamentos" que, uma vez cessada a balbúrdia, os deixam exatamente como sempre foram.

Mesmo um olhar superficial à história mostra, sem sombra de dúvida, que apenas num campo de atuação houve resultados concretos. O único impacto na sociedade com efeitos benéficos, duradouros, ocorreu no âmbito da religião. Houve, bem entendido, guerras e perseguições em nome de Deus. Isso pode e deve ser imputado à natureza humana, não aos ensinamentos que nos recomendam amar a Deus e ficar em paz com o próximo. Seres humanos imperfeitos, ávidos de batalha, sempre usarão o nome de Deus como lema, não como mostra de devoção – e, portanto, inutilmente. Deus jamais subscreve semelhantes crenças "religiosas". Mas as pessoas se apressam a infectar-se umas às outras com suas imperfeições. Os verdadeiros salvadores da humanidade sempre trouxeram a este mundo a única influência capaz de, permanentemente, melhorar alguma coisa.

Todos os grandes mestres declararam que o primeiro dever do homem é melhorar a si mesmo, não impingir aos outros suas opiniões sobre auto-aperfeiçoamento. Mas disseram também que a verdadeira evolução só é possível por meio de uma consciência superior unificadora. No entender de quase todos os grandes mestres (à exceção de Buda, que, como vimos em outra parte, de forma alguma discordava deles, no fundo), o progresso contínuo ocorre apenas com a assistência e inspiração de Deus. Uma das formas de aperfeiçoamento consiste em *partilhar* com os semelhantes (sem coagi-los) qualquer inspiração que porventura nos ocorra. Partilhá-la é a melhor "boa ação" que podemos praticar, desde que num espírito de liberdade interior. Se só buscarmos Deus, sem olhos para o resto da humanidade, ainda assim faremos pela humanidade (como a Lua cheia comparada ao firmamento inteiro de estrelas fugidias) muito mais que qualquer político vitorioso nas eleições!

O sábio que, depois de toda uma vida – a tarefa, na verdade, exige bem mais de uma –, alcança a percepção direta de Deus e o estado de unidade com Ele não precisa fazer nada para ajudar ninguém. E ainda assim sua existência será uma bênção inapreciável para o mundo. Quem, todavia, age no plano terreno dando um exemplo de amor divino, perdão, paz e alegria celestial terá incontáveis seguidores. Seu impacto na sociedade como um todo há de ser incalculavelmente maior que qualquer outro. O homem voltado à busca espiritual tem de compreender que nada de mais benéfico poderá fazer em prol de seus semelhantes do que aquilo que já está fazendo.

Quando esse homem obtém a libertação final – assim disse meu Guru –, sete gerações de sua família, de ambos os troncos, também se libertam. Tal a recompensa gloriosa colhida de sua realização. E quanto aos discípulos? "Ah, eles vêm em primeiro lugar!", foi a resposta de meu Guru a essa pergunta. A liberdade dos membros da família não é a libertação final; ao contrário, lembra o que acontece quando alguém se torna imperador e seus parentes são promovidos na escala social.

Eis, pois, os seres humanos superiores que ajudam a arrebanhar multidões para Deus. Só assim se pode aclamar a grandeza de um mestre. Ele se destaca (entre outros de sua condição) apenas pelo bem que pratica na Terra. De outro modo, qualquer *jivan mukta*, depois de atingir *nirbikalpa samadhi*, seria tão grande quanto o maior dos *siddhas* ou seres perfeitos. O mestre pode ainda ter um karma com que se haver; mas já é um com Deus e, na unidade, não existem gradações.

Há outra distinção entre os mestres perfeitos. O "mestre ascensionado", uma vez atingida essa etapa na vida presente, só dispõe de poder espiritual para libertar uns poucos semelhantes. Um *jivan mukta*, de volta à Terra para cumprir seu karma e, a partir desse nível, orientar seus discípulos, tem também um poder divino limitado, em comparação com aquele que conquistou a liberdade plena, para auxiliar a raça humana.

Quem, por outro lado, se liberta totalmente e, no entanto, preserva sem egoísmo o "desejo sem desejo" a fim de instruir o mundo, renasce na liberdade perfeita e volta munido de poder espiritual ilimitado. Essa pessoa é um avatar. Só quem chegou à libertação final em uma existência anterior merece tal título. Um avatar é um salvador universal – como Krishna, Buda, Jesus Cristo. Milhares de pessoas – na verdade, milhões (ao menos em teoria, pois nunca há tanta gente, a um só tempo, que de fato busque Deus) – podem ser por ele conduzidas à presença de Deus, tal como uma poderosa locomotiva consegue arrastar após si um longo comboio.

(3:22) Ó Filho de Pritha (Arjuna), nenhum dever pesa mais sobre Mim. Não tenho mais etapas a vencer e nada, nos três mundos (material, astral e causal), Me resta alcançar. No entanto, ainda trabalho para a edificação dos outros. Onde quer que se faça essa boa obra, lá estou Eu.

Essa passagem encerra dois significados: um patente, outro oculto. Krishna diz, em termos explícitos: "Embora livre, ainda trabalho neste corpo em benefício dos outros." Mais esotericamente, deixa implícito: "Eu, o Espírito Infinito, estou no âmago de toda obra espiritual edificante, em toda parte." Ou seja, qualquer obra verdadeiramente boa já *é* Deus. O devoto que O serve com sinceridade e amorosa reverência não precisa nunca temer que Ele o recrimine.

(3:23) Ó Partha (Arjuna), se eu deixasse de agir na criação apenas por um momento, os homens imitariam Minha inatividade.

Como se dará que uma pessoa não-iluminada saiba ao certo se Deus está ativo ou não? Krishna diz aqui que, sendo embora o Divino, ocupa como avatar um corpo humano para, deliberadamente, dar o exemplo de como o homem deve viver. Muitos mestres espirituais aconselham seus seguidores a levar em conta, de preferência, o estado de não-ação do Espírito Supremo e, caso intentem alcançar esse estado, a permanecer eles próprios inativos. Não é essa a lição de Krishna no Bhagavad Gita. Uma vez que esse importante aspecto de seu ensino tem sido tratado com ressalvas por aqueles que julgam toda atividade uma ilusão, a pergunta persiste na mente de algumas pessoas: O que é certo? A ação ou a inação? Estará Krishna meramente opinando sobre o assunto? Ou terá sido, talvez, mal-interpretado? Discorrerá, acaso, sobre um estado mais mundano de consciência – oferecendo uma alternativa que as pessoas possam mais prontamente aceitar?

Uma resposta poderia ser dada pela visita a um desses lugares tamásicos onde a atividade se reduz ao mínimo: antros de ópio, por exemplo, ou bares que as pessoas freqüentam para se embebedar. O torpor provocado por semelhante atividade pode ser mortal: não raro, transforma em pouco tempo velocistas em tartarugas humanas. Voltaremos mais vezes a esse importantíssimo assunto. Aqui, cabe enfatizar que Krishna não se dirigia a pessoas do mundo, mas a Arjuna, a quem ele próprio chamava de "Príncipe dos Devotos".

O importante aqui é que não precisamos de fato *ver* Deus em ação. O modo como Seus avatares se comportam deveria ser o melhor mestre do homem e, embora o ensinamento varie até certo ponto de acordo com a necessidade dos tempos, todos prescreveram as mesmas verdades básicas e todos foram, de uma maneira ou de outra, ativos simplesmente para servir de exemplo à humanidade. As mostras de energia que dão quando ajudam as pessoas inspiram seus seguidores a ser, também eles, mais enérgicos em sua própria vida.

(3:24) Se eu deixasse de ser ativo na criação cósmica, o universo cessaria de existir. A confusão se instauraria e a humanidade seria arrastada para a ruína.

Existem dois tipos de *Pralaya* ou dissolução cósmica: a parcial e a total. A dissolução total, que Krishna menciona aqui apenas de passagem (pois seu tema, de momento, é a reta ação que leva ao rompimento dos laços do karma), significa o refluxo de toda manifestação vibracional ao fim de um "Dia de Brahma" (o período, contado por éons, da manifestação cósmica), que é seguido por uma igualmente longa "Noite de Brahma".

Krishna fala aqui da dissolução parcial, discutindo a necessidade da presença de Deus na vida humana e antevendo a ruína que resultaria da ausência de inspiração divina. A dissolução parcial é uma manifestação reduzida da consciência manifesta de Deus, que acarreta o caos e a ruína gradual da humanidade. O primeiro verso da estrofe em exame apenas alude à dissolução total, para nos lembrar que, sem Deus, nada de verdadeiramente importante pode ser realizado. O segundo verso, com sua referência à dissolução parcial, torna claro que, mais que qualquer outra coisa, o homem *precisa* de Deus.

O afastamento parcial de Deus da manifestação exterior significa o enfraquecimento daquele poder magnético que encaminha a humanidade para cima, no rumo da iluminação. À falta desse impulso ascendente, a natureza humana contaria com pouco ou nada que a pudesse elevar.

A humanidade *precisa* da graça divina, sem a qual jamais se voltaria para o bem – exceto, é claro, temporariamente, sob influência do sofrimento.

Essas poucas estrofes lembram ao devoto que ele não deve depender unicamente do poder e da inteligência humana. A atividade inspirada pelo ego, que aparentemente se justifica pelo senso comum, está fadada ao malogro ao cabo de qualquer tentativa e conduz, com o tempo, ao desastre.

Yogananda explicou, em seus comentários do Gita, que no mar surgem às vezes áreas de calma relativa, fazendo com que a superfície pareça por breves instantes lisa como vidro. Normalmente, essa superfície é agitada, quando não turbulenta.

De igual modo, há lugares na Terra onde predomina *sattwa guna* (a qualidade que enaltece); outros onde *rajoguna* (a qualidade que ativa) se mostra bastante pronunciado; e outros ainda onde *tamoguna* (a qualidade que obscurece) reina soberano. Quando *sattwa guna* é retirado ou se obscurece, a humanidade mergulha na ruína.

Há épocas, chamadas *yugas*, durante as quais as pessoas se mostram relativamente iluminadas; outras, durante as quais elas preferem agir em interesse próprio; e outras ainda durante as quais a treva espiritual prevalece, quando então a guerra, o ódio e a violência constituem a norma.

Existem também galáxias inteiras onde predomina um dos três gunas ou qualidades. Temos aqui um assunto fascinante, que receberá o devido tratamento mais à frente.

(3:25) Ó Descendente de Bharata (Arjuna), assim como os tolos agem por apego ao ego, na esperança de recompensas, os sábios devem agir (ainda que a sabedoria os haja afastado da necessidade de qualquer ação) com desprendimento e serenidade, servindo alegremente de guias aos outros (no caminho da iluminação).

(3:26) Não deve nunca o sábio condenar o ignorante quando este age por instigação do ego. Ao contrário, iluminado que é, deve limitar-se a convencer seus semelhantes a *preferir* a ação reta e justa.

A condenação tantas vezes encontrada em obras religiosas faz quase tanto mal quanto bem. A maneira de ajudar as pessoas a sair da ignorância é despertar nelas o anseio de saber mais. Repreendê-las por sua insensatez seria como ralhar com o cego por ele não conseguir ver. As censuras prejudicam também quem as profere, pois, ainda quando pareçam provir da sabedoria, brotam inevitavelmente contaminadas pelo senso de superioridade alimentado pelo ego, que enreda também o "pregador" nas malhas da ilusão.

Os pensamentos da pessoa são tingidos pelas roupas que veste. Se veste o cinza da crítica moderada, seus pensamentos ficam nebulosos. Se veste o preto da condenação intransigente, seus pensamentos se tornam sombrios. E se veste as cores joviais da delicadeza, aceitação e perdão, não apenas inspira simpatia aos outros como aviva ainda mais essas cores em si próprio.

(3:27) A tendência universal à atividade emana dos três gunas ou qualidades da Natureza. O homem, porém, ludibriado pelo egoísmo, pensa: "Sou eu quem faz."

O ego do homem lhe sussurra: "Este corpo é meu." No entanto, as células de nosso corpo mudam com o passar dos anos, incessantemente. Poder-se-ia então perguntar: "Qual desses corpos é a pessoa?"

O ego lhe diz: "Estes pensamentos são meus." Mas os pensamentos lhe vêm involuntariamente, não se sabe de onde. Paramhansa Yogananda escreveu: "Os pensamentos têm raízes universais, não individuais." O homem de consciência ensombrecida pode, com o devido esforço e a influência adequada, iluminá-la. Que conteúdo mental, então, é verdadeiramente o seu? O que parece nos pertencer são unicamente as características *manifestas*. E elas dependem do nível de energia e consciência que mantemos na espinha.

A fim de varrer da mente o mau humor, por exemplo, tente este método simples: concentre a atenção e a energia, persistentemente, no ponto entre as sobrancelhas. O magnetismo que ali será gerado irá arrancá-lo das brumas da melancolia e guindá-lo a uma atmosfera mais rarefeita onde reinam a paz, a alegria e a aceitação completa.

Quando a tentação sexual assediá-lo, transfira a energia dos chakras inferiores (especialmente do *swadisthana* ou sacral) para o coração, respirando profundamente algumas vezes. Depois, sente-se imóvel, conforme sugerido acima, e concentre-se por inteiro no Kutastha, entre as sobrancelhas.

(3:28) Ó Arjuna, aquele que compreende o funcionamento dos gunas na natureza humana e sabe, portanto, que (mesmo) os objetos captados pelos sentidos dependem de seu *poder* interior de percepção, recolhe a mente e rompe os vínculos com as coisas na própria fonte dessa percepção.

Quando uma pessoa depara, digamos, com uma coisa feia, pode cerrar os olhos e simplesmente se recusar a vê-la. Ou então afastar-se mentalmente da percepção dessa coisa para, em seguida, projetar alegria e unidade de beleza em tudo à sua volta. Assim, a fealdade não o afetará, pois verá nela uma manifestação da Beatitude Eterna que, em última análise, subjaz a todas as coisas. A pessoa pode até – como fazia o grande artista Leonardo da Vinci em presença da fealdade – olhar para ela de uma maneira nova e considerá-la um aspecto da Beleza Divina.

Não estou dizendo que a pessoa deva mostrar-se indiferente ao feio, ao esquálido, ao perverso quando os tem diante dos olhos. Não deve, entretanto, permitir que nada perturbe sua paz interior. Mesmo percebendo coisas erradas no mundo e aceitando-as como manifestações de *maya*, precisa manter-se interiormente alheada delas, esforçando-se de maneira impessoal para melhorar o que a cerca. Neste ponto, a questão prática é que, se formos atingidos pela sordidez ou o mal, estaremos menos preparados para corrigi-los do que se permanecêssemos interiormente em sintonia com o fluxo da alegria divina.

Retirar o poder dos sentidos nos capacita a aperfeiçoar tudo aquilo que percebemos no mundo e a agir sempre em estado de liberdade interior.

(3:29) O homem perfeitamente sábio não deve desconcertar os ignorantes ostentando sua percepção superior da natureza da realidade. (Deve ter em mente que), iludidos pelos gunas, só lhes resta agir sob essa influência.

De novo, cumpre enfatizar que podemos ajudar os outros mais pela inspiração que pela censura. Às vezes, vale dizer, quando as pessoas são por demais arrogantes e obtusas, é preciso sacudi-las um pouco. Por isso, até os mestres sapientes costumam declamar contra as ilusões ao ver seus semelhantes excessivamente dominados por elas. Krishna, todavia, recomenda às pessoas de percepção superior nunca se deixarem afetar negativamente pela ignorância alheia.

(3:30) Oferece a Mim tudo o que fizeres. Despido de egoísmo e desejo, intimamente centrado na alma, (sempre) calmo e livre de preocupações, empenha-te na batalha da vida, como te compete.

(3:31) Os devotos autênticos, que praticam Meus preceitos e (os ensinamentos verdadeiros de) outros, libertam-se de todo karma.

(3:32) Aqueles, porém, que desdenham Minhas lições e se recusam a praticá-las, iludidos (pelo ego) quanto à natureza da sabedoria, fica sabendo que tais pessoas, em sua rejeição (devido à ignorância), estão cortejando o fracasso.

(3:33) Mesmo o sábio age em consonância com os ditames de sua própria natureza. Todos os seres vivos obedecem às prescrições da Natureza. De que valeria a mera supressão?

Krishna ofereceu ao mundo, por meio do Bhagavad Gita, não apenas as verdades supremas, expressas de maneira abrangente e pormenorizada, mas um ensinamento de extremo bom senso. A trigésima terceira estrofe é um belo exemplo da sensatez de suas lições. O Senhor diz a Arjuna: "Aceita as coisas como são." A história – e talvez a história da religião, em especial – está repleta de figuras que tentam convencer os outros a serem diferentes do que sempre foram. Moveram-se guerras, infligiram-se perseguições, atiçaram-se motins para obrigar povos inteiros a pensar e agir como alguém julgava que devessem agir e pensar. Krishna, nessa passagem, diz com muita propriedade: "Aceita o que é, não o que supunhas dever ser."

Todo sofrimento humano prende-se à idéia simplória de que as coisas devem ser diferentes do que são. Mesmo uma dor física intensa pode ser transcendida quando a aceitamos pelo que é. Tente isto: primeiro, reconheça com serenidade sua existência. Depois, concentre-se no *núcleo* dessa dor. Por fim, deixe-a ir, pura e simplesmente! Verá que, aceitando-a sem restrições, ganha forças para liberá-la.

Não dê aos outros licença para lhe prescreverem o que, aos olhos deles, você deve ser. Por outro lado, nunca dispense arrogantemente os seus conselhos, embora permaneça sempre fiel à sua própria natureza. Você nunca se transformará por supressão. A mudança verdadeira só se obtém por transcendência. Se há em você uma qualidade de que não goste, procure elevar a consciência a um nível superior. Se achar que de modo algum conseguirá ignorar uma dor, procure então chegar ao âmago dessa dor. Ao fazer isso mentalmente, ofereça-a a Deus. Se praticar a sugestão com um vigoroso esforço de vontade, verá que poderá tornar-se, num instante, uma pessoa muitíssimo diferente.

(3:34) A atração e a repulsão (pelos) objetos dos sentidos pertencem ao fluxo e refluxo naturais da dualidade. Toma o mesmo cuidado com ambas, pois elas são o maior inimigo do homem!

Atração e repulsão são as formas extremas do prazer e do desprazer. Gostar exageradamente de alguma coisa é, por definição, erro tão grande quanto desgostar de seu oposto. A realização em Deus depende de neutralizarmos todas as nossas reações, nivelarmos seus picos e vales, e percebermos o Espírito único e imutável no cerne de tudo o que existe.

O segredo não está em deixar de usufruir alguma coisa: essa "solução" só conduz à apatia e, conseqüentemente, ao embotamento da percepção. O segredo está, isso sim, em trazer para o coração todos os gozos; constatar que eles têm sua *causa* nas reações; e depois, conscientemente, fazer com que essa energia suba pela espinha, passando do coração para o cérebro.

Gostos e aversões não são, em si e por si, inimigos do homem. Lembram antes vizinhos importunos. As formas extremas desses sentimentos, porém – atração forte, repulsão violenta –, podem lançar a pessoa numa tempestade emocional que acabará por mergulhá-la nas ondas vorazes da ilusão. Nunca se deixe apaixonar-se (a paixão é a atração extrema) por nada nem ninguém. Nunca se permita odiar seja lá o que for. Procure antes aceitar esse sonho tal qual é, ainda que ele se transforme em pesadelo! Sua única esperança é ascender a um nível superior de consciência.

Algumas pessoas são de fato repelentes. Não gaste suas energias reagindo a elas, nem por antipatia nem por repugnância. Não as acolha em sua "galáxia" de interesses. Passe ao largo como o cisne, por cujo corpo a água escorre sem jamais molhá-lo.

Proteja os sentimentos de seu coração do alvoroço das reações extremas, projetando paz e boa vontade em derredor. Descontraia as fibras do coração. Descontraia-se também *externamente*, do coração até os ombros. Em seguida, transfira a energia do coração, ao longo da espinha, para o cérebro. Quando, por exemplo, pessoas gritarem raivosamente à sua volta – sobretudo, dirigindo-se a você –, descontraia-se por dentro; centre-se no Eu; sorria do fundo do coração e recorde: "Só amo a Deus!"

(3:35) Cumprir o próprio dever, mesmo sem sucesso, é melhor que cumprir com êxito o dever alheio. Mais vale morrer tentando realizar o que nos compete do que assumir as obrigações dos outros (sejam elas embora mais fáceis e seguras), pois esse caminho está semeado de perigos e incertezas.

O dever supremo de todo homem consiste, é claro, em encontrar o Eu único: Deus. Mas o caminho de uma pessoa para Deus pode ser muito diferente do caminho das outras e de quaisquer caminhos que as outras lhe imponham. Se ela não tiver um guru autêntico para lhe apontar a melhor direção, deverá seguir a voz interior que lhe sussurra: "É por ali que deves ir a fim de conquistar a verdadeira liberdade." O repúdio a qualquer envolvimento posterior com *maya* é o critério supremo da virtude. Podemos exclamar, por equívoco: "Mas sinto mais *alegria* quando caminho rumo à satisfação dos sentidos!" Se não vivenciamos ainda a alegria divina, podemos com a maior facilidade ser ludibriados pela mera excitação dos prazeres sensuais. Há também quem diga, erroneamente: "Todavia, quando contemplo esta mulher (ou este homem), sinto um *amor* profundo. Ora, um sentimento assim *deve* ser legítimo!" O resultado, na seqüência das várias peripécias entre um nascimento e outro, muitas vezes leva esses entusiastas para bem longe de seus primeiros arroubos de paixão! A liberdade interior é, pois, o guia moral mais confiável. Pergunte a si mesmo: "Encontrarei a *liberdade* no deleite desta contemplação? Sentir-me-ei *livre* nos anseios deste amor?"

A pergunta seguinte será, é claro: *"De que* me sentirei livre?" Libertação do acicate do desejo não é libertação: é apenas alívio passageiro! A sensação de liberdade deve ser calma e garantir a plenitude interior.

Ainda assim, como desabafou certa vez Yogananda, "As pessoas são tão hábeis em sua ignorância!" Nem sempre convém à gente comum confiar demais em seu próprio tirocínio. A necessidade suprema de todo aquele que busca com sinceridade é a orientação de um guru autêntico.

Como fará para reconhecer seu dever principal quem não conta com essa bênção nem, talvez, anseia tanto por Deus? O único recurso é perguntar a si mesmo: "Dar-me-á ele maior liberdade interior e a sensação de ter feito o que era *certo* para mim?"

(3:36) Arjuna perguntou: Ó Krishna, dize-me o que nos impele, mesmo contra a vontade, a fazer o mal, como se (estivéssemos sendo) forçados a isso?

Seguramente, já houve na vida de todo homem momentos em que tentações de vários tipos pareciam forçá-lo a agir contrariamente ao que sabia ser correto. A pergunta de Arjuna é universalmente compreensível.

(3:37) Krishna respondeu: O desejo e a cólera, atiçados por rajoguna. Fica sabendo que esses são os piores inimigos da humanidade.

A alma desgarra-se de si mesma em conseqüência do apego ao corpo e da consciência egóica resultante: o sentimento de ter uma individualidade separada. A consciência da separação faz-nos sentir incompletos. Assim, os gunas, que por primeiro levaram a alma a nutrir o sentimento de separação, se tornam mais ativos como rajoguna.

No fundo, é o impulso ativador que induz as pessoas a buscar a completude por meio de empreendimentos e aquisições exteriores. Os desejos vêm na esteira de tudo isso – e como os desejos, uma vez despertos, acabam por se multiplicar ao infinito, ninguém os consegue satisfazer a todos por mais endinheirado que seja. A conseqüência do desejo frustrado é a cólera. Por isso, bem se diz que cólera e desejo vão de mãos dadas pelo caminho da vida. O desejo (ânsia de realização) jamais é inteiramente confiável e está sempre acompanhado, até certo ponto, pelo pensamento angustiante: "E se eu não conseguir...?" A essa idéia, a cólera sempre pode assomar à superfície da consciência.

Os gêmeos cólera e desejo são "inimigos" da humanidade porque lhe roubam a paz de espírito. Quando desejamos coisas, dizemos: "Nunca serei inteiramente feliz até obtê-las." Na seqüência imediata desse pensamento vem o medo inquieto de possível fracasso, raiva e perda (não ganho) de felicidade.

(3:38) Assim como o fogo é obscurecido pela fumaça, o espelho coberto pelo pó e o embrião envolvido pelo útero, assim o entendimento humano fica toldado pelas três qualidades.

A referência, aqui, é aos três gunas. Sattwa guna (ilustrado pelo primeiro exemplo) pode ser facilmente desfeito por um leve sopro da "brisa" da meditação, tal como a fumaça que oculta o fogo pode ser facilmente dispersada.

Um espelho empoeirado talvez exija algumas fricções vigorosas para ficar limpo, mas depois disso voltará a refletir nitidamente as coisas. Portanto rajoguna, expresso da maneira correta e com energia comparável ao poder da ilusão, pode ser transformado sem grande dificuldade a fim de refletir novamente a imagem cristalina do Espírito.

O embrião, porém, não emerge do útero até seus dias se completarem. Mesmo assim, para a pessoa em que impera tamoguna, nem lições repetidas nem esforço persistente de vontade serão úteis. A natureza vai seguindo seu curso e, aos poucos, conduz a pessoa a um ponto em que, após repetidas decepções e lampejos de esperança de uma maior compreensão, o ser interior finalmente vem à luz, nascendo com a plena dignidade da criatura humana evoluída.

(3:39) Ó Filho de Kunti (Arjuna), o inimigo contumaz do sábio é a chama obstinada do desejo interior!

(3:40) Sentidos, mente e intelecto passam por ser sua fortaleza. O desejo, insinuando-se neles, ludibria a alma encarnada e eclipsa sua sabedoria.

(3:41) Por isso, ó Flor da Dinastia Bharata, começa por disciplinar os sentidos (retirando-lhes a energia e transferindo-a para a espinha) e em seguida destrói o desejo (expulsando-o do coração)! O desejo é o algoz pecaminoso da sabedoria e da realização de Si Mesmo.

(3:42) Os sentidos, diz-se, são superiores ao corpo (pois veiculam a percepção); a mente é superior aos sentidos (internos e externos, pois ela é que percebe); o intelecto é superior à mente (pois compreende a coisa percebida); e o Eu é superior ao intelecto (uma vez que é, ao mesmo tempo, percepção e compreensão).

(3:43) Ó Poderosamente Armado (Arjuna), depois de reconhecer a superioridade do Eu (interior divino) em relação ao intelecto, subjuga teu eu inferior (o ego) assumindo o Eu verdadeiro e (assim) derrota o inimigo que, revestido com a armadura do desejo, é sempre difícil de abater.

Aqui termina o terceiro capítulo, intitulado "Karma Yoga", dos Upanishades do sagrado Bhagavad Gita, o diálogo em que Sri Krishna e Arjuna debatem sobre o yoga e a ciência da realização em Deus.

CAPÍTULO 16

A ciência suprema do conhecimento de Deus

(4:1,2) **O Senhor inefável disse a Arjuna: Presenteei este Yoga imperecível a Vivasvat (o deus-sol); Vivasvat transmitiu-o a Manu (o legislador hindu); Manu ensinou-o a Ikshvaku (fundador da dinastia solar dos Kshatriyas). Assim, na devida sucessão, ela chegou ao conhecimento dos Rajarishis (rishis reais ou sábios). Mas, com o longo passar do tempo, ó Destruidor de Inimigos (Arjuna), esse conhecimento do Yoga foi se perdendo na Terra.**

E ssas passagens aludem ao desgaste do conhecimento durante o longo ciclo de decadência segundo o cômputo terrestre. Quando a Terra, afastando-se aos poucos da idade de ouro da iluminação relativa, entrou (em 700 a.C., segundo o cálculo de Swami Sri Yukteswar) na idade das trevas de *Kali Yuga*, a maior parte dos homens perdeu quase todo o seu antigo poder, lucidez mental e capacidade de entendimento. A idade de ouro da sabedoria (*Satya Yuga*), em que refulgiu a chama divina da compreensão humana, gradualmente minguou para a era do discernimento (*Treta Yuga*); daí, para a era da energia (*Dwapara Yuga*); e, daí, degenerou para a era inferior de *Kali*, quando a maioria dos homens passou a atribuir realidade e substância à matéria.

Esse ciclo, em nossos dias e a partir da época em que o Bhagavad Gita foi escrito, recomeça seu giro para o alto. Foi no ano 500 d.C. que a Terra ingressou no Kali Yuga ascendente. Em 1700, no Dwapara Yuga. Ao longo dos últimos trezentos anos, o homem foi constatando aos poucos que a matéria é de fato uma vibração de energia. Ele redescobriu a eletricidade no início do século XIX e agora, no XXI, passou a depender de novo de uma visão da realidade em que a energia é fundamental para seu funcionamento.

Quando Dwapara degenerou em Kali Yuga, a ciência do yoga, que se baseia essencialmente na percepção das energias sutis do corpo, perdeu-se. A compreensão geral dessa ciência reduziu-se à sua definição como *Hatha Yoga*: meras posições físicas e exercícios respiratórios. Na verdade, o Hatha Yoga evoluiu a partir do terceiro "membro", ou etapa, da exposição de Patanjali sobre os três níveis de iluminação, a que chamamos indevidamente de "sistema de *Ashtanga Yoga*". Não se trata de um "sistema", pois o que Patanjali fez de fato foi descrever as etapas universais que o místico deve atravessar, qualquer que seja a sua religião. Essas etapas pressupõem retirar gradualmente a energia e a atenção do corpo exterior para concentrá-las na espinha; fazer a energia subir por esta; e, por fim, harmonizar a energia e a consciência com o amor e a beatitude de Deus, até que neles se absorvam por completo.

A terceira dessas etapas é *asana* ou imobilidade perfeita do corpo, na posição ereta e com a espinha em alinhamento vertical. Patanjali, para reiterar o que já dissemos, descreveu *etapas* de transferência e absorção, não práticas específicas de yoga. O sistema de Hatha Yoga baseou-se na terceira etapa e destinava-se a ajudar os praticantes de yoga a obter serenidade de corpo e espírito, descontração física e mental, e concentração da energia na espinha.

O yoga superior foi revivido por Lahiri Mahasaya de Varanasi, que o aprendeu do grande avatar Babaji no Himalaia e lhe deu o nome de Kriya Yoga. Os mestres do Himalaia perceberam que já era tempo, neste yuga de retomada da ascensão, de recuperar a antiga percepção aprofundada da natureza íntima do homem. Paramhansa Yogananda, exemplo insigne desse ensinamento, foi mandado ao Ocidente a fim de disseminar a venerável ciência por toda a humanidade. Depois de Swami Vivekananda, que por assim dizer "quebrou o gelo", Yogananda pode muito bem ser descrito como tendo "ensinado as pessoas a nadar".

O *dharma*, no período de Satya Yuga, teria simbolicamente quatro pernas; no de *Treta*, três; no de *Dwapara*, duas; e no de *Kali*, uma só. Em suma, no de Kali Yuga o dharma ainda pode ficar de pé, mas precariamente. O homem consegue gozar (embora com menos energia e, portanto, apenas de maneira relativa) os prazeres do momento, mas não associá-los às suas conseqüências inevitáveis: por exemplo, esgotamento das forças e envelhecimento precoce por excessos sexuais; perda grave e permanente da lucidez mental em virtude de consumo excessivo de álcool; intensificação crescente do egoísmo e do comodismo (que são simplesmente doenças do ego) e apego desbragado à riqueza. Neste período de Kali Yuga, é difícil para o homem perceber que todo estado de consciência já traz em si seu oposto; que o sofrimento está implícito na ventura; e que (felizmente) a dor carrega em seu seio as sementes da alegria.

Assim, nas duas estrofes, vislumbramos esperança também na realidade contrária: existem já, na decadência descrita por Krishna, os germes de uma futura renovação e conquista.

(4:3) Hoje te ensinei, Meu discípulo e amigo, a antiga ciência do Yoga, o segredo das supremas bênçãos para a humanidade.

Maravilhosa perspectiva: quando o devoto evolui espiritualmente, é aceito pelo Senhor não apenas como discípulo, mas também como amigo. Ter Deus como amigo é, de certa maneira, o mais apetecível dos relacionamentos. Pois mesmo a idéia de Deus como Mãe, considerada por muitos o mais doce dos vínculos, encerra um laivo da pressuposição humana de que Deus *deve* cuidar de nós e perdoar todos os nossos pecados. Yogananda ensinou as pessoas a rezar assim: "Mãe, bom ou mau, sou Teu filho. *Deves* me libertar!" Mas, quando o homem é suficientemente evoluído para encarar Deus como Amigo, abriga no coração a suave confiança que o faz dizer: "Mas *é claro* que Tu me amas! Sou Teu, Tu és meu. Como qualquer de nós se apartaria do outro? Somos um!"

A ciência do yoga deve ser ensinada e praticada como exemplo de amor, não como convite à ostentação egóica de poder. Amor e devoção induzem o devoto a captar a essência verdadeira do Yoga, que escancara as portas interiores para as mais sublimes bênçãos ao seu alcance.

(4:4) Arjuna disse: Vivasvat viveu na mais remota antiguidade. Tu, porém, nasceste há pouco. Como encararei Tua declaração de que foste Tu quem primeiro ensinou o Yoga sagrado aos homens?

Arjuna convida Krishna – em benefício de todos os devotos – a especificar suas encarnações anteriores na Terra: muitas, com vistas à salvação humana.

Terá Krishna, realmente, ensinado a ciência do yoga desde *os primórdios* do mundo? Por quanto tempo vem o homem arando campos, construindo cidades, oferecendo sacrifícios em templos – sempre em busca da chave da felicidade, que só uns poucos em sua época conseguem encontrar sob a forma de Beatitude Perfeita?

Mahavatar Babaji informou a seu discípulo Lahiri Mahasaya que ele próprio fora Krishna em vida anterior na Terra. Meu Guru contou-me que Lahiri Mahasaya encarnara como Raja Janaka, citado no *Ramayana*.

Paramhansa Yogananda afirmou ter sido, ele próprio, Arjuna, para quem Krishna, naquela existência, proferiu este que é o mais célebre dos discursos, o Bhagavad Gita.

Eu próprio concluí, após anos de trabalho com os textos de Yogananda, que nossa linhagem inteira de gurus – Babaji, Lahiri Mahasaya, Swami Sri Yukteswar e Paramhansa Yogananda – renasceu vezes incontáveis ao longo de incontáveis éons (talvez mesmo desde o início da história humana) como salvadores da humanidade. Sem dúvida, há outras linhagens de grandes mestres que, também eles, por compaixão à humanidade pelo seu sofrimento e confusão, regressaram várias vezes a este planeta.

Certa vez perguntei ao meu Guru: "Fui seu discípulo durante milhares de anos?" E ele respondeu: "Muito tempo se passou. É tudo que sei."

"E é necessário tanto tempo assim?", insisti (queria ter certeza de não ser o único retardatário!).

"Sim", foi a resposta. "O desejo de renome, fama e coisas semelhantes exige isso."

Por quanto tempo a humanidade habita este planeta? Não por uns poucos milênios, como reza a tradição moderna. Meu Guru declarou certa vez que a história humana cobre mais de cinqüenta milhões de anos!

(4:5) O Senhor Abençoado disse: Muitos foram os Meus nascimentos, muitos os teus. Lembro-me de todos os Meus, mas dos teus tu não te lembras.

Teria Arjuna, realmente, esquecido suas encarnações anteriores? Não o creio! No Bhagavad Gita, ele faz o papel de alguém que busca sinceramente a verdade. Mas para mim é claro que já era uma alma livre. Diz-se mesmo que, antes desse encontro com Krishna, ambos já tinham estado juntos por longo tempo, nas pessoas, respectivamente, dos antigos sábios Nara e Narayan.

Conta-se uma história sobre Nara. Um dia *Maya* (Satã) procurou tentá-lo materializando diante de seus olhos uma mulher estupendamente formosa. Nara observou-a com a maior calma e em seguida materializou outras cem jovens tão belas quanto a primeira. Que poderia fazer Satã? Desistiu!

(4:6) Embora Eu (uma alma plenamente liberta) seja o Senhor de toda a criação e permaneça em Meu verdadeiro Eu – (sempre) imerso em Minha Natureza Cósmica –, alheio aos nascimentos, ainda assim assumo (de tempos em tempos) uma forma exterior por meio de Meu *yoga-maya*.
(4:7, 8) Ó Bharata (Arjuna), sempre que a virtude (dharma) decai e o vício (*adharma*) prospera, encarno-Me na Terra (como avatar)! Surgindo de tempos em tempos em forma visível, destruo o mal e restabeleço a virtude.

Há na Índia uma crença segundo a qual a palavra "avatar" só se aplica a determinadas almas. Rama e Krishna, ao que se presume, foram avatares de Vishnu, que terá, segundo a lenda, no avatar Kalki sua próxima encarnação. Já expliquei que "avatar" tem um significado bem mais amplo. Talvez seja útil, aqui, rever esses ensinamentos de Sanaatan Dharma (a religião eterna).

Para começar, Vishnu não é literalmente uma pessoa e sim o aspecto de AUM que atua como Preservador. Nenhum mestre pode ser um avatar de Vishnu exceto na medida em que manifesta Deus sob o aspecto de Preservador de dharma.

Meu Guru respondeu assim a uma dúvida que lhe apresentei: "Quando você é um com Deus, você *é* Deus." Não existe condição superior à unidade com Deus.

Alguns religiosos insistem em que este ou aquele santo nunca encarnou antes na Terra, ou que sempre foi perfeito mesmo tendo estado aqui. Esses são mitos piedosos, sem fundamento algum na verdade. De certo, um sábio às vezes pode dizer: "Nunca vivi antes", mas essas palavras precisam ser entendidas corretamente.

Krishna declara aqui que jamais nasceu; no entanto, prossegue explicando que encarnou várias vezes na Terra. É igualmente legítimo, para quem quer que haja transcendido a consciência egóica, sustentar que nunca antes nasceu – pois vê claramente que sempre foi Deus quem, Ele só, veio ao mundo sob suas feições.

Os cristãos alegam que Jesus Cristo é o único Filho de Deus. Yogananda disse: "E Jesus podia mesmo afirmar isso porque alcançara a unidade com a consciência crística, que é o reflexo único do Espírito para além da criação e, portanto, está nela onipresente. Toda alma que se dissolver na consciência crística (Kutastha Chaitanya) pode com toda a justiça ser considerada, do mesmo modo, uma só coisa com o Filho Único de Deus. Não será, pois, menos Filho de Deus que Jesus Cristo."

Do mesmo modo, os hindus julgam Krishna uma manifestação *especial* de Deus. No entender de Yogananda, não é próprio da natureza divina engendrar uma manifestação particular de Si mesma e etiquetá-la de única, quer como "Deus" em pessoa ou como "o Filho de Deus".

Pense-se na imensidão do universo! Cem bilhões de galáxias, cada qual com um número equivalente de estrelas, muitas delas tendo ao seu redor planetas povoados. (A tradição hindu sustenta, e Yogananda endossa sem hesitar, que o universo está *repleto* de seres vivos, conscientes. Os chamados OVNIS, disse-nos ele, são reais.)

Pense-se depois em nosso montículo de lama, a Terra. Ela não tem apenas quatro mil anos de idade, conforme pretendia outrora a tradição cristã: é muito, *muito* mais velha. Também a raça humana é muito antiga – deve ter, seguramente, milhões de anos. Ora, como poderia Deus gerar *um* filho especial, tornar-se uma manifestação particular de Si mesmo ou mesmo uma sucessão limitada de manifestações? Deus é Consciência *Infinita*. Apenas a mentalidade de Kali Yuga poderia tê-lo visualizado como o único provido de forma humana – como visualizava a Terra no centro do universo e, ainda no final do século XIX, atribuía essa posição ao Sol.

Quando a alma enclausurada num ego se percebe como Eu Infinito e não como esse "caco de vidro" que parecia tão individual em sua reflexão da luz infinita, ela *se torna* o Infinito – ou seja, um com o próprio Deus. *Em essência*, não há diferença alguma entre Krishna, Jesus Cristo, Buda ou qualquer outro grande mestre. E também não há diferença nenhuma – *em essência* – entre eles e o Homem Comum, desde que o Homem Comum se perceba como o Deus único que, por certo tempo, se insinuou num ego humano. *Tudo é Deus*. Em Deus, cessam todas as comparações e relativismos. A alma do Homem Comum jamais nasceu nem morreu. Na sabedoria dos Vedas, sempre houve uma só realidade, um Espírito só: o Senhor Supremo.

Assim, toda alma que alcançou a libertação completa, não apenas do ego atual, mas também da lembrança de todos os egos passados, *torna-se* esse Espírito Supremo. Muitas almas, após lutar durante várias encarnações para atingir esse estado, preferem permanecer na unidade abençoada com Deus por toda a eternidade. Umas poucas, por compaixão pelos homens, preservam aquele pequenino "desejo sem desejo" que as encaminha de novo para a Terra como avatares, em benefício da salvação de muitos. Contudo, na Realidade última, nenhum avatar é maior que outro.

Com que objetivo iria Deus criar um ser perfeito como exemplo para os seres humanos comuns, em luta pela perfeição? O mesmo seria dizer: "Vocês, pobres tolos, jamais serão perfeitos. Mas continuem se esforçando!" Nenhum avatar foi *criado* perfeito. Todos já se pareceram conosco, criaturas falhas que por fim se purificaram na percepção de sua própria divindade. Os religiosos ortodoxos consideram esse conceito ímpio, mas nenhum mestre veio jamais à Terra para alardear grandeza. Todos vieram para nos ensinar a perceber *nosso próprio potencial divino*. No Apocalipse, citam-se estas palavras de Jesus: "Àquele que vencer, eu o farei coluna no templo de meu Deus, do qual não sairá. ... Àquele que vencer, permitirei que se assente comigo no meu trono, *assim como eu venci*, e no trono de meu Pai me assentei." (Apoc., 3:12, 21; grifo nosso)

Neste mundo de relativismos, porém, a grandeza se mede por outras escalas. É, pois, humanamente aceitável considerar um mestre superior a outro ou a muitos outros, não pelo padrão de sua grandeza *interior* (sua unidade com o Infinito, que é a mesma para todos), e sim pela craveira exterior do bem que praticou no mundo.

Meu próprio Guru tinha uma missão universal. Era, no linguajar humano, um grande mestre. Conheci, porém, outro mestre que (meu Guru me informou) havia alcançado a libertação plena. Tinha poucos discípulos e era praticamente desconhecido do mundo. Perguntei-lhe por que não fazia mais pela humanidade. Ele replicou, com maravilhosa simplicidade: "Fiz o que Deus queria que eu fizesse por meio deste corpo." Um mestre renomado internacionalmente e um mestre só de poucos conhecido: o mundo diria que o primeiro é um portento, o outro uma nulidade. Aos olhos de Deus, contudo – o Juiz Incorruptível cujo único padrão é a verdade –, os dois homens não apenas são perfeitamente iguais como *um* só! De fato, nem sequer deveriam ser considerados seres humanos, mas o próprio Brahman em Sua eterna beatitude.

Essas estrofes do Gita costumam também ser traduzidas, de maneira personalíssima, para significar que Deus destrói os *perversos*. A única coisa que Ele destrói – que *pode* destruir, pois não poderia destruir a Si mesmo – é o mal em si, nunca o praticante do mal.

(4:9) Ó Arjuna, aquele que intuitivamente capta a verdade de Minhas divinas manifestações e dos Meus feitos desinteressados neste universo vibratório, nunca mais, após deixar o corpo (na morte), precisará encarnar sob forma exterior (moldada pelo ego). (Flutuando em liberdade), chegará até Mim.

Os termos "ego" e "liberdade" se contradizem. O ego limita em muito a alma, pois insiste em identificar-se com expressões menores de seu potencial infinito. A liberdade ilusória de "agir segundo a própria vontade" é profundamente degradante, pois identifica o homem com a insignificância de um corpo enquanto sua verdadeira natureza clama, anelante: "Deixa-me flutuar acima do turbulento conflito entre gostos e aversões! Deixa-me subir aos céus infinitos da alegria de meu próprio Ser!"

Conhecer os caminhos de Deus é identificar-se com esses caminhos, fruindo-os como se fossem *nossos*.

(4:10) Purificados pela sabedoria ascética, libertos do apego, do medo e da cólera, muitos se absorveram completamente em Mim e alcançaram (a unidade) Comigo.

"Muitos alcançaram a unidade Comigo": os que buscam a verdade devem entender que encontrar Deus não exige o tremendo esforço despendido para, digamos, escalar o monte Everest, tarefa muito mais árdua (se não fatal) no fim do que no começo. Encontrar Deus é o que há de mais simples, óbvio e natural no mundo! Na etapa derradeira, não nos vemos às voltas com uma luta desesperada e heróica para nos absorvermos no Divino. Ao contrário, *descontraímo-nos* por completo em perfeita Bem-aventurança. Esforço, tensão, ardor, zelo heróico: isso acaba em definitivo para a alma. O que resta é Satchidananda: a Beatitude imorredoura, eternamente consciente e eternamente *nova*.

(4:11) Ó Partha (Arjuna), dou o que me pedem. Todos os homens, não importa o caminho escolhido, vêm até Mim.

(4:12) Aqueles que porfiam em contentar seus desejos terrenos adoram os deuses (que são entidades sob várias formas, não ídolos!), cientes de que sucessos desse tipo podem ser alcançados com relativa facilidade.

Objetivos ínfimos são atingidos com mais rapidez e facilidade que a devoção suprema a Deus. Para construir uma casa, consultamos um arquiteto e um pedreiro (deuses inferiores, em certo sentido); não nos fechamos num quarto de meditação e oramos a Deus por uma casa! Mas se esperarmos obter felicidade perfeita numa casa ideal, ficaremos desiludidos. O tédio sobrevirá, os cupins invadirão e devorarão o edifício. Ou os vizinhos se afastarão de nós por inveja. *Nada* funciona por muito tempo neste mundo. Quando vem o desengano, as pessoas se voltam em outra direção, em busca de compensações. Esse é um caminho tortuoso para Deus, mas ele também conduz até lá, como sucede igualmente aos repetidos desapontamentos.

Assim, embora a satisfação material buscada por vias mundanas ou por apelos a algum "deus" inferior, sugeridos pelo ego, tragam resultados relativamente rápidos, esses resultados são como paredes construídas com muita areia e pouco cimento: logo desmoronam no nada.

(4:13) A mescla dos três gunas (qualidades básicas) com os diversos karmas individuais produz as quatro castas. Embora Eu seja ativo na criação por meio dessas influências, fica sabendo que (em Mim mesmo) nunca estou em ação e nunca mudo.

Nós já discutimos os gunas (qualidades) e o sistema de castas. Acrescente-se agora a isso a grande verdade de que a própria ação não passa de uma ilusão. Deus "age, mas não age", pois tudo é sonho. O sonhador pode fazer muitas coisas – nadar, escalar montanhas, ir à guerra – e, ao despertar, perceber que seu corpo em momento algum deixou o leito.

Paramhansa Yogananda explicou (e esse ponto também já foi versado antes) que a consciência imóvel do Espírito Absoluto se *reflete* no núcleo de todo átomo. Portanto, no centro de todo movimento, há repouso.

(4:14) Embora agindo, não tenho apego nem espero um determinado resultado dessa atividade. Do mesmo modo, aquele que é um Comigo e se identifica com Minha natureza não se vê coagido pelo (mais leve) desejo de colher frutos da ação.

(4:15) Compreendendo isso (a natureza da reta ação), os sábios agiram acertadamente desde os tempos mais remotos. Sê como eles (age sem desejar os frutos da ação).

(4:16) Com efeito, que são a ação e a inação? Mesmo os sábios (podem ficar) confusos nesse ponto. Mas vou explicar a diferença e (munido desse conhecimento) tu te livrarás de todos os males.

Aqui, os "sábios" são aqueles que ainda não atingiram o estado superior de *nirbikalpa samadhi*. Ações praticadas com plena lucidez divina são sempre corretas. Todavia, mesmo de posse da sabedoria obtida em *sabikalpa samadhi*, de onde a pessoa ainda precisa voltar à percepção exterior, o ego pode continuar pensando: "Sou eu quem faz." Esse simples pensamento encerra as sementes de todo o mal – adormecidas, mas à espera de germinar.

(4:17) É difícil conhecer a natureza da ação. Para compreendê-la, cumpre distinguir entre ação correta, ação errada e inação.

Podemos agir com grande ímpeto até a exaustão e, mesmo assim, não conseguir nada: por exemplo, empurrando com força os dois lados de uma porta. A ação correta, espiritualmente falando, implica a atitude que conduz à liberdade da alma. Essa atitude inclui o desdém pelos frutos da ação e a consciência de que Deus é quem está agindo por intermédio de nós. A ação inspirada por Sua consciência e energia, cujos resultados Lhe são oferecidos sem nenhum envolvimento do ego, é ação correta.

A ação correta, ou reta ação, nem sempre é aquela que as outras pessoas consideram certa por agradar a *elas*. Mas pode ser *relativamente* certa se redundar em proveito próprio (física, emocional ou mentalmente), como por exemplo: ginástica saudável; exercícios para desenvolver a concentração, a força de vontade e a clareza de pensamento; e esforços para alcançar uma paz edificante e a expansão dos sentimentos. Todas essas são ações acertadas, pois ajudam a "treinar as tropas" para a grande "batalha de Kurukshetra".

A ação errada é toda aquela que alimenta o ego, quer contraindo-o no egoísmo, quer dilatando-o no orgulho. Sem dúvida, dada a relatividade das coisas, pode haver sempre uma mistura de ações certas e erradas. Desenvolver a força física, por exemplo, ajuda (como admite Yogananda) a preparar o corpo e adequá-lo para a realização em Deus. Se, no entanto, a mente não foi do mesmo modo preparada por uma compreensão lúcida, a pessoa corre o risco de envaidecer-se de sua robustez. Nesse caso, a ação correta pode não dar tantos frutos bons ou, mesmo, ser anulada por uma ação má.

Neste mundo, quase toda atividade é, em maior ou menor medida, uma mistura. Por isso a evolução espiritual, que deveria ser muito simples, torna-se usualmente complicada e difícil. Um exército invasor pode abrir grandes brechas em uma ou mais frentes do território inimigo, mas ver-se repelido em outras. Na guerra, concentrar todas as forças contra o mal exige uma estratégia consumada.

A inação, como já vimos, é impossível. Poderá *parecer* inação, como no exemplo de duas forças iguais atuando sobre ambos os lados de uma porta sem nunca movê-la. Assim, a pessoa pode se exercitar fisicamente e fortalecer os músculos, mas comer mal e desse modo enfraquecer o corpo. Como se dá com a ação correta, a verdadeira inação só é possível em Deus, na perfeita descontração do repouso extático.

O segredo, no fundo, é muito simples: uma vez que a meta do progresso espiritual cifra-se em sublimar o ego pela expansão individual na consciência Cósmica, aquilo que assistir o homem no caminho da sublimação do ego é uma ação correta. E aquilo que consolidar o ego ou impedir todo esforço para sublimá-lo é uma ação errada. Portanto, o que solapa ou por outro modo qualquer anula o esforço de sublimar o ego é inação.

(4:18) Verdadeiramente dotado de discernimento é o yogue que vê inação na ação e ação na inação. Tenhamo-lo por sábio entre os seres humanos, pois alcançou o objetivo de (toda) ação (e está livre).

(4:19) Quem nunca age motivado por desejo pessoal e viu seu karma (que o prendia ao ego) incinerado no fogo da sabedoria, (só) esse deve ser tido por sábio.

(4:20) O sábio, depois de livrar-se do apego aos frutos da ação, estar satisfeito e livre (no Eu), não age (de fato) ainda quando pareça extremamente ocupado.

(4:21) Mesmo quando faz trabalho físico (em oposição ao trabalho de meditação), não incorre (em nenhuma limitação kármica) aquele que renunciou por completo ao sentimento de posse, que não alimenta desejos pessoais e que mantém sob o controle do Eu interior suas emoções (chitta).

Mais vale praticar boas ações, ainda que por maus motivos, do que não praticar ação nenhuma, assegurava meu Guru. Como tudo neste mundo é relativo, toda ação deve ser considerada boa ou má conforme a *direção* para onde leva quem a praticou. O que é bom para uma pessoa pode ser ruim para outra.

Se, uma bela manhã, o Mahatma Gandhi ou Jesus Cristo acordasse com a decisão: "Estou farto de servir a humanidade! De agora em diante vou trabalhar duro e ficar milionário!", qualquer pessoa, inclusive o mais empedernido dos materialistas, não exclamaria: "Este homem é um degenerado!"? Mas se um preguiçoso saltasse de manhãzinha de seu leito de ociosidade expressando a mesma resolução, todos – mesmo os santos – não diriam que suas intenções eram boas e sadias? Tudo é questão de onde se vem e para onde se vai.

Cavar um poço – mero trabalho físico, em suma – pode ser bom, mau ou embrutecedor, dependendo da atitude de quem o faz. Duas pessoas podem trabalhar juntas lado a lado no mesmo ofício, mas uma estar motivada por medos ou desejos oriundos do ego e a outra pretender unicamente agradar a Deus. Uma age sob o jugo do ego; a outra, em plena liberdade espiritual.

(4:22) Está livre do karma quem aceita tranqüilamente o inesperado; tem ânimo firme e não se deixa afetar pela dualidade; não nutre inveja, ciúme ou animosidade; e (finalmente) vê com iguais olhos o sucesso e o fracasso.

Embora já tenhamos abordado esse assunto, convém reexaminar aqui de passagem o caso oposto: a pessoa que se deixa abalar pelos imprevistos; que está sempre saltitante de alegria ou murcha de desapontamento; que se rói de inveja, ciúme e ódio; enfim, que se rejubila com o sucesso e se sente emocionalmente devastada pelo fracasso. Gozarão pessoas assim, alguma vez, de paz de espírito? E para quem não frui a paz interior, como disse Krishna em outra estrofe, a felicidade será possível? O que, em geral, passa por felicidade na mente mundana é mera excitação emocional ou (às vezes) o alívio temporário de alguma causa de transtorno e sofrimento. A excitação leva ao medo, à dúvida, à incerteza. O alívio passageiro provoca, não contentamento, mas quase sempre enfado e apatia.

As pessoas, é interessante notar, revelam automaticamente, com gestos, o modo como a energia está fluindo por seu corpo. Quando excitadas, dão saltos, o que se deve ao movimento ascendente no *ida nadi* da espinha. E que dizer das crianças pequenas, muito pouco inclinadas a controlar seus acessos de emoção? Elas revelam o movimento descendente da energia na espinha, ao longo do *pingala nadi*, deixando cair os braços, estacando, batendo os pés e entrecortando a respiração com grandes gritos – às vezes mesmo rolando pelo chão e esmurrando-o. Todos esses gestos indicam a direção, para baixo, de sua energia.

A satisfação, em si, é uma virtude e não apenas uma conseqüência. Deve ser praticada conscientemente. Convém dizer a nós mesmos: "Não preciso de nada! Não preciso de ninguém! Sou livre em meu Eu!"

(4:23) Os efeitos todos do karma (ação) são anulados (na pessoa) e ela alcança a libertação quando se desprende do ego, quando se centra na sabedoria e quando oferece suas ações (em sacrifício) ao Infinito.

(4:24) Aos olhos dessa pessoa, tanto o ato de se oferecer quanto o de oferecer em si são, igualmente, aspectos do Espírito único. O fogo (da sabedoria) e a pessoa que oferece são, ambos, Espírito. Ao constatar isso o yogue, livre da identificação do ego, vai diretamente para Brahman (Espírito).

Todo karma (ato) praticado tem conseqüências – não menos no caso do mestre liberto que no do homem mundano. A diferença é que, como os atos de um mestre não são praticados por sugestão do ego, os efeitos desses atos também não se prendem ao ego, mas fluem livremente para o mundo, provocando apenas resultados benéficos. As recompensas concretas do mestre são colhidas por aqueles que se acham em sintonia com ele e o aceitam com amor.

É importante, para as pessoas, compreender o propósito oculto dos rituais religiosos que porventura executem. Se esses rituais forem verdadeiramente religiosos por natureza, prestar-se-ão ao propósito simbólico de ofertar o ego a uma realidade superior. Uma simples reverência já é um gesto de entrega. O ego, que se localiza fisicamente na medula oblonga (base do cérebro), descontrai-se nesse ponto quando a pessoa se curva para a frente e é assim ofertado (pelo menos, essa é a intenção). Mais propriamente, a oferta deve ser feita ao olho espiritual, na fronte (o pólo positivo da medula oblonga). Em geral, contudo, as pessoas consideram suas reverências meros gestos exteriores: para algo ou alguém que está diante delas. *Arati* (cerimônia que consiste em agitar uma lâmpada diante de um altar) é uma oferenda simbólica da própria luz e energia da pessoa a Deus. *Puja* se executa pela oferta dos cinco sentidos, símbolo da consciência egóica, à representação de Deus no altar. Yagya oferece *ghee* (manteiga purificada) e arroz ao fogo sacrificial – de novo, para simbolizar os diversos aspectos da entrega total da pessoa.

A Eucaristia cristã comemora a Última Ceia e representa a gratidão do fiel por tudo aquilo que Jesus Cristo deu à humanidade. Essa cerimônia é seguida tradicionalmente pela distribuição de pão e vinho, símbolo das bênçãos que Jesus fez descer sobre os homens.

O ritual hindu exige, na seqüência, a oferenda de *prasad* a fim de indicar – simbolicamente, repetimos – a recepção da graça divina. Também arati termina com a passagem de uma lâmpada ao redor, para que todos absorvam a luz de Deus.

O caminho espiritual resume-se, pois, na oferta do ego a Deus com vistas à purificação e na recepção de sua graça (*kripa*) em troca. Assim, torna-se possível alcançar a unidade com Ele.

Os rituais religiosos devem ser executados ao mesmo tempo com devoção e *consciência* interiorizada – não distraidamente, com palavras vazias e gestos vagos. Quanto mais conseguirmos imergir, com sinceridade, no *sentimento* e no *significado* do ritual, mais inspiração divina absorveremos até que a própria vida se torne um rito de entrega, ou yagya, a Deus.

As estrofes seguintes do Bhagavad Gita referem-se todas aos vários tipos de cerimonial praticados por diferentes aspirantes espirituais.

(4:25) Yogues há que fazem sacrifícios aos devas (divindades); outros vêem o sacrifício (yagya) como uma entrega do eu ao fogo cósmico do Espírito.

A maioria das pessoas acha difícil amar Deus como uma abstração. Ele é consciência pura, mas parece-nos mais fácil dotá-Lo de uma forma que represente um aspecto ou qualidade divina mais atraente aos nossos olhos. Deus está além da forma, é supremamente impessoal. Ao mesmo tempo, assumiu todas as formas do universo. É impessoal no sentido de nada querer para Si mesmo; entretanto, em cada um de nós, Ele se personalizou ao insuflar Sua consciência em nossas formas. Deus nos ama individualmente, em nosso próprio nível de entendimento. Por isso, sofre naqueles e por aqueles que sofrem. Todavia, em Si mesmo, está eternamente mergulhado em Bem-aventurança. Alegra-Se com nossas alegrias terrenas e, no entanto, não se identifica com elas. Dá-se o mesmo com uma mãe e seus filhos: quando estes choram, ela lhes sente a dor. Mas não a sente em seu próprio eu.

Muitas pessoas supõem que a verdadeira compaixão pelos outros consiste em sofrer *com* elas. Contudo, a verdadeira compaixão deve ser *útil*. Se alguém estiver se afogando, ajudará em alguma coisa atirarmo-nos à água e morrermos afogados também? Claro que não! Seríamos mais *úteis* à vítima permanecendo em seco e jogando-lhe uma corda. Por outro lado, se quiséssemos ajudá-la ainda mais, conviria sermos nós próprios excelentes nadadores. De fato, auxiliar alguém que está sofrendo significa dar-lhe o tipo de conforto que ele possa acolher: acima de tudo alegria, amabilidade, compreensão serena (de um patamar de sabedoria superior ao seu grau de confusão e dor) – mas, vale repetir, exprimindo esses sentimentos apenas se a pessoa que sofre estiver pronta para recebê-los.

Deus é impessoal. Mas, no trato com a humanidade, é também muito pessoal – estando mais próximo de nós que nossos próprios pensamentos. O motivo de não responder sempre que O invocamos é, conforme explicou meu Guru, o fato de "saber que muitas pessoas querem apenas discutir com Ele!"

Assim, por exemplo, visualizar o perfeito amor numa forma acessível ao entendimento humano pode significar adorá-"Lo" como a Divina

Mãe, o Amante Ideal ou o Amigo Perfeito. Toda qualidade que atrair mais a devoção íntima pode, mentalmente, revestir-se de uma forma que, para o adorador individual, resuma ou expresse essa qualidade.

Quanto mais fundo a pessoa mergulha na devoção, especialmente após ouvir no íntimo alguma resposta de Deus, mais a forma que ele visualizou se desvanece, enquanto o próprio estado de consciência por trás daquilo que foi visualizado passa aos poucos a ser percebido como a Realidade superior à forma.

Paramhansa Yogananda, a propósito desse tema, aconselhou também: "Sempre que Deus vier até você revestido de uma forma qualquer – da Divina Mãe, por exemplo – procure ver nessa forma, não uma personalidade humana, mas a consciência do infinito."

O fato de Krishna, na estrofe em apreço, referir-se aos yogues e não aos devotos comuns indica que ele está falando das diversas formas sob as quais as pessoas sinceramente empenhadas na busca da verdade adoram o Senhor Supremo. Não descreveria os yogues, cujo objetivo é a união com Deus, como adoradores de deuses astrais, a quem a gente comum apela sobretudo para gratificar o ego.

Há também um significado oculto nessa passagem. Na prática do yoga, aquele que medita oferece sua Kundalini aos *"devas"* ou "potestades", instalados nos chakras, para que sua energia suba pela espinha rumo à unidade com Deus no *sahasrara* (o "lótus de mil raios"), no alto da cabeça.

(4:26) Outros aspirantes espirituais oferecem seu poder interior da audição e demais sentidos ao fogo do autocontrole. E outros, ainda, oferecem tudo quanto ouvem ou captam pelos sentidos ao fogo da compreensão superior.

Há mais coisas envolvidas, cumpre dizer, no ato de ofertar o ego ao fogo da Consciência Cósmica do que a mera *idéia* de fazer isso – assim como há mais coisas envolvidas na "conquista" de uma montanha do que a mera ascensão até o cume. Essa estrofe e outras muitas que se seguem abordam o assunto de diversas maneiras, sendo cada qual uma forma de ofertar o ego à expansão supraconsciente.

(4:27) Alguns, guiados pelo discernimento, oferecem as atividades de seus sentidos e a energia nelas contida ao fogo do autocontrole. (Perguntam a si mesmos: "Quem está vendo? Quem está ouvindo? Que força me motiva a experimentar essas sensações?")

O método de oferecer a consciência egóica à expansão cósmica acaba por suscitar a pergunta: "Quem sou eu?" Primeiro, a pessoa quer saber: "Quem está comendo?", "Quem anda quando meu corpo se desloca?", "Quem, de fato, respira?", "Quem pensa?", "Quem reage com pensamentos positivos ou negativos?", "Quem está fazendo estas perguntas?"

E, rematando tantas indagações, de novo: "Quem sou eu?"

Essa é a abordagem do Gyana Yoga (o caminho do discernimento), que todos deveriam adotar em sua sadhana (prática espiritual). Examine-se enquanto come, anda, respira, conversa, pensa. Faça um esforço mental para distanciar-se de seu corpo e mente. Torne-se o observador silencioso de seu próprio eu. Aos poucos, irá se sentir interiormente desapegado e aceitará seu ser como uma outra realidade: a alma divina que apenas sonha tudo aquilo que acontece fora dela.

(4:28) Alguns entregam suas posses como oblações; outros, seus atos; uns poucos se concentram a fim de amealhar energia graças à meditação yóguica (entregando-a também como oblação); e há quem, rigidamente preso ao voto de autodomínio, consigna todos os seus pensamentos a Deus, pratica a introspecção e busca a sabedoria mediante o estudo das escrituras.

(4:29) **Uma das práticas do yoga consiste em insuflar o ar inspirado (*prana*) no ar expirado (*apana*) e o apana no prana; assim, graças à *pranayama* (controle da energia), a respiração se torna desnecessária.**

A respiração física, como já vimos, acompanha o fluxo ascendente e descendente da energia ao longo do *ida* e do *pingala nadis* na espinha. Com efeito, é esse fluxo espinal das energias conhecidas como prana e apana que obriga os pulmões a inspirar e expirar. Na verdade, prana significa também, mais genericamente, a própria energia. Prana é *Paraprakriti* (em oposição a *Aparaprakriti*, Natureza); é imanente, ao contrário da Natureza manifesta: a realidade oculta por trás da totalidade do universo material.

A circulação lenta, contida e consciente de energia ao longo da espinha é objeto da antiga ciência conhecida (desde a época de Lahiri Mahasaya, no século XIX) como Kriya Yoga. Essa circulação magnetiza a espinha e redireciona as tendências mentais, chamadas *samskaras*, para o cérebro, de um modo que lembra curiosamente o realinhamento das moléculas de uma barra de aço na direção norte-sul. Semelhante ao ímã, a espinha fica magnetizada no sentido de que a energia, fluindo ainda mais unidirecionalmente para o cérebro, penetra no interior da espinha, o *sushumna*, onde, com o despertar da Kundalini, vai subindo de chakra em chakra, elevando a consciência e as demais energias para Deus. Assim, a energia é levada para o olho espiritual e se mescla por fim ao *sahasrara* (o "lótus de mil pétalas"), no alto da cabeça. Que esse yoga foi ensinado não apenas em tempos recentes (ao final do século XVIII), mas na antiguidade também, vemo-lo por essa estrofe e também por uma outra, mais à frente (Capítulo 5 do Gita, 5:27, 28), quando Krishna discorre sobre a necessidade de neutralizar as correntes de prana e apana.

Os aspirantes sinceros às vezes se perguntam: "Se Kriya Yoga é mesmo uma ciência tão sublime, por que não foi publicada em livro, ficando assim acessível a todos?" Boa pergunta, sem dúvida. Os próprios mestres, porém, não recomendaram sua publicação justamente *porque* é um ensinamento que transcende o pensamento racional. Para compreendê-la devidamente, é preciso dar largas à intuição.

O Kriya Yoga, para plena eficácia, tem de ser aprendido não só intelectualmente (em forma escrita ou falada), mas também *vibracionalmente*, sob o aspecto iniciático. O ímã é gerado tanto por realinhamento de moléculas quanto por proximidade de outro ímã. A sintonia com um guru desperto em Deus estimula os *samskaras* (comparáveis às moléculas materiais) a fluir para o alto, na direção do cérebro.

Estamos aqui diante de uma realidade mais sutil e muito mais difícil de dominar que simples moléculas metálicas. Sem um guia experiente, mesmo escalar uma montanha pode ser fatal – embora a morte, neste caso, apenas ponha fim a uma única encarnação. Equívocos espirituais custam bem mais em termos de sofrimento a longo prazo.

A orientação do guru não é apenas proveitosa: é essencial. Não quer dizer que o Kriya Yoga seja perigoso. Longe disso. Entretanto, adotar o Kriya Yoga significa encetar seriamente o caminho para Deus. Não se trata de um jogo e deve, por certo, constituir um empreendimento para toda a vida. Encará-lo levianamente não seria de modo algum o melhor dos karmas, cumpre acrescentar! A iniciação em Kriya Yoga era outrora concedida apenas aos *sannyasis*, que renunciavam ao mundo e dedicavam a vida inteiramente à busca divina. Essa restrição foi suspensa por Babaji quando transmitiu a sagrada iniciação a Lahiri Mahasaya. A razão íntima para amenizar as antigas prescrições foi que a Terra entrava já numa nova era, Dwapara Yuga, e a humanidade se tornava mais cônscia da natureza da energia. Os homens, de um modo geral, mostravam-se suficientemente receptivos a um ensinamento que enfocava a energia do corpo. Não obstante, toda iniciação yóguica, sobretudo no caso da venerável ciência do Kriya Yoga, deve ser vista como um passo de caráter sagrado na vida da pessoa.

A evolução espiritual sem a ajuda de um guru autêntico (ou *Sat*) é lenta, sujeita a percalços, incerta e às vezes perigosa. A antiga tradição da Índia, onde a espiritualidade vem sendo estudada há milhares de anos – não como religião, mas como ciência prática ("prática" no sentido dos resultados realmente obtidos) –, sempre insistiu em que um verdadeiro guru é a condição *sine qua non* para o êxito na caminhada espiritual. Muitas pessoas espiritualmente ignorantes, mesmo na Índia, acham que, graças à ampla alfabetização de hoje e aos muitos livros facilmente encontrados, os ensinamentos espirituais são acessíveis a praticamente todos e o guru já não é mais necessário. Na verdade, a instrução generalizada teve uma conseqüência infeliz: a disseminação não apenas do saber, mas também da ignorância!

A verdadeira compreensão é fruto tanto do raciocínio quanto da intuição. A sintonia íntima e intuitiva com a consciência do guru é o que, mais segura e diretamente, provoca o despertar espiritual.

Quem já não experimentou, em presença de determinada pessoa, um sentimento profundo de paz, harmonia e sublimidade? Se pessoas mais ou menos comuns conseguem nos afetar dessa maneira, que dizer das que são espiritualmente iluminadas?

No Novo Testamento cristão diz-se de Jesus Cristo: "E ele concedeu, aos que o aceitaram, o poder de se tornarem filhos de Deus." Eis, precisamente, aquilo de que todos precisam: o *poder* de evoluir! Semelhante poder, ninguém o gera por si mesmo. O ego, como vimos, já está infectado pela própria doença (ignorância) que deseja escorraçar de sua consciência. Somente aquele que escapou às garras da consciência egóica pode, com sua consciência expandida, infundir na percepção do discípulo uma nova luz, uma nova compreensão, um novo *poder* de evoluir espiritualmente.

Fosse uma ciência esotérica como o Kriya Yoga apregoada do alto dos prédios (como Ramanuja entoou o mantra sagrado "AUM *namo Narayana*!" da cumeeira de um templo), deixaria escapar um dos ingredientes essenciais ao sucesso. Em todas as tradições da Índia, a iniciação nos "mistérios" espirituais por um autêntico guru é considerada mais importante que os próprios ensinamentos. Em que pese à compaixão e ao amor de Ramanuja pela humanidade, seu guru estava certo quando lhe exigiu sigilo. Talvez Ramanuja tivesse poder espiritual para iniciar multidões, como Sri Chaitanya, que séculos antes inspirou milhares com o *mahamantra* (*Haré Krishna, haré Krishna! Krishna, Krishna haré, haré! Haré Rama, haré Rama! Rama, Rama haré, haré!*). Em presença de Chaitanya, com efeito, muitos se inspiraram – ao contrário da maioria dos que hoje cantarolam entusiasticamente esse mantra pelas ruas. Segundo a tradição, o *mantra diksha* ou iniciação num mantra deve chegar aos ouvidos *certos* e transmitido, e não apenas pronunciado, com força espiritual.

Diksha, no Kriya Yoga, é muito mais sutil que *mantra diksha*. Envolve não apenas aquilo que pode ser expresso pela língua ou comunicado mentalmente, mas também uma *percepção* na espinha que deve vir de dentro. Por isso o convívio com um guru é essencial, sobretudo na prática Kriya. Devemos convidar a consciência do guru a despertar nossa própria energia acumulada na espinha. Ora, isso só se consegue mediante a sintonia mental e intuitiva com o guru: quando *o recebemos*, como se diz na Bíblia, nas profundezas de nosso ser.

Como entrar em sintonia com o guru? Um dos métodos consiste em olhar fundo em seus olhos – para isso bastará uma fotografia – e, visualizando-o no ponto entre as sobrancelhas, pedir-lhe do fundo do coração: "Apresente-me a Deus!" Em seguida, deixar o coração ouvir ou sentir. O coração é a "antena de rádio" do corpo, o local onde a divina presença é captada, e as bênçãos e o poder do guru são intuitivamente acolhidos.

Poderá a bênção ser recebida de longe? Ou depois que o guru deixou o plano físico? A resposta – conforme meu Guru me ensinou em termos bastante incisivos – é que precisamos de ao menos um contato físico com ele. Esse contato pode ser transmitido ao longo de uma linhagem direta de discípulos de um guru autêntico. Em se tratando de um salvador do mundo, como Yogananda, será ao mesmo tempo útil e legítimo que seus pósteros propiciem iniciação *em seu nome*. Assim, gerações subseqüentes de discípulos sempre poderão recorrer à força suprema desse salvador (um avatar) para obter a suprema bem-aventurança.

Alunos que se pretendem discípulos de um grande mestre, sem nunca ter tido contato com ele, mostram por suas próprias auras que não receberam em sua vida a mesma bênção daqueles que se curvaram a esse princípio imemorial.

Que deve fazer a pessoa ao perceber, no coração, a presença vibracional do guru? Dissociá-la mentalmente da forma física do mestre e senti-la emanando do coração dele como amor e beatitude, até que lhe inunde o corpo inteiro. O discípulo tentará então projetar exteriormente essa bênção até que sinta sua consciência se mesclar à do guru. Desse modo, ele expandir-se-á para além da identidade limitada e física do ego.

O motivo de o *mantra diksha* (iniciação) ser tradicionalmente murmurado ao ouvido direito deve-se, em parte, ao fato de ser esse o lado positivo do corpo. Existe também uma correlação especial entre o ouvido direito *interno* e a experiência supraconsciente. Ouvir por ele ajuda-nos a operar a sintonia com o maior dos mantras, AUM, a vibração do universo ou "música das esferas".

Ao ouvir o som de AUM pelo ouvido direito, a pessoa deve tentar passá-lo para o ouvido esquerdo – e depois, como eu já disse, para o corpo inteiro. Quando *recebe* AUM em todo o seu ser, ela *recebe* também as bênçãos e a orientação do guru em seu íntimo. Tais coisas não se conseguem sob tensão, mas apenas quando nos descontraímos profundamente em nosso Eu interior.

(4:30) Alguns, regulando o fluxo energético no corpo por uma alimentação adequada, oferecem todas as suas energias ao fogo desse

fluxo (ascendente). Os aspirantes que mencionei compreendem o significado da entrega do Eu (yagya ou sacrifício), o fogo interior que consome todas as sementes do karma.

À primeira parte dessa *sloka* costuma-se associar às vezes à estrofe 29. Com efeito, "alimentação adequada" refere-se também a algo mais profundo que a simples comida para o estômago. Quando o prana e o apana são neutralizados pela suspensão da respiração, o corpo passa a ser nutrido por uma energia superior, de natureza cósmica. Sucede então que a energia do corpo se conecta diretamente à medula oblonga, fazendo com que o fluxo energético brote diretamente de uma fonte mais pura e, a partir de dentro, sustente as células do corpo.

Paramhansa Yogananda elaborou um sistema a que chamou de "exercícios de energização", os quais, quando praticados escrupulosamente, mantêm o corpo em forma graças a essa energia superior.

O regime alimentar adequado deve, normalmente, consistir nos chamados alimentos sáttwicos. Estes, para começar, são vegetais – crus ou levemente cozidos, pois o cozimento excessivo lhes destrói a força vital. Frutas e nozes são ótimas. Parece desnecessário tratar desse assunto aqui, pois existem inúmeros livros excelentes a respeito. Entretanto, devo contar uma história interessante para mostrar que Paramhansa Yogananda não era nenhum fanático em se tratando de alimentação. Ele notou, com efeito, que os entusiastas da saúde mostram-se quase sempre incapazes de discutir qualquer outro assunto que não o corpo físico e as famigeradas dietas. Yogananda chegou mesmo a cunhar uma palavra para o que considerava o regime alimentar ideal: comerrcorretamentismo!

Certa vez o dr. Lewis, seu primeiro discípulo de Kriya Yoga nos Estados Unidos, então ainda um jovem no final da quadra dos vinte, queixou-se a ele de dores e incômodos misteriosos que andava sentindo. Disse: "Consultei diversos médicos e nenhum me ajudou. Que devo fazer?"

O Mestre, após uma curta pausa, respondeu: "As células de seu corpo se acostumaram a consumir carne. Agora que você adotou uma dieta vegetariana, elas estão sentindo falta do alimento antigo! Vá lá, coma um pouco de carne uma vez por semana! Evite as carnes vermelhas em geral, mas não hesite em consumir frango, peixe ou cordeiro." O dr. Lewis seguiu o conselho e o problema desapareceu.

(4:31) Ingerindo o "alimento abençoado" (prasad) que restar de qualquer desses rituais espirituais do fogo, a pessoa se aproximará de Brahman (o Espírito Infinito). Nem sequer as bênçãos mundanas chovem sobre aquele que nada dá de si. Como esperará, então, alcançar a felicidade num plano superior?

(4:32) As muitas maneiras de ofertar o ego são especificadas nos Vedas (como que) pela "boca de Brahma". Conhecendo-lhes o verdadeiro propósito (entrega do Eu a valores superiores), tu te livrarás de todos os vínculos do karma.

Não importa a vertente da montanha que escolhamos para escalar, se continuarmos subindo, acabaremos chegando ao cume. O que importa é a *direção* da escalada. Na espinha essa direção é, nem seria necessário repetir, ascendente. A espinha desempenha um papel fundamental no corpo humano. O que quer que façamos espiritualmente, devemos ao mesmo tempo despertar e dirigir para cima a energia ali acumulada. Isso continua verdadeiro ainda que o caminho da pessoa seja o cântico devocional, o serviço aos pobres ou, por vários modos, o alívio do sofrimento humano. Ela pode seguir a vereda do tirocínio mental, tentando distinguir entre o verdadeiro e o falso neste mundo; mas se sua energia não for movimentada na espinha nem mesmo por esses meios indiretos, não conseguirá despertar espiritualmente. A verdadeira religião – ou seja, experiência íntima em vez de mera crença – não consiste em agradar a alguma divindade "lá em cima". Nós próprios devemos erguer a percepção ao nível supraconsciente, que para nós, no corpo físico, só existe mesmo "lá em cima".

Assim o yoga, e sobretudo a ciência do Kriya Yoga, são extremamente práticos. Ensinamento universal, enfocam a realidade básica de tudo aquilo que ocorre durante o progresso espiritual do aspirante sincero, independentemente do caminho exterior escolhido ou do sistema de crença. Por isso diz Krishna mais adiante no Gita: "Arjuna, sê um yogue!"

Mas que será essa "estrada espinal", como Paramhansa Yogananda a chama, descrita pelos ensinamentos do yoga? Ela começa pelo poder da Kundalini, que jaz como que adormecida na base da espinha. Num quadro de referência, constitui o pólo oposto ao coração; em outro, à medula oblonga e ao olho espiritual; por fim, ao topo da cabeça (o *sahasrara*). Em última instância, toda a energia da pessoa acaba se concentrando no *sahasrara*.

O primeiro chakra (centro), localizado na base da espinha logo acima da Kundalini, chama-se *muladhara* e representa o "elemento" terra. A abertura na passagem central (*sushumna*) da espinha recebe no verso citado o nome de "boca de Brahma".

Esse importante centro é o início da longa jornada ascendente. "É aqui", deixa implícito Krishna, "que tudo começa."

Atribuem-se a esse chakra, como aliás a todos os outros, certos poderes ocultos. As pessoas que receiam meditar a partir dos chakras inferiores, supondo que isso aumentará sua ligação com a consciência materialista – quem está preso aos sentidos vive concentrado principalmente nos três chakras situados mais embaixo –, precisam ser devidamente esclarecidas a esse respeito. Quando, a partir desses centros, a energia flui *para fora*, para o corpo físico, reforça a consciência corporal; mas quando flui para dentro, para os chakras, e *para cima*, leva ao despertar espiritual. Todo chakra – mesmo no ponto mais baixo – aguça a percepção espiritual quando a energia que está nele é dirigida para o alto.

(4:33) A cerimônia interior pela qual o fogo espiritual aguça a percepção supera em muito, ó Flagelo do Inimigo (Arjuna), qualquer ato puramente exterior de oferenda do Eu. (Só) por meio dessa sabedoria se consumam todas as ações (karma).

Os atos espirituais exteriores, concebidos para a entrega do Eu, apresentam duas grandes desvantagens. Em primeiro lugar, só afetam de maneira indireta a energia da espinha e são, portanto, menos eficazes para a única "tarefa" espiritual que realmente conta: a autotransformação, que também resulta no maior dos bens para as outras pessoas. Em segundo lugar, projetam a mente para fora, mantêm-na irrequieta e fazem o homem esquecer facilmente aquilo que é essencial no caminho espiritual: a devoção, por exemplo.

(4:34) Uma coisa deves entender (acima de tudo): pela entrega (da vontade própria aos sábios), pelo questionamento (interior e exterior) (junto aos sábios) e pelo serviço prestado (aos sábios), aqueles que chegaram à verdade (estarão aptos a) transmitir-te sua sabedoria.

Esta estrofe se refere ao guru iluminado da pessoa suficientemente afortunada para ter um. Usou-se o plural, no entanto, para enfatizar que os devotos devem reverenciar todos os sábios iluminados, de um modo geral. Entregar-se ao Deus Infinito que reside neles, abrir-se para (mediante perguntas ou avaliação íntima profunda) sua influência edificante e pagar essa influência (servindo-os) são elementos importantes para o devoto ultrapassar a visão naturalmente estreita do ego.

Paramhansa Yogananda aconselhava as pessoas a acrescentarem às preces dirigidas regularmente a Deus e ao guru (e, em certos casos, à linhagem de seus gurus) as seguintes palavras de invocação: "santos de todas as religiões".

(4:35) Depois de absorver (plenamente) a sabedoria de um autêntico guru, nunca mais, ó Pandava (Arjuna), reincidirás na ilusão, pois abrangerás com um olhar toda a criação contida em teu Eu (expandido) e depois em Mim (que estou além de toda criação).

Primeiro, o ser plenamente iluminado percebe o universo inteiro, por assim dizer, como ondas que dançam – subindo e descendo – na superfície de sua consciência oceânica. O próximo passo, se ele o quiser, consiste em instalar a consciência naquilo que Yogananda chamou de "estado de vigilância" da Consciência absoluta e imóvel.

(4:36) Mesmo o pior dos pecadores pode, na jangada da sabedoria, cruzar com segurança o oceano da ilusão.

Eis o supremo encorajamento que Krishna oferece a toda a humanidade: não importa quão enredado você esteja nos maus hábitos, no vício, na depravação aviltante ou na perversidade, ainda é filho do Senhor único e infinito que criou os mestres e os santos. Nada, afora a divina bem-aventurança, poderá defini-lo para sempre!

Por isso, jamais diga a si mesmo: "Sou mau!" Jamais lamente: "Fracassei!" Se aceitar o fracasso como realidade, ele o será, ao menos nesta vida. Mas se, após cada contratempo, reconhecer: "Ainda não venci!", poderá vencer ainda – mesmo na presente encarnação!

Ao orar, veja Deus como a Divina Mãe que tudo perdoa e tudo aceita: "Mãe, bom ou mau, sou Teu filho! *Deves* me libertar! Limpa-me de todos os pecados."

"A Deus, pouco se lhe dá os teus pecados. O que Ele não tolera é a tua indiferença!", costumava dizer Yogananda.

(4:37) Ó Arjuna, assim como o fogo consome a madeira até as cinzas, assim a chama da sabedoria reduz a cinzas todo o karma do homem.

Pense-se nos túmulos egípcios de há muito abandonados. As trevas reinaram na tumba do faraó Tut por milhares de anos – mas quando ela foi aberta, a luz a invadiu e a escuridão de séculos se dispersou num instante. Dá-se o mesmo com qualquer pessoa. Não importa quão densas sejam as sombras de sua ignorância, quando a luz divina penetra sua consciência, só o que resta é luz!

Há vários tipos de karma, pois essa palavra significa apenas ação. O karma pode ser nacional, grupal, familiar, individual, em suma, tudo quanto proceda de um centro coerente de intenção capaz de atrair conseqüências para esse centro. Toda ação é karma. Um líder nacional que prejudica seu povo não terá de sustentar o peso inteiro desse mau karma em seus próprios "ombros": a nação também deverá assumir responsabilidade. Os bons cidadãos do país devem igualmente arcar com ela, embora seu próprio karma possa afastar deles, e talvez de um círculo mais vasto de pessoas, qualquer mal que sobrevenha à nação como uma forma de resgate kármico.

Quando um avião explode, nem todos os que morrem no acidente padecem esse destino por exigência de seu karma. O karma grupal da maioria dos passageiros pode pesar mais que o karma neutro do indivíduo – se, por exemplo, sua disposição para viver não for suficientemente forte. Por outro lado, sucede às vezes que, na iminência de um grande desastre, pessoas sem nenhuma culpa no momento sejam chamadas a outra parte ou, de um modo qualquer, impedidas de estar no local.

O karma grupal é extremamente complexo. O primeiro dever da pessoa é para consigo mesma, visando melhorar o próprio karma. De fato, quanto mais boas ações ela praticar em prol do aprimoramento geral da consciência, em maior medida o karma de todos será amenizado. Deve-se começar, porém, pelo aprimoramento da própria consciência.

Em se tratando do indivíduo, dois tipos de karma têm de ser levados em consideração: *purushakara* e *prarabdha*. O primeiro consiste em ações geradas nesta vida sob influência, *não* do hábito ou do desejo, mas da tendência da alma. Já o segundo engloba as tendências atuais e o resultado de ações praticadas em existências anteriores.

O *prarabdha* é também de dois tipos: as ações que, devido às circunstâncias presentes, podem dar frutos ainda nesta vida; e aquelas que, conhecidas como *para-rabdha karma*, são mantidas em estado de latência até que ocasiões mais favoráveis lhes possibilitem a fruição.

O karma de uma pessoa pode prever, por exemplo, que ela se afogará no mar – ou então será salva do acidente. Contudo, se ela nunca se aproximar da praia e, assim, não der ensejo ao afogamento, esse karma específico terá de aguardar outra vida para concretizar-se.

Às vezes, um karma negativo é adiado ou mesmo compensado por um karma contrário. Uma tentação irresistível, por exemplo, pode ser anulada por uma força interior recém-adquirida. Períodos kármicos também passam ou são dissipados por ações opostas. Um fracasso karmicamente "previsto" freqüentemente é desviado quando a pessoa acumula energias novas e criativas ou, então, adquire sabedoria para redefinir o golpe como *oportunidade* e não como revés.

Um mau karma pode agigantar-se diante da pessoa como um dragão ameaçador; mas se ela consegue achar meios de desviar o golpe ou proteger-se (por exemplo, abrir um guarda-chuva quando começa a chover), ainda que o golpe seja desferido, o desastre é evitado. Podemos fazer também, é claro, como o São Jorge da lenda: liquidar o dragão. O certo é que nenhuma ameaça de infortúnio deve ser aceita com resignação indolente! Uma vontade poderosa consegue superar, ou no mínimo mitigar, praticamente todas as desventuras que rondam nossos passos.

O mau karma pode, por exemplo, invadir uma aura frágil, mas nunca uma aura forte, na qual o dano porventura infligido será prontamente minimizado. Se constar de seu karma que você perderá uma perna, mas sua vontade e devoção forem fortes, talvez receba apenas um arranhão. As conseqüências kármicas são inevitáveis, mas o modo como são *recebidas* depende de inúmeras circunstâncias, a maioria geradas pela própria pessoa.

O mau karma também pode ser contornado pela criação de um karma bom. Este se robustecerá com mais karmas bons, voltados para o mesmo fim. Acontecimentos que afetam os outros não devem afetar o próprio eu, ou pelo menos não da mesma maneira. O segredo, nesse caso, consiste em manter uma atitude de desapego, sem reações emocionais. Com efeito, a reação emocional pode agravar grandemente as conseqüências do karma. Meu Guru contava a história (provavelmente lendária) de uma aldeia na Índia onde três pessoas morreram, inexplicavelmente, de uma doença qualquer. Inquietos, os moradores formaram um grupo e procuraram um *sadhu* (homem santo) que vivia solitário nas imediações e imploraram-lhe que intercedesse. O sadhu meditou e descobriu que a moléstia fora provocada por um demônio. Invocou esse demônio e ordenou-lhe: "A aldeia está sob minha proteção. Deixa-a em paz." O demônio prometeu obedecer.

Uma semana depois, pelo menos cem outras pessoas sucumbiram. Parecia uma verdadeira epidemia. De novo os aldeões procuraram o sadhu e reclamaram: "Tuas preces de nada nos valeram. Uma terrível maldição pesa sobre nós!"

O sadhu invocou de novo o demônio e repreendeu-o: "Eu te disse que a aldeia estava sob minha proteção. Prometeste deixá-la em paz e não cumpriste a palavra."

"Cumpri sim, Santo Homem!", protestou o demônio. "Só matei os três primeiros: os outros morreram de medo."

A melhor maneira de escapar às conseqüências de um karma é fazer "evaporar" o ego causativo e sua consciência de identificação com o pequenino "cálice" que é o corpo. Na meditação profunda, o vapor do ego subirá e se dispersará por completo no céu da consciência infinita.

Se o dragão ataca e você não está mais lá, ao alcance de suas mandíbulas; se a rocha despenca de uma encosta e você já foi removido do local onde ela irá cair ou se a multidão volúvel o aclama (expondo-o mais tarde, inevitavelmente, ao oposto dualista do opróbrio público) e você não se encontra presente para reagir, que acontece? As mesmas ações ocorrem, mas você lhes escapa.

O *jivan mukta* (aquele que é "liberto em vida"), após dissolver sua percepção egóica na consciência infinita, não mais acumula um karma novo, pessoal. Tudo o que fizer daí por diante redundará em benefício dos outros – os quais, expostos aos vórtices de energia criados por seus próprios egos, lucram com as boas ações praticadas em seu favor. Ele mesmo, no entanto, permanece imune até a um bom karma. Seu *prarabdha karma* poderá atuar exteriormente, mas não o afetará.

Quando o *jivan mukta* finalmente dispersa nos céus livres do Espírito as incontáveis ações de todas as encarnações que seu ego viveu sob o jugo da ilusão, ele se torna um *param mukta*: uma alma superiormente livre.

(4:38) Seguramente, nada há neste mundo que santifique tanto quanto a sabedoria. No devido tempo, todo devoto bem-sucedido em suas práticas perceberá, no próprio Eu, a verdade do que acabo de dizer.

(4:39) O devoto imerso no infinito, com os sentidos sob controle, alcança a sabedoria e obtém aquilo que sabe, desde logo, ser a paz perfeita.

Os devotos que supõem um conflito entre amor religioso, autocontrole yóguico e sabedoria verdadeira (em oposição à intelectual) não logram perceber que todos esses caminhos (devoção, prática yóguica e calmo discernimento) são meros aspectos de uma mesma verdade que resultam na mesma conquista.

A palavra para devoção neste sloka é *shraddha*, geralmente traduzida por "fé". Refere-se ao tipo de devoção que não mantém Deus a distância implorando-Lhe favores, mas que, à semelhança de uma seta, voa direto para o alvo de Seu amor divino como tendência natural do coração a buscar sua Fonte verdadeira, intuitivamente percebida.

O objetivo supremo, o alvo principal do enfoque religioso não é o amor e sim a beatitude. O amor em si é digno de elogios, mas tem de ter uma motivação pura – e essa motivação, ou objetivo, é Satchidananda. Convém, sem dúvida, buscar Deus por Seu amor; entretanto, a finalidade suprema de tudo é a Beatitude sempre consciente, sempre existente e sempre nova. Sem isso por objetivo, mesmo o amor, se alguém o busca como finalidade suprema, encerra o perigo de suscitar o desejo de afeto *pessoal*. Decerto, o amor perfeito é sempre impessoal, abrangente e infinito. Não tem outro alvo senão a Bem-aventurança.

(4:40) O ignorante, a pessoa a quem falta devoção, o homem movido pela dúvida: todos hão de perecer. Quem tem temperamento vacilante não encontra felicidade neste mundo ou no outro. Para ele, a beatitude suprema é impossível.

Ser verdadeiramente ignorante é rejeitar, com coração empedernido, a oferta de um caminho para longe do terreno lamacento da insensatez. O completo ignorante, com sua mente embotada, nada pergunta sobre a vida e não vislumbra oportunidade alguma de aprimoramento mesmo que ela lhe acene com todos os bens possíveis.

Pior que a ignorância é a incapacidade de sentir devoção. Pessoas assim não aspiram a nada de elevado. Quaisquer aspirações, com efeito, lhes parecem tolas e desnecessárias. Aspirar a quê?, perguntam. De que vale lutar por seja lá o que for? Quanto menos energia despenderem, cuidam eles, menos energia a vida lhes exigirá, menos desafios terão de enfrentar e mais sossegados, em conseqüência, ficarão. Como não haveriam de perecer aqueles que, quais búfalos, preferem refocilar na lama da satisfação passiva? Estupidez, preguiça, falta absoluta de interesse por tudo: como pessoas tão apáticas mentalmente podem esperar que o mecanismo de sua vida não emperre em pouco tempo? Nem sequer procuram mantê-lo em funcionamento!

O pior caso, porém, é o do cético contumaz. Tem tudo o de que precisa para evoluir, mas sua compulsão é ficar anotando todas as armadilhas, obstáculos e maldades que os outros porventura estejam lhe preparando. Tem devoção, tem desejo de chegar ao cume; mas uma voz interior cética continua a sussurrar-lhe no subconsciente: "Qual será o desfecho: traição, desdém, oposição, ingratidão?"

Paramhansa Yogananda comentou certa vez: "O cético é o mais miserável dos mortais." Referia-se, não ao questionamento construtivo, mas à tendência irritante de rebater toda idéia promissora, de desconfiar dela sem motivo aparente e de encarar com preconceito tudo o que é bom ou edificante. "Isto não pode ser bom – portanto, não é! Isto não pode funcionar – portanto, aconteça o que acontecer, não funcionará ainda que pareça estar funcionando. As pessoas nunca sabem o que fazem, portanto *devem* estar erradas!"

Duvidar de um mestre autêntico, sobretudo quando se é seu discípulo – por causa da arrogância ou simplesmente pelo hábito de rejeição mental – pode provocar intensa agitação de espírito. A pessoa conclui então que tudo o que o guru diz deve forçosamente ser um equívoco, mas não porque o haja averiguado, nem porque *queira* repelir uma conclusão que supõe inconveniente, nem por duvidar dos verdadeiros motivos do guru... Com efeito, o cético anseia no fundo por *algo de verdadeiro* na vida e não consegue achar verdade em nada do que encontra. Uma estranha distorção mental fá-lo rejeitar tudo, não por desinteresse, mas por *interesse* demasiadamente intenso. Sua dúvida nasce de uma espécie de medo da decepção, quando o que quer acima de tudo é certeza.

Revelasse unicamente indiferença e sua condição talvez fosse melhor pelo menos no sentido de que, então, poderia se interessar por outras coisas. A tragédia, para ele, é que deseja – com a totalidade de seu ser –

aquelas mesmas verdades que o hábito subconsciente o impele a rejeitar. Esse hábito não dá espaço a nenhuma alternativa. Ele simplesmente balança a cabeça e diz "não". As verdades a que aspira – assim lhe sussurra o hábito – muito provavelmente não existem. O hábito não explica as razões disso. Ao contrário, apenas adverte sombriamente: "E se...?"

"E se tudo isso, no fim, não passasse de mistificação? E se os motivos de meu guru não fossem tão louváveis quanto parecem e o que ele quer mesmo é explorar os outros em benefício próprio?" Dúvidas dessas logo ganham vida própria e engendram para si mesmas um universo alternativo: "E se... *tudo!*?" A força de vontade da pessoa se imobiliza; a esperança se desvanece e não tarda a transformar-se num ramo seco. A doçura da amizade é contaminada pela suspeita.

Por todas essas razões, pode-se dizer com justeza que o cético é "o mais miserável dos mortais".

Finalmente, o homem de temperamento vacilante jamais consegue realizar algo que valha a pena. Nunca se empenha em nada. Não nutre lealdades. Atravessa a vida ao sabor da fantasia, não se firma em verdade alguma e nunca tem certezas.

O ignorante contumaz acaba abandonado a si próprio. Às vezes, põe a cabeça fora do casulo que para si próprio teceu: quando já sofreu o bastante ou, devido ao sofrimento, começa a se *preocupar* e por causa disso ensaia as primeiras, hesitantes tentativas para aprimorar as próprias habilidades latentes. *Só então* abandona de vez o casulo.

O apático, pelo menos, sabe que existem nuvens e mais nuvens de ignorância a serem dissipadas. Acha que a vida nada mais tem a lhe oferecer. Quando seus sonhos de satisfação passiva ou resignação se esvaem, começa a olhar ansiosamente em torno, à cata de respostas viáveis.

O cético, porém, é o que sofre mais. Seu processo mental, a despeito da vontade de fazer o bem e agir corretamente, se paralisa. Anseia por algo que possa lhe servir de ideal, mas acaba dizendo a si mesmo que, por uma razão ou outra, esse ideal não existe. Sua tragédia é que sonha com a bem-aventurança, mas descobre que ela lhe escapa por obra de uma compulsão de sua natureza que não consegue entender. Como haverá de superar essa tendência que tanto o prejudica?

Poderá dizer a si mesmo: "Não há caminho de volta. Minha única opção é ir adiante, ainda que isso signifique arrastar-me penosamente, passo a passo." Talvez consiga expiar seu karma ajudando a resolver as dúvidas dos outros. Deverá concentrar-se em sua própria ânsia de verdade até que essa ânsia o arraste para fora da névoa densa da dúvida em direção à luz da fé, tanto mais infalivelmente quanto a mera especulação foi posta de parte como perda de tempo e energia. Ajudar os semelhantes a banir suas dúvidas e incertezas torna-se então, para ele, um meio de afirmar sua própria decisão de buscar soluções. Verá por fim que a bem-aventurança suprema é a única solução possível de todo problema e dificuldade na vida!

(4:41) Ó Arjuna, Conquistador da (verdadeira) Riqueza! Aquele que dissolveu todo o seu karma na unidade com Deus e calou suas dúvidas com a sabedoria fica inteiramente na posse de si mesmo. (Livre do ego), não haverá mais ações que o embaracem.

(4:42) Levanta-te, pois, ó Descendente de Bharata (Arjuna)! Levanta-te! Abriga-te no (saber científico profundo do) yoga. Faz (em pedaços), com a espada da sabedoria, a dúvida que remóis no coração quanto à natureza do Eu (e do que de fato és).

Aqui termina o quarto capítulo, intitulado "Gyana Yoga (União pelo conhecimento do Divino)", dos Upanishades do sagrado Bhagavad Gita, o diálogo em que Sri Krishna e Arjuna debatem sobre o yoga e a ciência da realização em Deus.

Capítulo 17

Liberdade por meio da renúncia interior

(5:1) Arjuna disse: Ó Krishna, falas em renunciar à ação, mas, ao mesmo tempo, a recomendas! Bem me agradaria saber ao certo qual desses dois é o melhor caminho.

(5:2) O Senhor Abençoado respondeu: (Quando entendidas corretamente), tanto a ação quanto a não-ação podem salvar. Das duas, porém, a reta ação é a melhor.

No Capítulo 3 do Bhagavad Gita, Krishna declara inequivocamente que, neste universo vibratório, é impossível evitar a ação. E aqui assegura, também inequivocamente, que tanto a ação quanto a não-ação podem salvar. Estará se contradizendo?

É preciso compreender que no presente contexto o conceito de não-ação difere do de inação. O eremita, ao meditar, está ainda agindo, embora permaneça sentado por longas horas em silêncio – em alguns casos, por dias ou meses ininterruptamente. A diferença é que a imobilidade física nem sempre equivale à inação mental ou à suspensão dos fluxos sutis de energia internos. O yogue, imerso em meditação profunda, está sem dúvida ativo, embora de um modo bastante diverso do que acontece a outras pessoas. Sua ação se volta para dentro: ele faz a energia transitar pelos nervos sutis da espinha. Pode estar talvez, caso seja um *jivan mukta*, expiando karmas de encarnações passadas: vivenciando de novo, visualmente, o que outrora fez e ofertando esses atos no altar do Espírito com a consciência de que, mesmo quando agia instigado pelo ego, só Deus sonhava sua vida e atuava por meio dessa ilusão egóica.

A necessidade de estar exteriormente ocupado desaparece por si quando a pessoa alcança a condição de *jivan mukta* e dissolve seu ego na consciência cósmica. Mesmo então, como Krishna já enfatizou no Gita, as almas livres que vivem neste mundo freqüentemente se empenham, mediante ações exteriores, em dar aos outros um exemplo de vida correta. Fazem isso porque as pessoas comuns achariam muito fácil, depois de enveredar pelo *sannyas* (o caminho monástico), tornar-se mental e fisicamente inativas em nome da renúncia completa.

Meu Guru me disse que muitos *sadhus* ("homens santos" ou pessoas dedicadas à vida espiritual) dirigem-se ao Himalaia em busca de uma vida de "meditação"; e uma vez lá, sentindo-se incapazes de meditar durante horas a fio, passam o resto do tempo dormindo, comendo e tagarelando. De inativos físicos, tornam-se preguiçosos de corpo. Nada tendo em que ocupar a mente, vão aos poucos se tornando também preguiçosos mentais. Por fim, com a mente adormecida pelo desuso, tornam-se indolentes de espírito. Que resta para recomendar seu modo de vida baseado nessa pretensa "renúncia"? Nada! Meu Guru dizia: "Muitos não passam de vadios!"

Alguns, prosseguia Yogananda, permitem que "chefes de família" os alimentem: e estes o fazem com muito gosto quando têm meios para tanto, achando que semelhante serviço lhes melhorará o karma. E alguns desses tais "homens santos", enquanto isso, desprezam aqueles que os sustentam como mera gente mundana, presa à roda do *samsara*.

É triste constatar que muitos dos que alegam ter renunciado ao mundo, em todas as religiões, sendo eles próprios "verdes" (no sentido de não-amadurecidos) espiritualmente, tendam a depreciar os "chefes de família" quando a finalidade da renúncia consiste toda em livrar-se por completo da consciência egóica. Menosprezar seja lá quem for é consolidar o ego. De fato, muitos sadhus, swamis, *brahmacharis*, eremitas e outros, supostamente dedicados apenas a Deus, permitem que sua própria atitude de dedicação espiritual lhes alimente o orgulho. O homem que diz ter renunciado ao mundo deveria, acima de tudo, sublimar seu ego ofertando-o ao infinito.

A prática de entrar para um mosteiro e ali ser disciplinado por "superiores" (título infeliz, não há como negar!) tem seus pontos positivos, mas os negativos também não faltam. A submissão a um guru autêntico é essencial para a busca de Deus, pois o guru conhece as necessidades kármicas do discípulo e pode orientá-lo naquilo que ele precisa fazer, hoje, para escapar às conseqüências do que fez ontem. O superior monástico, em regra, quase nunca tem essa sabedoria e considera prioritárias as necessidades da instituição, a expensas das necessidades espirituais do indivíduo. Obedecer a ele, que não passa de um "chefe", pode reforçar os anseios espirituais reais, mas pessoais do subordinado, pois o chefe costuma mesmo ignorar o que este precisa fazer para alçar-se espiritualmente à consciência de Deus.

Ao subordinado, diz-se quase sempre: "Agradarás a Deus obedecendo ao teu superior." Mas, e se o superior lhe ordenar algo que seja obviamente errado ou contrário aos seus princípios? Nosso conselho ao subordinado não pode ser outro: "Vê lá o que fazes!" A obediência, em tais circunstâncias, pode ser ou parecer boa para a comunidade, mas as conseqüências para o indivíduo (foram estas as palavras de meu Guru) se resumirão em *enfraquecer-lhe* a vontade. A resposta sempre à mão nos mosteiros é: "Se o teu superior estiver errado naquilo que te prescrever, Deus o corrigirá." Será? Nunca vi essa famosa "sabedoria monástica" justificada na vida real.

Aos olhos de muitas pessoas, a vida em mosteiro é uma forma maravilhosa de encontrar e servir a Deus. Mas o velho modelo de obediência absoluta a este ou àquele em nome da salvação eterna está fora de moda – é, na verdade, medieval. O que se faz necessário sempre, e especialmente numa época em que pessoas no mundo inteiro estão se conscientizando de que a verdadeira natureza da matéria consiste em energia, é viver mais livremente no Eu – ou seja, em Deus. Quem tem alguma vivência no caminho espiritual pode, de fato, dar bons conselhos a noviços; pois seria ridículo, só para afirmar o próprio livre-arbítrio, ignorar a voz da experiência. Entretanto, ver-se obrigado a agir apenas para agradar a uma pessoa que talvez nem seja iluminada é transferir indevidamente o peso da responsabilidade para ombros alheios.

Temos a nossa própria responsabilidade perante Deus. Como diz Krishna no Gita, mais vale falhar no cumprimento de *nosso* dever do que obter êxito cumprindo os deveres dos outros. Qualquer que seja o dever de uma pessoa (e nem sempre é fácil determiná-lo), ela não o poderá cumprir simplesmente deixando-o aos cuidados de outra.

Muitos monges e monjas transformam-se, nos mosteiros, em pálidas imagens do que foram: infelizmente, no sentido negativo e não no positivo, de desprendimento do ego. Eremitas e outros que justificam sua inação tornando-se parasitas (enquanto eles próprios "se devotam" a... bem, ao quê? A dormir e a fofocar?) transformam-se, da mesma maneira, em sombras do antigo eu. Sadhus e swamis valentes não se encontram por aí aos montes, no papel de heróis que se erguem das cinzas da consciência egóica, purificada pelo fogo, a fim de voar, como a lendária fênix, nos céus da liberdade interior.

Convém ainda examinar uma expressão muitas vezes usada: "chefe de família". Que *é* um chefe de família? Muitos dos chamados chefes de família, para começar, não têm casa nenhuma! Não têm filhos, esposa ou marido, nem apego muito grande às suas posses. Presume-se, pela acepção do termo, que se acham envolvidos na luta aquisitiva, exultando com bens e prestígio, ávidos por mandar nos outros e nutrir seus egos com os frutos sumarentos da fama e da admiração públicas. Nenhuma dessas coisas acrescenta nada à expressão "chefe de família". Os verdadeiros santos de fato às vezes possuem a casa onde moram, mas não são decerto chefes da casa, pois no íntimo não se julgam proprietários de coisa alguma.

O verdadeiro critério está num nível superior. Não importa o que a pessoa possui ou faz, mas o que *é* interiormente. Yogananda afirmou que cumprir os deveres do mundo (enquanto existirem deveres a serem cumpridos) é o melhor caminho. Convém saber, entretanto, que isso não pode servir de desculpa para a busca de prazeres materiais e "realizações" – pois, no fim de contas, os prazeres não são de forma alguma prazeres e as realizações só trazem enormes desapontamentos!

O que quer que a pessoa faça, não deve fazê-lo para a satisfação do ego e sim para agradar a Deus. A obrigação do homem, neste mundo, depois que ele conquista uma compreensão mínima da natureza da vida, limita-se a (nas palavras de Krishna) "afastar-se do Meu oceano de sofrimento e miséria!" Tudo o mais faz o homem marcar passo para chegar a lugar nenhum. Neste mundo, o sucesso e o fracasso, o triunfo e o desapontamento, a alegria e a dor não passam de ondas que, ocasionalmente, levantam-se bem alto do fundo do oceano da ilusão cósmica e desabam, transformando-se de novo em profundos abismos. Não há nisso verdade alguma! Trata-se apenas de *maya – lila* ou encenação de Deus. Quem vive alheio ao ego pode apreciar o espetáculo por algum tempo, se o quiser, antes de remergulhar no "estado de vigilância" de Satchidananda: a bem-aventurança perfeita. Mas a alma livre pode também atuar no mundo unicamente para ajudar os outros, aqueles que ainda tropeçam pelo caminho em busca da liberdade eterna, da realidade única.

Conseguir a união com Deus em paga de serviços prestados, enquanto se preserva o controle do eu, é o que Krishna recomenda aqui em lugar da simples abstenção de agir.

A verdadeira natureza de um dever específico é mais difícil de determinar que o caráter geral da reta ação – a saber, aquela que não tem em mira resultados. Mas a reta ação pode ser definida em linhas gerais como a que propicia calma e liberdade interior. O apego contínuo ao dever lembra, com o tempo, o infindável "movimento para a frente" do tear. O caminho do dever não deve nunca ser a encosta que desce para o embotamento mental. O que exalta a consciência é sempre a reta ação.

Eis por que Krishna enfatiza a atividade em detrimento da inação. Esta conduz inevitavelmente ao embotamento – a menos que a pessoa saiba concentrar sua energia, positivamente, na meditação profunda.

(5:3) Ó Poderosamente Armado (Arjuna), só renunciou de fato ao mundo aquele que acha fácil desvencilhar-se de todos os vínculos – sem gostos, aversões ou apego à dualidade.

(5:4) É o ignorante, não o sábio, que considera os caminhos da sabedoria (Shankhya) e do Yoga coisas diferentes. Quem está firme em qualquer dos dois beneficia-se de ambos.

(5:5) O estado que se alcança por meio da sabedoria (Gyana Yoga, o caminho do discernimento conhecido como Shankhya) é o mesmo a que se chega pela ação (a ciência do yoga). Os dois caminhos levam a uma só e mesma realização.

(5:6) Mas a renúncia, ó Poderosamente Armado (Arjuna), é difícil de alcançar sem a atividade unificadora de Deus (yoga). Pela prática do yoga, o muni (cuja mente está absorvida em Deus) não tarda a unir-se por inteiro ao Absoluto.

(5:7) Nenhum sinal (dos vínculos kármicos) permanece naquele que se purificou ao agir corretamente e, empenhado na divina

comunhão (yoga), dissolveu seu ego (no infinito), triunfou sobre os sentidos e descobriu-se uma só coisa com o Eu de tudo.

(5:8) Aquele que, em união com Deus, dominou a verdade, sabe bem: "Eu (próprio) não faço coisa alguma", embora veja, escute, toque, cheire, deguste, ande, durma, respire ...

(5:9) ... fale, excrete, pegue (com as mãos), abra ou feche os olhos. Essa pessoa sabe, o tempo todo, que (tudo isso) são apenas os sentidos apreendendo objetos (sensoriais).

(5:10) Assim como a flor do lótus é imune à água, assim o yogue que age sem a nada se prender, que ofereceu seu eu ao Divino, não é afetado pela experiência dos sentidos (sutil ou grosseira).

O aspirante espiritual deve praticar o alheamento às experiências sensoriais, pois, até se firmar definitivamente no Eu, pode descobrir-se isolado dele por inadvertência, movido pelo fascínio de emoções novas. O leite, quando despejado na água, mistura-se com ela. Precisa ser agitado até transformar-se em manteiga para flutuar, não-diluído, à superfície. Concentrando-se no íntimo, o yogue por assim dizer "bate a manteiga" de sua percepção, separando o "coalho", que é o sólido entendimento, do "soro" aquoso, que é a dependência sensorial. Pode ir então aonde queira, fazer o que bem entenda, juntar-se não importa a quem e permanecer, por dentro, imune aos atrativos ilusórios de *maya*.

Essa estrofe tem um significado mais profundo, motivo pelo qual as traduções comuns de "experiência dos sentidos" como "pecado" ou, em termos mais perfeitamente lógicos, "envolvimento kármico" – que parecem, ambas, cobrir a plenitude de seu significado –, são na verdade inadequadas. Entendida literalmente (e não figuradamente, para evitar o que de outro modo pareceria uma repetição desnecessária), a expressão torna-se aqui uma maravilhosa explicação adicional do caminho espiritual.

Quando, durante a meditação profunda, a força vital é retirada da percepção externa do corpo, o yogue se dá conta de correntes energéticas fluindo através da carne, como filetes de chuva numa floresta, rumo ao caudaloso rio de energia que corre pela espinha. Depois que foram todas assim recolhidas, as correntes do corpo passam, em sucessão, para dentro e através dos três *nadis* (canais) luminosos da força vital, localizados na espinha astral: o *sushumna* (o principal), o *vajra* e finalmente o *chitra*. Atravessando o *chitra*, a energia e a consciência penetram no canal mais profundo, o *brahmanadi*, que constitui a espinha do corpo causal. Foi através do *brahmanadi* que Brahma, o aspecto criador de AUM, no papel de Criador dos seres individuais e seus três corpos, desceu para a manifestação exterior. É por esse canal final de *brahmanadi*, portanto, que a alma deverá ascender de novo para, de novo, tornar-se uma com o Espírito. Quando o yogue direciona sua energia para cima, ao longo desse último canal, está pronto para ofertar sua consciência individual, separada, ao Infinito.

Durante o processo, observa curiosos fenômenos astrais. Essa estrofe do Gita adverte para que não nos apeguemos a tais visões, do contrário elas nos afastarão do objetivo de união completa. A abertura de *brahmanadi* localiza-se no alto da cabeça. Uma vez atingido esse ponto, o yogue se mescla novamente à onipresença, pois então já terá sido removida a última barreira que o separava do Infinito.

Quem está à mercê – digamos, num bote – das ondas do oceano não pode avistar a vasta superfície desse imenso volume de água. Mas, quando se coloca acima dela – do alto de um penhasco ou no ar –, abarca todo o panorama eriçado de ondas. Nessas circunstâncias sua atenção não se concentra necessariamente numa onda ou num conjunto de ondas. Do mesmo modo o yogue pode abranger o oceano inteiro com imparcialidade – ou então recuar para suas profundezas e, já sem um ponto específico de onde olhar, mas tornado um com o Espírito, descobrir que no ato mesmo de observar ele *é* ao mesmo tempo o observador e a coisa observada. O conhecer, o conhecedor e o conhecido se tornam um só.

Vem a propósito lembrar aqui o que mencionamos mais atrás: se você for visitar um castelo, quererá percorrer sem pressa seus belos jardins a fim de apreciar os canteiros de relva, os regatos, as árvores exóticas e as flores magníficas, mas o processo poderá ser tão demorado que você talvez precise de outra encarnação para lembrar-se de que desejava visitar aquele castelo! Bem mais proveitoso é conhecer primeiro o senhor do castelo, que lhe mostrará tudo. Degustar com Ele as belezas da propriedade será bem mais agradável para você, que então compreenderá, e não apenas contemplará embasbacado, o que vir.

Potestades, visões e outros fenômenos talvez inspirem; mas se nos permitirmos desejá-los ou ficar presos a eles, seremos desviados do caminho para a Verdade Suprema.

Um discípulo do Mestre experimentava seu primeiro despertar de Kundalini e gozava a sensação de percebê-la subindo-lhe alegremente pela espinha. Encantado com o fenômeno, falou ao Mestre sobre o assunto. O Guru, para impedir qualquer satisfação insensatamente prematura da parte do discípulo, exclamou: "Ora, isso não é *nada*!"

Das passagens acima, depreendemos que "ação" e "não-ação" significam para o yogue muito mais do que possam supor as pessoas espiritualmente adormecidas. Todos os significados profundos dessas expressões foram tratados pelo Senhor Krishna nas mencionadas passagens do grande discurso que é o Bhagavad Gita.

Alguns discípulos lamentaram que fosse necessário *tanto* tempo para encontrar Deus. Mas o Guru lhes disse: "Tendes de viver de qualquer maneira! Por que não viver então no caminho certo?"

Em verdade, nenhum tempo é necessário para encontrar Deus, pois o próprio tempo é uma ilusão. Ademais, a tarefa leva menos tempo neste mundo ilusório do que as pessoas costumam reservar, no início da jornada de sua alma, para esquecê-Lo!

(5:11) A fim de purificar o ego, os yogues se limitam a trabalhar *com* o corpo, a mente, o discernimento e os órgãos dos sentidos: (eles nunca) se prendem a nada disso.

Os yogues apenas *usam* o corpo; o corpo nunca os "usa". Em outras palavras, eles jamais permitem que qualquer aspecto da percepção externa exerça a menor pressão sobre sua vontade.

Assim como o carpinteiro, ao cravar pregos numa tábua, costuma dizer: "Eu estou cravando o prego", quando de fato está apenas *usando* o martelo e sabe perfeitamente que ele próprio não é a ferramenta – assim também as pessoas usam seu corpo para trabalhar, sua mente para observar com clareza, seu intelecto para julgar e seus órgãos dos sentidos para perceber a realidade objetiva. Identificados com o corpo, pensamos: "Faço o que meu corpo faz." Identificados com a mente, pensamos: "A percepção que tenho do fato define o próprio fato." Identificados com o intelecto, pensamos: "Estou levando este problema à sua solução lógica." Enfim, identificados com os órgãos dos sentidos, pensamos: "Vejo, ouço, degusto, cheiro e toco. Por esses meios defino tudo quanto experimento no mundo que me cerca."

O yogue, ao contrário, separa a percepção que tem de si mesmo daquilo que seu corpo faz, sua mente observa, seu intelecto conclui e seus sentidos captam em todas as situações. Sabe que ele próprio não é nenhuma dessas coisas, como o carpinteiro não *é* o martelo nem os pregos que crava na tábua.

Eis a distinção aqui: para o yogue (ao contrário do homem comum), não existe idéia de atuação pessoal em nada do que faz. Ele vê o corpo, não como se fosse *seu* corpo e sim como algo que usa. Compreende que sua mente não lhe pertence de fato: também ela só lhe serve de instrumento. Percebe o intelecto como algo separado de sua verdadeira percepção interior. E sabe que seus sentidos apenas cooperam *com* ele, mas são independentes dele.

O martelo está para o carpinteiro assim como o ego está para o yogue. Este sabe que o ego não é ele próprio exceto no sentido de que, sendo o Eu infinito, deve manter em funcionamento essa porção mínima de realidade.

O corpo concretiza suas vontades como se fosse um martelo. O yogue, em sua realidade expandida, não é esse corpo. Usa-o impessoalmente, como meio de alcançar determinados fins. Observa com a mente, mas não se identifica com o pensamento "Estou observando". Ao julgar, pensa apenas: "É o intelecto que está julgando: não sou *eu* quem chega a estas conclusões." O yogue percebe por meio dos sentidos, porém não diz nunca a si mesmo "Eu percebo" e sim "Esta percepção está ocorrendo". Remove, de tudo o que vê e faz, qualquer idéia de identificação pessoal.

Os nervos são os condutos principais da força vital no corpo. Correspondem aos *nadis* mais sutis e refinados do corpo astral. Comumente, as passagens dos nervos do corpo humano estão "obliteradas" por toxinas oriundas de uma má alimentação e seu funcionamento é prejudicado por um estilo de vida artificial. Como o homem busca estímulos fora de si mesmo, em vez de aproveitar seus recursos espirituais interiores, vicia os nervos, que se cansam e acabam por não mais responder aos próprios estímulos pelos quais ele tanto anseia. A dispersão da energia logo se torna habitual, resistindo aos esforços que, ao meditar, ele faz para relaxar recolhendo-se no Eu. Por isso os yogues recomendam purificar os nervos graças a uma alimentação adequada, além de *asanas* (posturas) e técnicas de meditação do yoga, dentre as quais se destaca o Kriya Yoga.

Asanas; mudras (*asanas* com a percepção aguçada do fluxo de certas energias interiores); *pranayamas* (exercícios respiratórios que ajudam a controlar o fluxo de energia); cânticos cerimoniais (pois o emprego da voz, no ato de ofertar o eu a Deus, estimula o fluxo ascendente de energia); preces (que, afora solicitar respostas de Deus, reforçam a atenção nos pensamentos e sentimentos); uso da consciência e da energia para penetrar nos chakras espinais; concentração no Infinito; e entrega absoluta do eu com a máxima sinceridade: tudo isso contribui para purificar os sentimentos do coração e o sistema nervoso, tornando a pessoa plenamente receptiva à inspiração divina.

(5:12) O yogue que se uniu a Deus, indiferente já aos frutos da ação, alcança a paz interior inabalável. Mas a pessoa que não encaminha suas energias (para o alto), a fim de se unir a Deus, está subjugada pelo desejo. Presa aos frutos de seus atos, vive em servidão (perpétua).

O segredo da liberdade divina (vale a pena repetir sempre essa idéia) consiste em renunciar às motivações do ego. Não resta outra escolha ao homem senão agir, exterior ou interiormente, com seus pensamentos e energias sutis. Em qualquer dos casos, porém, deve neutralizar os *vrittis* ou torvelinhos que fazem voltar a ele próprio as conseqüências de seus atos, induzindo-o a concluir: "Eu o fiz; é meu!"

(5:13) Quando a alma encarnada controla os sentidos e, mentalmente, se abstém de toda atividade, permanece em beatitude (e segurança) na "cidade das nove portas" (o corpo físico): não mais age nem obriga os outros (ou seus próprios sentidos externos) a agir.

É notável até que ponto estes slokas tratam, não do "mundo" exterior, mas interior, "povoado" pelos pensamentos, atitudes e qualidades do yogue que medita. O próprio simbolismo do *Mahabharata*, enfatizado desde o início do Bhagavad Gita, diz respeito ao homem interior, a essa "população" de milhões de pensamentos e tendências.

A última estrofe parece implicar que o yogue inteiramente sincero consigo mesmo jamais imporá sua vontade a outros seres humanos.

Mas, certamente, estamos aqui diante do significado exotérico, superficial da estrofe. O modo como agimos exteriormente é, com efeito, apenas um reflexo do que somos dentro de nós mesmos. O Gita aborda, sobretudo, as causas internas. Sustenta que a atividade sáttwica, externa, *depende* das atitudes sáttwicas internas. As pessoas que procuram impor um comportamento pacífico, harmonioso, ao mundo sem primeiro modificar-se a si próprias, agarraram a extremidade errada do archote que estão brandindo!

Não obstante, também é verdade (e isso o Bhagavad Gita jamais subestima) que o comportamento *exterior* correto ajuda a mente a atentar para as atitudes *interiores* certas.

A "cidade das nove portas" é, obviamente, uma referência ao corpo com os seus dois olhos, duas narinas, dois ouvidos, dois órgãos excretores e uma boca. O yogue que renunciou à consciência do ego mora em segurança, perpetuamente tranquilo, na "cidade" de seu corpo. Nenhum inimigo irá atacá-lo, pois sua energia (como os membros da tartaruga) recuou para dentro do Eu. Ele não é mais o corpo, tornou-se semelhante a certo yogue que, "atormentado" por uma esposa resmungona, contou ao meu Guru, quando este era criança: "Minha mulher não sabe, mas escapei-lhe das garras! O 'eu' que ela pensa que sou já lá não está para ser apoquentado!"

(5:14) Não é Deus, o soberano Eu, quem *cria* na humanidade a consciência de estar agindo neste mundo. Deus nem *força* os homens a agir nem os enreda nas conseqüências (kármicas) de seus atos. É *maya*, a ilusão cósmica, que age por intermédio deles.

Essa estrofe talvez soe como um sofisma: Deus procura safar-se da culpa dizendo: "Foi *ele* quem fez!" Mas, em verdade, pode ser de grande valia para o aspirante espiritual constatar até que ponto ele é um joguete da ilusão. Deus criou a ilusão, sem dúvida; mas não é afetado por ela, pois, em Seu Espírito Supremo, está além de toda vibração. O yogue precisa sentir, no íntimo, que também é imóvel em plena serenidade. *Maya* (ilusão cósmica) age *por intermédio* dele, mas não o define.

Há outro "ângulo" nesta lição que, todavia, parece contradizer o que aí ficou dito. Conforme ensinava Yogananda, "É melhor, quando você cometer um erro – seja um pequeno engano ou um grande pecado –, murmurar para si mesmo: 'Deus o fez por meu intermédio'". E prosseguia: "Deus gosta disso! Pois assim será mais fácil para você libertar-se do sentimento de culpa que leva as pessoas a se atormentar, pensando coisas como 'Fui eu que fiz! Ah, como sou *fraco*! Que erro! Que pecado!'"

Meu Guru costumava afirmar também: "O maior dos 'pecados' é considerar-se pecador." Entretanto, se você não quiser responsabilizar Deus (o que, segundo Yogananda, de modo algum O molesta!), diga a si mesmo: "*Maya* (ilusão cósmica) perpetrou isso por meu intermédio. Nada tenho a ver com o caso. Sou, em minha essência verdadeira, impoluto e livre!"

"Mas decerto", acrescentava meu Guru, "você deverá se comportar de maneira a não repetir o erro!"

Toda vez que cometer um deslize, em vez de resmungar "Falhei! Sou uma alma perdida!", saia-se com esta: "Ainda não venci!" Assim suas palavras, longe de assumir um tom negativo, serão uma afirmação de futuro sucesso.

"A melhor época para lançar à terra as sementes do êxito", dizia Paramhansa Yogananda, "é a estação do fracasso!"

(5:15) Aquele Que Tudo Permeia não se ocupa dos pecados e virtudes das pessoas. A sabedoria (posto que estado natural de todo homem) foi eclipsada pela ilusão cósmica. Por isso a humanidade não mais consegue (distinguir entre o certo e o errado).

Dizia Yogananda muitas vezes: "Deus não se aborrece com os nossos erros. Tudo o que quer de nós é amor, e amor cada vez mais profundo!" E ainda: "A Deus, que nos ama, só uma coisa falta: que O amemos também."

Deus, nem é preciso dizer, não se sente afetado pelos erros humanos. Que é o pecado? Erro, apenas erro! E como brota da ilusão, não existe de fato. A idéia de que Ele possa se "irritar" com alguém é também um erro – e absurdo! Como poderiam os abismos do oceano ressentir-se até mesmo da mais violenta tempestade na superfície?

Imagine-se um jovem criado numa favela urbana, cooptado insensivelmente por uma quadrilha local e que, durante um tiroteio, fira de morte alguém. Depois, ele próprio é alvejado e morto. Segundo a maioria dos dogmas convencionais (falsamente denominados "ortodoxos"), ele arderá no inferno por toda a eternidade. Digamos que, passados bilhões de anos desde o dia de sua morte, algum colega dessa prisão cósmica lhe pergunte: "Que fez *você* para estar cá embaixo conosco?"

O jovem esfrega o queixo por algum tempo e replica: "Para ser franco, não me lembro!"

Tempo e espaço são ilusórios. Em Deus, nem um nem outro existem. Bilhões de anos não diferem, em essência, de um segundo. Para os seres humanos, mil anos talvez pareçam "uma eternidade". A tradição cristã promete o "milênio", como se esse prazo significasse alguma coisa! Bilhões e mais bilhões de anos não valem um piscar de olhos de Deus, na eternidade!

O yogue deve, mentalmente, viver além do tempo e do espaço. Como? Começando por transcender, em certo sentido, o espaço e conscientizando-se de *estar aqui*, não importa onde esse "aqui" se localize. Assim como o nadador mergulha e se vê num meio onde tudo parece a mesma coisa, assim ao viajante que se percebe inteiramente presente pouco se lhe dá de onde veio e para onde vai. Em certo sentido, ele está ao mesmo tempo em ambos os lugares sem estar fisicamente em nenhum. De fato, quanto mais se concentrar no próprio eu, em suas próprias profundezas, mais se sentirá em contato com coisas e pessoas que talvez se encontrem bem longe. A melhor maneira de compreendermos os semelhantes, ou mesmo projetos e problemas abstratos, é concentrarmo-nos primeiro em nós mesmos e depois, a partir desse centro, intuirmos realidades exteriores com as quais não mantemos nenhuma ligação. Com a prática, o sucesso pode vir até nós com relativa facilidade.

A próxima etapa consiste em tentar viver no momento presente. Se a pessoa conseguir isso – viver *momento a momento*, no Eterno Agora –, saberá melhor o que ocorreu no passado, o que talvez vá ocorrer no futuro e como condensar em idéias, num instante, um esforço que provavelmente lhe custaria meses ou anos.

Paramhansa Yogananda conseguia comunicar-se instantaneamente – pois o tempo, em Deus, é um só – com pessoas que viveram há milhares de anos. Qualquer um pode fazer o mesmo, embora aja num nível inferior de realização. Tente isto: recolha-se profundamente em seu próprio centro; pense em alguém que viveu há muitos anos e focalize a mente no centro *dele*. Verá que logo se estabelece uma conexão entre ambos os centros – como se suas duas ilhas, na aparência separadas pelas águas do mar, fossem estreitamente ligadas pela terra que está no fundo. Todos os que não sejam você nada mais são que seu próprio Eu profundo, manifestado diferentemente, em forma diferente e mesmo em diferentes épocas.

O senso de unidade da vida ajuda o yogue que medita a aproximar-se interiormente de Deus sem medo nem tensão: a descontrair-se por completo no amor divino. O que quer que aconteça em sua vida, você é um com o grande mar da Verdade. Ninguém, por mais que o trate mal, conseguirá arrebatar-lhe o amor a Deus ou o amor que Deus lhe devotará por toda a eternidade. Pois só Deus é o seu verdadeiro tesouro.

A pessoa que vive na ilusão pode livrar-se dela não apenas pelo tirocínio (porquanto sua mente está já hipnotizada pela realidade aparente dos erros que deseja eliminar), mas também pela entrega dessa ilusão a Deus. Deus então, movido por infinita compaixão, lhe enviará um guru iluminado cuja consciência liberta o ajudará a sair de dificuldades.

(5:16) **Mas naqueles que baniram a ignorância por meio da sabedoria o verdadeiro Eu brilha como um Sol radioso.**

(5:17) **Com os pensamentos imersos no Um, com a alma ligada a Ele, com toda a sua devoção e lealdade absorvidas Nele, com o ser purgado dos venenos da ilusão pelo antídoto da sabedoria – essa alma (liberta) alcançará o estado de não-retorno.**

(5:18) **Almas assim contemplam com os mesmos olhos um sacerdote piedoso, uma vaca, um elefante, um cão e um pária.**

(5:19) **Mesmo neste plano (terreno) da existência, os relativismos (nascimento, morte; prazer, dor) são superados por aquele que tudo vê com mente serena. Os homens capazes disso serão, verdadeiramente, entronizados no Espírito sem máculas ou distorções.**

(5:20) **Esses sábios, confundidos com o Ser Supremo e dotados de agudo discernimento, nem se alegram com as experiências agradáveis nem se deprimem com os desgostos.**

(5:21) **Nunca atraído pelo mundo dos sentidos (sutil ou grosseiro), o yogue vive na alegria sempre renovada de seu próprio ser. Unido ao Espírito, alcança a perfeição na Beatitude Absoluta.**

(5:22) **Ó Filho de Kunti (Arjuna), uma vez que vêm de fora do Eu, os prazeres sensuais têm todos princípio e fim, trazendo apenas sofrimento. Ninguém que seja dotado de um mínimo de compreensão buscaria a felicidade neles.**

(5:23) **É verdadeiramente yogue aquele que, enquanto vive na Terra e até seu derradeiro suspiro, consegue dominar todos os impulsos do desejo e da aversão. Só ele (entre os mortais) é um ser humano venturoso.**

(5:24) Apenas aquele que frui a beatitude íntima, que está firmemente concentrado no Eu interior e se banha na Luz interior (não dependendo de nada fora do Eu para alcançar a compreensão), obtém a libertação completa (ainda vivo e depois de morto).

(5:25) Removidas as suas dúvidas (e hesitações), obliterados os seus karmas e subjugados os seus sentidos, (o sábio), deleitando-se unicamente com o bem dos semelhantes, emancipa-se no Espírito.

(5:26) Aqueles que renunciaram ao mundo, que já não sentem desejo nem cólera, que controlaram a mente e se realizaram em Si Mesmos estão intimamente livres, quer vivam neste mundo ou já estejam imersos no Infinito.

(5:27, 28) O muni (aquele para quem a libertação é o único propósito da vida) controla seus sentidos, mente e intelecto, furtando-se ao contato com eles pela neutralização das correntes de prana e apana na espinha, as quais se manifestam (exteriormente) como inspiração e expiração pelas narinas. Ele fixa o olhar na fronte, no ponto entre as sobrancelhas (convertendo assim o fluxo dual da visão física num único olho espiritual onisciente). Esse homem se emancipa por completo.

O yoga, como se sabe, não é tanto uma filosofia quanto uma ciência que oferece técnicas definidas para se alçar a consciência interiormente, ao longo da espinha, e unir suas inúmeras tendências direcionais (*samskaras*) ao potencial superior no Eu.

Um aspecto fascinante desse processo é que a pessoa não precisa *buscar* a unidade com o infinito: precisa apenas atingir, em si mesmo, um nível de perfeito refinamento a fim de alcançar o grau de consciência onde a separação deixa de existir. Trata-se – como Swami Sri Yukteswar explicou em seu livro *The Holy Science* – de remover os *koshas* ou "camadas" que nos limitam e nos encerram na individualidade. Livres não apenas do ego, mas também do derradeiro "vapor" causal da consciência individualizada, nada mais nos resta alcançar. *Somos já o Um Infinito!*

Temos estado eternamente com Deus e em Deus, imersos Nele e só Nele. Apenas, vivemos enclausurados – como que por tênues véus a princípio, depois por mantos, depois por grossas cortinas e finalmente pela sólida, pesada armadura do egoísmo – e tomamos, por ponto de partida em tudo o que somos, fazemos e pensamos, este fragmento de consciência no espaço infinito: nosso eu insignificante.

Essas duas percepções muitíssimo diversas da realidade – uma pessoal, confinada e até mesquinha; a outra, impessoal, ilimitada e onipresente – não podem ser apreendidas pelo intelecto. Yogananda descrevia a realização divina como "o choque libertador da onipresença". Somente pela sintonia mental com a consciência de um guru já liberto podemos saltar o imenso abismo que separa o ego do Infinito.

Essa sintonia não deve ser com a personalidade do guru, mas com aquele nível de sua consciência que está além da personalidade e se identifica com o Infinito.

Contudo, a fim de nos prepararmos para uma expansão tão vasta, não podemos pura e simplesmente manter a lucidez e "sair a campo". Só um herói espiritual pode tentar a jornada e mesmo assim *com* a ajuda do guru, que já a empreendeu. A coragem exigida não é a do "valentão" que proclama, jactancioso: "Olhem só para mim: é claro que vou conseguir!" É uma coragem de tipo diferente, que em verdade até parece exigir no começo um certo toque de modéstia feminina, como a dizer: "Acredito que *você* vencerá." No fundo, porém, nada há de feminino ou masculino nesse grande salto de fé. O heroísmo exigido é a intrepidez contida nas palavras de um cântico de Yogananda (aqui parafraseado): "Vou mergulhar no Infinito a fim de descobrir a infinitude de meu verdadeiro Eu." A fé autêntica, convém lembrar, é muito diferente da crença cega.

O artista que traça uma linha numa obra de arte quase terminada, ciente de que essa linha irá sublimar ou arruinar inapelavelmente seu trabalho, tem de *saber* o que está fazendo. Seu conhecimento precisa ser intuitivo, não intelectual. Esse tipo de trabalho não é algo que possa ser feito por uma equipe. Quando o artista *sabe*, a única maneira de mostrar seu conhecimento é *pô-lo em prática*. Eis aí o significado de fé: uma intuição segura e uma certeza íntima, total, que raciocínio algum pode secundar ou demolir.

O que essas duas estrofes do Gita ensinam é a importância de a pessoa se preparar bem para o supremo ato de fé. E é aí que entra o yoga.

Fixar o olhar no ponto entre as sobrancelhas não é uma prática tão estranha quanto possa parecer a princípio. Sempre que somos inspirados por uma nova sugestão ou idéia, levantamos o olhar como que instintivamente. A sede da supraconsciência é a fronte. (A do subconsciente é a parte posterior da cabeça.) O lobo frontal do cérebro, localizado logo atrás do osso da testa, é o posto avançado que a evolução humana acrescentou ao cérebro propriamente dito. A testa dos animais inferiores recua em ângulo agudo – indicando a ausência do lobo frontal.

Os yogues descobriram, há séculos, que a porção do lobo frontal a ser particularmente estimulada situa-se logo atrás do ponto médio entre as sobrancelhas.

Como já vimos mais atrás, o ato físico de respirar está intimamente associado à energia que sobe e desce pela espinha ao longo dos *nadis,* ou canais nervosos, *ida* e *pingala*. Na verdade, essa energia é a *causa* do ato de respirar. O *ida* parte do lado esquerdo; o *pingala*, do direito. A respiração, no corpo astral, ocorre nesses dois *nadis*. Localiza-se na espinha e compõe-se de energia, não de inspiração e expiração pelos pulmões. A energia ascendente chama-se prana; a descendente, apana. Uma técnica yóguica (como certa feita observei meu Guru praticar) consiste em tapar alternadamente as narinas a fim de permitir que o ar passe somente pela esquerda e depois pela direita, o que estimula o prana e o apana na espinha. No entanto, estimular esse fluxo de energia respirando deliberadamente por uma narina de cada vez é apenas uma técnica indireta. Controlar as correntes com a atenção voltada para a atividade externa de tapar e destapar as narinas faz com que nos concentremos mais no aspecto respiratório do exercício que no fluxo energético na espinha.

O Kriya Yoga é a ciência que meu Guru e toda a sua linhagem recomendavam de modo muito especial. Quem a divulgou nos tempos modernos foi o grande mestre do Himalaia conhecido apenas como Babaji ("Pai Venerável"). A meu ver, Babaji foi ele próprio uma encarnação do célebre mestre indiano do passado remoto, Narayana, o qual, mais recentemente, surgiu no mundo como o próprio Senhor Krishna.

Babaji informou a seu discípulo Lahiri Mahasaya, a quem iniciara no Kriya Yoga em 1860, que Kriya é a antiga e suprema ciência do yoga, a qual ele mesmo, em encarnação anterior, oferecera ao mundo. Essa ciência pode ser considerada o maior presente de Deus à humanidade em prol da salvação da alma.

O Kriya Yoga ajuda as pessoas (conforme já vimos mais atrás) a equilibrar a inspiração e a expiração, e também a absorver a energia na espinha, onde é sentida como fria (ascendente) ou tépida (descendente).

Existe ainda outra técnica simples, cuja prática é muito útil como exercício preliminar. Com a mente livre, observe o ar fluindo naturalmente pelas narinas enquanto profere este mantra: "*Hong*", durante a inspiração (sem forçá-la) e "*Sau*", durante a expiração. Aos poucos, transfira a atenção da corrente respiratória nas narinas para o ponto, bem no alto do nariz, por onde ela penetra na cabeça. Esse ponto é, obviamente, aquele mesmo que se situa entre as sobrancelhas.

Meu Guru me aconselhou também a praticar, depois de algum tempo, a percepção do fluxo ascendente e descendente de energia pela espinha enquanto inspirava e expirava – mas sem controlar o fluxo, apenas sentindo-o como *causa* sutil da respiração física. Essa não é uma técnica do Kriya Yoga; meu Guru às vezes se referia a ela como o "pequeno Kriya".

(5:29) Encontra a paz aquele que Me conhece como o Receptor de todas as oferendas (yagyas) e austeridades, como o Senhor Infinito da criação e como o Mais Caro Amigo.

O homem, em geral, cuida fruir pessoalmente as bênçãos que lhe advêm das práticas espirituais. Mas, em verdade, trata-se da própria bem-aventurança de Deus fruindo a si mesma! Nós amamos com o amor *Dele*. Alegramo-nos com *Sua* alegria.

Aqui termina o quinto capítulo, intitulado "Liberdade por meio da renúncia interior", dos Upanishades do sagrado Bhagavad Gita, o diálogo em que Sri Krishna e Arjuna debatem sobre o yoga e a ciência da realização em Deus.

CAPÍTULO 18

O verdadeiro yoga

(6:1) O Senhor Abençoado disse: O verdadeiro asceta e o verdadeiro yogue praticam as ações que o dever lhes impõe sem cobiçar seus frutos, à diferença daqueles que, sem fazer a oferenda do Eu, agem motivados pelo ego e daqueles que (em nome do ascetismo) se abstêm da ação.

Muito do que Krishna diz aqui, ele já o disse antes. Mas, neste ponto, sua mensagem é mais abrangente. Krishna enfatiza de novo que a essência da vida espiritual é a transcendência do ego, quer a pessoa viva no mundo, num mosteiro ou numa caverna solitária. Ele já explicara que a ação, exterior ou interior, é essencial ao aspirante. Quem superou a necessidade de agir exteriormente só o fez em estado de cessação da respiração física, pois é nesse estado que se pode trabalhar dinamicamente com as energias interiores sutis. Até chegar aí, quer seja um *sannyasi* (asceta) ou alguém obrigado a viver vida comum entre pessoas comuns, sua necessidade primordial consiste em agir para, de algum modo, libertar-se do ego. O fato de a pessoa viver uma vida corriqueira e ter um emprego convencional pode dificultar a renúncia ao ego, mas não a torna menos obrigatória. Tanto o *sannyasi* (asceta) quanto o *samsari* chegarão ao mesmo resultado, com ou sem uma renúncia formal. O caminho espiritual não é questão de "marcar pontos" no jogo de agradar a Deus! A necessidade íntima de todo ser humano, quando deseja unir-se ao Infinito, é uma só.

Consideremos agora a diferença entre um yogue-asceta e um yogue-*samsari* (que se propõe a participar do jogo exterior de *maya*). Diga-se desde já que o "*samsari*" não precisa jogar obedecendo ao ego. Com efeito, é grato a Deus e muito útil ao desenvolvimento espiritual participar do jogo divino sem recorrer ao ego, em vez de procurar envolvê-lo no processo. Este mundo foi, afinal de contas, feito por Deus. Ele próprio Se rejubila em Sua obra, do contrário nunca a teria criado! Um espírito largo é parte natural do processo criador e integra, portanto, a "eterna novidade" da bem-aventurança divina. Assim, a expressão-chave para a participação no "*samsara*" é "desempenhar o seu papel" com a consciência da não-identificação com o ego.

Rezam as escrituras que Deus criou o universo para "rejubilar-Se Consigo mesmo por meio de muitos". Decerto, o Senhor *não* se rejubila por Suas criaturas sofrerem! Seu júbilo, portanto, deve provir (exteriormente) do fato de ver cada história chegar a um final feliz à medida que os homens vão atingindo, um por um, a libertação dos laços do ego na bem-aventurança infinita. Ele quer que, no fim, todos voltemos a Seu oceano de Satchidananda. Mas aqueles poucos que, em cada época, alcançam esse objetivo e ainda assim desejam continuar ajudando os mortais atribulados (de cujo número outrora fizeram parte) certamente O deleitam de um modo muito especial. A questão filosófica "Quem é o maior?" carece de sentido, pois todos somos igualmente grandes em Deus. No entanto, não resta dúvida de que Suas criaturas materializadas devem mostrar-se agradecidas pelo fato de algumas almas libertas, sentindo-se a tanto motivadas, regressarem ao mundo para auxiliá-las.

É grandemente irônico que essas poucas almas, insignes entre os homens, muitas vezes atraiam feroz perseguição durante seu serviço terreno à humanidade! No íntimo, não são afetadas pela maneira como os outros as tratam, pois estão acima do ego, mas quão deplorável é que tantos seres humanos se disponham a, dessa maneira, "morder a mão que as alimenta"! É trágico (não para elas, mas para a humanidade) que os homens recebam repetidamente mostras de amor divino e as desdenhem em prol da degradação do próprio ego! Tudo isso faz parte do "enredo" divino com suas miríades de "subenredos", "digressões" e desvios complicados do tema único e verdadeiro.

A diferença essencial entre o ator feliz por participar da peça do *samsara* e o eremita que não quer fazê-lo é mínima. Ambos os tipos de *sadhakas* ("os que buscam a verdade") se oferecem a Deus para que Ele disponha deles como Lhe aprouver.

O caminho do casamento, do emprego e da dedicação à família apresenta desvantagens óbvias que tornam a evolução espiritual um desafio no mundo exterior. Uma esposa rabugenta, um marido tirânico, filhos incontroláveis ou parentes intrometidos que se julgam no direito de manipular a vida alheia (por amor à família ou zelo pela própria reputação) – todos esses podem colocar imensos obstáculos no caminho espiritual.

Sadashiva, um grande sadhu do sul da Índia, viveu na mocidade com os pais, meditando em seu quarto e estudando com afinco as escrituras. Um dia saiu do quarto e encontrou a casa de pernas para o ar.

"Que está acontecendo?", perguntou.

"Estamos nos preparando", responderam os pais, "para receber a noiva que te destinamos."

Sadashiva, voltando ao quarto, pensou: "Se a simples *perspectiva* da chegada dessa mulher já criou tamanha confusão, o que acontecerá com minha vida diária quando ela *estiver* aqui?" Naquela mesma noite, pé ante pé, fugiu pela porta dos fundos, desapareceu da vizinhança e nunca mais voltou.

Considerando-se o perigo de envolvimento do ego para qualquer um que aceite o papel de esposa ou marido, pai, membro responsável de uma família grande ou pequena, com a necessidade decorrente de arranjar emprego ou ganhar dinheiro de qualquer outra forma, vemos que todos esses fatores certamente explicam em parte por que todos aqueles cujo coração está repleto do amor divino preferem "viver longe disso tudo" – nos bosques, numa caverna e mesmo num ashram ou mosteiro movimentado, onde pelo menos moram outras almas dedicadas.

Paramhansa Yogananda disse: "As pessoas que se casam por necessidade terão de nascer de novo, pois só assim aprenderão a viver unicamente para o amor de Deus." No entanto, muitos dos discípulos mais eminentes de meu Guru eram ou tinham sido casados. O mais importante para todos é atingir, cedo ou tarde na vida, aquele ponto em que só o amor de Deus interessa. Meu Guru me contou que uma discípula sua, mulher já de seus oitenta anos, fora atéia a vida inteira. Ao conhecê-lo, porém, converteu-se à espiritualidade. E tão intensamente passou a buscar Deus desde então que, conforme disse, "encontrou por fim a liberdade nesta vida".

A ânsia por um companheiro ou companheira tem raízes profundas na natureza humana. São necessárias inúmeras encarnações para a pessoa entender que a "companhia" buscada sempre foi o próprio Deus! O Senhor é nosso melhor Amigo, nosso único Amante fiel, nossa Mãe sempre disposta a perdoar, nosso Pai rigoroso, mas eternamente compreensivo. Deus é, nas palavras de meu Guru, "O Mais Próximo dos próximos, o Mais Amado dos amados: está mais perto de nós que nossos próprios pensamentos".

Matrimônio e família são, para algumas pessoas, a melhor maneira de satisfazer integralmente a eterna necessidade da alma: o anseio, mais profundo que a consciência, por Deus e só por Deus. Quem, no entanto, alcançou a plena compreensão de que seu único anseio é Deus já é sábio o bastante para dedicar a vida unicamente a Ele.

É problemático dar esse conselho porque muitas pessoas buscam o caminho da renúncia, não por devoção sincera a Deus, mas por querer viver uma vida livre de responsabilidades. A elas, principalmente, Krishna se dirige com as palavras "aqueles que (em nome do ascetismo) se abstêm da ação".

As pessoas que seguem o caminho da ascese acham mais fácil dirigir todas as suas energias a Deus. Mas esse mesmo caminho impõe a responsabilidade maior de ajudar os semelhantes espiritualmente: não devemos viver só para nós. Uma tentação que os sannyasis enfrentam é a de concentrar a atenção quase exclusivamente em sua busca espiritual, esquecendo as necessidades alheias. Em conseqüência dessa atitude egoísta, eles robustecem, em vez de debilitar, a tirania do ego.

Aquele que deseja viver inteiramente para Deus deve primeiro assegurar-se, no íntimo, de que com tal atitude não está apenas se eximindo de responsabilidade. A triste verdade é que poucos dos chamados "ascetas" escolhem esse caminho com pureza de intenções.

O outro lado da história é que a pessoa responde ao chamado espiritual não por já ser pura e perfeita, mas por desejar adquirir essas qualidades. Assim, qualquer que seja o caminho escolhido, deve ser um no qual você se sinta capaz de canalizar suas energias, cada vez mais, *no rumo certo*, visando à libertação em Deus.

(6:2) Aprende, ó Pandava (Arjuna): aquilo que as escrituras chamam de *sannyasa* (renúncia) é o mesmo que yoga. De fato, sem renunciar aos motivos egoístas (*sankalpa*), ninguém pode ser um (verdadeiro) yogue.

(6:3) O muni que aspira às culminâncias (espirituais) recorrendo ao meio (científico) da ação yóguica (karma) encontra a paz perfeita e sem vibrações ao atingir seu objetivo.

(6:4) Aquele que se desprendeu não apenas dos objetos dos sentidos, mas também da atividade (sensorial), libertando-se de todos os projetos motivados pelo ego, é visto (pelos sábios) como alguém que alcançou *yogaruddha*: a inabalável união da alma com o Espírito.

Paramhansa Yogananda menciona nesta altura parte daquilo que a ação do "yoga científico", ou karma, acarreta. Aqui, convém ao aspirante entender um ponto importante: o despertar espiritual consiste em muito mais que chegar a uma clara solução filosófica.

A palavra "karma", na terceira estrofe, alude à prática de *pranayamas* específicos de yoga – exercícios para obter controle da energia interior, retirá-la do corpo e concentrá-la tanto na espinha quanto nos chakras sutis, os quais – com a inclusão da medula oblonga situada na base do cérebro e do próprio cérebro (o *sahasrara* ou "lótus de mil pétalas") – são em número de sete.

O centro medular possui dois raios de energia, descritos no Apocalipse da Bíblia como "uma aguda espada de dois gumes" (Apoc., 1:16). Essas correntes gêmeas, positiva e negativa, suprem as duas mãos, os dois pés, os dois pulmões, as duas ramificações do sistema nervoso, os dois olhos, os dois ouvidos, os dois lados da língua e os dois hemisférios do cérebro. Este armazena a energia que entra no corpo pela medula oblonga. Essa energia, a seguir, penetra na espinha, atravessa-a e flui para o sistema nervoso. A corrente dupla, na medula, flui pela espinha ao longo dos chakras e vai nutrir o corpo. A energia se irradia dos chakras em várias direções: do *bishuddha* ou centro cervical, flui para fora formando dezesseis raios; do *anahata* (centro do coração ou dorsal), formando doze raios; do *manipura* (centro do umbigo ou lombar), formando dez; do *swadisthana* ou centro sacral, formando seis; e do *muladhara* ou centro do cóccix, formando quatro.

Na etapa inicial, o "trabalho" meditativo do yogue consiste em retirar a energia do corpo físico e transferi-la para os centros espinais. Nessa altura ele consegue avistar, com o olho espiritual, o corpo astral com seus chakras sutis. E avistando-o, oferece seu ego – o "elemento central" do corpo astral – à origem conceitual da individualidade separada no corpo causal ou conceitual. Por fim, reafirmando de vez a consciência anímica, oferece essa identidade separada ao Infinito, onde se dissolverá na consciência cósmica.

Ainda no nível causal a alma vê em toda manifestação cósmica um sonho de Deus. Para atingir *yogaruddha*, a união indissolúvel e cabal com o Espírito Infinito, ele precisa despertar por completo do sonho cósmico e reconhecer-se como o Eu único, independentemente de espaço, tempo, dimensão e quaisquer outras limitações – ou seja, que existe para além da própria existência manifesta.

(6:5) Que o homem se alce por seu próprio esforço e nunca se avilte. Em verdade, seu eu é seu melhor amigo – ou (se o quiser) seu pior inimigo.

É inútil censurar os outros pelos próprios infortúnios. Na verdade, não *existem* infortúnios. "As condições são sempre neutras", dizia Yogananda. "Parecem boas ou más, alegres ou tristes, oportunas ou inoportunas conforme as atitudes [e expectativas] positivas ou negativas da mente." O yogue deve aprender a aceitar com tranqüilidade o que lhe acontece. Quando, porém, o ego insiste em atribuir-se tudo aquilo que o possa afetar, "avilta-se" a si mesmo aderindo ao fluxo para baixo e para fora da energia que percorre os chakras e, dali, ganha o mundo exterior através dos sentidos.

Se alguém o tratar com indelicadeza, injustiça ou mesmo crueldade, decida-se em definitivo a não reagir emocionalmente. Nunca replique;

nunca se queixe; nunca se defenda nem agrida, instigado pela consciência do ego. Às vezes, o mal pode ser compensado pelo bem; mas ainda quando o dever o instigar a agir dessa maneira, tente – como Krishna aconselhou a Arjuna – conduzir-se sempre de modo a manter uma atitude impessoal.

(6:6) Naquele cujo eu (inferior, egoísta) foi vencido pelo Eu (superior, a alma), esse Eu é o amigo de seu eu (inferior). O verdadeiro Eu, porém, não se mostra amistoso para com o falso eu e é (de muitos modos) seu inimigo.

As pessoas, não raro, estranham a severidade com a qual os grandes sábios – sempre os amigos sinceros do Eu superior de todos – às vezes as tratam. O santo aceita as pessoas do mundo mais ou menos como são, sem se preocupar muito com suas fraquezas e defeitos. No entanto, quando elas revelam uma ponta de desejo de conhecer Deus, o santo pode, conforme o momento, tratá-las com inesperada dureza. Se, além disso, elas se colocarem sob sua orientação como discípulos, o santo às vezes parecerá (aos olhos do mundo e mesmo do discípulo despreparado!) comportar-se com a maior truculência. É que o "trabalho" dele não consiste em lisonjear-lhes os egos, mas em cauterizar-lhes para sempre as "excrescências" egóicas a fim de torná-las vasos puros, capazes de recolher as bênçãos inefáveis da beatitude e do amor divinos.

(6:7) O sábio tranqüilo, que venceu o eu (inferior, egóico), reside para sempre no Eu Supremo. Contempla com isenção todas as dualidades: frio e calor, prazer e sofrimento, elogio e censura.
(6:8) O yogue bem-aventurado que se absorve na sabedoria do Eu está para sempre unido ao Espírito. Imutável, dono de seus sentidos, vê com olhos iguais um punhado de terra, uma rocha e uma barra de ouro.

(6:9) Supremo yogue é aquele que não distingue entre patrões, amigos, inimigos, estranhos, pacificadores, agitadores, parentes, virtuosos e ímpios.

As duas últimas estrofes não afirmam que o yogue seja incapaz de reconhecer as diferenças entre um objeto material e outro ou entre um homem bom e um homem mau. Como meu Guru disse certa vez, "Ele não é *tapado*!" A diferença entre o yogue sábio e o ignorante comum é que o primeiro aceita com tranqüilidade aquilo que *é*. Para ele, todas as coisas, todas as criaturas são apenas jogos de luz e sombra projetados por Deus na tela da dualidade. Reage de maneira apropriada a uns e outros, virtuosos e ímpios, mas no fundo sabe que todos são aspectos do drama eterno de Deus.

(6:10) Livre das esperanças (engendradas pelo) desejo e imune à cobiça, com as (ondas de sentimento em seu) coração controladas (pela concentração yóguica), o yogue, retirando-se sozinho para o ermo, tenta unir seu pequenino eu ao Eu Supremo.

É importante compreender que Krishna, que tanto insistiu na superioridade da ação reta em relação à não-ação, recomenda também a Arjuna, aqui, a "não-ação" aparente do ato de meditar. Ele está dizendo, é óbvio, que a meditação equivale a um tipo de ação "reta". Um provérbio muito conhecido das escrituras indianas reza: "Quando um dever conflita com um dever superior, deixa de ser dever." Os raros yogues plenamente realizados, capazes de sentar-se em meditação profunda durante as longas horas em que não precisam atender a nenhuma função corporal – comer, dormir, fazer alguns exercícios, etc. –, estão cumprindo esse "dever superior" que torna desnecessária a prática de qualquer outra atividade. Todavia, no caso dos yogues principiantes, para quem a solidão completa pode ser prejudicial (provocando inquietude, depois indolência e finalmente inércia, em contraposição ao que Krishna chama de "não-ação"), ainda assim seria bastante útil para sua *sadhana* (prática espiritual) se pudessem despender algum tempo – uma, duas semanas ou até mais – por ano, e ao menos um dia por semana, em reclusão. Meditar horas a fio, ler livros edificantes, empreender longas caminhadas "com Deus", ocupar um pouco a mente num trabalho como o de redigir um diário espiritual: todas essas práticas equilibram as atividades do espírito com as atividades constantes do corpo.

Durante o período de isolamento, a pessoa deve manter completo silêncio e não conversar com nenhum outro ser humano. Mas transformará em prática a conversação mental com Deus ou com seu guru (se for suficientemente afortunado para ter um). O guru poderá lhe transmitir mais compreensão desse modo do que o faria de viva voz. (É normalíssimo, para os verdadeiros gurus, ser *maunis*, que quase nunca falam: seu método de ensino consiste mais na transmissão de pensamento que na prolação.)

Convém saber, finalmente, que a verdadeira solidão começa pelo recolhimento da energia na espinha, quando então os sentidos se insensibilizam e não resta na mente nem sequer um fragmento de inquietude. Quem consegue atingir esse estado não precisa de solidão exterior.

(6:11) O yogue deve ter uma cadeira sólida, limpa, nem muito alta nem muito baixa. Cobrirá o assento com uma camada de capim *kusha*, depois com uma pele de gamo ou tigre, estendendo por cima de tudo uma manta (de lã e/ou seda).

Uma almofada de capim *kusha* entretecido é uma proteção, oferecida pela Natureza ao yogue que medita, contra a umidade da terra. Não há outro motivo, nem significado místico especial, para seu uso, devido unicamente às propriedades isolantes que apresenta. Embora essa erva, abundante na Índia, só seja encontrada ali, tal fato não deve servir de pretexto (como teimam alguns fanáticos!) para não praticar o yoga em outros países!

Para começar, nem mesmo sentar-se numa superfície firme e plana em *Padmasana*, *Siddhasana* ou qualquer outra *asana* do yoga, embora útil aos jovens yogues porque lhes mantém o corpo ereto e lhes acalma os nervos, é essencial para os praticantes mais velhos. Alguns ocidentais, principalmente, acham que se sentar com as pernas cruzadas obriga-os a concentrar-se mais em seus joelhos doloridos do que na espinha e no olho espiritual! Para essas pessoas, e todas quantas em qualquer parte estejam tão acostumadas a sentar-se em cadeiras que qualquer outra posição equivaleria a uma tortura desnecessária, Paramhansa Yogananda recomenda que se sentem numa cadeira de espaldar reto e sem braços, com as costas eretas (mas sem tocar no encosto) e as mãos, de palmas para cima, pousadas nas coxas, perto do abdome. O queixo deve ficar paralelo ao chão e as omoplatas um pouquinho juntas (para manter a espinha ereta graças ao "enrugamento" das costas). O praticante erguerá o peito, evitando recolhê-lo: não deve haver nenhuma projeção para a frente. Estômago e abdome ficarão descontraídos, nunca retraídos, e com isso se dilatarão um pouco.

Essa posição da espinha e do peito é o que o Gita chama de "arco de Arjuna", o qual, como vimos, Arjuna deixou escapar. Isso significa que ele se inclinou para a frente. O arco não "escapou de suas mãos" em sentido literal, conforme o Capítulo 1 do Gita declara metaforicamente. A postura, de fato, sugere um arco, com a parte frontal do corpo lembrando a haste e a espinha, a corda.

Haverá mais informações sobre a postura meditativa nas estrofes seguintes. Nesta, Krishna recomenda cobrir a almofada de capim com pele de gamo ou tigre. A tradição exigia que esses animais houvessem tido morte natural, mas se alguém quiser uma pele dessas hoje deve contentar-se com o que estiver à mão (a pele de gamo usada por meu Guru ostentava claramente um orifício de bala). Tais coisas não são fáceis de obter e servem a um propósito que outras coberturas – mantas de lã ou lençóis de seda – podem substituir. Diz-se que as peles de gamo são ótimas para dar paz de espírito. As de tigre robustecem a força de vontade e são, em regra, recomendadas apenas para aqueles que praticam o autocontrole sexual, porquanto a energia gerada entraria em conflito com a dos não-abstinentes provocando, em conseqüência, tensão entre a energia que sobe pela espinha e as tendências inferiores.

Tudo isso, porém, é um tanto enigmático. O efeito físico dessas peles nada é em comparação com seu objetivo mais prosaico: isolar, no corpo, as energias sutis das telúricas, que fluem para baixo.

Perfeitamente adequadas a finalidades gerais e recomendáveis para a maioria das pessoas (assim disse Paramhansa Yogananda) são as propriedades isolantes da lã e/ou da seda. Se você se sentar no chão, coloque uma manta de lã por baixo. Se se sentar numa cadeira, disponha a manta de lã de maneira tal que fique sob os pés e sobre o assento e as costas do móvel. Poderá, se quiser, cobrir a manta com um lençol de seda.

É importante que a cadeira fique firme (sem balançar) e seja limpa. De preferência, só você deve se sentar nela. A solidão trará mais benefícios caso você reserve em casa um cômodo exclusivo para a prática de meditar. Não permitindo nenhuma outra atividade nesse recinto, irá aos poucos povoando-o com vibrações que o ajudarão visivelmente a obter o silêncio interior. Na verdade, conseguirá perceber essas vibrações toda vez que entrar no quarto.

Se não puder reservar um recinto para a meditação, poderá obter mais ou menos o mesmo efeito isolando com cortinas um canto de algum cômodo da casa – o seu quarto de dormir, por exemplo.

Um dos motivos de manter a cadeira convenientemente isolada do chão, ao meditar, é proteger o corpo de uma queda quando se entra de súbito em estado de meditação profunda. Segundo Yogananda, a melhor posição para essa finalidade, pois pressiona certos nervos que mantêm o corpo firme, é *Padmasana* (a posição do lótus).

Uma cadeira firme não significa uma cadeira dura! Esta não só se torna em pouco tempo desconfortável como entorpece as pernas. O que se deve levar sobretudo em conta são o conforto e a descontração.

Yogananda também mencionou certa vez, de passagem, outra razão simbólica para o conselho de Krishna acima citado. O capim da terra, a pele de animal e o tecido de seda representam os três chakras inferiores, acima dos quais a energia do yogue deve subir. O capim é o elemento terra, a vibração do chakra localizado abaixo de todos (*muladhara*). A pele animal (uma capa de sangue e carne) é o elemento água, a vibração do chakra seguinte (sacral ou *swadisthana*). O tecido de seda (que as pessoas usam às vezes para gerar eletricidade estática) é o elemento fogo, a vibração do terceiro chakra a contar de baixo (centro lombar ou *manipura* [umbigo]). Uma vez que o propósito de todos esses envoltórios, na cadeira, consiste em isolar o corpo das energias direcionadas para baixo, é de crer que eles sejam um símbolo óbvio dos três chakras inferiores.

(6:12) Imóvel na cadeira, com a mente voltada para um único ponto, sem se dispersar mentalmente nem reagir aos estímulos dos sentidos, o yogue busca a autopurificação por meio da prática yóguica (recorrendo às técnicas prescritas por seu guru).

(6:13) Mantendo a espinha, a cabeça e o pescoço firmemente eretos e imóveis, o yogue concentra o olhar, calmamente, no ponto de origem do nariz (*nasikagram*) entre as sobrancelhas, sem dali se desviar.

Esta estrofe completa as instruções do Gita sobre a postura correta de meditação, inclusive a direção do olhar. Os tradutores muitas vezes entenderam que a estrofe fala em "fixar os olhos na ponta do nariz". *Nasikagram*, palavra sânscrita, significa não apenas "frente" (confundida com "ponta"), mas também "origem". No entender de Swami Sri Yukteswar, "origem" é a acepção correta. Nada se ganharia espiritualmente olhando para a extremidade do nariz! Krishna alude claramente ao ponto de onde o nariz começa a se projetar da face e por onde o ar penetra na cabeça: a sede universalmente reconhecida do olho espiritual, o Kutastha que, conforme Krishna já indicou, localiza-se justamente entre as sobrancelhas.

Por que *mirar* esse ponto? A direção do olhar de uma pessoa revela seu estado de consciência. Isso também ajuda a *induzir* o estado de consciência pretendido. Olhar para baixo é uma atitude associada ao subconsciente e tende a induzir a subconsciência. O olhar direto à frente não apenas é associado à vigília como ajuda a pessoa a manter-se "alerta e pronta" quando se sente prestes a adormecer. E o olhar para o alto é associado à supraconsciência. É comum, quando nos sentimos inspirados por algum pensamento ou acalentamos esperanças, voltarmos quase instintivamente os olhos para cima.

Há mais coisas envolvidas na posição meditativa ideal dos olhos. Primeiro, recorde-se que santos de todas as tradições religiosas foram vistos e muitas vezes pintados pelos artistas com o olhar dirigido para o alto. A fantasia popular os imagina contemplando visões "nas nuvens", mas a verdade é que o olhar extático se eleva espontaneamente. Para os santos, essa postura não é uma prática e sim uma *conseqüência* natural de estarem em estado de supraconsciência.

Para o yogue que medita, uma boa prática é erguer os olhos – sem cruzá-los, apenas focalizando-os num ponto próximo, como um polegar levantado na extensão do braço.

É melhor (porém mais difícil, dadas as distrações visuais) meditar de olhos abertos, ligeiramente erguidos, e com as pálpebras inferiores um pouco levantadas. Assim, olhos cerrados associam-se naturalmente ao sono; bem abertos, à vigília; e levemente erguidos, com as pálpebras inferiores em posição "semi-aberta e semifechada", à supraconsciência.

Fato interessante, o branco dos olhos das pessoas do mundo, que têm a consciência pesada em virtude do fluxo descendente de sua energia, tende a parecer maior em volta da íris. Os olhos dos yogues, em geral, mostram pouco ou nada dessa área clara. Também isso é resultado do "soerguimento" das pálpebras inferiores, que acompanha uma consciência elevada.

(6:14) Sereno e intemerato, firme em seu voto de *brahmacharya* (controle sexual), a mente controlada e a atenção fixa em Mim, o yogue assentado deve meditar tendo-Me por alvo supremo (de seu esforço).

Uma pergunta brota naturalmente (aqui e em outras partes dessa escritura) no espírito dos verdadeiros aspirantes à verdade: o controle sexual absoluto é imprescindível no caminho espiritual? A ser assim (pensam muitos), quase todas as pessoas, a menos que desertem por completo a sociedade e vivam longe dela como eremitas, estão fadadas a percorrer um caminho que, afora todos os outros problemas encontrados, é não apenas difícil como impossível.

Porém, o grande mestre do Himalaia, Babaji, ao iniciar Lahiri Mahasaya (homem casado e com filhos) no Kriya Yoga, instruiu-o a ensinar essa ciência a todos (tanto pessoas que viviam e trabalhavam no mundo quanto sannyasis) que "implorassem humildemente ajuda". Em suma, quem se mostra incapaz de praticar a abstinência sexual absoluta não será barrado no caminho do yoga.

Que a abstinência total é um grande adjutório nesse caminho, está bem estabelecido na tradição do yoga e de muitas religiões. Conclui-se então que, quanto mais perfeita for a abstinência, mais fácil será evoluir espiritualmente. Enfatize-se, pois, que a condição de casado nunca deve ser tida, por aquele que busca a verdade, como licença para excessos sexuais. Devemos, todos os que nos empenhamos sinceramente no caminho espiritual, fazer um esforço de temperança. Há, por outro lado, graus de *brahmacharya*: uma vez por mês ou (exemplo fornecido pelos pais de Yogananda) uma vez por ano. A prática sexual diária, ou mesmo de maior freqüência, constitui indício claro de que a pessoa é por demais mundana e não age com seriedade em sua busca espiritual. Não podemos correr para direções opostas ao mesmo tempo. Os resultados da indulgência excessiva são o vício mental, a debilitação da saúde e o envelhecimento precoce.

(6:15) O yogue autocontrolado, que subjugou a mente, obtém a paz do nirvana supremo (o estado de extinção individual) na união com o Meu espírito.

O nirvana, ideal explícito do budismo, tem sido erroneamente identificado com o aniquilamento total da consciência. Isso jamais poderia acontecer, uma vez que a única realidade existente *é* a consciência, sendo tudo o mais no universo simples manifestação dela. Mesmo os átomos são conscientes até certo ponto; de outro modo, não existiriam. Paramhansa Yogananda chegou a declarar que todo átomo "é dotado de individualidade".

O nirvana é a extinção da individualidade, que constitui de fato o objetivo da busca espiritual verdadeira. A individualidade não passa de um aspecto de *maya*, o qual faz com que todas as ondas do oceano do Espírito pareçam reais e separadas. No entanto – para prosseguir com a metáfora –, elas são feitas de água e só parecem reais porque a superfície se agita em virtude da passagem das vibrações provocadas pelo vento e o movimento da Terra. As ondas, como tais, carecem de existência individual. Diga-se o mesmo dos pensamentos e tendências, que surgem apenas por algum tempo na mente, mas têm sua raiz no infinito e não definem o ego. Uma comparação seria um pedaço de madeira no oceano, subindo e descendo ao sabor das vagas, mas imóvel relativamente a objetos estacionários como a praia ou um navio ancorado. Esse pedaço de madeira funciona como simples imagem porque, sendo uma substância diferente da água, faz-se visível; mas, na verdade, só uma "substância" existe, a consciência.

O ego lembra mais uma gota invisível de água do mar, encerrada, como a mensagem de um náufrago, na garrafa flutuante das aparências. No presente contexto, poderíamos imaginar a garrafa feita de gelo e pousada numa placa de gelo sobre um *iceberg*. Esse invólucro (os corpos físico, astral e causal) precisa derreter-se antes que a gota, também congelada, se misture ao oceano. A imagem é forçada e sua lógica se baseia na analogia da onda; mas o ponto crucial, aqui, consiste em que a gota de água (a alma individual) não deixa de existir: uma vez liberta, dissolve-se no mar da consciência. Nada mais tendo que a contenha ou confine no espaço limitado da individualidade, ela se *torna* o próprio oceano infindável da consciência.

(6:16) Ó Arjuna, o Yoga não é para aqueles que comem em demasia ou se excedem no jejum, que dormem muito ou exageram na vigília.

(6:17) Quem se mostra contido no comer, recrear-se, trabalhar, dormir e permanecer em vigília conquista o yoga, que destrói todo o sofrimento.

Em parte alguma do Gita Krishna prescreve mais claramente a moderação que nessas duas estrofes. Ela foi ensinada também por Buda e outros grandes mestres do mundo inteiro. Se os ensinamentos de Jesus Cristo parecem exigentes demais ("Não cuideis do amanhã", "Não leveis dinheiro na bolsa"), isso se deve a que, na época, as pessoas estavam presas demais a regras e eram excessivamente intolerantes para com as opiniões alheias. Precisavam de lições duras. Mas Jesus também recomendava a compaixão, conforme mostrou no episódio da mulher adúltera, por exemplo.

Fato curioso: a abordagem religiosa mais rígida foi adotada na Índia, onde Krishna ensinou a moderação, e a mais tolerante – que beira às vezes o franco materialismo – dominou os chamados países cristãos do Ocidente. É irônico que, ao menos nesse ponto fundamental, os cristãos hajam se mostrado mais fiéis aos ensinamentos de Krishna, enquanto os hindus se apegavam às lições de Jesus!

Seja como for, a moderação tem sido também um ponto básico de todos os grandes mestres. Yogananda disse: "É melhor você não chegar a extremos na autodisciplina até obter um mínimo de realização." Se curvarmos demais um galho frágil, ele se quebrará.

Não obstante, a moderação aqui recomendada por Krishna não é a que os materialistas têm em mente. Para as pessoas mundanas, uns poucos minutos de meditação todos os dias já cheiram a fanatismo! Buda, no entanto, que recomendava o comedimento em tudo, sentou-se com determinação sob a árvore Bodhi e dali não arredou pé até resolver o mistério da vida. "Que meu corpo se dissolva; mas, enquanto eu não solucionar o problema da existência, não deixarei este lugar um instante sequer." E sob aquela árvore ficou por quarenta dias e quarenta noites, ao fim dos quais lhe sobreveio a iluminação. A pessoa comum se limitará a comentar: "Mas então *isso* é moderação?!" Sim: moderação significa fazer todo o possível para evoluir espiritualmente, sem exageros.

A menção de Krishna à recreação é interessante e proveitosa. Muitos místicos julgam que frivolidades de qualquer tipo são prejudiciais. O provérbio: "Nem só de pão vive o homem" é bastante significativo neste contexto. Em certos mosteiros que adotam uma austera rotina diária e normas rígidas de comportamento, para transformar monges e monjas em santos, o efeito que se nota é bem outro. Os internos, condenados a um dia-a-dia monótono, tendem a ficar obtusos mentalmente. Às voltas com um número excessivo de regras, tornam-se rígidos demais e perdem as últimas centelhas daquela criatividade espontânea tão essencial para a expansão do espírito.

Já se viu um bispo, um abade ou algum outro membro do alto clero tentar justificar uma pilhéria comentando, após sufocar o riso: "Bem, um pouquinho de diversão inocente não é proibido, creio eu!"? Sem o contraponto salutar da recreação a pessoa acaba ficando como a rã inchada, cheia de auto-suficiência, mas incapaz de dizer uma palavra interessante a alguém!

Na Índia, as pessoas são menos intransigentes a esse respeito, mas a tendência humana que os religiosos em todo o mundo exibem para levar-se demasiadamente a sério e nunca rir, exceto com mordacidade, é sem dúvida um fenômeno universal.

(6:18) Quando o chitta (sentimento) foi completamente serenado e centrado no Eu, o yogue, livre de vínculos e desejos, atinge o estado conhecido como união com Deus.

O envolvimento com a ilusão começa não tanto pelo ego em si como pelas reações *sentimentais* aos acasos de *maya*. Mesmo o mestre precisa conservar um pouco de consciência egóica para reconhecer que, neste mundo, alguns deveres lhe tocam, embora hajam sido determinados por Deus. Ele próprio não se identifica com o ego, antes trabalha por meio dele, mais ou menos à maneira como o arauto sopra sua trombeta. O que de fato enreda as pessoas na ilusão é o pensamento: "*Gosto* disto!", "*Não gosto* daquilo!" Até os mestres libertos precisam de consciência egóica suficiente para manter juntos os átomos de seu corpo. Na imagem das ondas, o mestre é a onda baixa, sáttwica, cuja crista ainda está muito próxima do leito do oceano.

Por isso Patanjali definiu o yoga como "*Yogas chitta vritti nirodha*" ("O yoga é a neutralização dos turbilhões [grandes ou pequenos] do sentimento").

(6:19) A chama da vela queima imperturbável, protegida dos ventos. Assim também a consciência do yogue que subjugou seus chitta (sentimentos).

O reflexo da Lua num lago é distorcido pelo encrespamento da água. São assim também os encrespamentos sentimentais, que não raro se transformam em grandes ondas agitadas. Eles comprometem a nitidez da percepção humana. A fim de acalmar a mente, para que ela reflita a verdade tal qual é, precisamos serenar as ondas da reação em nosso íntimo. Só quando a chama da concentração puder queimar imperturbável e aceitarmos com calma aquilo que *é*, em vez de o vermos e *desejarmos* diferente, chegaremos à verdade absoluta. Temos de aprender a permanecer impassíveis perante a boa fortuna ou a adversidade. Só então será possível a percepção profunda do Infinito.

Yogananda falava muitas vezes dos "telefones dos sentidos": as sensações levadas à mente por meio da visão, audição, olfato, paladar e tato. Os sentidos, dizia Yogananda, podem ser "desligados" durante a meditação, quando a respiração e os batimentos cardíacos se desaceleram, permitindo que a energia da superfície do corpo se recolha na espinha. Mas, aqui, Krishna não se refere unicamente ao estado meditativo: contempla também o yogue que, em sua atividade diária normal, mantém seus sentimentos alheios ao processo reativo que caracteriza a emoção humana.

É importante compreender o papel destacado que as emoções desempenham na esfera da ilusão. Basta considerar um exemplo já visto aqui: as reações normais de uma criança a um acontecimento inesperado. Ela dá saltos de contentamento ou baixa a cabeça e bate os pés, amuada. Suas ondas emocionais impedem-na de ver as coisas com clareza. Dizer-lhe: "À noite, tudo isso estará terminado" seria inútil! A "realidade" da criança está, inteira, em sua própria reação do momento. Para ela, as coisas nunca serão diferentes. Os instantes de emoção são como cenas captadas pelo clique de uma câmera. Embora a imagem vá permanecer enquanto durar o filme ou a impressão fotográfica, a cena em si poderá mudar por completo no instante seguinte.

A crista da onda é transitória. O náufrago, em sua jangada que sobe e desce ao sabor do mar agitado, não consegue perceber com clareza nada de estacionário na terra próxima. Assim também, às pessoas apanhadas na tormenta da ilusão, escapa toda e qualquer verdade fixa, pois elas estão irrequietas demais para pensar sobre o assunto por, pelo menos, dois segundos.

E mesmo esse fato óbvio já foi distorcido pela ilusão! Acreditam os cientistas que, para avaliar seus dados com isenção em qualquer experiência, precisam pôr definitivamente de parte os sentimentos, inimigos da objetividade "científica". Mas a verdade é que, sem *sentimentos* autênticos – ou seja, intuição –, todo achado será estéril e fútil. De igual modo, alguns praticantes de Gyana Yoga supõem que, calando o sentimento (que aqui também significa intuição), terão um panorama mais claro da verdade. Mas assim se privam da verdadeira *acuidade*, pois o sentimento intuitivo é essencial para a compreensão lúcida. O sentimento, porém, deve ser sereno, centrado e dirigido para a supraconsciência – que se localiza, conforme vimos, no lobo frontal do cérebro, logo atrás do osso da testa, entre as sobrancelhas.

O intelecto vê, analisa e explica: mas só o que o coração sente pode conferir o *entendimento*.

De fato, caberia até perguntar se, sem o sentimento, a consciência existiria.

(6:20) O estado de completa tranqüilidade interior, conseguido por meio da meditação yóguica, no qual o pequeno eu (o ego) se percebe como o Eu e a si mesmo se frui como Eu; –

(6:21) estado em que a beatitude, que transcende os sentidos e é aceita como tal pela inteligência intuitiva, jamais pode ser eliminada –,

(6:22) em suma, o estado que, uma vez alcançado, torna-se um tesouro maior que todos os outros: (só) nele o yogue se faz imune ao sofrimento, mesmo (em presença de) uma grande tragédia.

Paramhansa Yogananda disse, conforme já mencionamos aqui: "Você deve ser capaz de permanecer tranqüilo em meio ao choque dos mundos." Nas estrofes acima, Krishna descreve o estado de consciência no qual essa firmeza de ânimo se torna finalmente possível.

(6:23) Esse estado é conhecido pelo nome de yoga, a condição que nenhuma dor afeta. A prática do yoga deve, portanto, ser seguida à risca, com coração indomável.

As estrofes 20–22 descrevem a evolução do samadhi condicionado (*sabikalpa* ou *sampragyata*) ao samadhi incondicionado (*nirbikalpa* ou *asampragyata*): o estado de união definitiva com Deus, descrito na estrofe 23 como "a condição que nenhuma dor afeta". No primeiro estado, *sabikalpa samadhi*, a consciência egóica continua presente, mas adormecida. Assim, a inteligência intuitiva (que combina sentimento com discernimento) atua ainda; o pequeno eu, cheio de perplexidade e assombro, reconhece o Eu Supremo. Aos poucos, à medida que se consolida nesse estado, o pequeno eu rompe o último vínculo que o mantém preso à insignificância.

Eis, pois, a "extinção definitiva", o estado em que a consciência egóica, no yogue, é sufocada e sepultada, permanecendo daí por diante como memória latente na onisciência. Essa memória pode ser resgatada, o que às vezes sucede quando uma alma liberta volta à existência manifesta como avatar (por vontade do Criador) a fim de salvar outras almas ainda enredadas na ilusão. A consciência da liberdade interior absoluta nunca se perde.

(6:24) Renunciando *sem exceções* a todo anseio do eu; abstendo-se mentalmente de quaisquer envolvimentos sensoriais com o mundo;

(6:25) acalmando pacientemente a inteligência intuitiva e absorvendo-se no Eu, o yogue, livre de todos os outros pensamentos, vai aos poucos conquistando a paz perfeita.

Quando a pessoa se senta para meditar, milhões de distrações o assediam a fim de dissuadi-la do esforço. Se medita com os olhos semi-abertos (que é a posição ideal), pode distrair-se com as luzes e o movimento em derredor. Nesse caso, convém cerrar os olhos.

De todas as sensações, o som é a que mais facilmente invade o "campo de batalha" interior de Kurukshetra. A pessoa deverá então usar protetores de ouvido ou uma prancha em forma de "T" sobre a qual pousará os cotovelos, pressionando ligeiramente com os polegares os trágus das orelhas. É bom, seja qual for o caso, escolher um local tranqüilo para a meditação. À falta desse local, então algum outro onde haja tanta balbúrdia que nenhum ruído em especial se destaque. Ou, enfim, um lugar onde um som contínuo anule todos os outros: junto a uma cachoeira, por exemplo, ou a um rio cascateante.

Os cheiros podem ajudar bastante quando se escolhe um (a sugestão óbvia é o incenso) que não só amenize os outros como vá aos poucos se associando, na mente, a exercícios místicos e sentimentos edificantes.

Os sabores são relativamente fáceis de eliminar; mas, se algum persistir na boca, de um alimento recém-consumido, convém beber um pouco de água pura antes de sentar-se para meditar.

O tato, finalmente, nos distrairá menos caso usarmos roupas folgadas e confortáveis, quentes ou leves para a ocasião, a fim de que o corpo nem transpire nem tenha calafrios.

A paciência recomendada na última estrofe é necessária para acalmar a mente. Paramhansa Yogananda gostava de compará-la a um copo de água no qual partículas de pó houvessem sido colocadas. Não podemos obrigar a água a purificar-se, mas, se não mexermos no copo por algum tempo, a impureza irá aos poucos se depositando no fundo ou subindo à superfície sem que precisemos interferir, restando-nos apenas retirá-la.

O homem comum, a cuja consciência os pensamentos se integram por completo (sobretudo quando ele está em atividade), nunca percebe quão irrequieta é sua mente. Ao sentar-se para meditar, poderá sentir-se consternado ao descobrir até que ponto sua consciência remói uma idéia depois de outra, um projeto depois de outro, uma sensação, uma lembrança, uma intenção depois de outra. O desânimo então lhe deitará as garras. É hora de domar, com muita calma, este potro selvagem: a mente! Ela aos poucos se submeterá ao seu controle e lhe obedecerá.

(6:26) Toda vez que a mente volúvel e irrequieta desviar-se de seu curso, que o yogue a traga de volta e empreenda (a tarefa de) controlá-la.

(6:27) O yogue que serenou por completo a mente, cujas paixões (rajoguna) estão em repouso e que está isento de impurezas: esse, verdadeiramente, alcança a unidade com o Espírito e a bênção suprema.

(6:28) O yogue, isento de imperfeições, incansavelmente votado às (atividades que levam à) união divina, atinge com facilidade o estado de comunhão inefável com o Espírito.

(6:29) Unido ao Espírito Supremo pela prática do yoga, vê seu Eu em todos os seres e todos os seres em seu Eu.

(6:30) Aquele que vê a Mim em toda parte e todas as coisas em Mim, nunca Me perde de vista – nem Eu a ele.

Meu Guru citava freqüentemente a última estrofe. Seu tom de voz e sua expressão, quando a recitava, eram os de um bem-aventurado – como se nos lembrasse que Deus nunca se afasta. Só a indiferença parece mantê-Lo a distância. Se quisermos nos dar o trabalho de acalmar os pensamentos e sentimentos (acima de tudo), logo O encontraremos por perto, à nossa espera. As pessoas que O acusam por Seu demorado silêncio e Seu aparente alheamento aos sofrimentos humanos precisam apenas aplicar os princípios que já aprenderam na vida diária.

Desejam eles sucesso no mundo? Sabem muito bem – ou logo aprenderão – que o sucesso não cai do céu: é necessário conquistá-lo. Anseiam por amor humano? Esse amor não virá atrás deles em casa. Querem rubis, diamantes, ouro? Não se acham tais coisas pelo chão: é preciso escavá-las com enorme esforço ou comprá-las a preço exorbitante.

Por que as pessoas metem na cabeça que Deus é *obrigado* a responder às suas preces apressadas, enfadonhas e quase sempre levianas? Rezam *angustiadas*? Às vezes – mas a angústia passa, elas logo O esquecem e saem à cata de novos engodos. Deus observa tudo isso e suspira: "Vou esperar." Ele quer se certificar de nosso amor, pois o vem buscando há milênios, sem receber de nós, em troca, ao menos um olhar!

(6:31) Permanece para sempre concentrado em Mim, não importa como viva no mundo exterior, o yogue que Me vê no âmago de todos os seres.

Um exercício que vale a pena praticar, sempre que olhamos para outro ser humano, é dizer a nós mesmos: "Meu Eu superior também está nele. Também nele, nosso Eu único está lutando, por meio de seu ego, para encontrar a natureza que lhe é própria: a beatitude perfeita, absoluta, em todas as experiências humanas; o verdadeiro amor num amigo; o reconhecimento divino na fama terrena; o poder divino, verdadeiro, no suposto poder sobre os outros; a verdadeira riqueza interior em imóveis e numa polpuda conta bancária." A humanidade inteira sonha, basicamente, com o mesmo tipo de realização. Tente, pois, ver Deus em tudo e nunca O exclua, mentalmente, de nada do que contemplar ou vivenciar. Desse modo, ser-lhe-á mais fácil aproximar-se Dele, que está em toda parte e a quem todas as almas pertencem e são igualmente caras.

(6:32) Ó Arjuna, o melhor yogue é aquele que sente as necessidades de seus semelhantes, suas dores e alegrias, como se fossem as suas próprias.

(6:33) Arjuna exclamou: Ó Madhusudana (Krishna), em conseqüência de minha inquietude, não obtive resultados duradouros na tentativa de serenar a mente, conforme me prescreveste.

(6:34) Em verdade (continuou Arjuna), a mente é irrequieta, ruidosa, tremendamente obstinada! Ó Krishna, considero-a tão difícil de domar quanto aos ventos!

Considere-se o que, na *Autobiography of a Yogi*, Paramhansa Yogananda (então discípulo no ashram de seu guru), disse a respeito de seus esforços meditativos: "(Meus pensamentos rebeldes) dispersaram-se como pássaros à chegada do caçador." Isso se deu quando da primeira experiência de conscientização cósmica que seu guru lhe proporcionou.

Nada mais comum que lamentarmos a lentidão e a dificuldade de nossos esforços espirituais. A coragem heróica é necessária para vencer essa que é a mais desafiadora, porém mais importante das lutas. Muitos devotos, depois de um pequeno esforço, saem de cena e voltam à vida que levavam antes. Encarnação após encarnação, eles tentam, falham e insistem. Às vezes, retomam a luta com renovada força de vontade; outras, com desânimo e desapontamento. Eis uma queixa corriqueira: "Mas... é tão difícil!" Sim, é mesmo! Poderá a "pérola de preço inestimável" ser encontrada sem grande empenho? Entretanto, não há, pura e simplesmente, *nenhuma* alternativa! Quem lançar mão do arado terá de concluir a tarefa, como salientou Jesus Cristo em Lucas, 9:62: "... sem olhar para trás, do contrário não estará apto para o reino de Deus." Saibamos sempre que, se nos esforçamos para vencer, estaremos já entre os "eleitos" da humanidade. Poucos – *muito* poucos, na verdade – conquistaram o bom karma de entender que encontrar Deus é o *único* objetivo da vida.

A ciência do yoga não tem preço, tão importante é para aquele que empreende a busca espiritual. Ela oferece técnicas que auxiliam a mente a obter a serenidade.

A segunda estrofe acima esclarece com precisão o problema de Arjuna. Ele diz achar a mente "tão difícil de domar quanto aos ventos". Os ventos são, de fato, a chave para a solução do problema, porquanto muitas vezes a resposta está implícita no modo como a pergunta é elaborada!

E a resposta, aqui, é a respiração. "Não respirar é não morrer", costumam dizer os yogues. Já vimos empregada, numa estrofe anterior (6:19), a imagem do vento: "A chama da vela queima imperturbável, protegida dos ventos." Assim como o vento agita a chama de uma vela, assim a respiração agita a mente. E vice-versa: quando a mente, mas sobretudo os sentimentos, se agitam, a respiração se alvoroça. Qualquer choque violento faz com que o coração pulse mais depressa e a respiração se acelere com a excitação.

A ciência do yoga procura reverter esse efeito automático. As pessoas captam naturalmente essa verdade, pelo menos até certo ponto. Quando alguém sofre um choque, quase sempre lhe recomendamos: "Fique sentado; respire lenta e profundamente por alguns momentos. Acalme-se! Agora me diga o que aconteceu." Sempre que queremos ajudar alguém, aconselhamo-lo a respirar pausadamente. As pessoas sabem mais sobre a ciência do yoga do que pensam!

Nós, automaticamente, olhamos para cima quando nos sentimos inspirados. Ao receber boas notícias, sentamo-nos com as costas retas. E pousamos inconscientemente a mão sobre o coração quando nossos sentimentos são afetados de súbito. Cerramos o cenho quando queremos nos concentrar profundamente. E procuramos respirar mais devagar não apenas quando estamos agitados, mas sempre que desejamos analisar a fundo alguma coisa.

A respiração é a chave mística que o yoga prescreve para o controle da mente.

(6:35) Ó Poderosamente Armado (Arjuna), a mente é por certo inquieta e rebelde, mas pode ser controlada pela prática do yoga e pelo exercício do desprendimento mental.

(6:36) Eis Minha promessa: o yoga, embora a mente insubmissa ache difícil alcançá-lo, pode ser aprendido graças aos métodos adequados caso a pessoa deseje (sinceramente) obter o autocontrole.

A prática do yoga (*yoga abhyasa*) implica um trabalho interno e externo, com esforços *repetidos* para volver à serenidade íntima. O desprendimento (*vairagya*) significa isolar a mente (de novo, graças a esforços repetidos) de todas as formas de prazer sensorial, delicados ou grosseiros. Portanto, evite qualquer estímulo que lhe recorde realizações mundanas, especialmente se você perceber o perigo de distrair-se da bem-aventurança da alma.

(6:37) Arjuna disse: Ó Krishna, que acontece àquele que não logra sucesso na prática do yoga e, tentando meditar com a maior dedicação, não consegue controlar a mente?

(6:38) Não ficará como a nuvem esgarçada e dispersa, incapaz de encontrar Brahman e igualmente impossibilitado de voltar ao mundo da ilusão que rejeitou?

(6:39) Ó Krishna, livra-me para sempre dessas dúvidas, peço-te! Quem, exceto Tu, poderá curar-me da incerteza?

O devoto, subjugado pelo desânimo, recorre a Deus como ao Médico Cósmico que irá sanar suas dúvidas. Pois nem todo aspirante a yogue atinge o objetivo divino em uma única existência. Há duas maneiras de fracassar na prática do yoga. Uma, infelizmente, é bastante comum: retornar ao mundo, esperando inutilmente encontrar a realização antes negada. Muitos são os aspirantes que se vêem nessa conjuntura. Vagam durante existências incontáveis, até que o desejo de encontrar Deus desperte de novo em seu coração. É que, embora esse desejo pareça ocasionalmente sumir-se, uma vez despertado no coração jamais pode morrer.

Outro tipo de fracasso ocorre, por assim dizer, no campo de batalha. A pessoa, de início, pratica o yoga zelosamente. Mas, depois de certo tempo, deixa de esforçar-se porque seu desprendimento não era completo, o que o leva a desanimar e a perder de vista a bem-aventurança da alma. Quando a morte vem, sua mente, influenciada pelo antigo karma terreno, volta os olhos com renovado interesse para os prazeres do mundo, que outrora fruiu. Assim, desviado do anseio que o encaminhava unicamente para Deus, não consegue unir-se a Ele. As dúvidas o assaltam: quererá *mesmo* essa união? Não ficará mais satisfeito se conseguir algo menos difícil como uma vida harmoniosa num paraíso astral? Terá sido realmente talhado para atingir as alturas? Haverá para ele alguma esperança de subir mais?

Nesse estado mental, o aspirante a yogue andaria melhor se não esmiuçasse tanto as coisas. Deveria, de preferência, contentar-se com amar a Deus e deixar a decisão relativa a seu destino nas mãos da divindade. *Nishkam karma* – ação sem olhos para resultados – será seu lema ao longo de toda a caminhada rumo às portas da morte e além delas.

O terceiro tipo de fracasso consiste simplesmente em não ter, até agora, alcançado a perfeição. Pessoas assim podem permanecer durante muito tempo cercadas das belezas de um paraíso astral – e, quando voltam ao mundo, trazer subconscientemente a lembrança persistente de que este não é o seu verdadeiro lar. Ou então apressar-se a regressar à Terra, ávidas por prosseguir em sua busca de Deus. Na nova vida, reiniciarão a luta espiritual em tenra idade e não desanimarão até alcançar o objetivo divino.

Em certos casos, talvez não consigam descobrir Deus, mas ao menos se livrarão do karma terreno e continuarão sua busca de perfeição no plano astral.

Meu Guru recorria sempre ao exemplo da semente de uma árvore lançada ao solo. Ela exige tempo para germinar. E mais tempo ainda para que seu broto aponte da terra e seu caule, esguio a princípio, vá engrossando e crescendo. A semente tem de ser regada e protegida das formas de vida inferiores que a possam ameaçar. Já um pouco crescida, necessitará de um cercado para que os animais de porte não a destruam. Mas, uma vez transformada em árvore, mesmo um cervo poderá acossá-la com os chifres sem abalar-lhe o tronco. Entretanto, esse longo processo exige paciência. Não fique a escavar em volta do broto de sua fé para ver se ele está crescendo. Faça tudo o que puder no presente e deixe os resultados nas mãos de Deus. Quer O encontre nesta vida ou tenha de esperar por outra ou muitas outras, que isso não lhe cause preocupações no momento. Pense nas inúmeras encarnações que desperdiçou caminhando em sentido contrário. Leva tempo sair do casulo que fomos tecendo ao longo de vidas incontáveis e mergulhar na vastidão da eternidade. Contente-se com fazer o melhor agora e deixe o resto para Deus.

O caminho para a Divindade não é como vagar tropegamente pelo deserto na esperança de encontrar um oásis. A cada passo, nessa vereda, deparamos com um panorama mais belo: verdejante, florido, infinitamente variado. Quanto mais longamente meditamos com sinceridade, mais nossos sentidos se apuram. As cores se tornam mais vívidas; os sons, mais envolventes; os perfumes, mais inebriantes. A vida como um todo vai nos parecendo cada vez mais maravilhosa. Quando conseguimos superar os sentidos físicos, os sentidos astrais, superiormente aguçados, nos brindam com maiores deleites. Poderemos ir além até mesmo das experiências astrais; mas é encorajador saber que esses cenários e sons interiores se tornaram mais bonitos, os aromas mais agradáveis e os sabores mais picantes. Yogananda escreveu certa vez que Deus pode se apresentar ao devoto sob a forma de miríades de deliciosas sensações gustativas enfeixadas numa só. Quanto ao sentido do tato, os desejos sexuais fazem a pessoa buscar o prazer de tocar e ser tocada na pele, mas esse toque é um frágil substituto para a sensação palpitante de acariciar as coisas a partir de dentro, por meio da consciência expandida.

Vivamos a plenitude do momento, usufruindo das práticas yóguicas, concentrando-nos no instante atual e não no futuro, amando a Deus aqui e agora, oferecendo-nos ao Senhor e não cuidando de recompensas. E lembremo-nos sempre de que não existe um *nós* a ser recompensado!

A principal razão que leva as pessoas a desanimar é sua expectativa de resultados específicos. Aprenda a não contar com nada. Já não é alegria bastante estar *à procura* de Deus e não incessantemente à cata de miragens que, como todos sabem, se evaporarão tão logo você se aproximar delas?

Deus é a *única* resposta à busca humana de felicidade. De que mais você precisa, que mais o satisfará antes de reencetar a jornada para Ele?

(6:40) O Senhor Abençoado respondeu: Ó Arjuna, Meu filho! Aquele que age bem nunca pode ser destruído! Neste ou em outro mundo, seu destino jamais será adverso.

Conforme vimos acima (em 6:34), todos sabem que é preciso trabalhar para alcançar êxito no mundo. O que parece desalentador no caminho espiritual é que Deus se encontra na verdade bem perto, mas deparar com Ele não é fácil! A riqueza material está fora de nós e tem de ser adquirida. Deus é, nas palavras de meu Guru, "o mais próximo dos próximos". Por que, então, parece tão distante?

Há uma história, que Yogananda gostava de contar, sobre o almiscareiro do Himalaia. Em determinada estação do ano esse animal secreta, por uma bolsa em seu umbigo, a deliciosa fragrância do almíscar. Ele corre freneticamente em derredor, desesperado para encontrar a fonte do maravilhoso perfume. Às vezes, no auge do açodamento, despenca das altas penedias para encontrar a morte lá embaixo, nos vales. Os caçadores então se aproximam, cortam a bolsa e vão vendê-la a preço exorbitante no mercado. "Ó almiscareiro", cantou um poeta, "por que não percebeste que o aroma tão ansiosamente buscado esteve sempre contigo – em teu próprio eu?"

Essa, a maior dificuldade da busca do yogue: sua energia já se habituou a fluir para fora, através dos sentidos. Meu Guru explicou que toda tentativa de calar a fome pessoal alimentando os outros resultará na morte por inanição do próprio eu. Buscar realização na satisfação dos sentidos é dar comida a estranhos. Como meu Guru também costumava dizer, "Você tem de viver de qualquer maneira. Por que não viver corretamente?" O yogue fracassado, a despeito do profundo e inevitável desapontamento consigo mesmo, ainda é mais admirável como ser humano do que o materialista bem-sucedido.

"Enquanto você persistir no esforço", concluía Yogananda, "Deus não o desamparará. Mas se lamentar 'Falhei!', terá falhado mesmo – pelo menos nesta vida –, embora seu anseio subconsciente por Deus o vá reconduzir ao caminho espiritual quantas vezes for necessário para você finalmente O encontrar. Mas por que esperar? Se escorregar ou mesmo cair, diga a si mesmo: 'Sei bem o que quero e continuarei tentando até consegui-lo!'"

Lembre-se do ditado popular: "Quem espera sempre alcança." Deus é o seu próprio Pai/Mãe, como diz Krishna ao chamar Arjuna de filho na estrofe acima.

(6:41) O yogue malogrado (mas sincero) entra (após a morte) no mundo dos virtuosos. Ele (poderá) ficar ali por muitos anos. Depois, renascerá na Terra num lar próspero e feliz.

A idéia de que o nascimento de uma pessoa depende unicamente de fatores biológicos é em grande parte um mito. Seus genes têm, sem dúvida, algo a ver com a forma do corpo físico, mas mesmo essa forma e outras características são determinadas também pelo karma pessoal. Eles às vezes são igualmente influenciados, em certa medida, pelo karma coletivo, que pode ditar fatores como a cor da pele, os traços raciais e mesmo o sexo do corpo. As qualidades mentais e espirituais de uma pessoa superior, no entanto, aproximam-na de famílias dispostas a ajudá-la a prosseguir em sua busca espiritual. Também a prosperidade lhe é dada para que possa satisfazer quaisquer desejos materiais razoáveis.

O yogue malogrado aqui descrito é aquele que, embora longe ainda da meta, afrouxou ou mesmo abandonou temporariamente seus esforços espirituais. Por outro lado, yogues que foram malsucedidos, mas querem continuar lutando, podem voltar à Terra em tempo relativamente curto. A evolução espiritual, a menos que estivessem numa fase bem adiantada de desenvolvimento, não lhes seria possível nas esferas astrais – onde a vida, para os virtuosos, é tão bela e harmoniosa que um visitante deste plano terreno de existência, ainda com algum karma material a saldar, se sentiria ali pouquíssimo estimulado a prosseguir na busca espiritual. A esfera para a qual ele é atraído será habitada somente por aqueles cujos gostos e interesses sejam similares aos seus ou por familiares queridos, apresentando condições capazes de realizar algum desejo pessoal intenso. Desejos terrenos mais sutis – como por boa música, cenários "paradisíacos", comunidade harmoniosa de amigos ou outras situações idílicas – podem ser satisfeitos mais prontamente no mundo astral que na Terra.

Assim, os yogues que conseguem permanecer por longo tempo no mundo astral – às vezes, centenas de anos – lá ficam em conseqüência de suas práticas espirituais na Terra, ainda que eventualmente se tenham afastado delas. Aqueles que, mesmo por raros momentos, meditam nesta vida – sendo seu enfoque primário o aprimoramento da intuição – vêem-se atraídos às regiões astrais e ali descobrem um poder ainda maior de fruição.

Já os yogues que, após a morte, abandonam o corpo físico ainda interessados profundamente em Deus, conservando embora alguns desejos materiais (talvez subconscientes), muitas vezes repelem os atrativos dos gozos astrais por considerá-los um desvio de sua jornada para o alto. Essas almas, cientes de que podem continuar progredindo num corpo físico, às vezes preferem renascer sem demora na Terra. (O prazo de sua estada no mundo astral dependerá de fatores como o grau de intensidade com que desejam prosseguir na jornada espiritual e sua compatibilidade com as condições kármicas deste planeta ou de outro, na ocasião.)

Existem incontáveis planetas habitados no universo material. As pessoas não estão de modo algum limitadas a reencarnar na Terra. Apesar de a humanidade avançar sempre para yugas (ou eras) superiores, as almas que aqui reencarnaram em tempos sombrios costumam sentir-se atraídas por civilizações menos iluminadas de outros planetas, onde o nível de progresso seja mais compatível com seu estado atual de aperfeiçoamento.

O universo, que a moderna astronomia considera quase destituído de condições para a vida inteligente, está na verdade fervilhante dela. Até as estrelas, assegura-nos Paramhansa Yogananda, são povoadas de seres inteligentes com corpos altamente refinados, sendo pura luz o "alimento" que consomem e o "ar" que respiram. Relatos de "OVNIS" em visita a este mundo são, em muitos casos, verdadeiros. Essas visitas nos chegam de diversos planetas, algumas amistosas, outras por mero interesse pessoal. Em última análise, o universo inteiro é uma vasta rede de consciências interconectadas. A ciência moderna declara impossível, para habitantes de planetas situados a muitos anos-luz da Terra, empreender semelhante viagem. A resposta de Yogananda a essa declaração é que a ciência está ainda na infância. É perfeitamente possível, afirma ele, percorrer distâncias inconcebíveis por outros meios que não os previstos até hoje pela ciência materialista.

Os yogues que, após deixar este mundo, estão "fartos" dele, mas têm ainda um karma terreno a cumprir, podem permanecer por muito tempo no mundo astral, mas inevitavelmente serão chamados de volta por esse karma e obrigados a se haver de novo com ele.

(6:42) Por outro lado, voltando à Terra, pode reencarnar numa família de yogues iluminados. Mas tais nascimentos são muito raros.

(6:43) (Em sua nova família) recupera o discernimento yóguico que outrora teve e põe-se com zelo ainda maior a buscar a libertação espiritual (final).

Krishna descreve aqui o que acontece ao terceiro tipo de yogue "fracassado" – fracassado apenas no sentido de que, por ocasião da morte, ainda não expiou seus desejos conscientes e inconscientes motivados pelo ego.

O renascimento num lar de yogues evoluídos é difícil de acontecer porque poucos deles se casam e os que o fazem preferem não ter filhos. Meu Guru contou, a esse propósito, a história de Byasa (autor do Bhagavad Gita) e Sukdeva. Byasa era uma alma iluminada. Quando sua esposa concebeu Sukdeva, ele instruiu o menino, por meio do subconsciente da mãe, quando ainda estava no ventre materno. A criança, ao nascer, recebeu o nome de Sukdeva.

Sukdeva, com a idade de 7 anos, saiu de casa a fim de encontrar um guru. O pai, muito bem-aquinhoado para desempenhar esse papel, foi atrás do garoto a fim de convencê-lo a permanecer com a família e ali encetar suas práticas espirituais. Mas Sukdeva limitou-se a lançar-lhe um olhar de desdém.

"Fique longe de mim!", exclamou. "Você tem *maya*!" (como a dizer que Byasa sofria de uma doença infecciosa!). O que Sukdeva desaprovava era o pensamento, enraizado na mente do pai, de que ele era seu filho.

Byasa encaminhou-o então a outro grande guru, que lhe poderia proporcionar a iluminação. Mas não cabe aqui discutir o que sucedeu depois.

As conquistas espirituais de vidas anteriores ficam entranhadas no cérebro astral. Quais sementes, brotam quando as condições são favoráveis. E qualquer coisa pode criar essas condições. Sri Ramakrishna, o grande mestre que viveu em Bengala, na Índia, durante o século XIX, teve seu primeiro despertar espiritual em criança, ao contemplar um bando de grous voando graciosamente pelo céu cinzento.

(6:44) A força da prática anterior do yoga é suficiente para impelir o yogue renascido em seu caminho ascendente. Mesmo aquele que busca apenas uma compreensão teórica do yoga está mais avançado que aquele que se dedica aos ritos védicos (recomendados pelas escrituras).

Paramhansa Yogananda esclarece que as últimas palavras da estrofe podem ser traduzidas também com este sentido: "... que aquele que se dedica unicamente a recitar a palavra védica de Brahman: o sagrado AUM."

As pessoas espiritualmente lúcidas sabem que o objetivo principal dos ritos, e mesmo da recitação de AUM, é simbólico. Essa prática pode exercer certo fascínio que atrai resultados benéficos. Mas não liberta do karma por ser, ela própria, um ato kármico que envolve o praticante numa série de reações subseqüentes, e nenhuma das quais arrancará o ego à tirania da individualidade.

Infinitamente mais importante do que cantar AUM é *escutar* AUM pelo ouvido certo, durante a meditação. Comprimindo os trágus das orelhas com os polegares (os cotovelos pousados levemente numa peça de madeira em forma de "T"), canta-se AUM mentalmente, a partir do ponto entre as sobrancelhas, enquanto a mente atenta para os sons originados no ouvido direito, conforme já explicamos. Convém concentrar-se num único som de cada vez. O simples ato de nos concentrarmos nesse som nos sintonizará com níveis sonoros mais sutis, até ouvirmos a Vibração Cósmica. Essa técnica de yoga deve ser aprendida de viva voz, em suas diversas ramificações, de um autêntico mestre. É parte importante do caminho ensinado por Paramhansa Yogananda.

(6:45) Seguindo diligentemente o caminho (que escolheu) e, assim, livrando-se de todos os pecados (débitos kármicos), o yogue atinge a perfeição após muitos nascimentos e entra, por fim, na Beatitude Suprema.

Lahiri Mahasaya, que primeiro ensinou o Kriya Yoga ao mundo ocidental nos tempos modernos, explicava essa passagem também em sentido esotérico. Quando o homem expira e não pode mais inspirar, morre. Mais tarde, renascido num novo corpo, inspira para emitir seu primeiro vagido e assim retoma a existência neste mundo. De igual modo, quando o yogue pára de respirar durante a meditação, o ar forçosamente é empurrado para fora de seu corpo. Temos aí uma espécie de "morte parcial", reminiscência de uma declaração de São Paulo na Bíblia: "Morro todos os dias." Nesse sentido, quando o yogue recupera a consciência exterior e volta a respirar, seu primeiro ato é inspirar de novo. Assim, durante a meditação no corpo atual, ele passa literalmente pelo processo de morte e ressurreição.

O yogue pode dessa maneira, mesmo no espaço de uma vida, acelerar o processo de evolução conforme a promessa de Krishna – processo que normalmente exige "muitos nascimentos" – e rematar a obra há muito encetada mesmo no corpo atual.

Há uma prática mais superficial, porém bastante útil, que devemos associar ao processo respiratório. O momento de consolidar ou provocar um novo estado de consciência é depois de uma inspiração profunda.

E o momento de expelir do corpo um pensamento ou hábito indesejado é durante a expiração deliberada – o que faz com que, por assim dizer, esse pensamento se apague no corpo. "Os hábitos", dizia Yogananda, "podem ser mudados no prazo de um dia. Eles são simplesmente o resultado da energia concentrada. Direcione essa energia de uma forma nova e o hábito que você quer eliminar desaparecerá num instante." A respiração é o melhor veículo, se acompanhado de intensa determinação mental, para introduzir em nossa natureza os pensamentos e qualidades que queremos absorver e para excluir aqueles de que desejamos nos livrar. Também nesse caso, cada expiração será uma pequena morte (pelo menos, da qualidade eliminada) e cada inspiração, um pequeno renascimento da nova qualidade que queremos cultivar.

(6:46) O yogue é superior aos ascetas que (buscam a perfeição espiritual por meio da) disciplina do corpo e superior até àqueles que palmilham a senda da sabedoria (Gyana Yoga) ou da ação (Karma Yoga). Arjuna, sê um yogue!

O alvo da disciplina física é duplo: manter o corpo sob o controle da vontade e redirecionar a energia que dele emana para alcançar um objetivo mais elevado. Nos mosteiros cristãos, a autoflagelação (chicotear as próprias costas até sangrarem) era outrora uma prática corriqueira (não mais permitida). A idéia era "punir" o corpo por seus desejos carnais e assim impedi-lo de dominar a mente – como se a mente fosse governada pelo corpo e não o contrário!

Yogananda, contestando a idéia de que o corpo *provoca* o nervosismo, disse: "Segure um pedaço de papel na mão. Ele balançará por conta própria? Nunca! Para que balance, você mesmo terá de balançá-lo!" A mente é *influenciada* pela percepção física, mas sua resposta provém sempre da percepção em si. Os desejos carnais não brotam do corpo, ainda que obviamente sejam influenciados por ele. A tentação é de origem mental. Nada de inerte influenciará a mente sem sua concordância, consciente ou inconsciente. Portanto, a Igreja Católica Romana acertou ao legislar contra a autoflagelação, que é uma prática espiritual indireta e, no fundo, malsã.

Na Índia, desenvolveu-se há muito tempo uma prática (Buda a conheceu em sua busca espiritual) destinada a disciplinar o corpo com outra finalidade: obrigar a energia, bloqueando-lhe o fluxo para fora, a voltar-se para dentro. Mencionamos essa prática ao comentar a estrofe 7 do Capítulo 3 do Gita. Alguns ascetas, por exemplo, mantêm o braço estirado até que os músculos se atrofiem e o membro fique em pele e osso. É fácil, para as pessoas "modernas", ridicularizar semelhante atitude: ela *parece* mesmo exagerada, cheirando a fanatismo. Mas é o caso de perguntar: tais práticas atravessariam milênios se não trouxessem *algum* benefício?

Um soldado americano, após a Segunda Guerra Mundial, encontrava-se na Índia e viu um sadhu sentado com o braço mirrado erguido acima da cabeça.

"Ei, camarada!", zombou o forasteiro. "Está pedindo a Deus que faça chover frutas em sua mão?"

"Por que não tenta fazer o mesmo?", foi o sorridente comentário.

O americano, por troça, levantou ambos os braços. E, para seu espanto, descobriu que não conseguia mais baixá-los.

"Por favor, bom homem", gemeu ele, "deixe-me baixar meus braços!"

"Por que não termina o que começou?", sugeriu o outro.

"Como assim?"

"Peça a Deus que faça chover frutas em sua mão", disse o sadhu.

O americano, sentindo-se ridículo, gritou:

"Pai Celestial, por favor, mande-me algumas frutas!"

Imediatamente, um punhado de frutas materializou-se em suas mãos. Mais tarde, já com os braços livres, comentou com seus colegas: "Elas estavam deliciosas!"

A autodisciplina física "dá frutos" de certo tipo. Mesmo a autoflagelação deve ter tido lá seus efeitos positivos, do contrário não seria praticada por tantos séculos. O que Krishna diz nessa estrofe, porém, é que disciplinar o corpo não passa de um meio *indireto* e incompleto de libertar a mente da consciência corporal.

O mesmo se diga das outras disciplinas mencionadas aqui: Gyana Yoga e Karma Yoga. (O Karma Yoga ou Karma Yoga interior, convém esclarecer, é também usado por Krishna em referência ao yoga da ação interior – Kriya Yoga.)

A meditação profunda requer que nos elevemos acima da consciência corporal transferindo a energia dos sentidos para a espinha. As práticas físicas, exteriores, podem ser descritas como uma tentativa para obrigar violentamente o corpo a liberar a energia. O Gyana Yoga procura – indiretamente e, para algumas pessoas, sem resultado – separar o corpo da mente por meio da disciplina: o exercício do calmo desprendimento. Também essa prática é útil e pode ser eficaz até certo ponto. Mas é indireta na medida em que não atua sobre a energia em si, para forçá-la a se retrair do corpo.

Usamos, no comentário à estrofe 58 do Capítulo 2 do Gita, o exemplo da visita ao dentista. Podemos *esquecer* a dor no dente enquanto o dentista trabalha nele. Uma das maneiras de fazer isso é pensar em outra coisa – por exemplo, na solução de um problema que vimos enfrentando ultimamente. Outra, desviar a mente observando com calma a respiração (segundo a técnica mencionada mais atrás). E outra ainda, dizer a nós mesmos: "Já vivi x anos, com muitas horas e dias felizes. Que podem ser, em comparação, estes poucos instantes de dor?" Ampliando assim nossa base de vivência no tempo, aquela dor passageira parecerá insignificante e, com um pouco de força de vontade, fácil de suportar.

O Karma Yoga é também uma forma indireta de recolher energia. Graças ao *nishkam karma* – renúncia aos frutos da ação –, retiramos energia da ânsia por coisas materiais e concentramos nossa consciência no Eu. Se adotarmos a mesma atitude de entrega dos frutos da meditação a Deus, ficaremos menos ansiosos e alcançaremos certo grau de paz interior.

Nenhum desses métodos, porém, nem quaisquer outros dos muitos prescritos pelas religiões do mundo inteiro para elevar o espírito, são tão eficazes quanto trabalhar diretamente a energia. Uma vez que a pessoa haja compreendido a verdadeira finalidade de cantar para Deus; dançar em Deus; ofertar oblações (de *ghee*, arroz, etc.) a Deus; percutir tambores durante o culto (reminiscência do som emitido pelo chakra inferior, *muladhara*); tocar flauta em cerimônias religiosas (recordação do som produzido durante a meditação pelo próximo centro ascendente, o *swadisthana chakra*); tanger as cordas da lira em lembrança da música das harpas celestiais (evocação do som produzido pelo chakra lombar ou *manipura*); badalar sinos (simulação do som do centro do coração, *anahata chakra*) – em suma, uma vez que a pessoa haja compreendido as razões ocultas pelas quais esses sons realmente inspiram e sublimam a mente, a conclusão inevitável é que ela de fato se sublima graças ao movimento ascendente da energia na espinha e que esse efeito pode ser produzido com eficácia ainda maior quando a pessoa se concentra diretamente na energia em si.

Repetimos: não estamos aqui a dizer que as práticas exteriores são "mera superstição". O dr. Lewis, primeiro discípulo de Yogananda em Kriya Yoga nos Estados Unidos, era um "cavalheiro civilizado" que se encolhia quando nosso Guru tocava um tambor indiano por ocasião dos cânticos em grupo. "Aprenda a gostar disto!", recomendou-lhe Yogananda. "Ajuda a liberar o karma na espinha." (Poderia ter dito "*samskaras*", mas esse era um termo com o qual o dr. Lewis ainda não estava familiarizado; ou preferiu "karma" para adequar sua explicação à compreensão que o discípulo tinha na época do vocabulário indiano.) O que ele quis dizer foi: "O tambor, percutido num ritmo suave – e não à maneira barulhenta com que se golpeia um 'bongô' ou instrumento parecido, só para inflamar as emoções –, ajuda a remover os bloqueios do centro inferior a fim de permitir que a energia suba livremente pela espinha."

(6:47) Aquele que, prenhe de fé e amor, se absorve inteiramente em Mim, a esse considero melhor aparelhado para encetar Meu caminho rumo à perfeição.

Que caminho é esse? O caminho equilibrado, moderado que vem sendo repetidamente descrito no Bhagavad Gita.

Krishna enfatiza a fé não como crença cega, mas como certeza nascida da compreensão intuitiva e da aceitação completa. Ele enfatiza o amor porque, sem o amor místico, o aspirante não consegue (conforme explicou Sri Swami Yukteswar) dar um passo ao menos no caminho para Deus.

O Raja Yoga não é uma vereda *separada* para Deus. Outras formas de yoga e outras disciplinas religiosas podem ser legitimamente consideradas atalhos (no entender de Yogananda) ou regatos subsidiários que engrossam o caudaloso rio de energia a subir pela espinha até o cérebro.

O Gyana Yoga ou compreensão lúcida é essencial para a pessoa separar seu fluxo de energia do envolvimento com o mundo e manter esse fluxo no caminho ascendente para Deus. O Bhakti Yoga, que é o exercício da devoção intensa, presta-se a despertar e canalizar para o alto todos os sentimentos da pessoa. De outro modo, recorrendo somente ao *gyana*, ela seria como o vizinho de um restaurante famoso que jamais o freqüentasse por gostar apenas de "cachorro-quente" e batatas fritas engorduradas.

Aqui termina o sexto capítulo, intitulado "Dhyana Yoga (União pela meditação)", dos Upanishades do sagrado Bhagavad Gita, o diálogo em que Sri Krishna e Arjuna debatem sobre o yoga e a ciência da realização em Deus.

CAPÍTULO 19

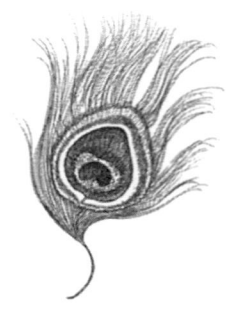

Conhecimento e sabedoria

(7:1) O Senhor Abençoado disse: Ó Partha (Arjuna), ouve agora como, se seguires o caminho do yoga e te absorveres em Minha consciência, abrigando-te (inteiramente) em Mim, lograrás Me compreender tal qual sou (tanto em Meu infinito e inamovível Eu quanto em Meus atributos e poderes exteriores). (Conhecendo-Me assim), transcenderás quaisquer possibilidades de dúvida.

Paramhansa Yogananda recebeu um conselho especial de Bhaduri Mahasaya quando era menino. Ele narra o episódio no capítulo "O Santo que Levitava", de sua *Autobiography of a Yogi*:

"Você se recolhe freqüentemente ao silêncio, mas terá de fato aperfeiçoado a *anubhava* [percepção real de Deus]? [O mestre] me aconselhou, assim, a amar mais a Deus que à meditação. 'Nunca confunda a técnica com o Objetivo'."

Na estrofe acima, Krishna deixa implícita a mesma verdade do famoso ditado: "A flor cai quando o fruto aparece." O yoga é muito mais que um conjunto de práticas: a palavra, em si, significa *união*, que é o objetivo de todo esforço espiritual e o estado de realização.

(7:2) Vou desvelar para ti, em sua inteireza, a verdade – como teoria e como experiência intuitivamente realizada. (Munido dessa compreensão), nada mais terás que aprender no mundo.

Um aspecto impressionante da onisciência é que ela verdadeiramente abrange *tudo*. É "o centro em toda parte, a circunferência em parte alguma" – o conhecimento das coisas a partir *de dentro* e, ao mesmo tempo, *de fora*, ou seja, em sua realidade teórica e experimental. Como disse Jesus Cristo, "Até os cabelos de vossas cabeças estão contados." (Mat., 10:30)

O Bhagavad Gita, também de maneira impressionante, engloba estes três elementos: a teoria dos motivos pelos quais se deve buscar Deus; os métodos – os melhores, os indiretos e os pelo menos aceitáveis – para descobri-Lo; e a natureza do objetivo em si.

Todas essas coisas Krishna se dispõe a revelar agora.

(7:3) Entre milhares de homens, dificilmente um só empenha-se em obter a perfeição espiritual; e entre os abençoados que Me buscam, dificilmente um só (dentre milhares) Me percebe tal qual sou.

Essas palavras parecem ferir uma nota de desencorajamento aos ouvidos do aspirante sincero, a quem não apraz pensar que suas chances de sucesso são praticamente nulas! Mas a passagem citada precisa ser entendida no contexto mais amplo dos inúmeros planos de existência que a alma deve atravessar para atingir a perfeição absoluta. Realmente, são poucos os que, dos vales profundos da Terra, ascendem para o topo da montanha. A maioria das almas sobe por degraus. Uma vez ultrapassados os céus astrais comuns e consumidos os desejos relativamente "extravagantes" que medram ali, eles ganham regiões mais altas – a *Hiranyaloka*, por exemplo, onde o guru de Yogananda lhe disse ter nascido como salvador (ver o capítulo "A Ressurreição de Sri Yukteswar", em *Autobiography of a Yogi*).

Já vimos que o caminho para Deus de modo algum lembra um deserto inóspito, por onde os viandantes se arrastem até encontrar o oásis da visão de Deus. Muitos aspirantes – mesmo os mais avançados – passam da Terra para regiões elevadas em busca da iluminação final. O caminho é longo, mas cada passo lhes proporciona já uma grande recompensa. Mesmo uns poucos dias passados num ambiente edificante, entre pessoas espiritualizadas com as quais se possa praticar regularmente a meditação (se é que o aspirante não a queira praticar a sós em casa, contente com prosseguir sem esse apoio externo), inunda os olhos de uma felicidade nova e radiante, impossível de detectar entre os *kayasthas* (seres humanos aferrados ao corpo) ávidos de sensações mundanas.

Nessa estrofe, Krishna não procura desencorajar ninguém, mas prepará-los para um desafio que cumpre encarar com coragem. O caminho espiritual é para heróis, não para covardes ou pusilânimes. O argumento comum "Por que eu deveria ser diferente dos outros?" tem de ser respondido com outra pergunta: "Você quer continuar sofrendo como 'os outros'?"

E o raciocínio prossegue: "Não vejo tanto sofrimento assim ao meu redor. As pessoas sorriem quando se encontram. Resistem bravamente às pressões. Algumas podem sofrer, mas vejo também muita gente feliz, muitos lares harmoniosos, muito riso e contentamento." Mas o que se vê, na verdade, é a *esperança* que as pessoas têm dessas coisas e as máscaras que envergam. Escondem seu enorme vazio olhando para um futuro no qual, garantem elas, tudo mudará para melhor. Engano.

Fez-se há algum tempo nos Estados Unidos uma pesquisa para descobrir se as pessoas estavam satisfeitas com sua renda. A pesquisa levou em conta todos os níveis de ganho, consultando pobres e ricos. Quase todos os entrevistados responderam que *seriam* felizes *se* ganhassem dez por cento a mais. Esses dez por cento representam a cenoura, suspensa à frente da cabeça do asno, que o faz ir adiante carregando seu pesado fardo. A ilusão induz as pessoas a avançar sem descanso, na expectativa de, finalmente, obter a felicidade e o contentamento. Esse é na verdade o anseio da alma por bem-aventurança, sempre a tentar convencer o ego de que ele pode, de algum modo, abarcar o infinito! Ninguém de fato está feliz ou satisfeito. O que passa entre os homens como satisfação é muitas vezes entorpecimento! Eles pensam: "*Amanhã* conquistarei aquilo (seja o que for) que quero." Mas quantos exclamam na hora da morte: "Tive tudo o que quis!"? Com efeito, só morrem mais ou menos contentes as pessoas mundanas (*samsaris*) que assumiram na juventude um compromisso fácil!

Meu Guru citava às vezes o primeiro (*Adhi*) Swami Shankara: "A infância é dedicada aos folguedos; a mocidade, ao sexo; a maturidade, ao ganho; a velhice, à saudade, aos arrependimentos e às doenças. Ninguém se ocupa nunca de Deus!" O comentário de meu Guru a essas palavras era: "Bem, nosso sábio estava um tanto rabugento, mas a condição humana é mesmo tal qual ele dizia. Quantas pessoas, com efeito, cultivam algo de *real* na vida?"

(7:4) Terra, água, fogo, ar, éter, percepção mental (*manas*), discernimento (*buddhi*) e autoconsciência causativa (*ahankara*): essas são as Oito Divisões de Minha natureza manifesta (*Prakriti*).

Krishna fala aqui em termos cósmicos, não em termos individuais limitados. Com isso vai muito além do que a humanidade, atualmente, pode compreender.

De novo temos de sublinhar que "terra, água, fogo", etc., são *etapas de manifestação do Espírito na matéria bruta*. A tradição as chama de elementos, mas os "elementos" tais quais entendidos outrora não eram nunca entendidos na acepção química.

As etapas elementais da manifestação do Espírito na matéria começam pelo "éter" ou espaço, que Paramhansa Yogananda explica ser uma vibração distinta entre os universos astral e físico. Do éter, nuvens de gás (nebulosas) emergem: o elemento "ar". Os átomos do espaço, vagando sem destino aparente, mantêm entre si uma distância proporcional a cerca de trinta quilômetros. Se dois deles colidirem, sua gravidade aumentará e pode-se dizer que sua "finalidade" aumentará também, pois, à medida que outros átomos se lhes forem juntando, crescerá a probabilidade de se transformarem em "algo", com o tempo. Aos poucos, esse aglomerado irá crescendo e gerando gravidade suficiente para atrair átomos distantes milhões e milhões de quilômetros. Por fim, a massa se torna grande o bastante para transformar-se em estrela incandescente (o elemento "fogo"). Se a massa não for grande o bastante para gerar incandescência – ou se uma massa relativamente pequena for expelida de uma estrela –, ela se funde numa esfera menor: um planeta. Assim, o elemento "água" é trazido à manifestação. A massa fundida depois se esfria, tornando-se sólida e manifestando o elemento "terra".

A Natureza (Prakriti) encerra outras divisões: a mente (*manas*), que tudo percebe; a inteligência intuitiva (*buddhi*), que tudo abrange; e o princípio do ego (*ahankara*) em escala cósmica, que é o Eu único disperso pela manifestação exterior. O egoísmo, nesse caso, permanece como princípio, mas que ainda não se individualizou no homem, com sua aguda percepção de si mesmo identificada com um corpo físico. Dado que o ego é a alma identificada com o corpo, a autoconsciência cósmica (causal), separada de Brahman, é esse Eu identificado com todo o universo manifesto, que ele toma por seu corpo.

É curioso notar que Krishna, nessa estrofe, não menciona o quarto aspecto da consciência, constante da lista clássica: chitta. Chitta é sentimento. Nós percebemos com a mente; definimos com o intelecto; identificamo-nos pessoalmente com o ego; e *sentimos* as coisas, de uma maneira ou de outra, com o chitta. A maioria das pessoas confunde a capacidade de sentir com as emoções e, portanto, com as reações subjetivas ou objetivas. O próprio yoga é definido como a neutralização do processo de sentir – o que não significa eliminá-lo e sim subjugá-lo ou pacificá-lo. É, pois, de esperar que Krishna haja não apenas mencionado, mas também *enfatizado* esse aspecto da consciência.

Todavia, chitta é mais que um *aspecto* da consciência: *é* a consciência. No homem, corresponde a bem mais que os sentimentos de reação no coração: é o sentimento intuitivo profundo que define a própria consciência do eu. Na consciência divina, chitta se torna o sentimento cósmico, não do ego, mas do Eu inefável: a Beatitude Absoluta, eterna, sempre consciente e (como acrescentou Yogananda) sempre nova. No capítulo "Uma Experiência na Consciência Cósmica", de *Autobiography of a Yogi*, Yogananda descreve sua primeira experiência desse estado: "Reconheci o centro celestial como um ponto de percepção intuitiva em meu coração."

Nos seres humanos comuns, não-iluminados, o ego se situa na medula oblonga. A partir desse ponto, o yogue olha como que "para a frente", para o Kutastha ou "centro crístico" entre as sobrancelhas. Quanto mais se concentrar nesse ponto, mais se identificará conscientemente com ele e seu centro de autopercepção acabará se deslocando do ego para a supraconsciência. Quase todas as pessoas, não importa o que estejam fazendo, irradiam energia da medula oblonga, situada na parte posterior da cabeça – a sede do ego no corpo. Um mestre iluminado, ao contrário, expele energia de sua autopercepção modificada, localizada no Kutastha, entre as sobrancelhas. Este é ainda o ego, de que até o homem iluminado necessita para manter seu corpo funcionando. O Eu divino, bem diferente do ego iluminado, tem seu centro no coração.

Quando o yogue faz sua consciência subir pela espinha, sua Kundalini desperta sobe também, em sentido contrário ao da descida. Primeiro passa, despertando-o, pelo *muladhara*, o centro coccígeo (ou "da terra"). Depois, desperta a energia no *swadisthana*, o centro sacral (ou "da água"). A seguir, atravessa o *manipura*, o centro lombar (ou "do fogo"), despertando-lhe a energia. O quarto centro a ser despertado é o *anahata*, dorsal ou do coração ("ar"), vindo por fim o *bishuddha*, centro cervical ("éter"). À medida que cada centro vai sendo "despertado" – ou seja, à medida que a energia nele contida passa a fluir para fora –, poderes yóguicos específicos se manifestam: a faculdade de adquirir peso considerável (elemento "terra"); de caminhar sobre a água (elemento "água"); de pisar brasas sem o perigo de queimar-se (elemento "fogo"); a capacidade de levitar ou mesmo voar (elemento "ar"); e, finalmente, a faculdade de expandir a consciência para além dos limites do corpo (elemento "éter").

Esses poderes são úteis porque asseguram ao yogue que suas conquistas não são puramente imaginárias. Mas podem também ser perigosos, pois representam tentações para o ego. Santa Teresa de Ávila, na Espanha, foi uma santa cristã que costumava levitar quando se punha de joelhos para fazer suas orações. Tão preocupada ficava em não atrair a atenção dos presentes que tentava, em vão, segurar-se na cadeira para não flutuar. Muitas são as histórias de santos, no Oriente e no Ocidente, que mencionam o fenômeno da levitação.

À medida que o yogue vai evoluindo espiritualmente, as práticas do yoga purificam seu ego a ponto de ele perceber o egoísmo como um princípio geral, impessoal, não limitado ao seu ego (humano). Essa percepção é oriunda da mente cósmica (*manas*) e não mais se restringe ao eu individual. Também o intelecto do yogue se transforma em inteligência e compreensão universais, intuitivas.

O Espírito Supremo, ao materializar o universo, fez com que parte de sua consciência vibrasse a fim de produzir o som de AUM. Esse som é Deus em Seu papel de Mãe Divina: *Para-Prakriti*, o aspecto puro da Vibração Cósmica. Em suas manifestações exteriores, esse aspecto se torna, simplesmente, Prakriti ou *Aparaprakriti*: o "espetáculo" a que assistimos por meio dos sentidos – árvores, montanhas, pessoas, enfim, todo o sistema estelar à nossa volta. Quem tenta "comungar" com a Natureza admirando crepúsculos magníficos, nuvens irisadas e colinas imponentes não faz contato verdadeiro com o Divino, embora essas coisas nos lembrem (ou deveriam nos lembrar) Deus. A autêntica comunhão com a Natureza só pode ocorrer em nosso íntimo, por meio do som de AUM.

O yogue, quando em profunda união com AUM depois de alçar sua consciência pelo menos ao nível do *bishuddha* (centro cervical), percebe que sua percepção está se expandindo – primeiro para o corpo todo, depois para fora, a fim de englobar o espaço inteiro. Esse estado recebe também o nome de samadhi AUM. Em seguida, ele se dá conta da Kutastha Chaitanya, ou consciência crística, por trás da vibração de AUM em seu corpo. Gradualmente, dilata a percepção a fim de abranger a consciência crística em toda a existência manifesta.

Certa vez perguntei ao meu Guru: "Que ponto a pessoa precisa atingir para se considerar legitimamente um mestre?"

E ele respondeu: "Esse ponto é a consciência crística."

Assim, a estrofe que comentamos fornece detalhes referentes tanto à manifestação do Espírito na matéria quanto à volta da matéria para o seio do Espírito, graças à prática constante do yoga.

A mente identificada com os sentidos localiza-se fora do olho espiritual. A inteligência intuitiva trabalha *de dentro* do olho espiritual. Daí, uma conexão sutil eleva a consciência do yogue até o *sahasrara* de inúmeros raios (o "lótus de mil pétalas"), no alto da cabeça. A união com esse ponto produz a Consciência Cósmica. A união perfeita e a Consciência Cósmica são uma só e mesma coisa. Tempo e espaço são ilusórios. Compreender em profundidade o "átomo" isolado que é o ego implica compreender, simultaneamente, o mistério do universo.

(7:5) Tal é Minha natureza inferior (Aparaprakriti). Procura entender agora, ó Poderosamente Armado (Arjuna), que Minha natureza superior (Para-Prakriti), sustenta a alma (jiva), isto é, a consciência individualizada, e também o princípio vital do universo.

A jiva, ou alma, é a consciência individualizada: o infinito que, limitado a um corpo, com ele se identifica. Sua existência como alma individual inicia-se com o corpo causal. O enclausuramento posterior da alma num corpo astral é que a faz manifestar originalmente a consciência egóica. A identificação com esse corpo de luz induz o homem a pensar: "Sou único, diferente dos outros seres luminosos." A consciência egóica liga-se mais tarde à realidade objetiva, quando assume um corpo material e direciona toda a sua energia para fora, por meio dos sentidos físicos.

No mundo material, a percepção que o homem tem da Natureza exterior (Aparaprakriti) praticamente define seu conceito de realidade. No mundo astral, essa exteriorização da percepção dá-se apenas em parte. Embora limitado pela consciência egóica, o homem sente a realidade da energia que está dentro dele, a qual, de maneira sutil, liga-o às realidades objetivas à sua volta. No mundo causal, ele sabe que tudo é feito de formas-idéia ou pensamentos. Então a consciência egóica deixa de existir para ele como entidade separada, levando-o a se reconhecer como alma (jiva), manifestação de Para-Prakriti: a Natureza pura. Está a partir daí sintonizado com o Kutastha Chaitanya – a consciência crística subjacente ao universo. Abençoado com esse estado superior de realização e com seu eu virtualmente livre de quaisquer limitações, a consciência do homem é aquinhoada com um poder quase infinito.

O universo, visto de fora (por meio dos sentidos), é composto de matéria grosseira e – no mundo astral – de energia livre que pode plasmar céus maravilhosos, mas também infernos horrendos onde medram o ódio, o desespero e outras emoções violentamente negativas que as espessas camadas de carne já não conseguem conter nem suprimir.

A força satânica não é uma realidade diversa e separada da divina. É apenas a energia criadora (Aparaprakriti) que se manifesta exteriormente, a qual, uma vez posta em movimento, não mais se detém. Sem esse impulso inicial, o universo não poderia ter surgido.

O ímpeto que dá continuidade ao movimento para fora torna-se, em qualquer ponto da longa ascensão de volta para Deus, a força do mal. Trata-se de uma força consciente e universal, não de uma simples fraqueza mental. Não é pessoal, como pessoal não é a Vibração Cósmica, mas podemos atrair sobre nossa cabeça o poder maléfico (como também a assistência divina, é claro) se cedermos às influências inferiores.

O bem e o mal, convém salientar, são termos relativos. O santo, ao ceder a práticas autogratificantes que seriam perfeitamente normais em outras pessoas, abre-se para o fluxo exterior da energia de Aparaprakriti. Certas pessoas não diriam que ele está operando sob influência satânica quando começa a gabar-se, a buscar nome e fama, a perseguir (de um modo em geral considerado perfeitamente correto e aceitável) alguns dos prazeres a que a humanidade em geral se apega. Não obstante, ele estará, em conseqüência de sua crescente atração por esses prazeres, respondendo a uma força satânica.

Satã é impessoal. Mas ainda assim procura mergulhar o homem no grau de degradação que a vontade deste possa aceitar. Não há limite para a extensão da queda do indivíduo, como limite não há para a de sua ascensão.

O impulso para dentro de Para-Prakriti (o poderoso som de AUM) está sempre ao dispor da alma. Mas se a pessoa teimar em sair à cata de satisfações, sucumbirá ao fluxo para fora de Aparaprakriti, Satã, que também está sempre ao dispor daqueles que, embora zombem das "tentações demoníacas" e dos "embustes do diabo", acham simplesmente divertido embebedar-se, perfeitamente admissível perder a cabeça e esbravejar – quando não buscam, o que bem se pode esperar deles na medida mesma em que lhes parece errado, o prazer sexual sem freios. Dizer a tais pessoas que estão agindo sob influência satânica só lhes provocará gargalhadas. Não obstante, a descida, uma vez iniciada, tem pelo menos este atrativo: parece fácil. Os que caminham, correm ou deslizam alegremente ladeira abaixo não pensam na longa e áspera subida que depois terão de encetar.

No mundo astral, existem anjos (*devas*) e demônios (*asuras*). Eles procuram, entre os seres humanos, aqueles que são de seu tipo. Os anjos vão para onde a bondade predomina, a fim de inspirar as pessoas com pensamentos celestes. Os demônios correm para os lugares sob o império de *maya* (Aparaprakriti): bares onde os freqüentadores bebem até cair, saguões de bolsas de valores onde reina a insensatez, corredores do poder e da corrupção, antros de infâmia, violência e ódio. Quando o podem, os demônios vão além da mera tarefa de *influenciar* negativamente suas vítimas, despertando-lhes emoções corrosivas: às vezes conseguem – valendo-se, por exemplo, da vontade debilitada dos alcoólatras, que já não conseguem se proteger – penetrar no corpo e na mente do indivíduo para induzi-lo ao crime, de que ele depois nem sequer se lembrará.

"Os pensamentos", escreveu Yogananda em *Autobiography of a Yogi*, "têm raízes universais e não individuais." As inspirações não são *criadas*: precisam ser invocadas. Atos de violência e ódio indicam a predisposição do homem às forças demoníacas, não sendo de modo algum acionados unicamente pelos seres humanos.

Os grandes mestres que descem (de raro em raro, infelizmente) à Terra fazem-no em resposta, não à necessidade, mas à *consciência* que os homens têm dessa necessidade. Uma vez aqui, eles tentam (nos limites estritos da lei divina) ser úteis a todos. Paramhansa Yogananda, por exemplo, durante seus derradeiros anos em Los Angeles, costumava ir e vir por uma rua ladeada de bares e outros covis de iniqüidade. Nada dizia, mas obviamente tentava influenciar os donos desses antros, porventura receptivos às suas vibrações espirituais, para que mudassem seu modo de vida.

Lamentavelmente, o que em geral leva o homem a emendar-se é o sofrimento. Deus *não quer* que o homem padeça. Mas quando alguém envereda pelo caminho oposto ao que leva à harmonia, inevitavelmente se mete em confusões.

O inferno – ao contrário da crença popular – não é um local de confinamento permanente. O termo bíblico "tribulação eterna" alude simplesmente a um mito e é, talvez, um erro de transmissão ou tradução. "O inferno *parece* eterno, nada mais", dizia Yogananda. Tal é, com efeito, a natureza da aflição e do sofrimento: o sofredor acha que nada melhorará jamais para ele. Todo estado de consciência cria um *vritti*, ou vórtice, que tenta sugar o que entra em sua órbita.

Não pense que, por um estado de consciência ou um tipo de comportamento serem comuns ou aparentemente universais, eles são normais e corretos. Estar com a saúde "normal" é estar bem fisicamente. Estar "normal" espiritualmente é estar livre da ilusão e cônscio de ser filho de Deus. Tudo o mais é anormal!

"Senhor", orava Santo Agostinho, "fizeste-nos para Ti e nosso coração permanece inquieto até repousar em Ti!"

(7:6) Todos os seres, (tanto) puros (quanto) impuros, nasceram da dupla Prakriti. Só (Eu) crio e dissolvo o universo (inteiro).

(7:7) Ó Arjuna, não há nada acima de Mim nem além de Mim! Por todas as coisas, como pelas gemas de um colar, corre o fio de Minha consciência unificadora!

Assim como o fio une e sustenta as gemas, assim a consciência de Deus ampara, mantém e associa tudo na criação.

(7:8) Ó Filho de Kunti (a qualidade do desprendimento), Eu sou a fluidez das águas; Eu sou a luz da Lua e do Sol; Eu sou o pranaba (AUM) dos (ensinamentos dos) Vedas; Eu sou (o ruído "silencioso" do som cósmico) no éter (as vibrações sutis do espaço); Eu sou a humanidade no homem.

No Bhagavad Gita, há significados ocultos e evidentes. A "fluidez das águas" é uma referência sutil ao movimento vibratório dos "elementos", que discutimos mais atrás. "Lua" e "Sol" referem-se às polaridades negativa e positiva do universo, como também do corpo humano. O pranaba (AUM) mencionado nos Vedas alude aos sons interiores quase imperceptíveis (que emanam dos chakras). O "som no éter" é audível, mas não por ouvidos comuns (outras tradições, como a grega, descreveram-no como "a música das esferas"). A "humanidade no homem" é aquele atributo especial da humanidade (entre todas as criaturas da Terra) que lhe permite evoluir espiritualmente por vontade própria.

(7:9) Eu sou a fragrância salutar da terra; Eu sou o esplendor do fogo; Eu sou a vida de todas as criaturas; Eu sou a austeridade nos ascetas santos.

Como na estrofe anterior, a referência aqui é ao mesmo tempo velada e manifesta. Terra e fogo são os "elementos" dos dois chakras localizados mais embaixo. Trata-se da vitalidade divina que vibra no "ar" ou *anahata* (chakra dorsal ou do coração). A autodisciplina emana do centro Kutastha, entre as sobrancelhas, e em última análise do *sahasrara*, o "chakra da coroa" no alto da cabeça. Existe uma polaridade magnética, como vimos em capítulos anteriores, entre o centro terrestre (*muladhara*) e o centro dorsal (do coração) ou *anahata*. Se meditarmos a partir do centro do coração, com sólido apoio do autocontrole (a qualidade do centro lombar ou *manipura*), acharemos fácil elevar a energia, na espinha, acima dos chakras inferiores. Em seguida, do *anahata*, canalizaremos sem dificuldade a energia para o Kutastha, entre as sobrancelhas, e daí para o chakra mais elevado, o *sahasrara*, e a Consciência Cósmica.

(7:10) Fica sabendo, ó Filho de Pritha (Arjuna), que Eu sou a semente de todas as criaturas! Sou a inteligência no discernimento, a glória nos gloriosos.

(7:11) Entre os poderosos, ó Flor dos Bharatas (Arjuna), Eu sou o poder sem ambição pessoal e apegos! Eu sou o desejo sexual (kama) que, nos homens, brota do cultivo do dharma (probidade).

Dado que o desejo é um fator de relevo na vida dos seres humanos, devemos esclarecer aqui, de passagem, que os desejos bons (isto é, dhármicos) trazem bons resultados, mas só temporariamente. É a ausência de desejo que conduz à libertação.

(7:12) Todas as manifestações de sattwa (aquilo que eleva), rajas (aquilo que ativa) e tamas (aquilo que ensombrece) emanam de Mim. Existem em Mim embora Eu não apareça nelas.

Paramhansa Yogananda, em suas palestras, freqüentemente comparava a "vida real" ao mundo fantasioso do cinema. Num filme, dizia ao comentar a estrofe acima, o mesmo raio luminoso projeta na tela pessoas boas e más, que não passam de imagens feitas de luz e sombra. Embora pareçam reais, existem apenas para a visão e a audição.

O "filme do sonho cósmico" não é verdadeiro apenas para dois sentidos, mas para os cinco! No entanto, assim como a luz oriunda do projetor produz numa sala de cinema apenas imagens da realidade, assim a luz de Deus produz unicamente aparências. O próprio universo é mera projeção de luz e sombra. Tudo vem de Deus. Mais que exibir um filme para os cinco sentidos, Ele redige o roteiro, dirige a ação, desempenha todos os papéis, compõe e executa a música, e fornece até o público!

O dramaturgo sabe serem necessários à história atores que encarnem personagens boas e más. Em certo sentido, o dramaturgo está em todas elas, mas elas não estão nele: ou seja, não o definem. Se ele se sai bem em seu trabalho é porque o faz impessoalmente e quase nunca expressa seus sentimentos: gostos, aversões, excessos e preconceitos. Ele mesmo não precisa ter as qualidades que caracterizam suas personagens. Se estas realmente existissem, talvez nem sequer o compreendessem. O dramaturgo, entretanto, precisa viver a vida de todas elas – como que a distância. Precisa penetrar na consciência do vilão para lhe dar verossimilhança, vendo tudo do ponto de vista deste. Pode mesmo, às vezes, folgar com as desculpas tortuosas dessa personagem, tornando-as tão plausíveis e aparentemente razoáveis como para o próprio vilão. Seu *gozo* ao escrever esse papel não é sadismo. Ele sabe que a patifaria do homem só tornará mais agradável a conclusão da história. A tensão que cria ao diferir a ação conduzirá o relato a um desfecho mais satisfatório.

Um discípulo de Paramhansa Yogananda disse-lhe certa vez: "Anseio muito por Deus. Por que Ele demora tanto a vir?"

"Ah", replicou o Mestre com um sorriso cativante, "isso é que torna Sua vinda ainda mais prazerosa!"

Quando o romancista inglês Charles Dickens escrevia seu famoso conto *A Loja de Antiguidades*, notou a certa altura ser necessário à coerência da história que a personagem principal, Little Nell, morresse. Conta-se que, ao ficar ciente disso, saiu de casa e andou pelas ruas de Londres durante horas, com lágrimas nos olhos. Mas não tinha outra opção artística senão "matar" a pequena Nell. De outra forma, seria infiel ao desenvolvimento de sua própria história.

Deus, disse Yogananda, sempre chora pela humanidade: por suas loucuras e sofrimentos. Chora também pela perversidade humana, pois, se ela faz sofrer suas vítimas, faz sofrer mais ainda, com o tempo, aqueles que a perpetram. No entanto, o Senhor deixa que Seu espetáculo prossiga. Ele o produziu sem nenhum senso de envolvimento pessoal. O drama da vida do indivíduo tem de se desenrolar lentamente, ainda que por vias borrascosas, até sua conclusão *inevitável*: a reabsorção na bem-aventurança de Satchidananda.

Deus está consciente de todos os pensamentos, dos menores sentimentos de cada uma de Suas criaturas. Mas permanece à parte. Mesmo na história do Bhagavad Gita, embora sirva a Arjuna como auriga, Krishna tinha imposto como condição não participar da batalha. Arjuna sabia que a simples presença do Senhor bastava. No entanto, Krishna julgou oportuno intervir quando isso se revelou absolutamente necessário. Dá-se o mesmo quando o devoto vive para Deus e no pensamento de Deus. Este jamais participa às claras, mas, de algum modo, tudo acaba bem para o devoto – aliás, da melhor maneira possível. Como Krishna assegurou a Arjuna, "Toma isto por certo: aquele que Me segue *nunca* se perde!"

Muitas vezes se pergunta: "Por que, se nos ama, Deus permite que este *show* continue? Por que tanto sofrimento, tanta dor, tanta decepção – tanta tragédia no mundo?"

Várias respostas podem ser dadas a essa pergunta por assim dizer universal. Uma delas é a de Swami Sri Yukteswar, citada em *Autobiography of a Yogi*: "Deixemos que algumas explicações sejam dadas pelo Divino."

Outra resposta é que a criança não sabe por que o pai precisa sair de casa todos os dias para trabalhar: tem de aprender ainda a considerar as coisas pelo ponto de vista do adulto.

Outra, enfim, é a já citada neste livro: "Deus criou o universo para rejubilar-Se em Suas criaturas." O ego pode achar que esse "júbilo" está tardando demais. Contudo, ninguém que haja encontrado Deus proferiu esta acusação: "Por que Ele tinha de fazer as coisas *dessa* maneira?" Ao contrário, todos disseram: "Ah, cada dor ou dificuldade aparente valeu bem a pena!" O desfecho da vida de qualquer pessoa é, para sua alma, sempre trepidante, encantador e completamente satisfatório.

(7:13) Iludidos pelas três qualidades (gunas) da Natureza, os mortais não Me percebem, a Mim que sou imutável e para além de tudo o que qualifica.

Os fãs de cinema inclinam-se para a frente em suas poltronas – ora ansiosos, ora antevendo o desfecho do filme, com as emoções presas ao que se passa na tela. Receosos, podem prever o pior. Deleitados, esperar pelo melhor. Para eles, tudo é real.

Yogananda estava certa vez assistindo a um filme sobre a vida da santa cristã Bernadette. Disse mais tarde que, na ocasião, começava a se identificar com muitos dos episódios da história quando "olhei para trás e avistei a luz que vinha do projetor. Tudo na tela, revelava-me aquele foco, era mero jogo de luz e sombras". Poucos seres humanos, absorvidos que estão neste "filme" da vida, pensam em "olhar para trás", para o olho espiritual, durante a meditação, a fim de perceber a Consciência Única de Deus por trás de tudo o que acontece.

(7:14) Com efeito, é difícil despertar de Minha hipnose cósmica, identificada com os três gunas (qualidades) de *maya*. Só aqueles que se abrigam em Mim conseguem se libertar do poder cativante da ilusão.

Há uma lenda simbólica sobre Narada, um antigo sábio indiano, e Deus na forma de Vishnu. Narada, após anos de meditação, percebeu Deus sob essa forma. Quando o Senhor lhe apareceu como Vishnu, perguntou se Narada desejava pedir-Lhe algum obséquio.

"Sim, meu Senhor", replicou Narada. "Por favor, ajude-me a entender por que as pessoas se deixam enredar na teia de *maya*. Parece-me tão simples sair dela, agora que estou livre! Como podem as pessoas ser tão tolas?"

"Muito bem, Meu filho", disse o Senhor. "Venha, vamos dar um passeio."

Andando, foram ter a um deserto. O dia estava quente e a areia o tornava escaldante. Depois de algum tempo, ambos sentiram sede. Avistaram então, no horizonte, um fio de fumaça que atestava a existência ali de uma aldeia.

"Narada", disse Vishnu, "estou com muita sede. Não quer ir até a aldeia e trazer-me um pouco de água?"

"Mas é claro, Senhor!", acedeu Narada.

Arrastou-se pelo areal até chegar ao povoado. Bateu à porta da primeira casa e foi atendido por uma bela jovem. Pareceu-lhe que já a conhecia há muito tempo. Num instante, esqueceu-se de tudo! Os pais da moça, que também estavam em casa, acolheram-no como a um parente. Narada e a jovem se casaram, indo montar residência e negócio em outra parte da aldeia. Os anos passaram. Tiveram um filho; depois, outro.

Decorridos doze anos, a mulher deu à luz o terceiro filho. Quando ele ainda era bebê, um rio da montanha transbordou e alagou tudo. Num instante desapareceram a casa, o negócio e a aldeia inteira. Narada só conseguiu salvar sua pequena família e a roupa do corpo. Afastaram-se a custo dali, com água pelos joelhos, Narada levando pela mão os dois meninos e com o bebê ao ombro. A mulher caminhava penosamente ao seu lado.

De repente, Narada tropeçou numa pedra. Quando tentava recuperar o equilíbrio, o bebê escorregou de seu ombro e caiu na água. Desesperado para salvá-lo, largou as mãos dos outros dois filhos... mas, infelizmente, o pequenino foi arrastado para longe antes que pudesse agarrá-lo. Os meninos mais velhos, sem o pulso firme do pai, foram arrastados também. Nesse momento a esposa de Narada, com os joelhos trêmulos pela dor, sumiu-se também na inundação. Em poucos minutos o infeliz perdeu tudo que, em doze anos, amealhara com tanto esforço. Sua vontade fraquejou e ele caiu, deixando que as águas o levassem.

Depois do que lhe pareceu um longo tempo, recobrou a consciência. Olhando à volta, só o que viu foi uma extensão enorme de água lamacenta. Pensou: "Devo ter sido arrastado para um montículo de terra." E, lembrando-se da tragédia, pôs-se a chorar mansamente.

"Narada!", ecoou uma voz nas imediações. Sim, era uma voz conhecida! Olhou de novo em derredor e percebeu que o que tomara por uma vasta extensão de água era na verdade uma vasta extensão de areia.

"Narada!", chamou de novo a voz. Ele olhou para cima. E, para seu espanto, avistou ali Vishnu.

"Que aconteceu, Narada?", perguntou Vishnu. "Há meia hora pedi-lhe que me buscasse água e agora o vejo dormindo no chão. Que houve?"

Tal é, com efeito, o poder de *maya*! O tempo passa: milhares de encarnações, milhões ou bilhões de anos, quem sabe? O tempo é uma ilusão. Quando despertamos dela, parece-nos que não decorreu tempo algum!

(7:15) Os malfeitores (nos quais predomina *tamas*), seres humanos degradados, tolos e faltos de entendimento devido (ao poder de) *maya*, não buscam refúgio em Mim e partilham a natureza dos demônios.

Encontramos muita gente assim no mundo. Não são *rakshasas* – monstros malignos com goelas escancaradas, prontos a nos devorar. São seres humanos, embora cruéis, indiferentes ao sofrimento alheio, absorvidos em si mesmos, famintos de sexo, ávidos por riquezas, não importa como as possam adquirir (para eles, a honestidade nada significa), ébrios de poder e implacáveis. Tais pessoas não são demônios, à espreita dos incautos. Podem ser vistas a qualquer tempo, caminhando pelas ruas. Eis como meu Guru descreveu, a sério, uma conhecida artista de cinema que lhe pedira uma entrevista: "Ela é um demônio!"

Após a morte, as almas são levadas para seus respectivos níveis no mundo astral.

É preciso ter sempre em mente, contudo, que ninguém é mau *por natureza*. Todos somos filhos de Deus. O que diferencia o demoníaco do angélico é apenas a espessura do véu que cobre sua compreensão.

(7:16) Aqueles que procuram abrigo em Mim, ó Arjuna, são de quatro tipos: os infelizes; os ansiosos por sabedoria; os ávidos de poder (neste ou em outro mundo) e os (já) perfeitamente sábios.

Na guerra, os soldados costumam dizer: "Não há ateus na trincheira." Muitas pessoas que se voltam para Deus fazem-no em tempos de aflição. (Elas se perguntam por que Deus permite tanto sofrimento! Mas que outro incentivo haveria para que O procurassem em busca de ajuda?)

Perplexos ante os incontáveis absurdos da vida, uns poucos (aqueles que se cansaram de brandir o punho para Deus) procuram-no a fim de entender o que se passa. "Por quê?", perguntam sem cessar. Quando essa pergunta é feita com sinceridade, as respostas começam a surgir: nos livros; por boca de professores letrados; nos ensinamentos de mestres com variado grau de compreensão nascida da experiência. Mas somente quando a pessoa deseja realmente *saber* é que Deus lhe envia alguém que, ele próprio, *sabe*: um autêntico guru.

Muitas vezes, no caminho para a sabedoria, as pessoas se desgarram em conseqüência da ânsia de adquirir poderes e presenciar milagres. Correm para sessões espíritas. Procuram taumaturgos. Espalham boatos (especialmente na Índia) sobre cada "santo" que conheceram e viram operar maravilhas. Adquirir poder sobre a matéria ou o mero desejo de ostentá-lo pode mantê-los durante várias encarnações presos à rede da ilusão.

Finalmente, aqueles que procuram *perfeição* na sabedoria, deixando de parte todos os outros "atrativos", oferecem-se por inteiro a Deus. Esses, dentre todos os virtuosos, são os que mais agradam a Deus.

(7:17) Preclaro entre os sábios é aquele cuja devoção não esmorece e não se desgarra. Eu sou o que há de mais caro a esse sábio e ele, entre todos os seres, é o que mais me apraz.

Perguntar-se-á: Deus realmente prefere um ser humano a outro? Como o poderia? Pois se é sempre e supremamente impessoal, não tendo nenhum eu individualizado que possa agradar-se deste ou daquele! É *por meio do amor que a própria pessoa lhe devota* que Seu amor se expressa. Aqueles que O amam com pureza e plenitude são os mais propensos a *receber* o Seu amor, que Ele dissemina sem cessar por sobre todos quantos não se enredam em incertezas, dúvidas ou quaisquer outros bloqueios kármicos. Havendo uma relação íntima com Deus, Ele responderá prontamente ao mínimo pedido louvável de Seus devotos perfeitos.

(7:18) Todos os homens dos (quatro tipos virtuosos) acima são nobres (pois voltam sua consciência para o alto). Mas o sábio que, inabalável, viu seu objetivo supremo em Mim, a esse considero Meu próprio Eu.

Será errado, à luz dessas palavras, pedir favores a Deus? De modo algum! O homem tem lá suas necessidades e é melhor recorrer a Ele do que unicamente a esforços terrenos, motivados pelo ego. Os que dizem: "Deus ajuda a quem cedo madruga" e depois se empenham em realizar seus desejos por esforço próprio, esquecendo-se Dele, depois que vencem acham que conseguiram tudo sozinhos. Então, olhando para trás, agradecem a seu ego pelo sucesso alcançado. Não é assim que a pessoa consegue se libertar da consciência egóica.

Mais vale, pois, rezar a Deus por *tudo*, acrescentando sempre: "Atende, Senhor, a esta prece, desde que seja feita a Tua vontade."

O homem se pouparia muitas dores nesta vida se, mesmo ao orar a Deus, praticasse o *nishkam karma*: a indiferença aos resultados. De outro modo talvez consiga, graças ao poder da mente (que se avoluma quando está unida à consciência divina), atrair aquilo que deseja na vida... só para descobrir mais tarde que suas conquistas lhe foram desastrosas.

Swami Sri Yukteswar gostava de repetir a seguinte fábula para mostrar a importância de fazermos somente a vontade de Deus, não a nossa própria.

Um yogue, tendo aperfeiçoado os necessários poderes psíquicos, aproximou-se de uma árvore durante suas peregrinações pelo Himalaia e logo a reconheceu como uma "*kalyana kalpataru*": a árvore mágica dos desejos. "Que maravilha!", pensou satisfeito. E sentando-se sob a árvore, pediu um palácio.

Instantaneamente um magnífico palácio se materializou diante de seus olhos, na floresta. O yogue o percorreu e constatou que condizia perfeitamente com sua vontade. O edifício, porém, estava vazio. "Venham móveis de alto preço: sofás, tapetes, enfeites, quadros, cortinas de brocado!" Pronto! Lá estava tudo.

"Este lugar supera os meus sonhos mais desarvorados!", pensou. "Mas falta aqui gente para fazer-me companhia e rejubilar-se comigo da minha boa fortuna. Quero que estes salões se povoem dos risos de homens e mulheres felizes." E assim foi. Pessoas logo atravancaram a sala onde ele se achava, o saguão, a sala de jantar, as escadarias, a cozinha.

O yogue gozou de tudo isso por algum tempo. Por fim, pensou: "Irei agora de sala em sala a fim de tirar proveito de *todos* os meus novos tesouros." E passeou sozinho pelos salões, exultando com sua sorte. Após algum tempo entrou num quarto do pavimento térreo onde não havia ninguém. A janela estava aberta. Uma vez que o milagre ocorrera em plena floresta, tudo à volta eram bosques tais quais a Natureza os fizera. De repente, ele ouviu o rugido de um tigre junto às portas do palácio.

"Ah", exclamou alarmado, "estou aqui sozinho, com a janela aberta e no pavimento térreo! E se este tigre saltar cá para dentro e me devorar?"

Esquecera-se de que conseguira tudo aquilo graças à magia da árvore dos desejos. Súbito, o tigre assomou à janela, pulou para a sala e devorou-o antes que ele pudesse gritar por ajuda.

Moral da história: se, sobretudo pela prática da concentração, a pessoa desenvolver uma mente poderosa, ficará sentada sob a árvore dos desejos de sua própria energia espinal. Deverá ofertar todos os seus desejos, sua sabedoria e sua vontade unicamente a Deus para alcançar a realização.

(7:19) Depois de inúmeras encarnações, o sábio Me conhece em Minha verdadeira natureza. Uma pessoa tão iluminada que Me veja permeando todas as coisas é rara (e difícil) de encontrar.

Sem dúvida é verdade que a alma deve passar por muitas encarnações antes de conhecer Deus. Em se tratando da maioria das pessoas, uma vida só não basta para superarem um único vício renitente. Na passagem acima, porém, Krishna fala do *sábio* que, após muitas encarnações, atingiu a perfeição e se realizou em Deus. O significado, aqui, é bem mais profundo do que parece à primeira vista. Pois considere-se: quem é sábio deve estar bem perto de conhecer Deus, do contrário não seria realmente sábio.

Já vimos que toda inspiração de ar pode tornar-se um nascimento em uma nova encarnação. Alguns sustentam que mesmo os batimentos cardíacos, nesse sentido, acabam sendo uma vantagem, com cada batimento tornando-se uma vida nova. Mas para obter esse efeito a pessoa tem de estar inusitadamente alerta! O sábio (e não, decerto, o aspirante comum!) pode utilizar a respiração e os batimentos cardíacos para se poupar muitos nascimentos e mortes mesmo estando encarnado. A maioria das pessoas, é claro, precisa morrer e renascer literalmente inúmeras vezes a fim de realizar uma mudança íntima significativa.

Como tornar esse ensinamento útil para todos? Os sábios, afinal de contas, não precisam de fato estudar as escrituras: a sabedoria já está inscrita no "livro" de sua própria consciência. O que todos precisam ter em mente é que o tempo não constitui fator essencial para a evolução. Como dizia meu Guru, "Hábitos às vezes são mudados no prazo de um dia. Eles não passam de efeitos da concentração mental. Se alguém se concentrou de determinada maneira, pode muito bem concentrar-se de outra". Yagya, a cerimônia do fogo prescrita nos Vedas e repetidamente mencionada nestas páginas, simboliza a oferenda voluntária do ego a Deus, durante a meditação. Esse ritual pode ser realizado interiormente e com freqüência pela mente.

Sempre que houver tendência para atribuir ao eu pensamentos como "*Eu* fiz isso!", "Por que isso foi feito ou dito a *mim*?", "Sou importante demais para ser tratado dessa maneira!", devemos atirar semelhantes idéias ao fogo da devoção, que convém manter constantemente aceso em nosso coração. Incinere no fogo mental tudo o que, em sua natureza, não o conduzir para Deus.

Quase todas as pessoas levam muito tempo para encarar e superar seus defeitos: não têm incentivo ou força de vontade para fazê-lo. Dizem: "Verei isso em breve." Uma sugestão que meu Guru gostava de dar a esse respeito era: "Em breve? Em breve? Por que não *agora*?"

Outra sugestão já foi dada nestas páginas: concentre-se primeiro nas batalhas que a seu ver serão mais fáceis de ganhar. Se ainda não estiver forte o bastante para suprimir um hábito ou se outros deveres lhe consomem tanto tempo e energia que ainda não se sente em condições de enfrentar o problema, limite-se então a resistir a ele mentalmente.

Jamais admita para si próprio que não tem capacidade para sanar uma falha. Toda vez que sua mente resiste a um mau hábito, em vez de o aceitar sem luta, você acumula mais força interior, que no fim lhe permitirá vencer.

Assim, as encarnações de que outros precisam para escapar à teia da ilusão serão bem menos numerosas para você. Seja um estrategista: aguarde a sua oportunidade calma e desapaixonadamente. Quando ela chegar, *ataque*! Imponha o seu potencial (como um sábio, não importa se por enquanto ainda esteja vagueando pelos becos da ilusão) e logo descobrirá que você também está "vendo" Deus em tudo, que Ele é o seu tesouro, sua única realidade.

Passar dessa compreensão à realização descrita na estrofe acima não chega a ser um grande salto. Se você não o der nesta vida, em breve estará vivendo nos planos superiores onde os sábios mencionados não são "tão difíceis de encontrar". Poderá mesmo, com o tempo, tornar-se um deles.

Paramhansa Yogananda secundava Lahiri Mahasaya, Sri Yukteswar e outros mestres ao sustentar que a prática do Kriya Yoga – a ciência ensinada a Arjuna há milhares de anos – acelera em muito a evolução espiritual do yogue. O Kriya Yoga permite atingir a Consciência Cósmica, disseram eles, em três, seis, doze, vinte e quatro ou quarenta e oito anos – conforme a profundidade e a intensidade do esforço. Yogananda ainda acrescentava zombeteiramente (penso que o fazia porque poucas pessoas, no espaço de uma vida, têm a chance de praticar duas vezes por quarenta e oito anos!) que, se o Kriya Yoga não der resultados em quarenta e oito anos, a prática deve ser continuada na encarnação seguinte!

(7:20) Mas aqueles que preferem (seguir) sua própria vontade (rejeitando o caminho da comunhão íntima com Deus), cujo tirocínio foi viciado por um ou outro desejo e que (talvez) se sintam atraídos por rituais, esses buscam deuses menores.

Krishna adverte aqui contra a teimosia insuflada pelo ego. O discernimento da pessoa pode ser anulado pelos desejos, o que a leva a dotar quaisquer circunstâncias exteriores com a aura atraente da esperança: "As coisas *têm* de ser assim!" Portanto, dirá insistentemente a si mesma – e aos outros – que dessa vez *sabe* que está certa: *precisa* possuir determinada coisa ou ligar-se a determinada pessoa.

Tudo o que ela deseja intensamente transforma-se a seus olhos, por assim dizer, num deus. Esse é o verdadeiro significado do termo "idolatria". O ídolo não é uma estátua ou pintura que lembre à pessoa um ideal elevado. Essa pessoa é, com efeito, uma adoradora de "ideais" ou de "ídolos". Idolatria significa abrigar o desejo por algo que não seja Deus.

Todo homem, a menos que ame unicamente a Deus, é nesse sentido um adorador de ídolos! Gostar de alguém ou alguma coisa que nos lembre Deus é uma virtude, não um pecado. Para chegar ao último pavimento de um edifício é preciso passar por todos os outros: não se pode dar um salto até lá. Sentir amor por Deus tal qual Ele é, informe e impessoal, chega a ser quase impossível para os seres humanos. Esse amor, porém, brota naturalmente naqueles que primeiro visualizam a perfeição divina em uma forma humana qualquer. O importante nesse culto é sempre ter em mente que a forma amada (mesmo de uma pessoa viva) serve apenas de janela para o infinito.

A teimosia, particularmente quando envolve um desejo intenso, é difícil de reconhecer na pessoa. O discernimento pode esfumar-se num instante, devido a um arroubo súbito. A chave para o comportamento inteligente em tais circunstâncias é atentar para os sentimentos íntimos.

O poeta Wordsworth escreveu: "Meu coração palpita quando vejo um arco-íris no céu." Esse é um relato preciso do que acontece quando somos repentinamente dominados por uma forte atração. O arco-íris logo se dilui, mas o sentimento persiste. Os objetos de qualquer emoção súbita desaparecem, mas o coração continua a "palpitar" por algum tempo. Vimos quão desejável é um fluxo ascendente de energia – essencial mesmo para o despertar espiritual. O fluxo, entretanto, tem de ser *sereno*. Picos de sentimento indicam uma atenção voltada para fora. Observe o coração: seus sentimentos se "exaltam" a cada arroubo passageiro? Então, combata-os! Não permita que seu discernimento se anuvie por causa de algo que só excita suas emoções em vez de sublimar seus sentimentos num ato de devoção edificante.

Enfim, as pessoas que permitem a seus sentimentos exaltar-se emocionalmente são muitas vezes suscetíveis ao jogo das sensações. Passam de uma fantasia "religiosa" a outra – participam de reuniões místicas, procuram fazedores de milagres, acorrem pressurosos a ouvir qualquer novo conferencista que aparece na cidade. Semelhantes atividades são sintomas do mal da ignorância: o anseio por estímulos exteriores, não por inspiração interior.

(7:21) Não importa a forma sob a qual a pessoa adore (um santo, um mestre, uma divindade – reais ou imaginários), sou Eu quem (eleva seu coração), dando firmeza e autenticidade à sua fé.

(7:22) Absorvida em sua devoção, fiel ao culto dessa forma, ela tira daí proveito espiritual autêntico e tem seus desejos (preces) atendidos. As bênçãos que recebe provêm apenas de Mim.

Mesmo no caso da adoração de deuses inferiores, se praticada com sinceridade e sem motivos egoístas – mesmo, diríamos, se a prece *for* por motivos egoístas, mas endereçada a um poder superior, não a outro ego –, é o próprio Deus quem responde por intermédio desses canais mais limitados. O importante não é ocupar-se de minúcias teológicas (quantos religiosos pedantes não perdem tempo e esforço com semelhantes tolices!), mas dirigir a energia *para cima*, fazendo-a ir além do ego em direção a uma fonte maior.

Curiosamente, até divindades "feitas pelo homem", como as imagens simbólicas de Kali, Durga, Saraswati, Vishnu, Shiva e Ganesha transformam-se naquilo que Paramhansa Yogananda chama de "cópias no éter". Acabam adquirindo realidade própria e tornam-se mais acessíveis sob essa forma do que sob outra qualquer que a pessoa haja imaginado por si mesma.

Como escreveu Yogananda em *Whispers from Eternity* e *Cosmic Chants*, o homem "espiritualiza" essas imagens obtendo delas, pela insistência, uma resposta divina. Toda resposta de Deus, gerada supraconscientemente, permanece "no éter" e pode continuar para sempre disseminando favores especiais. Esse é também o poder das peregrinações, em busca de bênçãos, a lugares onde ocorreram manifestações da divindade.

(7:23) Todavia, os homens de parco entendimento (ao limitar seu culto aos deuses menores) obtêm também resultados parcos. Os devotos dos deuses inferiores vão para esses deuses. Os que Me reverenciam (o Infinito) vêm a Mim.

Aqueles que cultuam uma forma qualquer de Deus como um lembrete do Infinito não são os que aqui consideramos limitados em sua adoração. Entretanto, quem cultua formas inferiores adotando a atitude acima descrita – de ego para ego – com vistas a obter ganhos pessoais vai para aquelas regiões onde egos mais refinados ainda existem, porém em formas sublimadas.

As pessoas perguntam às vezes: "Os anjos não são superiores aos mestres terrenos?" Um verdadeiro mestre, convém dizer, é *muito superior* a qualquer anjo! Ele mergulhou seu ego em Deus, ao passo que os anjos, embora excelsos em comparação com a maioria dos seres humanos, ainda possuem egos – puros, sublimados, sáttwicos, mas em que pese a tudo isso limitados pela consciência de estarem separados de Deus.

Conta-se a seguinte história de um santo da Índia que viveu há muito tempo. Um anjo, ou deva, ofereceu-lhe o dom de transportar-se ao céu em seu corpo físico. (Desse modo, a antiga tradição indiana exprime o conceito de abandono consciente do corpo por ocasião da morte.)

Reza a lenda que o deva aproximou-se do santo num carro celeste, muito antes da data marcada para sua morte, a fim de conduzi-lo ao paraíso. "Tão grandes são as tuas virtudes", assegurou-lhe o deva, "que foste considerado digno de receber essa bênção especial."

"Espera um pouco!", atalhou o santo. "Primeiro, quero saber que vantagem terei em ir para esse teu paraíso."

"Bem", replicou o anjo, "eis aí uma pergunta nada usual. A maioria das pessoas contenta-se em ir para o céu de qualquer maneira! Mas, como perguntaste, responderei. Lá, tudo é belo, sereno, harmonioso. Conviverás com os deuses. Que mais poderias desejar?"

"Olha aqui", ponderou o santo, "em tudo o que experimentei neste mundo de *maya*, percebi desvantagens. Mesmo nos ambientes mais encantadores, a dualidade se imiscuía. Revela-me então as desvantagens de ir para o céu."

"Repito", volveu o anjo, "tua pergunta não é *nada* usual! Mas, como perguntaste de novo, de novo te responderei. Só permanecerás no céu até se esgotar o bom karma que te enviou para lá. Não terás oportunidade de progredir espiritualmente. Vivendo com seres angélicos e almas virtuosas, serás muitíssimo feliz; mas, chegada a hora kármica de voltar à Terra, tua felicidade, como as folhas no outono, murchará e perderá a cor para depois cair ao chão. Então experimentarás imensa tristeza por ter de deixar aquele mundo. Mas, até lá, tudo há de ser maravilhoso!"

"Agradeço muito o teu empenho", disse o santo, "em oferecer-me esse presente. Bem vejo que ele seria, para quase todas as pessoas, uma grande bênção. Mas confesso: as desvantagens que enumeraste são tão colossais que não posso imaginar nenhuma criatura sã aceitando semelhante 'bênção'! Ainda que a situação descrita durasse mil anos, sempre teria um fim. Por favor, dize-me, não podes oferecer-me outro lugar onde as coisas sejam permanentes?"

"De novo", volveu o anjo, "fizeste uma pergunta a que tenho de responder. Sim, esse lugar existe. Situa-se além de nossa esfera de beleza astral – além até mesmo da luz astral. Nós próprios, os anjos, apenas ouvimos falar dele. Mas se quiseres ir para lá, terás de permanecer aqui na Terra e insistir em tuas disciplinas espirituais, pois só assim te capacitarás a subir ao plano superior da existência manifesta. Por isso dizem que até os deuses gostariam de renascer no mundo."

O santo declinou do convite angélico e decidiu permanecer na Terra, onde poderia continuar com suas práticas yóguicas. E ao fim de certo tempo encontrou o Deus dos deuses, fundindo-se na unidade com o Infinito.

(7:24) Os homens de pouca sabedoria imaginam que Eu, o Não-manifesto, sou limitado (quando apareço) em forma corpórea. Não atinam com Minha natureza superior: imutável, inefável, suprema.

Os devotos carentes de sabedoria imaginam o próprio Ser Supremo limitado, essencialmente, às Suas manifestações especiais. Chegam a adorá-Lo sob uma dessas formas como o Deus *único*: por exemplo, Krishna e sua flauta, Shiva e seu tridente, Kali e seus quatro braços ou Jeová e Alá, que têm nomes, mas não formas. Deus é tudo isso, mas ao mesmo tempo muito mais, a ponto de não poder sequer ser imaginado ou nomeado em Sua verdadeira essência.

No entanto, dar ao Inefável um nome e visualizá-Lo sob uma forma qualquer é inevitável, pois o homem não saberia adorá-Lo de outro modo. Krishna não diz, na estrofe acima, que é errado reverenciar Deus com nome e forma: apenas, não se deve *confiná-Lo* dessa maneira. Deus é tudo – e nada, quer dizer, nenhuma coisa específica. Está em tudo e além de tudo, não sendo nem mesmo as "coisas" nas quais Se manifestou, que não passam de sonhos e têm a realidade dos sonhos.

(7:25) Oculto por Meu véu de *yoga-maya*, sou invisível à humanidade. Esta, enganada então (pelas aparências), não percebe que Eu (em essência) nunca nasci e nunca morrerei.

(7:26) Ó Arjuna, conheço o passado, o presente e o futuro de todos os seres. A Mim, porém, nenhum homem (enquanto apenas homem) me conhece.

(7:27) Ó Prole de Bharata, Destruidor de Inimigos (Arjuna)! O nascimento num corpo sujeita as criaturas ao poder da ilusão com suas dualidades, que atraem e repelem. (Tal é a tempestade de *maya* na superfície do oceano de Minha consciência.)

A energia do bebê, logo após o nascimento, volta-se necessariamente para fora. E mantém essa direção enquanto a criança vai aos poucos aprendendo a se relacionar com o mundo. A tendência das pessoas, a elas imposta desde o berço, continua a ser voltar-se para o mundo exterior. À medida que crescem, aprendem a distinguir o bom do mau comportamento para reconhecer quais caminhos levam à realização plena e quais só conduzem à decepção, à dor e ao sofrimento. Não é nada fácil encontrar Deus – e, infelizmente, a própria direção da energia das pessoas desde a época de seu nascimento as inclina para as exterioridades.

Mesmo os mestres libertos se permitem viver algum tempo sob o jugo parcial de *maya*. Assim, Lahiri Mahasaya – que se libertara há muito tempo – voltou à Terra na qualidade de mortal. Embora meditasse longamente em criança, ao tornar-se adulto procurou emprego, casou-se e constituiu família. Estava já perto da velhice quando conheceu seu guru, Babaji, e de novo recebeu dele a iluminação.

Swami Sri Yukteswar também se casou, teve uma filha e viveu (aos olhos do mundo) como um ser humano normal antes de receber a iluminação de seu guru, Lahiri Mahasaya.

Paramhansa Yogananda, por seu turno, aceitou as limitações humanas. Durante a infância, mostrou-se um aspirante ardoroso e não aquilo que de fato era (sem talvez o perceber ainda): um grande mestre há já muitíssimo tempo, a ser de novo iluminado por Swami Sri Yukteswar. Yogananda costumava dizer em público: "Yogananda está morto e bem morto. Ninguém vive agora neste templo senão Deus."

Uma vez perguntei-lhe: "Quem nasce liberto conserva a consciência ativa de sua comunhão com Deus?" Fiz essa pergunta porque julgava que meu Guru e outros mestres haviam desempenhado papéis seguramente incompatíveis com a consciência desse estado supremo de unidade.

"Os mestres nunca perdem a consciência de estar livres interiormente", foi a resposta.

O jogo (lila) de Deus é infinitamente variegado. Segundo meu Guru, as gopis que brincavam com o Senhor Krishna durante a infância deste em Brindaban eram na verdade rishis reencarnados. "O papel deles na Terra", explicou, "era encenar o drama divino do amante e da criatura amada."

Krishna, por essa época, era apenas uma criança. Viera ao mundo como *mahavatar* – *um purna* ou manifestação plena de Deus, e como tal era reconhecido. Desde os primeiros anos exibiu não apenas atributos divinos, mas também divina perfeição. O amor lendário entre ele e as gopis não era um amor humano comum. De fato, todas as gopis eram mulheres casadas. Sua fidelidade aos maridos nunca foi posta em dúvida. A *rasalila*, sua divina dança com Krishna na floresta, durante a qual cada gopi o cortejava como pertencente a ela só, foi encenada a fim de inspirar aos homens o anseio por um amor humano perfeito. O amor que as gopis nutriam por Krishna *era* perfeito. Infelizmente, sendo a consciência humana o que é, com o tempo esse sentimento passou a ser mal-interpretado. "As histórias que se avolumaram à volta da vida de Krishna", contou meu Guru, "são quase todas alegóricas. Não se deve tomá-las ao pé da letra." Como muitas vezes sucede, só alguns fatos reais se destacam desse vasto corpo de lendas.

(7:28) Mas os homens virtuosos, uma vez expiadas suas faltas e não mais sujeitos aos opostos da dualidade, reverenciam-Me com firmeza de ânimo.

É de notar que as almas já libertas, mesmo encarregadas na Terra de uma tarefa que lhes exige um certo envolvimento com a ilusão, ainda assim se mostram sempre piedosas e magnânimas.

A expressão "homens virtuosos" não se refere necessariamente a almas libertas, embora Krishna fale de suas "faltas expiadas". As pessoas com um bom karma também são logo atraídas para o caminho espiritual e nascem dotadas de tendências virtuosas. Não obstante, as incertezas que cercam o nascimento num novo corpo devem fornecer a todos um poderoso incentivo para não poupar esforços a fim de encontrar Deus *agora*, desde que as circunstâncias favoreçam esse anseio de unir-se a Ele. Que homem, com efeito, sabe o que o futuro lhe reserva?

(7:29) Aqueles que, apegando-se a Mim, buscam o alívio (dos achaques) da velhice e (da inelutabilidade) da morte tornam-se os verdadeiros conhecedores de Brahman (o Absoluto), do *Adhyatma* (o Eu Supremo) e de todos os segredos do karma.

Os achaques da velhice são notórios. Incluem doenças cada vez mais graves, fraqueza física e mental, senilidade. É sempre triste ver alguém que outrora foi robusto e dinâmico caminhar para a decrepitude do corpo e da mente. As pessoas em geral gastam as economias de toda uma vida em cuidados médicos ao final da existência. As que se apegam a Deus são as que têm mais chance de morrer com dignidade.

O Eu Supremo vela por elas na velhice melhor do que o faria qualquer médico humano. Por dentro – e sabem-no os que as conhecem bem – permanecem imutáveis e, mesmo, espiritualmente vigorosas: "sempre as mesmas", como declarou a grande santa Anandamayee Ma.

Os que conservam dúvidas quanto aos "porquês" da vida – disparidades de fortuna; injustiças aparentes; infinitas complexidades do karma – têm todas as suas perguntas respondidas por Brahman, o Eu Supremo de todos os seres.

(7:30) Os que percebem Minha presença em seus corpos físico (*Adhibhuta*), astral (*Adhidaiva*) e espiritual (*Adhiyagya* ou causal) e Me entregam seus corações continuam lúcidos mesmo na hora da morte.

A morte é o "exame final" para o qual a vida inteira constitui uma preparação. Deixar conscientemente o corpo é uma bênção que nem todos têm a felicidade de usufruir. A maioria adormece depois de morrer. As experiências que antecedem esse momento podem ser penosas, mas a morte em si sobrevém como um alívio e sem dor. Os sofrimentos da pessoa no instante da morte são sobretudo mentais: o medo de apartar-se do corpo, a que não só se acostumou como se ligou – muitas vezes a ponto de identificá-lo como seu *verdadeiro* eu.

A morte é uma provação que todos temos de enfrentar: às vezes até mesmo os mestres, embora para eles essa provação seja breve. A constatação súbita de que tudo quanto conhecemos, todas as pessoas com quem nos relacionamos, todo o trabalho que fizemos, todos os conhecidos que, para bem ou para mal, dependem de nós, todos os empreendimentos inacabados e, principalmente, a soma de nossos atos virtuosos ou perversos ficarão para trás: essas coisas precisam ser aceitas como fatos, entregues à eternidade e transformadas em algum tipo de resolução para o futuro.

A consciência com que enfrentamos a morte determina nossa existência futura – neste mundo, num plano superior ou na eternidade. O peso dos erros pode fazer com que nos entrincheiremos na rejeição, o que talvez baste para nos levar de volta à subconsciência na esperança de encontrar a cura. As vicissitudes da vida às vezes criam em nós a necessidade de descanso. Por isso muitas pessoas, na velhice, já começam a se isolar do mundo exterior. A própria senilidade às vezes representa, para elas, uma espécie de fuga. As que viveram na intemperança, após repousar por algum tempo, são acossadas por "pesadelos". E as que praticaram o mal eventualmente acordam em situação angustiosa, que precisam purgar com imenso sofrimento. Por outro lado, as pessoas que levaram vida virtuosa podem despertar num paraíso astral e, ali, gozar por algum tempo os frutos de sua bondade. Lembranças do passado às vezes persistem, embora menos intensas do que os vivos costumam supor. Não raro, os parentes falecidos de uma pessoa lhe aparecem em sonhos – para ajudá-la, adverti-la ou encorajá-la.

Os pensamentos com os quais abandonamos o corpo influenciam em muito nosso estado futuro. Remorsos exagerados pelos erros cometidos são um elemento negativo que atrai sofrimentos desnecessários. Bem melhor que o arrependimento inútil é a afirmação do intento positivo de corrigir os erros. O "pecado" é, pura e simplesmente, um erro. Jazendo no leito de morte, a pessoa deve resolver-se a agir melhor no futuro. Buscar a absolvição dos pecados na hora final só fará com que a atenção se concentre ainda mais nos próprios pecados. Desse modo a pessoa, evocando todos os erros cometidos, deixará o corpo com uma idéia negativa na mente. Em vez de pedir a "absolvição", portanto, melhor será entregar o coração humildemente a Deus, deixando a Ele (aqui, de novo, deparamos com o ensinamento de Krishna) a tarefa de avaliar os frutos de nossos atos.

Aqueles que, na hora da morte, conseguem fixar a mente no ponto entre as sobrancelhas e clamar por Deus do fundo da alma logram chegar até Ele. Um padre ou um ente querido do moribundo fará bem se (em vez de perder tempo e esforço absolvendo-o dos pecados) pousar o indicador em sua fronte, no mencionado ponto, e, ativando esse local, encorajá-lo a concentrar ali toda a sua energia.

O ego quase sempre se rebela contra o decreto final e definitivo da morte. Poderá por algum tempo aferrar-se à espinha e ao cérebro, como alguém que, para não cair, se agarra com unhas e dentes à borda do precipício. Às vezes, essas pessoas realmente voltam ao corpo e tentam reativá-lo. Por esse motivo, a cremação é mais segura para o morto que o sepultamento. É melhor não ter um corpo aonde regressar do que despertar nele depois que foi descido à terra e os outros já aceitaram a morte como um fato.

Já os santos autênticos, cujo desapego ao corpo é ponto pacífico, tradicionalmente não são nem devem ser cremados. Seus corpos, no túmulo, projetam vibrações que podem disseminar curas e bênçãos entre aqueles que lhes prestam devoção.

No mundo astral, após um período de descanso ou fruição, os egos que não resgataram seus karmas materiais começam de novo a se sentir atraídos pelas gratificações terrenas, impossíveis de satisfazer onde se encontram. Enquanto se preparam para renascer, casais na Terra, unindo-se sexualmente, emitem para o plano astral um raio de luz gerado pelo encontro do espermatozóide e do óvulo. Conforme a qualidade da luz, as almas desencarnadas se sentem atraídas por ela. Essa atração explica a afinidade que muitas vezes (mas nem sempre) existe entre pais e filhos. Haverá, em todo caso, pontos comuns.

Os seres humanos lúcidos que, durante sua permanência na Terra, praticam o desapego, o cumprimento do dever sem desejos nem identificações egóicas e, acima de tudo, o amor a Deus, vão, ou diretamente para Ele, ou para algum paraíso astral onde continuam conscientes o bastante para prosseguir na grande obra de transcendência do ego e reabsorção em Deus.

Aqui termina o sétimo capítulo, intitulado "O yoga do conhecimento e do discernimento", dos Upanishades do sagrado Bhagavad Gita, o diálogo em que Sri Krishna e Arjuna debatem sobre o yoga e a ciência da realização em Deus.

Capítulo 20

Universo interior e universo exterior

(8:1) Arjuna disse: Ó Flor dos Purushas (Krishna), dize-me o que é Brahman (Espírito)? Que é Adhyatma (o Kutastha Chaitanya subjacente a todas as manifestações e individualizado nas almas de todas as criaturas)? Que é Karma (ação, cósmica e individual, nascida do AUM)? Que é Adhibhuta (a consciência imanente às criaturas físicas e ao cosmo material)? E que é Adhidaiva (a consciência manifesta no cosmo e nos corpos astrais)?

(8:2) Ó Exterminador do (demônio) Madhu (Krishna), que é Adhiyagya (o Supremo Espírito da criação e da cognição)? De que maneira Adhiyagya (a entrega voluntária da alma) é possível neste corpo? Como, enfim, no instante da morte, o homem autodisciplinado Te conhecerá?

Arjuna está confuso com esses termos, que Krishna empregou ao final do Capítulo 7 do Bhagavad Gita. Nessas estrofes, ele pede esclarecimento.

(8:3) O Senhor Abençoado respondeu: Brahman é o Espírito Supremo e Indestrutível. Adhyatma é a manifestação de Brahman como alma essencial de todos os seres. O Karma Cósmico é AUM (a Vibração Cósmica), que provoca o nascimento, a manutenção e a dissolução de todas as criaturas, respondendo também pela diversidade de suas naturezas.

Brahman (o Espírito Supremo), a fim de manifestar Seu sonho cósmico, fez vibrar uma parte de Sua consciência. Assim nasceu o Som Cósmico, AUM. Essa Vibração Cósmica é o karma primordial (ação), a partir do qual surgiram todos os karmas individuais. Os seres (humanos) autoconscientes, não importam as formas que assumam nos diversos planetas, são todos governados pela "lei rítmica" do karma individual.

O dramaturgo conhece bem, por dentro e por fora, o caráter das personagens que cria – ou seja, subjetiva e objetivamente. Ao mesmo tempo, observa-as sem que elas o possam afetar com suas personalidades. Assim, *Brahman* dividiu Suas funções – não a Si mesmo – criando o Observador atento, mas nunca afetado por nada (o próprio Espírito), e o enredo completo da peça (Vibração Cósmica), que determina as personagens (mas, em escala microcósmica, também é determinado por elas), cada qual com seu destino individual (karma) a ser cumprido. A terceira divisão de funções é o Kutastha Chaitanya, a consciência refletida do Espírito, que não vibra, em todas as vibrações ou agitações do universo. Tal qual sucede a um pedaço de madeira que sobe e desce ao sabor das ondas, embora sua posição horizontal não se modifique, a consciência divina em cada ondulação da Vibração Cósmica permanece como reflexo imóvel do Espírito que não vibra.

Os karmas individuais, relativamente à atividade geral na superfície do oceano, podem ser comparados à esteira que se forma atrás de um bote ou navio: ela não afeta o nível das águas – como não o afetam tampouco as ondas tempestuosas – nem provoca mudança significativa senão localmente.

Adhyatma é, no seio da criação, o reflexo primordial, o Kutastha Chaitanya do Espírito que não vibra e está *além* da criação. Sua manifestação é ao mesmo tempo microcósmica e macrocósmica: através do espaço e em cada ser individual. Também o Karma é microcósmico e macrocósmico: a vibração universal e os atos individuais de cada criatura – cujos resultados incidem, ou sobre os próprios egos que os praticam, ou (mais comumente) sobre a espécie inteira, que ainda não desenvolveu (por meio de um processo mais apurado de evolução) a consciência individual, ou egóica.

Adhibhuta é o universo "macrofísico" e também suas "microexpressões", os indivíduos. Adhidaiva é a expressão das mesmas relações "macro" e "micro" no plano astral.

Adhiyagya é essa mesma verdade inter-relacionada, aplicada ao plano causal. Neste, a autoconsciência já foi entregue às chamas purificadoras da sabedoria e não mais existe – daí o nome de yagya, auto-sacrifício. A consciência individual, no nível causal, mal se separa da Consciência Cósmica. Sucede então que as almas encarnadas no corpo causal têm o poder – conforme explicou Swami Sri Yukteswar no capítulo "A Ressurreição de Sri Yukteswar", de *Autobiography of a Yogi* – de "materializar universos, tal como o Criador. Uma vez que toda criação apresenta a textura dos sonhos cósmicos, a alma levemente revestida pelo corpo causal dispõe de grande poder de realização".

Se "universos", termo usado por Sri Yukteswar, significa "galáxias" ou mundos de espécie inteiramente diversa, isso nunca ouvi meu Guru explicar. Ouvi-o, sim, empregar o termo "universos insulares" em referência ao que nós denominamos galáxias.

As imagens são uma metáfora da realidade e não a substituem de todo. Assim, usar as vagas que surgem na esteira de um navio como analogia para a atividade individual, ou vibração, em relação às vibrações de onda do oceano inteiro, tem esta desvantagem: o navio é um corpo estranho agitando a face das águas. As microvibrações das ondas individuais, por outro lado, são ativadas na própria água pelo ego. Imagine-se, então, que todas as vagas do oceano sejam conscientes. As ondas individuais, na medida em que fossem não apenas conscientes, mas também aferradas à sua individualidade, poderiam por conta própria levantar-se do fundo do mar e formar assim cristas altas, ou então permanecer humildemente junto ao leito, como simples encrespamentos.

Ampliemos a comparação: durante uma tempestade, numerosas ondas se alteiam em resposta à força do vento, mas umas poucas, mesmo em tal situação (em virtude de forças contrárias), resistem a essa tendência e continuam diminutas. Assim também a maioria dos egos, quando as influências à sua volta na Terra envolvem-nos numa verdadeira tormenta de ilusões, instigando-os à raiva, violência e ardor belicoso, resiste à pressão que os acossa de perto e permanecem calmos, amáveis para com todos e sempre dispostos a perdoar.

Desse modo, a Vibração de AUM se manifesta ao mesmo tempo nos níveis cósmico e microcósmico (ou individual). Dá-se o mesmo com o Adhibhuta: manifesta-se macrocosmicamente (de fora) e microcosmicamente (de dentro) de cada átomo e, também, de cada ego. Tudo se repete nos universos astral e causal.

Quando as ondas da dualidade se acalmam na consciência do yogue e ele mergulha sua alma na Vibração Cósmica de AUM, os dois opostos se mesclam e transformam-se na dualidade do Espírito.

Adhi significa "acima" ou "primordial". *Adhi-atma* escreve-se com "y" – *Adhyatma* – porque assim se pronuncia. Adhyatma equivale, nos planos mais evoluídos, aos outros *"adhis"*.

A vida do animal é determinada mais pelo macro do que pelo microkarma: por exemplo, pelo karma grupal de uma espécie, região ou mesmo planeta. A humanidade, embora afetada também por esse karma coletivo, possui entretanto a autopercepção, que lhe permite agir com algum grau de livre-arbítrio. O tigre é feroz por natureza, não por escolha. Um cãozinho chihuahua age diferentemente de um buldogue – não por escolha e sim por natureza. O livre-arbítrio, no homem, independe das excentricidades do ego, sendo determinado pela orientação vinda da supraconsciência. A vontade oriunda do ego, que consideramos caprichosa, é de fato imposta ao homem por seu karma passado. É caprichosa apenas no sentido de que um ato pode parecer deliberado, embora sejamos na verdade movidos por ações anteriores e pelas tendências que elas engendraram.

Assim, seu gosto pela cor azul, por exemplo, não é uma questão de livre-arbítrio, mas de condicionamento anterior. Sua decisão de tornar-se engenheiro, do mesmo modo, só é deliberada no sentido de que apenas parece depender da vontade, quando ele o faz unicamente por ter sido condicionado nessa direção. A vontade só é livre quando guiada pela inspiração supraconsciente e, ainda assim, se essa inspiração for filtrada pelo condicionamento anterior da mente: um poeta, por exemplo, receberá influência do supraconsciente na forma de palavras, ao passo que um compositor, inspirado da mesma forma, se expressará em melodia, ritmo e harmonia.

(8:4) Ó Supremo entre os Encarnados (Arjuna)! Adhibhut é a base da existência física; Adhidaiva é a base da existência astral; e Eu (o Espírito manifestado em idéia, tanto macro quanto microcosmicamente) sou Adhiyagya.

Paramhansa Yogananda explicou que, como Adhibhuta, a presença de Deus no universo físico e no corpo físico pode apenas ser inferida.

Como Adhidaiva, a presença de Deus é *sentida*. Como Adhiyagya, Sua presença no mundo causal torna-se conhecida intuitivamente.

(8:5) Aquele que, na hora da morte, pensa unicamente em Mim, sem dúvida mergulha em Meu Ser.

Krishna responde agora à pergunta final de Arjuna (feita acima): "Como, enfim, no instante da morte, o homem autodisciplinado Te conhecerá?"

Os derradeiros pensamentos da pessoa, na hora da morte, determinam sua condição posterior. Isso não significa que ela possa viver a vida que bem entender e, no último momento, apressar-se a reunir pensamentos sobre Deus para, assim, saltar o abismo do karma e cair nos braços da Eternidade! Não são poucas as pessoas que, mercê dessas artimanhas, tentam evitar as conseqüências de seus erros.

Há a história, supostamente verdadeira, sobre um *dacoit* (bandido) da Índia que, ouvindo falar na salvação automática de quem morresse em Varanasi (Benares), concluiu que ali estava a sua "escapatória". Não querendo de forma alguma pagar o preço de seus muitos pecados, ao chegar à velhice mandou amputar as duas pernas à altura das coxas e sentou-se para morrer naquela cidade santa, resolvido a não mais se levantar.

Certo dia um homem, passando por ali a cavalo, parecia tão pouco à vontade na montaria que provocou a chacota do ex-bandido. "Ora, ora", zombou ele, "mesmo sem minhas pernas posso cavalgar bem melhor que isso!"

Pediu que o alçassem à sela. Mal se firmara, o cavalo corcoveou. Varanasi é limitada de um lado pelo rio Varuna e do outro pelo Asi. Depois que cruzou o Varuna, o cavaleiro foi lançado ao chão, quebrou o pescoço e morreu.

Os pensamentos de uma pessoa, na hora da morte, são inteiramente influenciados pela maneira como viveu. Ainda que ela cantasse "Ram!

Ram!", isso não faria com que seus pensamentos se abismassem em Deus, a quem apenas os lábios estariam se dirigindo. A mente poderia concentrar-se em Deus, mas o coração sussurraria: "Que favores devo pedir-Lhe?"

Krishna explica aqui que, se por ocasião da morte a consciência total do indivíduo estiver imersa no amor incondicional a Deus, sem olhos para a realização do ego ou as recompensas, então – e só então – conseguirá ele dissolver-se no Infinito. O significado de "sem dúvida" é duplo: as palavras de Krishna são "sem dúvida" verdadeiras, mas na mente não deverá haver hesitações nem suspeitas, e muito menos questionamento.

(8:6) Ó Filho de Kunti (Arjuna), o pensamento que dominar a mente da pessoa na hora da morte determinará seu próximo estado de existência!

A totalidade da vida humana é, como já dissemos, uma preparação para o "exame final" da morte. Desfilam então pela mente do moribundo, em rápida seqüência, as cenas da existência inteira. Fatos que julgara importantes na ocasião talvez lhe pareçam agora insignificantes. E outros que julgara triviais podem parecer-lhe, nos derradeiros instantes, decisivos. Sucede que, no momento supremo, as coisas são vistas como realmente foram – boas, más ou banais – e não como a mera opinião quis que fossem quando ocorreram.

(8:7) Portanto, lembra-te de Mim (durante a vida) e trava a batalha (da reta ação)! Entrega-Me tua mente e teu entendimento. Assim agindo, virás sem dúvida para junto de Mim.

Dado curioso: o Bhagavad Gita nunca desperdiça uma palavra sequer! O que Krishna quererá dizer ao recomendar a Arjuna que entregue a Deus *tanto* a mente *quanto* o entendimento? O leitor comum misturará as duas palavras e não atentará para o fato de elas terem acepções diferentes.

A *mente* é o aspecto da consciência que *recebe* impressões. O *entendimento* é o aspecto da consciência que *define* essas impressões e lhes atribui significado. Em suma, podemos, ao contemplar um crepúsculo, fruí-lo *com* Deus. Ofereceremos a Ele a alegria que sentimos diante de tamanha beleza e perceberemos interiormente que essa beleza é, para nós, a realidade da experiência. Não fosse por essa capacidade, o crepúsculo careceria por completo de significado aos nossos olhos. Assim, tanto a experiência quanto a constatação de sua realidade interior e não exterior são o que Krishna enfatiza ao conclamar: "Entrega-me tua mente e teu entendimento."

Nessa entrega, todas as dúvidas finalmente se esvaem. A mente já não hesita como uma criança na margem de um rio, antes de mergulhar na água, com medo de que ela esteja muito fria. A mente simplesmente mergulha.

(8:8) Alcança a Suprema Refulgência, ó Partha (Arjuna), aquele que, com a mente firmemente voltada para Mim (graças a uma longa prática), só em Mim deposita seus pensamentos.

Em conseqüência da prática, essa "firmeza da mente" não é produto da acuidade do discernimento e sim da *descontração* total na verdade do próprio ser tal como o percebemos e sabemos que é.

(8:9, 10) O yogue, no instante da morte, atinge o estado de suprema refulgência se, com amor profundo e concentração intensa graças à prática do yoga, consegue filtrar sua energia consciente através do Kutastha, entre as sobrancelhas (a sede do olho espiritual); e se mantém sua atenção inabalavelmente presa àquele Ser que, para além das ilusões da luz e da treva, brilha como o Sol – e tem forma

mais sutil que o menor dos átomos, sendo o Sustentáculo Supremo de toda (existência) e o grande Regente (de tudo), eterno e onisciente.

Temos aí a lista das três grandes qualidades pelas quais o verdadeiro yogue, por ocasião da morte, mergulha na Essência Divina e nela se dissolve: devoção a Deus; domínio do yoga (graças à prática do Kriya Yoga) e concentração absoluta. Yogananda dizia que o verdadeiro yogue "sempre sabe de antemão a hora de sua morte".

Essas duas estrofes aludem duas vezes a Deus como Luz. Nelas, é de notar também a menção de uma técnica yóguica, o que se repetirá com mais clareza ainda nas estrofes 12 e 13. A luz interior é de "suprema refulgência" – mais brilhante, dir-se-á em seguida no Gita, que mil sóis. No entanto, a luz interior não fere os olhos; apenas excita a alma. A alma *sabe* que é, *ela própria*, essa luz, tal como, ao ouvir AUM, *sabemos* ser, *nós próprios*, essa Vibração Cósmica. Assim como a vibração de AUM toca, digamos, as cordas da harpa de nosso ser, assim também a luz excita nossa consciência com a percepção de que ela *é* Luz. "Luz do conhecimento" e "luz do entendimento" não são meras figuras de estilo.

Essa radiância, proveniente como que "de mil sóis", mescla-se num feixe multicolorido, num "espetáculo sempre novo" a brotar por assim dizer de uma fonte esférica, que projeta seus raios a partir de um número infinito de pontos no espaço. O olho espiritual único, situado na fronte, proporciona ao yogue uma visão esférica de luminosidade sempre mutável, inefável e onipresente.

A luz vibratória, que é um aspecto de AUM, conduz o yogue para longe de todas as dualidades de *maya*. Ele concretiza a unidade com o Senhor transcendente, cuja forma é "mais sutil que o menor dos átomos, sendo o Sustentáculo Supremo de toda (existência), o grande Regente (de tudo), eterno e onisciente" – de quem brotam os universos causal, astral e material.

O yogue que passou a dominar por completo sua própria consciência vê em toda parte a consciência divina, manifestada nos três universos. Percebe Deus em todos os Seus oito aspectos: Luz, Som, Paz, Serenidade, Poder, Sabedoria, Amor e (acima de tudo) Beatitude. (Paz e Serenidade diferem apenas no sentido de que a Paz é a cessação de todas as formas de agitação e sentimento, ao passo que a Serenidade é dinâmica, constituindo o cerne silencioso e essencial da criatividade, o amor impessoal e a sapiência divina.)

Krishna, falando nessas duas estrofes da luz interior e da concentração no ponto situado entre as sobrancelhas, refere-se à luminescência que todas as pessoas podem ali *contemplar*. O olho espiritual não é uma imagem poética ou mística. Muita gente que nada sabe sobre yoga já avistou essa luz. Ela é um reflexo, conforme já explicamos, da medula oblonga (o *agya chakra*) na base do cérebro. Consiste num círculo de luz dourada à volta de um campo azul, com uma estrela brilhante de cinco pontas, de cor branco-prateada, no centro. O olho físico é, em certo sentido, também um reflexo da medula oblonga, com o branco, a íris e a pupila na parte central.

Esse fenômeno, já o sabemos, é universal. Vem descrito no Apocalipse: "E ao que vencer e guardar até o fim as minhas obras, eu lhe darei poder sobre as nações. ... E dar-lhe-ei a estrela da manhã". (Apoc., 2:26-28) A "estrela do Oriente" é também a estrela avistada pelos sábios que vieram reverenciar o Menino Jesus no seu nascimento. Detectaram-na "no Levante" – não porque *viessem* do Levante, pois ela "caminhava diante deles" rumo ao Poente –, mas porque a viram naquilo que é conhecido, na tradição mística, como o "oriente" do corpo: a fronte. "Abrir" esse olho espiritual é ver através dele e, após longa prática, conseguir filtrar por ele a própria consciência.

Sabemos que a pessoa não-iluminada, depois da morte, mergulha num estado de paz semelhante ao sono profundo – um processo terapêutico que se segue às tribulações, provas, desafios, sofrimentos e incertezas da vida terrena. Depois de um período de cura passado nessa condição, a pessoa pode (se tem a intuição desenvolvida até certo ponto) despertar para as belezas de um mundo astral superior (ou para os terrores passageiros do inferno) num corpo semelhante ao que deixou – mas feito de luz astral. Os atrativos da nova vida induzem-na a esquecer sua existência física durante algum tempo, embora o amor sempre a empurre para junto daqueles a quem mais estima.

O grande yogue, porém, capta com seu olho espiritual esférico o fenômeno inteiro da morte. Mesmo quem não é muito evoluído espiritualmente consegue avistar uma bonita luz na hora da morte e sentir-se guindado a um plano superior de consciência. O yogue que, durante a vida, aprendeu a fazer com que sua energia e consciência refluíssem do corpo, saúda a morte como a um velho amigo. Para sempre liberto graças a uma transição consciente, emerge do corpo com imensa alegria. Se sua prática yóguica o colocou além dos corpos astral e causal, instalando-o perto de Deus, por meio dos "nós energéticos" (chakras) na espinha astral e dos correspondentes "nós de idéias" no corpo causal, ele paira na união com o Espírito transcendente, isento de vibrações.

(8:11) Agora, em breves palavras, vou comunicar-te essa verdade e a maneira de alcançá-la, que videntes védicos declaram Imutável e os sannyasis (ascetas) obtêm ao dissipar seus apegos por meio de uma vida de autodisciplina, na qual transcendem todas as paixões.

Krishna assegura a Arjuna, nessa estrofe, que a meta divina pode ser alcançada graças à prática de um método específico, esboçado nas duas estrofes seguintes.

(8:12, 13) Alcança a meta suprema aquele que cerra as portas (aberturas) do corpo, enclausura a mente (receptiva) no centro do coração, canaliza toda a sua força vital para o cérebro e entrega-se

por inteiro à prática do yoga. **Esse homem, ligado a AUM – a Palavra Santa de Brahman –, consegue lembrar-se de Mim no momento final de sua saída do corpo.**

Para tanto, o yogue que perfilhou o Kriya aprende e pratica diariamente uma técnica conhecida como *Jyoti Mudra*, cuja finalidade consiste não apenas em ver, mas também em filtrar a força vital e a consciência no infinito, por meio do olho espiritual. A mente (*manas*, consciência sensorial perceptiva) é alçada dos três chakras inferiores, localizados na espinha (associados à consciência exterior), e concentra-se no chakra do coração (a segunda "parada" na espinha, depois de *manipura* – situada do lado oposto do umbigo –, para a energia ascendente). Na *Jyoti Mudra*, os dedos bloqueiam suavemente os olhos, ouvidos, narinas e boca a fim de direcionar sua energia para dentro e para cima, focalizando-a no olho espiritual entre as sobrancelhas. O olho espiritual é o "corredor interno" que se abre para o infinito.

Krishna já falou bastante, no Gita, da comunhão com AUM. Alguns tradutores acham que isso significa entoar o som de AUM com a boca. Em verdade esse som é, de todos os mantras, o mais excelso e ajuda a sintonizar a mente com o Som Cósmico. Entoá-lo, porém, não é a mesma coisa que comungar com ele supraconscientemente. AUM é o verdadeiro "nome de Deus", que não pode ser proferido por lábios humanos.

O verdadeiro significado dessa passagem não é, pois (como muita gente supõe), que as pessoas devam "proferir a sílaba AUM", mas sim que comunguem com o poderoso som do universo e por fim se dissolvam nele.

Ao vivenciar a onipresença de AUM, elas percebem Kutastha Chaitanya – a consciência crística que anima toda a criação – e unem a ela sua própria consciência. Daí, a consciência do yogue é absorvida pelo Absoluto Transcendental, que está além da manifestação vibratória. Eis o que Yogananda chamou de "estado de vigilância": a Consciência Infinita, ou Ilimitada.

Essa é uma condição que pode ser praticada durante a própria vida física. Se, após agir assim, a pessoa conseguir manter sua consciência alerta no momento da morte, da maneira descrita, livrar-se-á enfim de todos os vestígios da consciência egóica e unirá sua alma a Deus.

(8:14) Ó Partha (Arjuna)! Chega a Mim, com facilidade, o yogue de coração indiviso (cujos sentimentos são elevados e não se dispersam) que a toda hora Me preserva em sua consciência e só em Mim, continuamente, se concentra.

Sucede muitas vezes que as práticas religiosas e espirituais das pessoas se transformem, graças à repetição, em "rotina". Os resultados positivos do exercício do Kriya Yoga – isto é, a paz e a alegria íntimas – tornam menos provável que ela passe a ser praticada mecanicamente. Ainda assim, convém zelar para que os sentimentos mais profundos se mantenham num alto nível de devoção e ter sempre em mente o objetivo verdadeiro (Deus) enquanto se percorre o caminho (mediante as práticas yóguicas).

Eis uma boa regra para o aspirante sincero: nunca vá para a cama, à noite, sem antes experimentar ao menos um pouco da presença divina interior – paz, amor, elevação de consciência ou alegria.

(8:15) As grandes almas que Me amam e (por amor de Mim) se mesclam ao Meu espírito alcançam o êxito supremo (o único pelo qual vale a pena lutar). Não mais precisarão regressar a este mundo efêmero, repleto de dores.

Muitos aspirantes espirituais equiparam o sucesso a alguma realização que não representa uma união total com Deus. São como alpinistas satisfeitos por escalar um pico modesto quando o Everest (o mais alto de todos) está à sua frente – ou então se contentam com permanecer numa chapada e não se animam a subir até o topo.

Poderes espirituais, prestígio social, admiradores, multidões entusiastas de discípulos, êxito em negócios mundanos – essas e muitas outras coisas às vezes seduzem até mesmo yogues (relativamente) bons, que acabam por ficar aquém da absorção total em Deus. A tentação oculta vem do apego ao ego – nem sempre por orgulho, mas muitas vezes pelo simples pensamento "Eu sou *eu*! Como renunciar a tudo que conheço e sou em troca de uma verdade que jamais experimentei?"

Um desses "picos modestos", amplamente aprovado por muita gente na Terra, é a idéia: "Se ao menos eu pudesse transformar o mundo num paraíso perfeito!" O apego ao ego é aqui sofisticado e sáttwico, ou espiritualmente edificante. Temos, com efeito, o dever de abençoar e auxiliar os semelhantes na medida do possível, para que também eles alcancem a realização plena. Não obstante, cumpre avaliar esse dever em relação à maior das bênçãos, a realização em Deus (ou no Eu). A menos de ser assim, os frutos de tudo aquilo que empreendermos com a consciência egóica jamais ficarão acima da consciência do ego em si – o que é, ai de nós, a fonte de todo sofrimento!

Este mundo é uma escola. O motivo pelo qual as crianças vão à aula é educar-se – ou seja, no sentido espiritual da palavra, tornar-se perfeitas. O objetivo de todo sistema de educação cifra-se em aprimorar os alunos, não a própria escola (exceto, é claro, se houver o intento superior de proporcionar uma educação ainda melhor). A pessoa cria um bom karma pelo bem que faz; mas mesmo o bom karma, se permanece "atado ao poste" do ego, remete a pessoa de volta à Terra inúmeras vezes.

Ninguém pode transformar a Terra em paraíso porque as próprias pessoas são imperfeitas. Ninguém manda nos desejos dos outros. E não é possível decretar que os outros renunciem ao que desejam. A maneira mais eficaz de melhorar as coisas objetivamente é trabalhar com um grupo reduzido que *anseie*, ele próprio, por um estilo de vida superior e depois esperar que esses integrantes, com seu exemplo, inspirem mais alguns outros, também suscetíveis de serem convencidos, face a sólidas evidências sensoriais em contrário, da verdade. Ainda assim, quanto poderá realizar por aqui uma pessoa, um grupo pequeno ou mesmo um bom número de entusiastas? Em comparação com a imensidade do mundo, o que o homem consegue fazer é pouco, muito pouco!

Façamos o que for preciso para purificar e sublimar nossa consciência egóica sempre em expansão. A obra que deixarmos inacabada na Terra deverá ser retomada por outros, inspirados pelo nosso exemplo. Afora isso, convém lembrar que uma Lua, já o dissemos, fornece mais luz que todas as estrelas. Uma alma auto-realizada faz mais, graças à sua simples presença no mundo, que todos os "astros" (quase sempre frustrados) ansiosos por modificar as coisas.

(8:16) Quem vive em qualquer mundo, do mais elevado ao mais inferior, está sujeito ao renascimento. (Somente) se penetrar em Minha consciência conseguirá desvencilhar-se (dos laços kármicos).

Capítulo 21

Libertação final

(8:17) Só sabe realmente o que é "dia" e "noite" quem percebe o Dia de Brahma (o qual dura mil *mahayugas*) e a Noite de Brahma (a qual dura outras mil *mahayugas*).

(8:18) Ao fim do Dia de Brahma, toda a criação se manifesta novamente, emergindo de seu estado (noturno) de não-manifestação: ao iniciar-se a Noite de Brahma, toda a criação mergulha de novo em seu estado anterior não-manifesto.

Certa vez, perguntei ao meu Guru o que eram de fato esses períodos cronológicos, porquanto não parecem corresponder à idade atual do universo, reconhecida pela ciência moderna. Ele respondeu: "Bem, Krishna talvez quisesse dizer apenas que estão aí envolvidos períodos vastíssimos de tempo. Também a Bíblia se expressa simbolicamente ao dizer que Deus criou o mundo em seis dias."

Em nossa discussão das estrofes 1 e 2 do Capítulo 4 do Gita, mencionamos uma *mahayuga*: a de 24.000 anos. O leitor deve consultar aquela passagem. Pode bem ser que existam períodos ainda maiores de tempo dentro da *mahayuga* mais extensa, um Dia de Brahma. Há também, decerto, o ciclo completo de nosso sistema solar à volta do centro galático – um prazo que engloba centenas de milhões de anos.

Aqui, Paramhansa Yogananda acrescenta àquela discussão o fato interessantíssimo de que as quatro yugas (Kali, Dwapara, Treta e Satya, ou *Krita*) correspondem também às quatro castas: Shudra, Vaishya, Kshatriya e Brahmin. O número quatro assumiu um significado especial, com o progresso da relatividade, nos ensinamentos indianos. Há ainda os quatro ashrams ou etapas da vida. Yogananda preceitua quatro divisões também para os gunas, com rajas dispondo da subcategoria de sattwa-rajas. Na Idade das Trevas, chamada Kali, a mentalidade Shudra predomina. Na Dwapara Yuga (a idade da energia, na qual vivemos atualmente), predomina a consciência Vaishya. Durante a Treta Yuga, quando o poder mental se impõe, impõe-se ao mesmo tempo a consciência Kshatriya, com os líderes alimentando um senso natural de honra e nobreza. Satya Yuga é a idade espiritual: nela impera a consciência Brahmin.

Contudo, nenhum progresso é inteiramente linear. O dia se segue à noite, a noite ao dia; o inverno caminha para o verão e retorna; as ondas e marés sobem e descem; a Lua cresce, míngua e volta a crescer: assim também as yugas – longas extensões de tempo, umas maiores que outras – avançam e recuam alternadamente. Mesmo na existência individual há a plenitude da força, depois a queda na velhice e na morte, com o que nos preparamos para tentar de novo (num novo corpo) a libertação da hipnose de *maya*.

(8:19) Vezes sem conta, ó Filho de Pritha (Arjuna), as mesmas pessoas voltam à Terra para renascer. (O ciclo da) reencarnação, para elas, só se encerra temporariamente, com a descida da Noite

de Brahma. Isso é novamente retomado ao alvorecer do Dia de Brahma.

Quanto dura o "espetáculo"? Essa estrofe oferece uma resposta que dá calafrios, se não susto, àqueles que dizem: "Tudo se resolve com o tempo." Um Dia de Brahma se estende – a julgar pelos dados da ciência moderna – por alguns bilhões de anos. Muitos egos autoconscientes que surgiram na aurora do Dia de Brahma ainda estão vagueando por aí, iludidos, ao cair da Noite de Brahma. Não é possível evitar o corolário da pergunta: por quantos dias de Brahma a maioria das almas de fato vagueia mergulhada na ilusão?

A resposta não é circunscrita pelo tempo. Talvez haja incontáveis Dias de Brahma! Mas o destino cósmico de cada alma é a libertação final em Deus. Já citamos Yogananda a exclamar: "No futuro? Por que não AGORA?" Quando a alma finalmente escapa à grande roda do "destino" (que é apenas um ciclo do retorno kármico incessante, até que o próprio karma se desfaça), percebe que o tempo decorrido nunca existiu! O tempo é uma ilusão: na eternidade, não significa um segundo sequer.

E aqui surge uma pergunta intrigante: o progresso espiritual do indivíduo também não é linear, mas cíclico como todo o resto? Essa estrofe do Bhagavad Gita recomenda que cada onda ascendente de bom karma seja agarrada com firmeza. Não se vá perder a oportunidade! Pois, embora o tempo não exista, ele certamente nos parece bastante real enquanto labutamos sob seu jugo! "Aproveita o dia!", costuma-se dizer: este Dia de Brahma; esta yuga de tempo terrestre; esta estação; este instante mesmo! O progresso espiritual não vem com o passar dos anos, mas com cada momento de esforço dedicado. "Os minutos", pontificou Yogananda, "são mais importantes que os anos."

Viva agora em Deus! O agora é o único tempo que você jamais terá, porquanto o amanhã também será apenas outro "agora". "Quem se importa com o que acontecerá daqui a cinco anos?", replicou jocosamente uma jovem, num filme famoso, a alguém que a questionava. Da mesma forma, muitas pessoas pensam: "Ah, o futuro! Que me importa o futuro? Só me preocupo com o instante atual." Infelizmente para essa maneira travessa de ver as coisas, o "futuro", quando chegar, será um "agora" – ainda que a pessoa esteja em outro corpo. É muito imprudente – para não dizer insensato – atentar contra a lei do karma.

A reta ação lhe proporcionará um bom karma e este, uma felicidade correspondente. Mas não o libertará do giro constante das pás do moinho que reduz toda ilusão, com o tempo, a pó. O objetivo do Gita não se restringe a apontar-lhe o caminho para uma vida melhor, quer na Terra, quer no Céu. Como diz Krishna, citado por Yogananda, esse objetivo consiste antes em ajudar você a "afastar-se de Meu oceano de sofrimento e miséria!"

Uma a uma – e não, em absoluto, como resultado do progresso social ou evolucionário –, todas as almas por fim escapam à roda e mergulham na Sabedoria Cósmica. Seja uma delas!

Fato espantoso: esse passo, na verdade, é muito fácil de dar! Parece difícil quando, olhando à volta, vemos quantas pessoas não o fazem. Entretanto, se olharmos bem dentro do nosso coração, em vez de nos julgarmos por valores alheios, descobriremos que a tarefa *não* é tão árdua assim. Tudo depende de dois ou três pensamentos muito simples. Primeiro: você prefere a felicidade ao sofrimento? Segundo: está disposto a trabalhar para encontrar uma felicidade que, com o tempo, não se transformará em desventura? Terceiro (e mais importante): deseja ofertar ao fogo da sabedoria – ou seja, à clara percepção das coisas como são – o "eu" pateticamente insignificante? Estendendo a última pergunta: você quererá dizer: "Vós, Senhor, sois o Obreiro de tudo. Só Vós tendes importância. Estais acima dos outros. Sois também o responsável por cada pecado que este 'eu' irrisório porventura haja cometido e que, por isso, é agora lançado às Vossas chamas para ser purificado e ter sua realidade destruída para sempre"?

E então? Como o médico costuma perguntar à criança depois de aplicar-lhe uma injeção, "foi tão difícil assim?"

O caminho para Deus é suave! Por um lado, as provas da vida virão de qualquer maneira, aparentemente sem nenhuma razão de natureza cósmica. Por outro, não há aí alternativa! Assim, cada passo na jornada se torna mais compensador, mais alegre, mais satisfatório!

(8:20) Para além do estado de não-manifestação (conhecido como a Noite de Brahma), estende-se o Absoluto Não-manifestado, para sempre imutável e para sempre imune aos ciclos recorrentes da criação.

As pessoas às vezes se enchem de esperanças quando ouvem falar da Noite de Brahma: pensam que poderão, pura e simplesmente, esperar por um largo tempo e depois, chegada a época de Pralaya ou dissolução cósmica, volver ao seio de Deus. Nada, porém, acontece sem o consentimento lúcido da vontade. Quando as coisas regressam ao Espírito, tornando-se de novo não-manifestas, estão apenas se instalando num "pouso provisório". Não se chega à libertação final com tamanha irresponsabilidade. A Noite Cósmica, embora se diga que dura tanto quanto o Dia de Brahma, *não* é o estado não-manifesto do Espírito Absoluto. Ao contrário, não passa de um período de quietação provisória, um período de descanso temporário durante o qual todos os seres e todas as coisas permanecem numa condição que lembra a das sementes no inverno, a dormir sob a terra. As sementes, no estado (em parte) não-manifesto, não são matéria, mas sim núcleos de formas conceituais conscientes e eternas.

(8:21) O (acima dito) "Absoluto Não-manifesto, para sempre Imutável" é (o que os sábios chamam de) Espírito Supremo. (Somente) os que o atingem pelo próprio esforço se livram de uma vez por todas do renascimento obrigatório.

(8:22) Ó Arjuna, a devoção sincera é o que eleva a criatura humana a esse estado de não-manifestação absoluta. O Espírito Onipresente, de consciência eterna, é o repositório (final) de todas (as coisas e todos os) seres.

"Num pensamento insignificante", costumava dizer meu Guru, "reside o quinhão cósmico. Afasta esse pensamento e o universo desaparecerá." Como é estranho pensar que, rodeados por um oceano de consciência e sendo *nós próprios* conscientes, possamos parecer (embora apenas na consciência!) separados! É o pensamento que nos separa: a noção mesquinha de que a nossa é uma realidade individual! De outro modo, quer vivamos o Dia ou a Noite de Brahma, estamos sempre (aos nossos olhos, porém inconscientemente) em Deus. Nossa morada – verdadeira ou ilusória – é Ele.

(8:23) **Agora te revelarei, ó Flor dos Bharatas (Arjuna), os dois caminhos abertos às almas que partem: um é o caminho do yogue, conducente à liberdade (eterna); o outro, o caminho do renascimento.**
(8:24) **Fogo, luz, dia, a metade brilhante do mês lunar, os seis meses do curso setentrional do Sol: seguindo essa vereda logo após a morte, os conhecedores de Brahman vão para Brahman.**
(8:25) **Névoa, noite, a metade escura do mês lunar, os seis meses do curso austral do Sol: seguindo essa vereda logo após a morte, os homens só se embebem na luz da Lua e regressam à Terra.**
(8:26) **Essas duas portas de saída (do corpo) são alternativas sempiternas: a senda da luz leva à liberdade; a senda da treva, ao renascimento.**

As estrofes 24 e 25 estão entre as mais abstrusas e esotéricas de todo o Bhagavad Gita. A erudição intelectual, por si só, não consegue desvendá-las: os tradutores merecem até ser perdoados por simplesmente as passar por alto, como às vezes acontece, sem dúvida na esperança de que os leitores não dêem pela omissão. Somente um grande yogue poderia emprestar-lhes sentido – ou, pelo menos, mostrar que elas realmente são profundas.

Paramhansa Yogananda explicou que o caminho da ascensão espiritual pressupõe o despertar de Kundalini. "Fogo" significa *energia vital*: a chama de yagya, simbolizando a força divina à qual ofertamos nosso ego para que ele seja purificado e se consuma de todo.

"Luz" equivale àquilo que Jesus Cristo, numa passagem igualmente esotérica do Novo Testamento da Bíblia, descreveu como "a luz do corpo": o olho espiritual, situado na fronte.

"Dia" significa o período de tempo durante o qual o yogue se acha divinamente desperto na supraconsciência. O "sol" do olho espiritual refulge sobre ele, trazendo-lhe o que em todas as tradições místicas se conhece por *iluminação*.

A "metade brilhante do mês lunar" assinala a época do despertar espiritual. É também o período que o yogue despende na supraconsciência, em contraposição às horas (poucas ou muitas) devotadas ao cumprimento de seus deveres mundanos. A Lua é símbolo do ego. Em obras tradicionais da arte indiana, ela aparece muitas vezes sob a forma de quarto crescente na testa do yogue iluminado, significando que sua consciência egóica se aclarou e passou a ser uma só coisa com o Eu divino.

Os "seis meses do curso setentrional do Sol" denotam, em primeiro lugar, a metade do ano em que esse astro se ergue bem alto no céu. Em segundo, a energia que sobe pelos seis chakras espinais até chegar ao Kutastha e ao olho espiritual (o pólo positivo da medula oblonga, no ápice da espinha). "Norte", na terminologia mística, significa a extremidade superior do corpo: o *sahasrara* ou "chakra da coroa". Portanto, o norte indica o fluxo de energia que ascende pela espinha rumo àquele ponto.

Recapitulando: a Kundalini é o pólo sul do corpo, localizado na base da espinha, onde a energia, fluindo da espinha para o sistema nervoso, acaba "bloqueada", por assim dizer, em sua trajetória para "baixo". Diz-se que a Kundalini dorme: seu despertar é então aquele momento no qual o fluxo descendente de energia cessa de dirigir-se para fora e começa a regressar à fonte de sua divina consciência.

Como não há limite para o trajeto ascensional da energia em seu afã de expandir a consciência, porquanto a evolução espiritual "termina", no dizer de Paramhansa Yogananda, "no interminável" (infinito), também não existe teoricamente limite algum para seu fluxo descendente. Embora o pólo negativo de energia no corpo esteja adormecido na base da espinha, ele representa os extremos inferiores da subconsciência. Nada no universo é plenamente inconsciente: não pode sê-lo. O "inconsciente coletivo" de Carl Jung constitui, já de si, uma impossibilidade. *Tudo no universo* possui algum grau de consciência, pois que é produto da consciência divina. Assim, posto representar a energia adormecida do homem na base da espinha e, conseqüentemente, sua percepção mais grosseira, Kundalini não é de forma alguma estacionária. Ela costuma ampliar seu trajeto para baixo, rumo a uma ignorância ainda maior, como a toupeira que se entranha no chão. Assim, os seres humanos podem abismar-se ainda mais na inconsciência (relativa, nunca absoluta).

É possível despertar a Kundalini por meio de práticas yóguicas. Se, entretanto, essas práticas não forem seguidas da correspondente purificação do ego, proverão a medula oblonga de mais energia do que o ego está preparado para enviar ao olho espiritual (na auto-oferenda conhecida como yagya interior). O excesso de energia forma em seguida um vórtice em redor do pensamento do ego, gerando desequilíbrio de percepção: o yogue já não consegue preservar seu estado superior e volta a se concentrar na base da espinha. Yogananda insistia em que o fluxo ascendente da força de Kundalini fosse acompanhado pela purificação consciente dos sentimentos do coração. A fase mais importante de seu despertar depende, com efeito, da delicadeza, generosidade, confiabilidade e todas as virtudes que qualquer religião verdadeira reconhece como fundamentais.

Por outro lado, sempre que nos mostramos ríspidos, avaros, indignos de confiança ou refratários a essas virtudes, nossa Kundalini prossegue em seu curso descendente, mergulhando numa nebulosidade de percepção cada vez mais densa. O curso ascendente da energia e da consciência leva-as ao infinito, não havendo aí limites. E também sua possível trajetória descendente, rumo ao infinitesimal, carece de barreiras. Falaremos mais sobre esse potencial assustador nas páginas seguintes; por ora, basta ponderar na seriedade de suas implicações.

Os yogues que seguem o caminho ascendente fazem com que a energia suba vigorosamente pela espinha e desperte, de passagem, os chakras nela localizados. Quanto mais volumoso esse fluxo, maior a luz que emana do ponto situado entre as sobrancelhas. De fato, uma visão clara dessa luz revela raios de cores diferentes em cada chakra, percebidos no olho espiritual: amarela para *muladhara*; branca para *swadisthana*; vermelha para *manipura*; azul para *anahata*; esfumaçada, com fagulhas luminosas, para *bishuddha*; e, para o olho espiritual, conforme dissemos, um anel dourado circunscrevendo um campo azul-violeta escuro, com uma estrela de cinco pontas branco-prateada ao centro.

É tentador comparar as cores desses seis chakras, mais a sétima do chamado chakra da coroa (no topo da cabeça), com as do arco-íris. O arco-íris é decerto *comparável* aos sete chakras, especialmente pela mudança de matiz que nestes se observa, do vermelho materialista para o violeta espiritual (vermelho, laranja, amarelo, verde, azul, anil e violeta). Mas devemos desde logo descartar a comparação, mais poética que literal. As cores mencionadas acima por Paramhansa Yogananda são as verdadeiras cores dos chakras vistas pelo olho espiritual.

O "caminho luminoso" ascendente conduz o yogue, como já se sabe, através do olho espiritual e dos canais cada vez mais profundos da espinha astral – *sushumna*, *vajra*, *chitta* –, e depois pelo canal da espinha causal (*brahmanadi*), para o infinito.

O caminho descendente está implícito no ascendente.

A cor "esfumaçada" pressupõe ignorância, porquanto a fumaça pode ocultar a fogueira. A ignorância, qual nuvem escura, empana a luz da sabedoria e impossibilita a percepção clara das coisas.

Escuridão significa bloqueio total de luz. A mente mundana pergunta: qual das duas é real? A escuridão parece reinar inconteste até que um raio – do Sol ou de uma vela – penetre em seu seio. Ainda assim o homem que vive na ignorância acha essa condição não apenas normal como, objetivamente, o único estado das coisas em toda parte. A luz é considerada, pelas mentes mundanas, uma realidade estranha. Numa mostra similar de desfaçatez, a ciência nos acena com o que chama de Segunda Lei da Termodinâmica, segundo a qual todo o calor do universo irá aos poucos desaparecer – dissipando-se a princípio e depois caindo para o zero absoluto de temperatura.

Tal a concepção que os homens têm da realidade. Assim como não percebem que tudo começa pela consciência absoluta, não (conforme a crença dos materialistas) com a inconsciência "absoluta", assim ignoram que a energia, não sua ausência completa, é a realidade subjacente até mesmo à matéria. Por isso vêem na treva, não na luz, a realidade eterna; e no frio, não um processo de equalização final, mas o termo de toda "evolução".

A "fumaça" – essa nuvem de ignorância que tolda a consciência humana – não é a norma. Também a "noite" – segunda condição de existência descrita na estrofe 25 – é o período de sono espiritual que domina os não-iluminados.

"A metade escura do mês lunar" refere-se ao desaparecimento da Lua da consciência egóica. Os seres humanos – ao contrário dos animais inferiores – são dotados de percepção egóica. Isso poderia ser considerado desastroso (já que o desafio da vida espiritual consiste justamente em transcender o ego), mas na verdade temos de *perceber* a limitação antes de conseguir superá-la. Durante a "metade brilhante do mês lunar", o ego se torna autoconsciente o bastante para entregar-se de todo à liberdade infinita. Em contrapartida, durante a "metade escura do mês lunar", o ego, embora preso à individualidade, perde aquela fina camada de percepção que o distingue do resto do universo, mas também o identifica com ele. Durante a "fase minguante da Lua" do ego, a autoconsciência igualmente se obscurece, tornando-se antes instintiva que clarividente. O ego, caso opte por abismar-se ainda mais nas trevas da consciência, poderá ir longe a ponto de encontrar-se de novo no corpo de um animal inferior. (Disso, porém, falaremos mais adiante.)

Os "seis meses do curso austral do Sol" são, já agora, uma imagem óbvia. Significam o curso descendente de energia e consciência ao longo dos seis chakras da espinha, de volta à base.

As estrofes se referem, especificamente, à jornada da consciência humana após a morte. No entanto, os comentadores que tentam atribuir-lhes sentido literal acabam por se perder. A morte de um grande yogue não tem nada a ver com as fases da Lua ou as estações do ano. Nessas estrofes, todas as referências são metafóricas.

(8:27) Nenhum yogue autêntico, ciente da existência desses dois caminhos opostos, pode se enganar (e seguir a vereda descendente). Por isso, ó Arjuna, mantém-te sempre firme no (estado) do yoga!

(8:28) Aquele que conhece (o segredo desses) dois caminhos está além dos méritos (com seus frutos de bom karma) alcançados graças ao estudo das escrituras ou da prática formal de yagyas, austeridades ou esmolas. Esse yogue remonta à Origem Suprema (de seu eu).

A religião é o caminho. A espiritualidade propicia a experiência real: a consecução da meta. Aqui, Krishna não censura as práticas religiosas, mas lembra a Arjuna que elas têm uma finalidade muito específica. Mesmo (diz Krishna) durante a prática da espiritualidade e de todas as virtudes religiosas, mantém tua mente e teu coração concentrados unicamente em Deus.

Aqui termina o oitavo capítulo, intitulado "União com o Espírito Absoluto", dos Upanishades do sagrado Bhagavad Gita, o diálogo em que Sri Krishna e Arjuna debatem sobre o yoga e a ciência da realização em Deus.

Capítulo 22

O Senhor Supremo de tudo

(9:1) O Senhor Abençoado disse: A ti, que venceste o espírito de contradição, revelarei agora o sublime mistério (a natureza imanente e transcendental de Deus). Munido dessa sabedoria (intuitiva), ficarás a coberto de todos os males.

O espírito de contradição é uma espécie de fraqueza da mente. Impede que as pessoas se abram para novas idéias e fá-las considerar-se juízes de última instância no tribunal da vida. Em outras palavras, é um sintoma negativo da consciência egóica.

O espírito de contradição instiga a pessoa a replicar a quaisquer sugestões com a objeção cautelosa: "Sim, mas..." Raramente permite que ela chegue a uma conclusão inabalável, pois todas as conclusões lhe parecem provisórias. Não é bem a dúvida espiritual torturante, mas mantém a pessoa perpetuamente indecisa: estado endêmico do intelecto que, sem o socorro da intuição, não pode conhecer *nunca* coisa alguma. Mesmo as provas irrefutáveis da geometria euclidiana só fazem com que ela *desconfie* haver ali algum "embuste".

Quem já estiver farto desse hábito deverá viver mais pelo coração e alimentar sentimentos tranqüilos, intuitivos, com relação à natureza benigna das coisas. Até conseguir isso, a vida lhe parecerá uma corrida de obstáculos, repleta de incertezas que o levarão a desafiar e a condicionar quase compulsivamente tudo o que se lhe diga.

(9:2) (O caminho para) essa realização é a ciência das ciências, o (segredo dos) segredos, a essência de todo dharma (reta ação). Graças a métodos yóguicos fáceis de aplicar, esse caminho enseja a percepção direta da verdade.

(9:3) Homens sem fé (e mesmo interesse) nesse dharma, (buscando realização em outra parte), não chegam até Mim, ó Vencedor de Inimigos (Arjuna)! Repetidas vezes, encetam o caminho do *samsara* (ilusão) e da mortalidade.

A indiferença é a pior das doenças que afetam o espírito. Uma tartaruga não excogitaria jamais: "Para que preciso eu de uma carapaça onde me esconder?" Ao menor sinal de perigo, ela simplesmente se retrai para essa segurança relativa. O homem, contudo, está acima do nível mental das respostas meramente instintivas. Se, na dor, limitar-se a inquirir "Por que eu?", sem investigar em maior profundidade as razões de seu sofrimento e remoer o que poderia fazer para minorá-lo – se, em suma, agir como o pardal indiferente à arremetida do gavião (só por não vê-lo), a vida o tragará antes que se dê conta disso.

Muitas pessoas, ao ter notícia dos ensinamentos espirituais, logo replicam: "Francamente, não estou interessada." Estarão então interessadas em brincar com a vida enquanto sua casa vem abaixo? Instadas a encarar com mais seriedade o próprio destino, empenhando-se na busca da verdade, saem-se com esta: "Ah, mas é tão difícil!" Perguntamos: e o sofrimento, é *fácil*?

Como é triste constatar quão poucas pessoas se dispõem a perseguir, por não sabê-lo, a única realidade que significaria tudo para elas! Sua segurança física, emocional, mental e espiritual está em jogo, mas essas pessoas afastam a idéia de que algo as ameaça buscando subterfúgios e pensando: "Ora, as coisas vão se resolver por si mesmas, mais cedo ou mais tarde!" Não, não vão nunca "se resolver por si mesmas"! As próprias pessoas terão de encarar uma realidade que jamais as deixará em paz até que elas lhe solucionem o mistério.

Em verdade, como diz Krishna nessa passagem, a prática do yoga é bem mais fácil que qualquer outro caminho que poderíamos seguir para evitar os percalços da vida. Por um lado, é o único caminho que realmente leva a algum lugar – que, de fato, fornece respostas permanentes, seguras e de todo satisfatórias. Por outro, o yoga e a meditação na verdade não são práticas difíceis, exigem simplesmente, como assegura Krishna nessa notável escritura, que "vençamos" os inimigos sempre prontos a ameaçar nossa felicidade. Tudo o que temos a fazer é redirecionar a energia antes empregada, sob influência do hábito, em coisas que nunca nos deram e nunca nos darão aquilo que queremos. Bastará desviar essa energia das conclusões que nos trouxeram desgraça e dirigi-la para canais que nos garantirão perfeita felicidade, alegria e – no final – bem-aventurança.

Todavia, muitas coisas militam contra essa decisão simples, óbvia e de fato inevitável (inevitável em instância final), como por exemplo: o hábito (talvez a mais grave) e o pensamento provocado pela ilusão ("Eu sou este corpo, separado dos outros. Preciso entrincheirar-me contra as forças hostis que me cercam"). Contudo, o que mais se opõe ao óbvio é a esperança. As pessoas esperam encontrar a felicidade em determinadas coisas – quase sempre materiais. Quando, por fim, realizam um sonho (e muitas vezes, mas nem sempre, no próprio momento da realização), a vitória se transforma em pó e é dispersada pelos ventos das circunstâncias mutáveis.

Por entre as névoas cambiantes de *maya*, um rosto aparece; então as névoas se adensam e o rosto se esfuma. Se alguma vez entremostrar-se de novo, estará mudado, embrutecido e doloroso de ver.

Na eternidade, você nunca terá mais que o seu próprio eu. Não deverá então amar ao próximo? Com certeza! Mas ame-o tal qual ele é: uma extensão de você mesmo – não do eu egóico, mas do Eu verdadeiro de tudo. Nada mais, com efeito, existe! Esse Eu único está em todas as coisas. Imagens – cambiantes, assustadoras, oníricas – surgem e desaparecem, para sempre imutáveis e, no entanto, em eterna mutação. Até que você se conheça na eternidade, terá de viver sozinho com seus sonhos. O abismo entre você e eles, entre você e tudo o mais na existência, vai se alargando e dificultando a travessia.

Aquilo que as pessoas realmente querem (embora o ignorem!) não são coisas nem criaturas para amar, mas idéias, fantasias, banalidades. Só a consciência é real! A humanidade voga ao sabor das ondas de idéias no mar de chitta (sentimento), sem perceber que as esperanças são meros eflúvios de imaginação!

(9:4) Eu, o (eternamente) Não-manifesto, permeio o universo inteiro. Todas as criaturas residem em Mim, mas Eu não resido nelas.

Krishna fez declaração semelhante em 7:12: "Eles [os gunas] existem em mim, embora eu não apareça neles." Aqui, tem em mira as próprias *criaturas* ao dizer: "Eu não resido nelas." Em suma, Ele (o Espírito) está além das abstrações – qualidades – que permeiam a humanidade numa mistura que se altera sempre. Está além da própria humanidade, com suas idéias, ambições e empreendimentos sugeridos pelo ego. Flutuamos nas ondas que se erguem do oceano da consciência divina – jamais consentindo em misturar-nos à água que nos cerca, jamais nos deixando absorver por ela e jamais querendo que Ele penetre em nossos corações.

Imaginamos que nós, pequenos *icebergs*, somos substancialmente diferentes Dele e que Ele, do mesmo modo, é em essência diferente de nós. Pobre humanidade, fadada a sofrer assim à toa! Água é água, quer gelada, líquida ou em forma de vapor.

(9:5) Contempla o Meu divino mistério! Os seres não parecem existir em Mim, nem Eu neles: mas sou seu único Criador e Mantenedor!

(9:6) Pensa, pois, da seguinte maneira: assim como o ar se move pelo espaço, mas não é espaço, assim todas as criaturas nascem de Mim, mas não são o que sou.

(9:7) No final de um ciclo (kalpa), ó Filho de Kunti (Arjuna), todos os seres retornam ao estado não-manifesto de Minha Natureza Cósmica. No início do próximo grande ciclo, Eu de novo os projeto de Mim.

(9:8) Reanimando vezes sem conta minha própria emanação, Prakriti, produzo de novo, repetidamente, a grande hoste das criaturas, todas sujeitas à Natureza e às suas leis finitas.

(9:9) Essas atividades não Me limitam, ó Conquistador da Fortuna (Arjuna), pois permaneço para sempre desapegado delas!

(9:10) Ó Filho de Kunti (Arjuna)! Minha essência difusa é que permite à Mãe Natureza dar nascença tanto ao animado quanto ao inanimado. Somente pelo Meu poder (por meio de Prakriti) (todos) os mundos giram.

Deus, como Natureza, é a Mãe Divina. Seu "Filho" é a consciência reflexa, não-vibrátil, no âmago de todo vórtice de átomos. É a presença "desprendida" do Espírito em todas as formas de vida.

A fim de manter sintonia com Deus devemos, também nós, tentar perceber objetivamente não só o que nos acontece, mas também nossas reações, pois tudo isso é simplesmente parte da tempestade de *maya* que ruge em derredor. Devemos nos sentir no ponto mais central desse vórtice, imunes a tudo – assim como o Espírito, nosso eu essencial, a tudo é imune.

(9:11) O ignorante, esquecendo-se de Minha natureza transcendente, embora (Eu seja) o Criador de tudo, permanece cego também para Minha presença dentro (dele mesmo).

(9:12) Alheios a todas as questões (que realmente importam), só com olhos para aspirações, realizações e pensamentos vãos, os seres humanos (feitos para um propósito maior) acabam por partilhar a natureza dos monstros e demônios.

Por "monstros", entende-se aqui os seres humanos que a si mesmos se afligem com sua natureza "monstruosa": por exemplo, os extremamente cruéis e os que cultivam apetites nefandos ou corrompidos. Tais pessoas, após a morte (que libera suas emoções da clausura física do corpo), transformam-se em demônios, com as formas exibindo em caricatura grotesca a imbecilidade de sua consciência. Acham-se no extremo mais negro do espectro dos três gunas ou qualidades. São verdadeiras personificações da qualidade tenebrosa de tamas.

(9:13) As grandes almas, porém, exprimindo em sua natureza as qualidades superiores da divindade, apenas reverenciam a Mim, a Fonte Imperecível de todas as formas de vida.

(9:14) Eternamente absorvidas em Mim, prosternando-se a Meus pés com desvelo, firmes em sua aspiração superior, cultuam-Me com (incessante) adoração.

(9:15) Também os seres menos evoluídos, oferecendo-se a Mim com claro discernimento, percebem-Me como o primeiro de todos e o Um (dos muitos).

Os dois caminhos da devoção (*bhakti*) e do discernimento (*gyana*), amor e sabedoria, tornam-se um quando se mesclam na Visão Absoluta. Os *bhaktas* (que tomam o caminho do *bhakti* devocional) não indagam dos motivos pelos quais amam a Deus. Deus está com eles: que há para perguntar? Os *gyanis* (que tomam o caminho do *gyana*) também amam, do contrário (como bem disse Swami Sri Yukteswar) nem sequer ensaiariam dar um passo na direção de Deus. Mas seu intelecto exige respostas. Isso não constitui nenhuma contradição na natureza humana. Os *bhaktas* precisam do tirocínio para voltar seus sentimentos no rumo de Deus; os *gyanis* precisam da devoção a fim de *ansiar por Deus*, sem o que não se sentiriam inspirados a procurá-Lo.

De que modo pode o discernimento fomentar a devoção? Assim: observe uma folha; em vez de analisá-la minuciosamente (à maneira da ciência e do intelecto), amplie sua percepção dessa folha numa realidade mais ampla. Longe de querer comprimir a percepção numa definição, como que para inserir a folha num catálogo, pense nas muitas coisas maravilhosas que vê nesta: por exemplo, o fato de uma coisa tão simples poder ser reproduzida pelos seres humanos de incontáveis maneiras, sem nunca estar mais viva que uma escultura de pedra.

Que impulso de vida engendrará uma folha? Poderá sua forma estar já contida na semente? Mas como? Não haverá uma *idéia*, oculta na folha, que por fim se expanda para lhe dar contorno único entre tantas outras?

E que impulso formidável haverá na própria vida para produzir um objeto tão pequeno, tão frágil, que continue perpetuamente, apesar de tantas folhas caídas, a animar outras? Que consciência, no universo, foi capaz (talvez desde o princípio) de visualizar aquela folha? Saberia, em meio às brumas dos tempos primitivos, o que acabaria por realizar a cada etapa da evolução? Estaria o amor no âmago da primeira concepção da folha? Deus amará e fruirá o singelo ato da criação de uma folha?

E quanto ao próprio homem? De onde vêm seus pensamentos? Será a reflexão mera resposta a impulsos subconscientes, talvez reprimidos, do corpo? Ou se dará o caso de que, como todos os homens, de uma maneira ou de outra, têm pensamentos idênticos ou similares, exista algum "reservatório" cósmico de forças que os engendram?

Desse modo, perquirindo cada vez mais profundamente as causas e a natureza das coisas, o discernimento pode transformar-se, em lugar de um caminho de investigação estéril, numa vereda de amor.

(9:16) Eu sou o ritual de sacrifício; sou o próprio sacrifício; sou as oblações ofertadas aos ancestrais; sou a erva (medicinal); sou os mantras sagrados; sou a *ghee* (manteiga clarificada, oferecida nas cerimônias do culto); e (sou também) o fogo (e) o ato em si da oferenda.

(9:17) Sou, deste mundo, Pai, Mãe, Ancestral, Mantenedor; sou Aquele que sacrifica; sou o Objeto de todo Conhecimento; sou o AUM Cósmico; sou a tradição dos três Vedas (*Rig, Yajur* e *Sama*).[1]

(9:18) Sou a Meta Suprema, o Sustentáculo, o Senhor, a Testemunha, a Morada, o Refúgio, o Amigo Único. Sou a Origem, a Dissolução, o Alicerce, o Repositório Cósmico e a Semente Imperecível.

(9:19) Envio o calor; mando ou retenho a chuva. Sou a Imortalidade e a mortalidade. Sou tanto o Ser quanto o Não-ser (*Sat* e *Asat*).

Se se pensa que Deus existe, ele é existência. Se um ateu o toma por não-existente, ele é a própria não-existência! Nenhum pensamento pode ocorrer sem o amparo de Sua presença. É Ele quem alimenta a fé e também a dúvida (naqueles que a cultivam). Sem Ele, nada pode existir. Até o ato de rejeitá-Lo é fomentado por Sua consciência e energia.

"Sou ocupado demais para buscar Deus!" é uma objeção freqüente à meditação e a outras práticas espirituais. "E se Deus", ponderava Yo-

---

1. O quarto Veda, *Atharva*, foi acrescentado mais tarde.

gananda, "se considerasse ocupado demais para prestar atenção a você? No mesmo instante, você deixaria de existir!" Ainda assim, perguntei-lhe certa vez: "Poderá a alma ser destruída?" E ele respondeu enfaticamente: "Impossível! A alma é parte de Deus. Como poderia Deus ser destruído?"

"Quem fez Deus?" é outra pergunta que comumente se faz. E Yogananda respondia: "Você indaga isso porque vive na esfera da causação. Deus, porém, é a Causa Suprema. Existe em si mesmo." Presumir que uma coisa teve causa é aceitar, necessariamente, que com o tempo deixará de tê-la – ou seja, será destruída. Deus não vive nem deixa de viver: apenas *é* – sem causa, sem motivo, para além da afirmação e da negação, da aceitação e da rejeição.

Sábios são aqueles que, contemplando-O, apenas se extasiam em silêncio.

(9:20) Aqueles que praticam os rituais védicos (ou outros), purificando-se nos ritos *Sama*, ou Me reverenciando por meio das yagyas prescritas, fazendo (tudo isso) com vistas ao paraíso, alcançam-no. Podem, com efeito, adentrar o reino de Indra (senhor dos deuses), onde fruem os prazeres do céu.

(9:21) Depois de gozar essas regiões inefáveis por algum tempo, esgotados os méritos que adquiriram (e que os levaram para lá), retornam à Terra. Fiéis aos regulamentos da escritura em seu desejo de recompensas celestes, repetem (infindavelmente) o ciclo de subida e descida.

Repetidas vezes, suspensão da pena capital no derradeiro minuto e regresso às cadeias da mesma prisão antiga: que destino para escolher! Ler as escrituras, obedecer a seus "mandamentos" a fim de agradar a Deus (mas não obter-Lhe a graça), tudo isso é sem dúvida muito sáttwico, muito edificante, e portanto algo que não deve ser criticado nem condenado. Todavia... quão distante nos deixa da realização a que todos aspiramos!

(9:22) Daqueles que, ao meditar, tomam-Me por sua própria essência, com (o coração) perenemente unido a Mim graças ao culto (interior) incansável, supro as deficiências e torno permanentes os ganhos.

Os méritos adquiridos pela adoração dos deuses menores (astrais) são passageiros e limitadores. Os méritos – ou seja, o karma positivo – a que fazemos jus pela prática de boas ações, pela honestidade, pelo apego à verdade, etc., também são limitadores e passageiros. Krishna ensinou num país e numa época em que a religião e as práticas religiosas estavam inteiramente identificadas com os Vedas. Só muitos séculos depois se deu o nome de hinduísmo à religião da Índia. O nome original, como já dissemos, era Sanaatan Dharma, a "Religião Eterna". Ao longo do Bhagavad Gita, Krishna discorre sobre crenças e cultos que os fiéis de outras religiões acabaram chamando de hindus. As verdades que ele ensinou, porém, são atemporais e universais. Deve-se entender o Sanaatan Dharma, mais apropriadamente, como o caminho espiritual do universo inteiro: a saber, para dentro e não para fora, por meio dos sentidos. Assim, adeptos de qualquer religião podem beneficiar-se em muito das lições do Gita, apenas substituindo expressões como "rituais védicos" pelas escrituras e práticas de sua própria crença. A adoração dos "deuses" pode ser encarada como uma reverência especial aos anjos.

Não admitir a existência de nada acima do homem é condenar-se a uma insignificância verdadeiramente patética. Sempre devemos procurar crescer em compreensão e piedade. Desdenhar isso é decair, ou seja, restringir a consciência ao ego. Com efeito, não há imobilidade na vida. O movimento é um fato inelutável da existência manifesta. Mesmo a estagnação é uma forma de movimento, porquanto implica certa deterioração interior.

Todavia, sem ao menos o conceito de Deus, não há como imprimir um rumo definido ao movimento. Assim se explica que as antigas sociedades, sem percepção clara desse trajeto ascendente, transformassem os "deuses" em figuras humanas com seus ciúmes, rivalidades, apetites e preconceitos característicos. Sem a idéia de um Senhor Supremo, a que alvo dirigiremos a seta de nosso discernimento?

Portanto, as escrituras indianas aludem aos deuses inferiores, afirmando que o homem deve reverenciá-los e mesmo invocá-los. A humanidade está para os deuses assim como os animais inferiores estão para o homem. Os bichos que se relacionam estreitamente com os homens progridem mais depressa e, com toda a evidência, serão promovidos mais cedo ao nível humano de evolução. De igual modo, as pessoas que buscam humildemente o amparo dos deuses desenvolvem-se, em espírito, mais depressa que as que julgam bastar-se a si mesmas.

Semelhante evolução, contudo, é lenta e sempre incerta, pois enraíza-se na consciência egóica. Um progresso contínuo desse tipo lembra o exemplo do ímã e o processo de magnetizar uma barra de ferro posicionando-se as moléculas, uma a uma, na direção norte-sul. Quando uma delas se volta ligeiramente para cima, as outras, já sem o magnetismo forte que as mantinha nessa orientação, podem com a maior facilidade voltar-se de novo para todas as direções.

Outro exemplo: o progresso contínuo, penosamente estribado apenas na conquista de um bom karma, lembra o ato de lavar roupa. Uma bolha de ar às vezes estufa parte do tecido acima da água. Se tentarmos submergir essa parte, a bolha simplesmente se deslocará em outra direção, provocando nova protuberância. Da mesma maneira, concentrar-se na transformação de um karma mau num karma bom, ou de um vício na virtude oposta, só funcionará se apenas uns poucos elementos exigirem atenção. Considerando-se, porém, o fato – que o Bhagavad Gita deixa claro – de que nossos "cidadãos mentais" são comparáveis, em número e variedade, à população de um grande país, a tarefa de transformar cada um deles, individualmente, parece irrealizável. Uma encarnação talvez não baste para eliminar mesmo uma falha antiga.

As regras das escrituras – prescritivas e proibitivas – são o que Paramhansa Yogananda chamou de abordagem "carro de bois" à perfeição. Diga-se o mesmo do culto aos deuses ou aos anjos. Na esfera da relatividade, o que sobe tem de descer. O bom karma, buscado apenas como "medalha ao mérito" astral, pode despencar tão facilmente quanto a crista de uma onda.

Assim o ensinamento superior, que Krishna aqui expõe, preceitua amar a Deus, o Espírito Infinito, acima de tudo: "ao meditar, tomam-Me por sua própria essência". Só Deus pode nos elevar acima dos relativismos dos méritos e deméritos kármicos para a esfera da paz e da liberdade absolutas do Ser Infinito.

(9:23) Ó Filho de Kunti (Arjuna), mesmo os devotos de outros deuses, se lhes sacrificam com fé, estão na verdade reverenciando a Mim só, embora de maneira inadequada!

(9:24) Pois só Eu sou o Senhor que usufrui de todos os sacrifícios. Mas aqueles (que Me adoram nos aspectos inferiores) não Me percebem em Minha verdadeira natureza e por isso fracassam.

Em que consiste o culto "inadequado", visto na estrofe 23? Qualquer culto é uma oferenda do ego. Muitas pessoas se entregam ao culto de si próprias: oferecem, por assim dizer, o eu ao mesmo eu insignificante, por tal modo inflando-o de arrogância. Quem se oferece aos outros mostrando-lhes respeito está também – em certo sentido – suprimindo seu ego, mas sem dar nenhum passo sério rumo à superação desse ego. A supressão, conforme Krishna já disse, não é possível. O ego mantido suspenso por algum tempo é ainda o ego e poderá de novo espraiar-se, como uma doença, quando as circunstâncias externas o permitirem.

A oferenda de si mesmo aos deuses implica, pelo menos, uma ampliação da consciência, pois se trata de ofertar qualidades a um bem maior e a uma aspiração mais pura. Por que, então, esse culto é "inadequado"? Só o é no sentido de que o incremento da bondade e da aspiração em nosso íntimo constitui apenas um passo rumo a uma consciência egóica mais lúcida, não à diluição do ego no infinito.

Ainda assim, sendo como é um passo para cima na evolução espiritual – e embora essa ascensão deva prosseguir até a região das estrelas, onde a "ave do paraíso", a alma, poderá ganhar asas e planar no ilimitado –, a sintonia com seres superiores, concebidos quer como deuses, quer como anjos, é aceitável pelo Espírito Supremo na medida em que as bênçãos recebidas (Dele) purifiquem nossa compreensão e nos preparem para o "assalto final".

No entanto, o perigo denunciado na estrofe 24 é que, como o devoto atribui as bênçãos recebidas por intermédio dos deuses *aos próprios deuses*, e não a Deus, cultuá-los acaba se transformando numa prática exaltada, porém limitada, conseqüentemente mera extensão do ego e não sua absorção. O motivo pelo qual aqueles que cultuam os deuses recaem na ilusão pode ser ilustrado por um elástico que, esticado ao máximo, retorna à posição original quando a força que o esticou se afrouxa.

Quando oferecemos o ego a Deus, não se trata de auto-extensão; não há elástico que vá ser esticado para depois voltar à posição inicial. O ego se *dissolve* no Eu Infinito e, assim, deixa de existir por completo (menos como lembrança na onisciência).

Cultos que precisam ser constantemente prestados não podem ser eficazes para sempre. Com o tempo, tornam-se habituais e o que é habitual já não tem a plena força de vontade que o animava. O culto ao

Senhor Supremo, ao contrário, não apenas é reforçado pela própria alegria divina como acaba por não mais ter um ego que o pratique: este se mescla àquilo a que se dirige e assume-lhe a essência.

(9:25) Quem reverencia os deuses vai para junto dos deuses; quem reverencia os ancestrais vai para a morada dos ancestrais; quem reverencia os espíritos da natureza aproxima-se dos espíritos da natureza; mas quem é Meu devoto vem até Mim.

Esse famoso sloka conclama todos a fazerem de Deus seu objeto primário de adoração ao longo da vida, e, especialmente quando se aproximam dos umbrais da morte, a manterem a consciência voltada para Ele.

Os sentimentos do coração é que direcionam a energia. Vamos para onde nossos sentimentos nos impelem.

Pessoas materialistas ou de mente acanhada acham difícil entender abstrações. Segundo elas, a própria consciência só é possível se houver um cérebro físico para produzi-la. Para elas, frases assim soam facilmente como se significassem – e algumas pessoas realmente crêem nisso – que o Deus Supremo, Krishna, é (em consonância com a lenda) de cor azul e toca flauta. Estaria então dizendo, na passagem acima, que Ele, Krishna, acha-se acima dos outros deuses em sentido relativo – mais alto, maior, mais forte, mais sábio, mais brilhante. Muito fizemos já, nestas páginas, para esclarecer que o Infinito está além de todos os relativismos. Não há sectarismo algum nos ensinamentos de Krishna. Ainda assim, seria útil estabelecer de uma vez por todas, com respeito a uma passagem de que os fanáticos às vezes se valem para justificar suas vistas curtas, que não há nenhum espírito de competição na maneira como Krishna encara a Verdade.

(9:26) Qualquer coisa que alguém, com intenção pura, Me ofereça, (mesmo) uma folha, uma flor, um fruto ou um pouco de água

(derramada ou mantida num frasco), Eu a aceito (como símbolo de seu amor).

Pessoas há suficientemente tolas para imaginar que Deus se *satisfaz* apenas com essas ninharias. Chegam a discutir que *tipo* de folha, flor ou fruto Lhe agrada mais. Em Bengala, muitos adoradores de Deus sob a forma da Divina Mãe Kali preservam a crença tradicional de que o hibisco vermelho (*jawba*) Lhe é particularmente grato. A tradição insiste em que certas oferendas são corretas, outras não. Na verdade, o que Deus quer de nós é o nosso amor. As coisas que lhe ofertamos são meros símbolos desse sentimento. Se, porém, as ofertarmos sem o amor devoto, Ele não as aceitará, por mais "corretas" e tradicionalmente sancionadas que sejam.

Nessa passagem, Krishna diz simplesmente (como se falasse a crianças): "Primeiro, ofereçam-se a si mesmas, aos pouquinhos. Se não conseguirem ainda fazer a oferenda suprema de sua consciência egóica, dêem-Me pequenos presentes. Qualquer deles, acompanhado de amor, é um passo na direção certa e, *por isso*, Eu os aceito a todos."

A primeira camada de neve que cai no inverno não embranquece imediatamente a terra. Aos poucos, os flocos vão congelando o chão até que ele fique frio o bastante para recebê-los sem os derreter. A brancura então se faz visível de súbito por toda parte.

Certas pessoas dizem: "Esperarei até ficar velho para ofertar minha vida a Deus." Outras declaram com a maior convicção: "Satisfarei todos os meus desejos mundanos e *depois* me empenharei em procurá-Lo." Insensatos! Como terão certeza de que, na velhice, gozarão de força, saúde e lucidez mental para fazer outra coisa senão ficar sentados olhando ao longe e pensando vagamente no que poderia ter acontecido? Imaginarão acaso que seus desejos *cessarão* algum dia? O que é que mantém o ego sempre em ação, vida após vida, era após era, yuga após yuga, Dia de Brahma após Dia de Brahma? Nada mais, nada menos que o poder do desejo – do pensamento esperançoso!

Krishna diz aqui: "Comece, de onde está, a caminhada para o Infinito. Cada passo que der o aproximará mais desse objetivo e lhe dará a compreensão, a capacidade de ofertar-se ainda mais completamente até o dia final em que entregar o próprio eu será como atirar-se aos braços do Bem-amado."

(9:27) O que quer que faças sem paixão, Arjuna – comer, cultuar, dar esmolas ou praticar austeridades (autodisciplina) –, dedica a Mim esse ato em oferenda.

(9:28) Assim, nada do que fizeres suscitará bom ou mau karma. Firmemente preso a Mim pela renúncia de ti mesmo, a Mim virás após alcançar a liberdade.

(9:29) Sou imparcial para com todos. Ninguém Me é (especialmente) caro ou odioso. Mas aqueles que me entregam o amor de seu coração estão em Mim e Eu neles.

(9:30) Mesmo um malfeitor, se (em seu coração) repelir tudo o mais e só a Mim reverenciar, será contado, por causa dessa resolução, entre os bons.

(9:31) (Ele) logo se tornará virtuoso e obterá paz duradoura. Ó Filho de Kunti (Arjuna), toma isto por certo: Meu devoto jamais se perde!

(9:32) Abrigando-se em Mim, todos poderão conquistar a Realização Suprema – quer sejam impuros de nascimento, mulheres (as conservadoras tradicionais dos valores familiares e, portanto, do *samsara*); vaishyas ou shudras humildes.

A estrofe 32 não deprecia ninguém, explica apenas que as distinções sociais (sexo, casta, raça) não têm significado perante Deus. O homem, por egoísmo, cria barreiras; Deus as ignora.

(9:33) Portanto, é muito fácil para os (verdadeiros) Brahmins, que conhecem Deus, e para os *Rajarishis* (Kshatriyas legítimos, cujo único desejo consiste em servir sempre a Deus) chegar até Mim. Ó vós que habitais este mundo passageiro e repassado de misérias, adorai apenas a Mim!

(9:34) Fixai-vos em Mim! Sede Meus devotos! Em perene reverência, curvai-vos diante de Mim! Então, tornados um Comigo e sabendo-Me vosso objetivo maior, sereis (para sempre) verdadeiramente Meus!

Aqui termina o nono capítulo, intitulado "O Senhor Supremo de tudo", dos Upanishades do sagrado Bhagavad Gita, o diálogo em que Sri Krishna e Arjuna debatem sobre o yoga e a ciência da realização em Deus.

CAPÍTULO 23

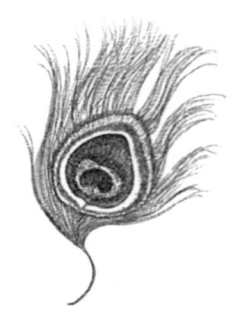

Do oculto ao manifesto

(10:1) O Senhor Abençoado disse: Ó Poderosamente Armado (Arjuna), ouve agora minha exortação final! Falando para teu supremo bem, dir-te-ei mais coisas, pois Me tens ouvido com alegria.

(10:2) Nem a multidão dos deuses (anjos) nem os grandes sábios (em sua condição humana) conhecem-Me no estado não-manifesto. Eu sou sua Fonte e Origem.

(10:3) Aquele que, no entanto, Me perceber não-nascido e sem princípio, bem como (mesmo agora) o Senhor da Criação, terá vencido a ilusão e estará isento de pecado embora permaneça num corpo humano.

Talvez seja útil às pessoas saber que mesmo os *jivan muktas* – e mesmo os mestres plenamente libertos – reconhecem, em sua condição de homens, certas limitações humanas. Parecem às vezes, por exemplo, sofrer pelos semelhantes – e até, de quando em quando, por si próprios. Exprimem esperanças, entusiasmos e desapontamentos que na verdade não sentem bem no íntimo. Embora totalmente desapegados, "fazem o jogo" da vida.

Sempre observei, quando meu Guru externava sentimentos humanos absolutamente naturais, que ele o fazia de um modo sáttwico. Seus olhos estavam invariavelmente calmos. Era óbvio para mim que, por dentro, nada o afetava. No entanto, a fim de ser aceito pelos seres humanos, ele acatava a humanidade para si como parte dos ensinamentos que difundia.

Certa vez, quando um discípulo tentou chamar sua atenção para temas mais elevados durante uma conversa sobre assuntos mundanos, meu Guru respondeu: "Está bem, mas por hora estamos falando em termos humanos."

Quando, em seus primeiros anos nos Estados Unidos, um discípulo indiano o traiu, ele demonstrou profundo pesar. No entanto, outro discípulo que bem mais tarde visitou a Índia soube ali que o Mestre, ainda criança, previra aquela traição. Podemos comparar seu sofrimento posterior com o ato de assistir pela segunda vez a um filme. No afã de apreciar o desenvolvimento do enredo, deliberadamente ignoramos o conhecimento que tínhamos dele.

(10:4, 5) Discernimento, sabedoria, lucidez tranqüila, capacidade de perdoar, sinceridade, controle dos sentidos, paz interior, alegria, tristeza, nascimento, morte, medo, coragem, pacifismo, equanimidade, serenidade, autodisciplina, caridade, fama, notoriedade: tais estados, por diversos que sejam, derivam de Meu Eu único. São modificações de Minha natureza (essencial).

Nos sonhos, os pensamentos e sentimentos são vivenciados como projeções da consciência do sonhador; de igual modo, todos os aspectos do devaneio cósmico são emanações da Consciência Divina. A diferença mais significativa entre sonho divino e sonhos humanos é que estes podem revelar (embora não necessariamente) alguma coisa da pessoa que os projeta, enquanto o sonho de Deus nada revela de Sua natureza cósmica. Deus está além de quaisquer limitações. As manifestações potenciais da consciência são infinitas em número, jamais expressando apego ou desejo da parte do Criador.

(10:6) Os sete grandes *rishis*, os Quatro Patriarcas e os (catorze) Manus são todos modificações de Minha natureza, nascidos de Meu pensamento (projetado) e dotados de poderes (criadores) como os Meus. Desses (progenitores) surgiram todas as formas de vida da Terra.

Essas "modificações" da natureza de Deus, embora significativas para pessoas dedicadas ao folclore antigo, têm pouca importância para a mente moderna. O que vale aqui é que Deus, o Espírito Eterno, não produz diretamente Seu sonho cósmico, mas cria "executivos": condutos de Sua consciência por meio dos quais Ele, em Sua sabedoria e poder soberanos, manifesta todos os ulteriores desdobramentos.

(10:7) Aquele que capta a verdade de Minhas múltiplas manifestações, reconhecendo o poder criador e destruidor de Meu divino yoga, está para sempre unido a Mim.
(10:8) Eu sou a Fonte de tudo. De Mim toda a criação emerge. Percebendo essa verdade, o sábio, maravilhado, Me reverencia.

Ignorando os pormenores que produzem a soma total do conhecimento, o caudal da sabedoria rejeita, por sua própria natureza, a superfluidade dos detalhes, embora a sabedoria perfeita os conheça a todos. Seu enfoque primário é na direção do movimento. O que mais espanta na

Verdade Suprema não é a quantidade assombrosa de suas manifestações – de fato, inumeráveis – e sim seu infinito manancial de beatitudes.

(10:9) Com seus pensamentos voltados para Mim, seus seres a Mim entregues, iluminando-se uns aos outros e falando a Meu respeito, estão sempre contentes e cheios de alegria.

Os seres humanos comuns, acostumados ao prazer de conviver, tagarelar e esmiuçar as últimas notícias, ocupados com suas opiniões e reações, imaginam que, em Deus, toda essa fascinante variedade se perderá. Krishna revela, na estrofe acima, que as coisas não se passam assim. Não apenas a bem-aventurança de Satchidananda é "sempre nova", nas palavras de Yogananda, como aqueles que a conhecem descobrem, mesmo quando apenas conversam sobre assuntos divinos, um grau de deleite que a gente mundana ignora. A ânsia que as pessoas têm de variedade denuncia a aridez de seus corações, levando-as a buscar desesperadamente umas poucas gotas de diversidade na esperança de matar a sede. Quando duas pessoas que conhecem Deus se encontram, não precisam falar muito, pois o fluxo do amor divino e da beatitude entre elas as satisfaz amplamente.

(10:10) Com aqueles que se prendem unicamente a Mim e Me reverenciam com amor, partilho a sabedoria lúcida graças à qual chegam em definitivo até Mim.
(10:11) Por pura compaixão (isto é, em virtude do dom desprendido do amor, sem laivos de coerção), Eu, o Um Divino que reside em todas as coisas, acendi em seus (corações) a lâmpada fulgurante da sabedoria, que afasta as trevas de sua ignorância.

Convém muitíssimo ao aspirante espiritual compreender que ele não *ganha* nada ao buscar Deus. A graça divina é sempre um dom de compaixão e pode ser tomado àquele que, embora seguindo estritamente a lei, não consegue – talvez por dureza de coração – propiciar o amor de Deus. Este pode, por outro lado, recompensar com a sabedoria máxima aqueles que, mercê de uma perfeita devoção, só a Ele amam.

Só pela intervenção do *Satguru* obtém-se essa bênção.

(10:12) Arjuna (em atitude de adoração) clamou: Ó Senhor, tu és o Supremo Espírito, o Supremo Abrigo, a Suprema Pureza, o Um, o Ser Automanifestado, o Sem-causa, o Eterno, o Onipresente!

(10:13) Isso declaram todos os sábios – o divino vidente Narada, Asila, Devala, Byasa e Tu Mesmo, Krishna.

Aqueles que conhecem Deus proclamam as mesmas verdades essenciais a Seu respeito.

Se um arquiteto, um pintor de paisagens e um engenheiro civil fossem de Nova Délhi a Londres, todos regressariam com as mesmas descrições básicas de seu tamanho, variedade, comércio, clima, etc. A isso, cada qual acrescentaria sem dúvida impressões próprias sobre a cidade, conforme seus interesses. O arquiteto talvez não apenas descrevesse os edifícios como os exaltasse a ponto de induzir os ouvintes a pensar que todos os prédios de Londres são notáveis. O pintor, incensando longamente a beleza dos parques, faria os ouvintes visualizarem a cidade como um vasto conjunto ajardinado. E o engenheiro civil gabaria tanto as ruas de Londres que os motoristas indianos, vituperando a buraqueira provocada em Nova Délhi pelas monções, considerariam a capital inglesa abençoada por não sofrer semelhantes ameaças públicas. No entanto, os três teriam visto, e descrevê-la-iam em linhas gerais, a mesma cidade.

Outro tanto se diga das pessoas que conhecem Deus. As descrições que fazem Dele são, na essência, idênticas, mas cada uma pode também enfatizar um aspecto específico de Sua grandeza solene. Quem ouve tais descrições e conclui "Vi tudo isso com os meus próprios olhos" talvez se abalance a ensinar aos outros, com pretensa autoridade: "Eis o que Deus é." Deus, porém, é muito mais! Assim, Arjuna procura o apoio de inúmeras autoridades à sua exaltação das maravilhas divinas.

(10:14) (Ainda Arjuna:) Ó Keshava (Krishna)! Tomo por verdade eterna tudo o que me revelaste. Nem deuses nem demônios (podem) conhecer Tuas (múltiplas) manifestações.

Nem os residentes comuns, posto que permanentes, do mundo astral logram conhecer as verdades supremas, acima de todas as esferas manifestas da existência. Que dizer então dos moradores da Terra em sua condição meramente humana?! Os mestres são oniscientes em qualquer plano que habitem, mas os terráqueos que esperam a iluminação de simples anjos ou dão ouvidos a promessas vazias de seres demoníacos estão fadados ao desapontamento.

(10:15) Ó Criatura Suprema (prossegue Arjuna), Origem dos Seres, Senhor de todas as Criaturas, Deus dos Deuses, Amparo do Mundo! Só Tu conheces a Ti mesmo.
(10:16) Descreve-me em minúcia quais os poderes supremos pelos quais, sendo onipresente, sustentas o universo.
(10:17) Ó Maior dos Yogues (Krishna), como meditarei sobre Ti, como Te conhecerei tal qual és? Sob que formas e aspectos Te captarei mais acuradamente?
(10:18) Ó Janardana (Krishna), fala-me em profundidade de Teus poderes yóguicos e de Tuas manifestações, pois jamais me canso de ouvir Tuas palavras que são como néctar!
(10:19) O Senhor Abençoado respondeu: Ó Flor dos Príncipes (Arjuna), falar-te-ei de bom grado sobre algumas de minhas manifestações – mas apenas das mais proeminentes, pois Minha variedade é infinita.

Com essa estrofe começa uma longa lista de manifestações divinas, cuja finalidade mais óbvia é convencer o devoto de que, sejam quais forem seus desejos íntimos, eles só se realizam plenamente em Deus, a própria essência de toda realização. O devoto é estimulado a perscrutar além de suas próprias ilusões para descobrir que, não importa quão densas sejam, Deus clama por trás delas: "Despertai!"

"Entre jogadores", diz Krishna mais à frente (10:36), "faço o meu jogo." Com que objetivo Krishna mencionará essa "manifestação" a Arjuna? O jogo, passatempo que domina e quase sempre arruína as pessoas, não é o sonho mais enganador de riqueza? Deus, mesmo ante os extremos da ilusão, pergunta à humanidade: "Não percebeis por vós próprios como tudo isso é insensato?"

A estrofe 20 monta o cenário: Deus é a Presença Oculta no âmago de *tudo*.

(10:20) Ó Gudakesha (Vencedor do Sono – Arjuna), Eu sou o verdadeiro Eu que mora no coração de todas as criaturas. Sou o começo, a continuação e o fim de sua existência.

Chamando Arjuna de "Vencedor do Sono", Krishna deixa entrever que as verdades superiores só podem ser conhecidas pela pessoa que despertou inteiramente do sono da ilusão. Krishna afirma aqui que o Senhor, em seu Eu essencial, é o único Sonhador e só Nele as coisas existem. Tal o desafio lançado àqueles que declaram: "Não tenho tempo para Deus." A essa objeção corriqueira, Paramhansa Yogananda freqüentemente replicava: "E se Deus não tivesse tempo para ti? Só Nele tens tua existência."

(10:21) Entre os *Adityas* (deuses védicos), sou Vishnu; entre as luminárias (do céu), sou o Sol; entre os deuses do vento, sou Marichi (a mais benéfica das brisas) e entre os fachos (noturnos), sou a Lua.

Aqui e nas passagens seguintes dessa seção, Krishna explica que Deus é tudo aquilo que o homem possa ver de mais esplendoroso.

(10:22) Entre os Vedas, sou *Sama* Veda (por causa de sua beleza musical); entre os deuses, sou Indra; entre os sentidos, sou a Mente (que percebe); nas criaturas, sou a inteligência.

(10:23) Entre as Rudras (forças inteligentes da vida) sou Shankara (a inteligência que as anima); entre os Yakshas e Rakshasas (símbolos astrais do desejo humano) sou Kubera (o deus da riqueza); entre os Vasus (impulsos revitalizantes) sou Pavaka (Agni, deus do fogo); entre os picos montanhosos sou Meru.

Meru, na tradição clássica da Índia, simboliza a suprema realização espiritual.

(10:24) Entre os sacerdotes, ó Filho de Pritha (Arjuna), sou Brihaspati (guru dos deuses); entre os generais, sou Skanda (Kartikeya, deus da guerra); entre os corpos aquosos, sou o oceano.

(10:25) Entre os grandes rishis, sou Bhrigu; entre as palavras, sou a sílaba AUM; entre os yagyas (rituais sagrados), sou *japa-yagya* (cântico silencioso e supraconsciente); entre as coisas imóveis, sou o Himalaia.

(10:26) Entre as árvores, sou Ashvatta; entre os videntes divinos, sou Narada; entre os Ghandharvas (deuses da música), sou Chitraratha; entre os seres perfeitos, sou Kapila (o intérprete de Shankhya).

Mais à frente, no Bhagavad Gita, Krishna identifica o corpo humano com a (verdadeira) árvore Ashvatta, "que tem as raízes em cima e os galhos embaixo": ou seja, a espinha, onde os "galhos" são o sistema nervoso e as "raízes", o *sahasrara* de múltiplos raios no alto da cabeça.

Nem é preciso acrescentar que quase todos os nomes citados nessa seção do Gita correspondem a mitos e lendas hindus, sem equivalência direta com o conhecimento moderno. Muitos são simbólicos, é claro, e se referem a lições espirituais ministradas mais explicitamente em outros pontos da escritura. Nessa passagem do Capítulo 10, elas são apresentadas antes para informação que para instrução ou inspiração. O significado essencial que Krishna lhes atribui aqui é: as coisas mais brilhantes, perfeitas, fortes, gloriosas ou inteligentes são manifestações incontestáveis de Deus – não no sentido de que a onda mais alta O manifesta mais do que a mais baixa, mas no de que, quando *tamas* e *rajas* infatigáveis obscurecem uma qualidade divina, o resultado lembra a névoa que vela a Lua e torna-a ainda mais visível. A metáfora da onda que se alteia pode aludir à tensão do ego, mas Deus é especialmente notório sempre que brilha naturalmente neste mundo.

(10:27) Entre os cavalos, sou Ucchaisravas, nascido do néctar; entre os elefantes, sou Airavata (o elefante branco de Indra); entre os homens, sou um monarca.

O cavalo, convém advertir, simboliza o poder, mais especificamente aquele que canaliza a energia tanto para cima quanto para baixo (*ucchais* significa "para cima").

(10:28) Entre as armas, sou o raio; entre as vacas, sou Kamadhuk (a que satisfaz os desejos); no sexo, sou a procriação; entre as serpentes, sou Vasuki.

(10:29) Entre as serpentes Naga, sou Ananta (infinito); entre os seres aquáticos, sou Varuna; entre os ancestrais, sou Aryama; entre os que preservam a lei e a ordem, sou Yama.

(10:30) Entre os Daityas, sou Prahlad; entre as medidas, sou o Tempo; entre os animais, sou seu rei (o leão); entre os pássaros, sou Garuda ("senhor dos céus"; na simbologia clássica, o veículo de Vishnu).

(10:31) Entre os purificadores, sou o vento; entre os que empunham armas, sou Rama; entre as criaturas da água, sou Makara (veículo do deus do oceano); entre os rios, sou o Jahnavi (o Ganges, o mais sagrado dos rios).

(10:32) De todas as manifestações, ó Arjuna, sou o começo, o meio e o fim; entre os vários ramos do conhecimento, sou a sabedoria do Eu; durante os debates, sou o raciocínio lúcido.

(10:33) Entre as letras, sou a primeira do alfabeto; entre os compostos, sou a liga; no tempo, sou o imutável; na criação, sou o Onipresente que sempre volta a face em todas as direções.

(10:34) Sou a Morte que tudo dissolve; sou o Nascimento; sou a origem das coisas por vir; entre as manifestações femininas (as qualidades de Prakriti ou Mãe Natureza), sou a fama, o sucesso, o poder esclarecedor da fala, a memória, o tirocínio intuitivo, a lealdade inabalável e a paciência.

(10:35) Entre os hinos, sou *Brihat-Saman*; entre os metros poéticos, sou Gayatri; entre os meses, sou Margashirsha (o mês auspicioso do inverno); entre as estações, sou Kusumakara, a que traz as flores (primavera).

(10:36) Entre os jogadores, sou o jogador; dos gloriosos, sou a glória; para os que buscam vencer, sou a vitória; entre os bons, sou Sattwa (a qualidade edificante).

(10:37) Entre os Vrishnis, sou Vasudeva (Krishna); entre os Pandavas, sou (tu mesmo) Dhananjaya (ou Arjuna); entre os munis (santos), sou Byasa; entre os sábios, sou Ushanas.

(10:38) Sou a vara da disciplina; sou a estratégia dos vitoriosos; sou o silêncio das coisas ocultas; dos conhecedores, sou a sabedoria.

(10:39) O que quer que constitua a semente reprodutora de todos os seres, isso sou eu. Nada, Arjuna, que se mova ou fique parado existe sem Mim.

(10:40) Ó Vencedor de Inimigos (Arjuna), as manifestações de Meus atributos divinos não têm limites! Essa pequena lista não as esgota.

(10:41) Quando vires um ser dotado de força, prosperidade ou glória, fica sabendo que esse dom é apenas uma fagulha de Meu revérbero.

(10:42) Mas que necessidade tens, Arjuna, de tantos detalhes? Basta saberes isto: Eu, o Imutável e Eterno, permeio e sustento o universo inteiro com um simples fragmento de Meu ser essencial.

Aqui termina o décimo capítulo, intitulado "Do oculto ao manifesto", dos Upanishades do sagrado Bhagavad Gita, o diálogo em que Sri Krishna e Arjuna debatem sobre o yoga e a ciência da realização em Deus.

Capítulo 24

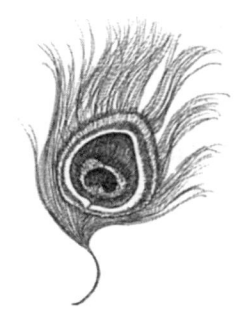

A visão divina

(11:1) Arjuna disse: Em Sua compaixão, revelaste-me a sabedoria secreta do Eu e, com isso, baniste a minha ilusão.

(11:2) Ó Olhos de Lótus (Krishna), discorreste longamente sobre o começo e o fim de todos os seres, realçando Tua eterna soberania!

(11:3) Ó Supremo! Tu Te revelaste a mim e tomei por verdadeiro tudo o que disseste. No entanto, ó Purushottama, anseio por ver-Te, com os meus próprios olhos, em Tua forma infinita!

(11:4) Ó Mestre, Senhor dos Yogues! Se me consideras preparado, revela-me Teu Eu Infinito!

As escrituras indianas atribuem mais de mil nomes a Deus, cada qual com um matiz de significação diferente para indicar, em linguagem humana, um aspecto da infinitude da verdade. Purushottama, no terceiro verso, é a designação de Deus em Seu aspecto superior, não-manifesto.

(11:5) O Senhor Abençoado disse: Contempla, ó Filho de Pritha (Arjuna), Meus centenares e milhares de formas – multicoloridas e multifárias!

(11:6) Vê os Adityas, os Vasus, os Rudras, os gêmeos Aswins, os Maruts e as muitas maravilhas até agora ignotas!

(11:7) Neste instante, observa, ó Gudakesha (Vencedor do Sono, Arjuna), como se unem em Meu Corpo Cósmico todos os mundos, tudo o que se move ou carece de movimento e tudo o mais que queiras observar.

(11:8) Não poderias, entretanto, ver-Me com olhos mortais. Por isso te concedo agora a visão divina. Contempla então Meu supremo poder yóguico!

(11:9) (A Dhritarashtra) Sanjaya disse: Com essas palavras Hari (Krishna), o excelso Senhor do Yoga, revelou a Arjuna sua forma Divina, Superior.

(11:10, 11) Arjuna contemplou a Divindade Suprema, infinita na variedade, unidirecional na radiância, onipresente – como se, por toda parte, adornada com vestes celestiais, guirlandas e jóias; de armas divinas (poderes celestes) em punho (como que prontas para golpear); perfumada com essências raras, olhos e faces voltados para todos os quadrantes!

(11:12) Se milhares de sóis aparecessem juntos no céu, seu brilho só palidamente imitaria o esplendor desse Ser inefável.

(11:13) Graças (à nova visão), pôde Arjuna observar o vasto universo com suas divisões infinitas, todas fundidas em uma só coisa, sob a forma do Deus dos deuses.

(11:14) Então Dhananjaya (Arjuna), cheio de admiração, com os pêlos dos braços eriçados, uniu as mãos em atitude de reverência e, curvando a cabeça perante o Senhor, exclamou em êxtase:

(11:15-31) Grandioso Senhor, adorado dos deuses!
Sob Tua forma cósmica descortino

O vasto universo dos seres,
Santos e sábios divinos
Embrenhados em remotas cavernas,
Sua natureza de serpente (Kundalini),
Outrora virulenta, hoje domada,
Soerguida pelo amor na vara do despertar.
Senhor Brahma, Deus dos deuses,
Sentado sobre a cabeça de cada sábio,
No trono refulgente que é o lótus de mil raios!
    Ó Senhor de todos os mundos, em Teu corpo cósmico
Vejo-Te por toda parte e em tudo!
Inumeráveis corpos, rostos e olhos revelam Tua energia!
Inescrutáveis para mim são Tuas origens,
Teus reinos, Teus fins.
Ó Fulgor! Ó Luz Esmagadora!
A glória de Teu nome está em toda parte –
Assim nos cantos escuros como no universo!
    Eis-Te coroado de estrelas,
Empunhando o cetro do poder soberano
Com o disco de Teus vórtices rodopiantes de luz
Refulgindo, iluminando, eletrizando tudo!
Brahman Supremo, Imortal,
Descanso final das formas criadas,
 Guardião da lei eterna: trono da máxima sabedoria,
Teu brilho essencial protege Teus devotos dos males
E dá guarida a todos os seres,
Chamando-os para despertarem em Ti.
    Ó Soberano Único, todos os seres da Terra
E os deuses astrais, em êxtase e de mãos postas,
    Te reverenciam. De cabeça baixa, penetram em Teu templo cósmico

Para oferecer-Te seu amor e sua devoção profunda:
Com hinos que sobem à abóbada estrelada do céu,
Adoram a Ti e a Ti somente.

As luzes do céu – sóis incandescentes, "lâmpadas" da consciência –,
Sábios, eremitas, imperadores de mando benigno,
Nobres arautos de Tua paz,
Os fortes, os poderosos, os cúpidos e os ambiciosos
Se curvam maravilhados perante Teu trono radiante
Ou, amedrontados, se prostram a Teus pés,
Vencidos, suas vidas insignificantes
Consumidas em Teu fogo cósmico.

Contemplo-Te! Teus pés palmilham todas as terras,
Teus membros incontáveis se agitam pelo espaço.
Tuas bocas devoram, Teus olhos rebrilham,
Teus cabelos se espalham impetuosamente pelo céu,
Ó Tu, Luz jubilosa, esmagadora, obnubilante!
Diante de Ti, tremo de receio!
Egos, karmas, desejos, ambições, vitórias:
Tudo corre para Ti a fim de imergir em Tua beatitude
Ou se esboroa em pó desprezível.
Assim os rios tempestuosos de vidas inumeráveis
Fluem com ímpeto cego para o Teu mar.
As mariposas, atraídas pela chama, nela perecem:
Sucede o mesmo às vidas humanas, atraídas pela ambição,
Sempre esperançosas, mas sempre votadas ao fracasso,
Pois a névoa da paixão encobre para elas a verdade.

Quem és Tu, Senhor? Qual é a Tua vontade cósmica?
Que pretendes?
Para que foi feito tudo isso?

(11:32-34) O Senhor Abençoado disse:

Eu sou *Kala*: sou o Tempo.
Vim sob a roupagem do Destino Inelutável.
Domino; destruo.
Ainda que não lutasses, Arjuna,
Os inimigos que aí vês em Kurukshetra
Pereceriam esmagados por Minha vontade poderosa.
Em verdade, já os eliminei há muito tempo:
Tu és apenas Meu instrumento,
Teu destino é cumprir Minha vontade.
Não preciso de ti: tu sim, Arjuna,
Precisas de Mim!
Conheço o passado, o presente e o futuro de todos os homens.
Faze a guerra por Mim se queres obter
Vida eterna, vitória e bem-aventurança!

(11:35) Sanjaya disse: Arjuna, de mãos postas, trêmulo de medo, prostrou-se diante de Krishna e clamou:

(11:36) Ó Krishna, bem se rejubila o mundo em Tua glória! Os demônios, aterrados, buscam em vão refúgio de Tua cólera. As hostes de seres perfeitos submetem-se em adoração autêntica.

(11:37) Ah, como não renderiam homenagem a Ti, Senhor Excelso? És maior que Brahma, que tudo criou! Ó Ser Infinito, Deus dos deuses, Abrigo do universo – Tu és o Imperecível, o Manifesto e o Oculto, o Mistério Insondável!

(11:38) Tu és o Primeiro dos Deuses, a Criatura Original, o Refúgio do Mundo. Só Tu conheces o que pode ser conhecido. Tu és o Supremo Objetivo. Tu permeias o universo com Tua forma infinita!

(11:39) Tu és Vayu (o vento). Tu és Yama (o destruidor, o deus da morte). Tu és Agni (deus do fogo). Tu és Varuna (o deus do mar). Tu és Sasanka (a Lua) e Prajapati (o antepassado de tudo). Salve, mil vezes salve! Salve para todo o sempre!

(11:40) Sê honrado na frente, atrás e em toda parte. Sem limites no poder e sem peias na força, Tu estás em tudo e, portanto, és tudo!

(11:41) Peço-Te perdão, ó Senhor Infinito, por minhas leviandades, se Te faltei ao respeito chamando-Te de "Amigo", "Companheiro", "Krishna", "Yadava" (vínculo familiar de Krishna com Arjuna), embora por trás desse descuido houvesse afeição.

(11:42) Peço-Te perdão, ó Senhor Inabalável, pela irreverência que possa ter exibido diante de Ti ao comer, descansar, caminhar, sentar-me Contigo a sós ou em companhia de outrem – tudo isso foram deslizes involuntários.

(11:43) És o pai de tudo: do animado e do inanimado. Só Tu, ó Sublime Guru, és digno de culto! Sem igual nos três mundos, quem Te poderá superar, ó Senhor de Incomparável Poder?

(11:44) Por isso, ó Infinitamente Adorável, ponho-me com humildade a Teus pés e imploro Teu perdão. Como de pai para filho, de amigo para amigo ou de amante para amante, perdoa-me, Senhor bem-amado!

(11:45) Felicíssimo estou com essa visão cósmica, com ter visto o que nunca se vira antes. No entanto, confesso-o, minha mente não está livre do terror. Tem piedade de mim, Senhor dos deuses e Amparo dos mundos! Mostra-Te de novo em Tua forma (humana, limitada).

Assim, chega ao termo a Visão das visões. Procurei – contando com a indulgência e o perdão dos leitores – oferecer aqui uma paráfrase bastante livre, achando ser mais importante transmitir o sentimento de estupor e majestade que preservar as palavras exatas do original – mesmo as da tradução de meu Guru. Muitos livros apresentam traduções literais. Mas sempre cuidei que havia necessidade de algo mais poético, em linguagem contemporânea.

Paramhansa Yogananda compôs um grande poema místico, "Samadhi", onde descreve sua atitude perante essa experiência divina. Parece conveniente, aqui, citá-lo também:

Desvaneceram-se os véus de luz e treva,
Esfumaram-se os vapores da tristeza,
Diluíram-se as auroras da alegria fugaz,
Esbateram-se as miragens confusas dos sentidos.
Amor, ódio, saúde, doença, vida, morte,
Foram-se essas sombras falsas projetadas na tela da dualidade.
Ondas de riso, sorvedouros de sarcasmo, abismos de melancolia
Se mesclaram no vasto oceano da bem-aventurança.
A tempestade de *maya* serenou
Ante o passe de mágica da intuição profunda.
O universo, sonho esquecido, jaz no subconsciente,
Pronto a invadir minha lembrança divina recém-despertada.
Vivo sem a sombra cósmica,
Mas ela não vive sem mim;
O mar existe sem as ondas,
Mas as ondas não respiram sem o mar.
Sonhos, caminhadas, estados de *turia* profunda, sono,
Hoje, ontem, amanhã – nada disso existe já para mim,
Apenas o Eu sempre presente, a fluir, em toda parte.
Planetas, estrelas, poeira estelar, terra,
Erupções vulcânicas de cataclismos apocalípticos,
Forja da criação,
Geleiras de raios X silentes, dilúvios de elétrons incandescentes,
Pensamentos de todos os homens de hoje, ontem e amanhã,
Cada folha de relva, eu próprio, a humanidade,
Cada partícula do pó universal,
Cólera, inveja, bem, mal, salvação, concupiscência:
Tudo isso traguei, tudo isso transmudei
Num largo oceano de sangue do meu próprio Ser!
A alegria latente, despertada pela meditação,
Cerrou meus olhos lacrimosos,

Incinerou-se na chama imortal da beatitude,
Consumiu meu pranto, minha forma, meu eu inteiro.
Tu és eu e eu sou Tu:
O Conhecer, o Conhecedor e o Conhecido são Um!
Paz inabalável, ininterrupta, eterna, sempre nova!
Grata para além do concebível, beatitude do *samadhi*!
Jamais estado inconsciente
Ou mente entorpecida sem desejo de reagir,
O *samadhi* dilata minha consciência
Para além dos limites do arcabouço mortal,
Rumo aos limites extremos da eternidade
Onde Eu, Mar Cósmico,
Observo o ego insignificante a flutuar em Mim.
O pardal e o grão de areia não escapam ao Meu olhar.
Todo espaço flutua como um *iceberg* em Meu mar mental.
Contenho em Mim todas as coisas feitas.
Da meditação profunda, longa, sequiosa, orientada por um guru,
Vem esse *samadhi* celestial.
Murmúrios fugazes de átomos se ouvem,
Terra escura, montanhas, vales se liquefazem!
Mares agitados se transformam em vapores estelares!
Aum sopra sobre os vapores, rasgando-lhes violentamente os véus,
Oceanos se abrem, elétrons fulguram,
Até que, ao som dos tambores cósmicos,
As densas luzes se apuram e se espraiam
Em raios eternos de bem-aventurança.
Da alegria vim, da alegria vivo, na alegria sagrada me dissolvo.
Oceano da mente, bebo as ondas todas da criação.
Os quatro véus do sólido, do líquido, do vapor e da luz
Se erguem.
Eu próprio, a cada passo, penetro em meu Grande Eu.

Ide para sempre, sombras movediças da lembrança mortal!
Meu céu mental é imaculado embaixo, à frente e no alto.
A eternidade e Eu: um só raio.
Pequena bolha de riso,
Tornei-me o próprio Mar de Alegria.

Arjuna, esmagado pela majestade do que acabara de ver, pediu, pois, a Krishna que se mostrasse de novo em forma mais humana – como um amável Professor, Amigo ou Guia. Agora, repete o pedido, de um modo um tanto surpreendente (para a mentalidade moderna): quer que Krishna apareça, não como homem, mas (talvez para satisfazer ao gosto tradicional) como Vishnu.

(11:46) Anseio por ver-Te, ó Krishna, na forma que é mais familiar a todos: como Vishnu de quatro braços, ostentando o diadema, o cetro e o disco. Ó Senhor de mil braços, aparece-me agora na forma conhecida, para tranqüilidade geral.

(11:47) O Senhor Abençoado disse: Por Minha graça, exercendo Meu poder yóguico, revelei-te – e a nenhum outro – esta Minha forma Suprema: radiante, infinita!

(11:48) Nenhum homem mortal – exceto tu, grande herói da dinastia Kuru! – contemplou jamais Minha forma universal. Nem por sacrifícios, obras de caridade, feitos dignos ou piedoso estudo dos Vedas pode semelhante visão ser alcançada.

(11:49) Não te assustes nem fiques perplexo ante este aspecto absolutamente impessoal de Meu ser. Acalma-te; alegra-te do fundo do coração e vê-Me sob essa forma tranqüilizadora (em termos humanos).

(11:50) Sanjaya disse: Tendo assim falado a Arjuna, Vasudeva (Krishna) reapareceu a seu discípulo em forma humana, para tranqüilizá-lo.

(11:51) Arjuna disse: Ó Dispensador de todas as bênçãos (Krishna)! Vendo-Te de novo sob a forma humana que amo, minha mente se acalma e de novo me sinto tal qual sou.

(11:52) O Senhor Abençoado disse: Bem difícil é ter, como tiveste, a visão do universo divino. Mesmo os deuses anseiam por isso.

(11:53, 54) Tal revelação não é obtida, entretanto, por penitências ou fidelidade à escritura, nem sequer por caridade ou culto formal. Ó Destruidor de Inimigos (Arjuna), só pela devoção inabalável, desenvolvida graças à prática continuada do yoga, é possível contemplar-Me e tornar-se um Comigo, como fizeste, em Minha forma cósmica.

(11:55) Aquele que só a Mim serve, que de Mim faz seu único objetivo, que com amor Me entrega todos os pensamentos do "eu", que renuncia a todos os apegos e (vendo-Me em tudo) não alimenta ódio a ninguém – esse, ó Arjuna, penetra na amplidão de Meu ser!

Aqui termina o décimo primeiro capítulo, intitulado "A visão divina", dos Upanishades do sagrado Bhagavad Gita, no qual Sri Krishna e Arjuna debatem sobre o yoga e a ciência da realização em Deus.

Capítulo 25

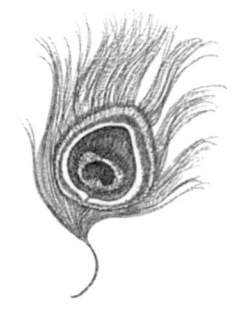

O caminho do Bhakti Yoga

(12:1) Arjuna disse: Entre os que Te adoram com intensa devoção e os que se concentram no Absoluto, quem é mais versado na ciência do yoga?

(12:2) O Senhor Abençoado respondeu: Aqueles que, com a mente fixa em Mim, estão sempre a Mim unidos pela pura devoção, são decerto os mais versados no yoga.

(12:3, 4) Aqueles, porém, que aspiram ao Indestrutível, ao Indescritível, ao Não-manifesto, ao Onipresente, ao Incompreensível, ao Imutável em meio a todas as vibrações, que dominaram os sentidos, serenaram a mente e buscam a felicidade dos semelhantes – em verdade, também eles chegam até Mim.

Cabe notar aqui: Krishna não afirma que a devoção é superior à união (yoga) com o Absoluto. Está, como sempre, sendo prático. Quase todas as pessoas costumam ver-se como indivíduos, sob o império da consciência egóica. Não conseguem, pura e simplesmente, calar essa autopercepção e reverenciar uma abstração: o Espírito Não-manifesto. Devem, por uma questão de realismo, encetar a jornada espiritual do ponto onde se encontram. Presas a um corpo, é bem mais fácil para elas adorar Deus numa relação pessoal e, mesmo, visualizá-lo numa forma qualquer: como Vishnu, Shiva, os vários aspectos da Mãe Divina, Krishna ou Jesus Cristo. As pessoas conseguem visualizar o amor em forma humana, mas nem sempre como abstração. Como disse certa vez meu Guru, "Como poderá a pequenina taça conter o oceano inteiro?" Elas precisam expandir sua consciência aos poucos. O yoga é a ciência espiritual "realista" que nos eleva do chão, ao qual somos apegados, para os céus vastos e desconhecidos do Espírito.

(12:5) Aqueles que vêem no Não-manifesto seu objetivo primordial tornam mais difícil para si mesmos a jornada. Sim, ela é bem árdua para os encarnados.

Vale acrescentar: para os de temperamento intelectual e filosófico, essa devoção sincera a uma verdade abstrata constitui necessidade absoluta. Sem amor – que deve ser pueril, inocente e puro, não uma tentativa carrancuda, teologicamente formulada de chegar a definições exatas –, não se pode avançar nesse caminho. A pessoa careceria da necessária urgência de desejo para alcançar o objetivo.

Convém dizer igualmente àqueles que amam a Deus, mas acham ofensiva a prática de técnicas (a seu ver, meros mecanismos que se intrometem no caudal da devoção), que a inspiração indisciplinada sempre foi a marca do amador e do diletante. Nenhuma arte é necessária para *sentir* inspiração; mas, para *exprimi-la*, tem de haver autodisciplina e enfoque de energia, que só ocorrem como resultado de muito treinamento e esforço. O verdadeiro artista nunca é aquele que, enlevado diante de um panorama, atira pinceladas ao acaso na tela, produzindo borrões que só para ele significam alguma coisa.

(12:6, 7) Resgato do oceano da mortalidade os devotos que apenas a Mim veneram, ofertando-Me todos os seus atos, mantendo a mente concentrada em Mim pela prática do yoga e os sentimentos mais profundos erguidos para Mim em devoção.

(12:8) Mergulha tua consciência em Mim somente; usa de todo o teu discernimento para só a Mim encontrar. Assim, sem sombra de dúvida, Me encontrarás.

(12:9) Ó Dhananjaya (Arjuna), se não podes abismar teus pensamentos na contemplação do que sou, pratica então as técnicas do yoga, elaboradas justamente para ajudar as pessoas a desenvolver a concentração.

(12:10) Se, entretanto, achares muito difícil a prática do yoga, pratica todos os teus atos com o pensamento voltado para Mim. Também por esse meio vencerás.

(12:11) Se, porém, em plena atividade não conseguires pensar em Mim, dá-Me em lugar disso tuas intenções. Sempre procurando disciplinar a mente, oferece-Me os frutos de todos os teus labores.

Sir Edwin Arnold sai-se com elegância em sua (merecidamente) apreciada paráfrase, *The Song Celestial*, quando traduz assim essa passagem: "Mas, se nisso teu coração fracassar, oferta-Me teu fracasso!"

Tal como, mais atrás, nos aconselhou a oferecer a Deus nossos equívocos, Yogananda agora nos aconselha a oferecer-Lhe nossos fracassos. O que conta é a *intenção*. Todo pensamento erguido para o Senhor se purifica e se fortalece com o tempo. Nenhum grau de impaciência pode definir uma pessoa tal qual é presentemente.

Com respeito à sintonia com o guru, Paramhansa Yogananda disse também: "Se me fechas a porta, como entrarei?" O copo emborcado não pode receber o líquido que deveria enchê-lo. O primeiro passo para receber as bênçãos divinas é estar sempre atento ao instante em que elas irão chover. Com efeito, as bênçãos acham-se sempre aí, sempre à espera... caso o vaso de nossa consciência esteja "virado para cima" para acolhê-las.

(12:12) Perseverar na busca do autoconhecimento e querer (sinceramente) vivenciá-lo por intermédio da meditação é melhor que possuir sabedoria teórica. Além disso, oferecer-Me os frutos da ação é melhor que meditar unilateralmente, embora com freqüência. A ação, aliada à renúncia de seus frutos, traz a serenidade interior que torna possível a meditação profunda.

Essa passagem costuma ser traduzida de modo a dar a entender que, para os *bhaktas* (que cantam com o acompanhamento de tambores e címbalos), o caminho da devoção é "mais fácil" que o da meditação. Todavia, em parte alguma do Gita, Krishna afirma que as práticas exteriores sejam *preferíveis* à comunhão interior silenciosa. O que ele faz nessa estrofe é encorajar aqueles que ainda não conseguem ser devotos apenas no íntimo. A devoção é sempre importante. Mas, quando unicamente *exterior*, não conduz de forma alguma à *experiência* real do amor divino. É como estar num banquete: quem come melhor e com mais gosto é o que come em silêncio, não o que fica a gabar o tempo todo a excelência dos acepipes!

Orar e salmodiar é o mesmo que conversar com Deus ou cantar para ele; meditar é ouvir Sua resposta. Ficaria o Senhor satisfeito com alguém indiferente ao que Ele tem a dizer? E gostaria *ainda mais* de devotos barulhentos, só preocupados consigo mesmos? Absurdo!

(12:13, 14) Aquele que não odeia ninguém, mostra-se gentil e amigável para com todos, não tem consciência do "eu" e do "meu", permanece tranqüilo no sofrimento e no prazer, perdoa aos semelhantes, frui o contentamento interior, dedica-se com afinco às práticas de meditação (do yoga), sabe se controlar, tenta sinceramente (por meio

das práticas yóguicas) unir sua alma a Mim, tem determinação e dispõe-se a entregar-Me a mente e o tirocínio – esse Me é caro.

(12:15) Aquele que não perturba os outros e não é por eles perturbado, que nunca se exalta com nada, nunca se mostra ciumento, medroso ou aborrecido – esse Me é caro.

(12:16) Aquele que está livre de expectativas mundanas, tem a mente pura, não hesita em agir, não sucumbe às circunstâncias e não é motivado pelo ego – esse, Meu (verdadeiro) devoto, Me é caro.

Deve-se especificar aqui, de novo, que estar isento da motivação do ego não é o mesmo que encarar o mundo com total indiferença. A indiferença, a menos que seja acompanhada por liberdade e alegria íntimas, pode ser tamásica. Às vezes, as pessoas se gabam de "estar acima de tudo", quando na verdade o que têm é apatia. O verdadeiro yogue permanece constantemente lúcido. Também está sempre *interessado*, embora não no sentido do envolvimento emocional: ele *dá* energia sem esperar que o entretenham.

(12:17) Aquele que não se rejubila na ventura nem se lamenta na desgraça, nada considerando bom ou mau e devotando-se unicamente a Mim – esse Me é caro.

(12:18, 19) Aquele que trata amigos e inimigos da mesma maneira; que encara com serenidade a honra ou a desonra; que, calmamente e sem apegos, aceita o frio e o calor, o prazer e a dor; que é o mesmo frente ao elogio ou à censura; que, por dentro, está sempre tranqüilo e satisfeito; que não se prende a nenhum domicílio e preserva a devoção – esse Me é caro.

(12:20) Mas aquele que, prenhe de devoção, persegue o dharma imortal que descrevi e está sempre Comigo – a esse, prezo mais que todos.

Aqui termina o décimo segundo capítulo, intitulado "O caminho do Bhakti Yoga", dos Upanishades do sagrado Bhagavad Gita, o diálogo em que Sri Krishna e Arjuna debatem sobre o yoga e a ciência da realização em Deus.

Capítulo 26

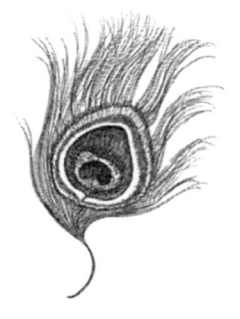

O campo de batalha

Preâmbulo

Arjuna disse: Ó Keshava (Krishna), anseio por desvendar (o mistério) de Prakriti e Purusha (Mãe Natureza inteligente e Deus transcendente, o Pai); de *kshetra* (o corpo) e *kshetragya* (o que percebe); do conhecimento e seu objeto (o conhecido).

A estrofe acima em geral não traz numeração a fim de que o número total delas perfaça exatamente 700.

Arjuna, após ouvir o discurso de Krishna sobre como alcançar a união com o divino pela devoção, quer saber mais a respeito da eterna luta (a guerra de Kurukshetra) entre o bem e o mal tanto no eu quanto no cosmo. Estará ele, dada a seqüência desses dois capítulos, pedindo a Krishna (em benefício de todos os leitores) esclarecimentos sobre essas questões vitais a fim de ajudá-los a compreender que o caminho relativamente fácil (ao menos na aparência) da devoção deve ser coadjuvado pelas lições profundas e muito práticas que Krishna lhe ministrou? O Gita começa com Arjuna mostrando-se relutante em lutar. Agora o leitor precisa ficar sabendo que *bhakti* (devoção) não torna a luta, afinal de contas, desnecessária. Somente ao final do Bhagavad Gita é que Krishna, no devido contexto e no momento certo, explicará o amor divino de modo a contrastá-lo adequadamente com as demais considerações sobre o caminho espiritual. As pessoas que enveredam pelo atalho da devoção acabam empreendendo uma busca religiosa inteiramente superficial.

(13:1) O Senhor Abençoado replicou: Ó Filho de Kunti (Arjuna), aqueles que conhecem a verdade percebem este corpo (humano) como kshetra (o "campo" onde se colhem o bom e o mau karma) e, como kshetragya, o conhecedor do campo (a alma).

No corpo atuam dois fluxos de energia: um deles para fora (e para baixo), o outro para dentro (e para cima). Embora o cenário do Bhagavad Gita seja um campo de batalha real, exterior, ele aí está alegoricamente, como essa estrofe deixa bastante claro. O *corpo*, não o sítio geográfico de Kurukshetra (que ainda podemos visitar no norte da Índia), é o que se deve entender por "campo de batalha". O "conhecedor do campo" (kshetragya) é a alma recôndita, a qual, como Krishna na guerra lendária, não toma parte ativa na luta. A alma observa, mas permanece à parte. A alma não encarna nem morre com o corpo.

Paramhansa Yogananda definia o ego como "a alma ligada ao corpo". O corpo – na verdade, corpos: físico, astral e causal, os dois primeiros estando sujeitos ao nascimento e à morte – pode ser descrito mesmo no nível físico como mera projeção da alma. Os três corpos são irreais na eternidade e duram apenas enquanto suas projeções são ativadas pelos desejos. A projeção é alimentada, nos corpos físico e astral, pelo conceito de individualidade. Com efeito, a consciência egóica constitui um "elemento" do corpo astral.

O intelecto humano, confrontado com o problema do conhecedor e do conhecido (kshetragya e kshetra), diz: "Conhecer alguma coisa é, na verdade, distinguir *três* coisas: conhecedor, coisa conhecida e *ato de conhecer.*" Na medida em que o ato de conhecer (ou seja, de perceber) se volta para fora, a energia do corpo também toma essa direção por meio dos sentidos e o homem é sugado por um vórtice que o arrasta para baixo, do qual a escapatória vai se tornando mais e mais difícil.

A verdadeira guerra de Kurukshetra é a luta entre a aspiração ascendente, que induz a energia do corpo a fluir para cima, e o impulso descendente, rumo à percepção inferior, que confia a esperança de realização humana aos sentidos materiais. As coisas que ele deseja fruir são, elas próprias, inanimadas e de modo algum poderão satisfazê-lo, apenas forçá-lo a reagir a elas.

O que define o rumo descendente como coisa má é que, em sua fuga à fonte interior, ele escamoteia aquilo que todos no *samsara* (*maya*) realmente desejam: realização pessoal, felicidade emocional e gozo da vida por meio dos sentidos. Chega mesmo a encaminhar o homem na direção oposta à de sua meta final: a bem-aventurança divina. Fosse mesmo possível ao homem realizar-se exteriormente, como muitos supõem, que pessoa em sã consciência acharia errado perseguir semelhante objetivo? A sociedade se sente ultrajada por atos que considera contrários aos bons costumes, mas não se mete com as aspirações de ninguém. Cada qual tem lá sua vida. O que torna alguns comportamentos inconvenientes – e às vezes mesmo condenáveis – é o fato de o desejo convencer as pessoas a agir contrariamente aos seus próprios interesses.

O hábito e o desejo separam o homem de sua consciência anímica. Para agravamento dessa separação inicial, o ego subjuga violentamente sua percepção. O grande número de qualidades negativas que se desenvolvem a partir da consciência egóica – por exemplo, orgulho, culpa e necessidade imaginária de autojustificação – faz parte do envolvimento do homem com a ilusão e traz satisfações falsas que, no fim, lhe provocam sofrimento. Tais qualidades enfaixam-lhe o ego e prendem-no tão firmemente quanto as "teias" com que Gúliver, náufrago e inconsciente, foi imobilizado na praia de Lilipute.

Dado que a lembrança da alma nunca se perde, o homem começa aos poucos a fartar-se de sonhos vãos e anseia por bani-los. O processo do despertar é que é considerado bom, pois renova o fluxo ascendente da energia e da consciência na espinha, devolve o homem a si mesmo, propicia-lhe maior felicidade e, no fim, garante-lhe a unidade com o Espírito.

A subida da energia e da consciência pela espinha acaba por proporcionar a união tanto interior quanto exterior. O conhecer, o conhecedor e o conhecido tornam-se uma só coisa. A devoção brota em resposta ao magnetismo do amor divino. O desejo material, por outro lado, abate as pessoas em conseqüência do magnetismo da Kundalini descendente, que se manifesta no corpo como o impulso para baixo de *maya*, chamado em algumas religiões de Satã.

Nesse capítulo, Krishna pormenoriza os instrumentos cósmicos, interiores e exteriores, pelos quais o Espírito criou o universo e a alma humana apanhada no vórtice da criação. Quando a alma consegue escapar desse torvelinho, logo reclama sua unidade com o Espírito.

(13:2) Toma-Me também, ó Bharata (Arjuna), pelo Conhecedor silencioso (aquele que percebe) em todos os kshetras (corpos emanados do princípio cósmico criador e da Natureza). Grande sabedoria é compreender o kshetra, o campo, e sua relação com o kshetragya, aquele que percebe esse campo.

Um jovem chamado Naresh encontrou um santo que lhe perguntou quem ele era. O jovem respondeu: "Sou Naresh."

"Quem é você?", insistiu o santo.

Naresh, julgando que o outro talvez não o tivesse escutado, repetiu: "Meu nome é Naresh."

"Sim, mas quem é você?"

Naresh, embaraçado, gaguejou: "Meu pai se chama Ram Dutta. Moro em Délhi. Sou contador."

"Sim, mas quem é você?", repisou o santo.

O rapaz ficou intrigado com a pergunta. Seria surdo aquele santo homem? Estaria velho demais e um tanto senil?

"Bem, se você não sabe", sorriu o ancião, "então talvez seja bom acompanhar-me."

Agora sim, o pobre rapaz estava confuso! Mas sentia certa paz na presença do santo e passou a visitá-lo freqüentemente – sem saber muito bem por quê. Aos poucos, porém, foi chegando à seguinte conclusão: "Posso realmente definir-me de maneira tão limitada a ponto de dizer que sou um contador?" Pôs-se a pensar: "Não sou aquilo que *faço*. Sou um jovem com inúmeros interesses, inclusive o de visitar este santo – embora o faça por razões que me escapam inteiramente."

"Quem é você?", perguntou-lhe de novo o santo em outra ocasião. Já agora o velhinho parecia ao rapaz não apenas normal como, acima de tudo, sábio.

"Não sei quem sou *realmente*", confessou Naresh.

"Melhor assim!", exclamou o santo. "Pense de novo: quem você é?"

Bem, pensou o rapaz, tenho um nome, uma família, uma casa. Mas serei realmente qualquer dessas coisas? Súbito, fez-se a luz: "Sou uma alma em busca de si mesma!" Seu corpo era ainda novo, mas iria envelhecer com o tempo; e mesmo agora, por dentro, era a mesma pessoa que fora em criança. O corpo mudara, ele não. Portanto – concluiu –, Naresh não era o corpo de Naresh.

Continuou a refletir. Sua compreensão mudara desde que conhecera o santo, mas, no íntimo, continuava sendo a mesma pessoa. A personalidade se transformara; no entanto, algo na consciência permanecera o que sempre fora. Aos poucos, começou a entender que ele próprio era um ponto de percepção interior de onde apenas observava as mudanças, mas que não o definia em termos de nenhuma delas.

O que muda, ponderou, não pode ser o que sou. Sou alguma coisa que, no centro de tudo isso, permanece a mesma e, pura e simplesmente, observa cada mudança. Assim, passou a identificar-se mais e mais com sua alma.

Um dia, disse ao guru: "Sei quem sou, mas não consigo exprimi-lo com palavras." Ouvindo isso, o santo se limitou a sorrir. Mais tarde, declarou: "Agora que você está sem palavras, podemos nos comunicar."

A sabedoria começa pelo conhecimento de que não somos nosso corpo ou personalidade. Somos a alma imortal.

(13:3, 4) Aprende agora um pouco sobre o campo, seus atributos, seu princípio de causa e efeito, suas influências distorcidas. Aprende também o que Ele (o kshetragya) é e qual a natureza de Seus poderes – verdades que foram ensinadas por sábios de muitas maneiras: nos cânticos dos Vedas e nos aforismos percucientes e conclusivos do *Brahmasutra*.

Krishna ressalta que está expondo verdades já contidas nas escrituras.

(13:5, 6) Em linhas gerais (segundo a escritura), os kshetras são compostos da Natureza diferenciada e indiferenciada: a primeira são os "elementos" grosseiros (terra, água, fogo, ar, éter), os dez sentidos (os cinco órgãos do conhecimento – ouvidos, pele, olhos, nariz e língua – e os cinco "objetos" sensoriais – audição, tato, visão, olfato e paladar), os cinco órgãos da ação (mãos, pés, boca, ânus e genitais), a mente sensório-perceptiva, o intelecto, a consciência egóica, as distorções de chitta (atração/repulsão, prazer/dor), o corpo em si, a consciência e a persistência.

Esses princípios apresentam seu aspecto cósmico indiferenciado, tanto quanto seu aspecto individual diferenciado. O próprio cosmo é uma entidade consciente de si mesma (embora não nos termos do ego, de vez que este – a alma *identificada* com o corpo – só se torna "elemento" no corpo astral). Como afirmou Swami Sri Yukteswar, no capítulo sobre sua ressurreição na *Autobiography of a Yogi*, os seres causais possuem grandes poderes, que lhes permitem até criar universos (talvez quisesse dizer "galáxias").

O próprio Krishna fornece esses detalhes extraordinariamente intricados como citação das escrituras Shankhya. Seu objetivo é conduzir Arjuna, o devoto universal, da consciência da complexidade para a singeleza da não-identificação com eles e, portanto, da não-identidade com a idéia de que o ego detém o controle supremo de tudo.

A persistência ou fortaleza (*dhriti*) manifesta-se fisicamente, em primeiro lugar, pelo ato de manter unidos o corpo e a consciência. O corpo é um agregado dos vinte e quatro "elementos" da criação (citados no sistema Shankhya indiano) combinados com os aspectos da consciência que brotam deles. Nesse "campo de batalha", há guerra constante entre paixão, desejo, apego e outras ilusões humanas, de um lado, e suas aspirações contrárias, de outro: devoção, desapego e todas as virtudes. O alvo da prática do yoga consiste em transfundir a complexidade na simplicidade da percepção unificadora da consciência anímica imutável.

(13:7) A verdadeira luz propiciada pela sabedoria revela-se nas seguintes qualidades: humildade, despretensão, pacifismo, capacidade de perdoar, integridade, dedicação ao guru, pureza (de mente e corpo), estabilidade, autocontrole,

(13:8) alheamento aos objetos dos sentidos, indiferença ao próprio eu, percepção dos sofrimentos e males inerentes ao nascimento, doença, velhice e morte,

(13:9) desapego, não-identificação do ego com filhos, esposa, lar (e tudo o mais que daí decorre), igual aceitação da felicidade e do infortúnio,

(13:10) devoção inabalável a Mim e identidade Comigo pela prática do yoga; amor à solidão; desinteresse pela sociedade mundana

(13:11) e perseverança na busca do autoconhecimento, ânsia de sabedoria autêntica, que é a meta de todo aprendizado. As qualidades que se opõem a essas virtudes são sinais de ignorância.

As qualidades mencionadas acima falam por si mesmas. São a marca daquele que pretende mesclar seu eu insignificante ao Eu universal. Não importam os deveres que tenha a cumprir na Terra – os exemplos dados aqui dizem respeito aos filhos, esposa e lar –, eles precisam ser cumpridos sem identificação com o ego. O yogue percebe Deus como igualmente presente em tudo. Vivendo neste mundo, ele tem de lembrar-se o tempo todo de que nascimento, vida e morte são fenômenos passageiros, repletos de padecimentos e dores – contrabalançados, inevitavelmente, por satisfações e prazeres mundanos. Não deve, portanto, identificar-se com a realidade exterior.

Sempre que possível, buscará a solidão – durante uma ou duas semanas por ano, se não períodos maiores – a fim de mergulhar por inteiro no pensamento de Deus. Não *desdenhará* a companhia dos semelhantes, uma vez que desdenhar seja lá o que for é criar perturbação no chitta ou sentimento. Em vez de evitar sistematicamente esse convívio, deverá estar cônscio, e aceitá-la como a atitude correta de um devoto, de uma certa *indisposição* para com a sociabilidade. Assim, se de quando em quando comparecer a reuniões mundanas, aproximar-se-á ali de pessoas de ânimo sereno.

O conhecimento intelectual, por si só, não é uma busca digna para aquele que almeja a sabedoria. Conhecimento é posse de um simples catálogo de fatos; sabedoria é compreensão de como os fatos podem ser usados na procura de iluminação do Eu.

(13:12) Vou te explicar agora que tipo de conhecimento deves perseguir: o verdadeiro, o que confere imortalidade. Ouve (o que tenho a dizer) sobre Brahman, o Supremo, o Sem-começo, Aquele de Quem não se pode dizer que exista ou não exista (porquanto a existência implica o vir-a-ser).

(13:13) Ele, porém, permanece onipresente no universo e a tudo permeia: cabeças, olhos, ouvidos, faces e o que mais seja;

(13:14) brilha em todas as faculdades sensoriais, mas transcende-as; sustenta tudo e a nada se prende; está acima dos (três) gunas (qualidades), mas vivencia (tudo) por meio deles;

(13:15) acha-se dentro e fora de todas as coisas que existem, animadas e inanimadas; é "o mais próximo dos próximos", mas tão sutil que chega a ser imperceptível.

(13:16) Ele, o Um Indivisível, surge dividido em seres incontáveis – mantendo e depois destruindo-lhes as formas para em seguida renová-las.

(13:17) É a Luz das luzes, que anula as trevas, e a soma dos conhecimentos (passíveis de obter ou apenas sonhados). Está eternamente instalado no coração de todos os seres.

(13:18) Descrevi, em breves palavras, o campo (kshetra), bem como a natureza e o objeto da sabedoria. Munidos dessas luzes, Meus devotos chegam a Mim.

É maravilhoso contemplar a imensidão da verdade – todas as coisas unidas pela consciência única de Deus. A soma dos fatos discriminados por Krishna leva à conclusão geral de que Deus não apenas está *em* tudo como *é* tudo. Nada poderia assomar à existência sem que Ele o houvesse desejado.

Outro ponto intrigante a considerar: mesmo o universo, em toda a sua vastidão, não é produto *direto* de sua vontade! Deus está distanciado de tudo, alheio à vibração, imutável, inatingível. Delega Seu poder, amor e sabedoria a forças universais conscientes (manifestadas por Ele), as quais engendram o universo que conhecemos.

(13:19) Fica sabendo que tanto Purusha quanto Prakriti não têm começo. E, ainda, que todas as modificações e qualidades (gunas) da Natureza nasceram de Prakriti.

Purusha e Prakriti são o Espírito e a Natureza. Paramhansa Yogananda descrevia-os a dançar num eterno folguedo divino, *lila*. O Senhor Transcendente (o kshetragya ou observador) e Prakriti (Mãe Natureza) não são entidades separadas, mas uma única Realidade essencial. Assim como o mar é sempre o mesmo, com ou sem suas ondas, assim o oceano do espírito, com ou sem as ondas da manifestação cósmica, constitui uma só e mesma realidade.

Poderíamos descrever Prakriti como a tempestade que produz as ondas. Ela é produto do "desejo sem desejo" que o Espírito tem de exteriorizar sua beatitude, de "fruir-Se por intermédio de muitos", como rezam as escrituras. A tempestade produz os três gunas, ou qualidades, que são graus de manifestação. Sattwa é como uma onda baixa, próxima à sua Fonte oceânica; revela com a máxima clareza a verdade de seu ser. Rajas é a agitação que começa por manifestar-se numa lufada, em vez de numa brisa leve. Quanto mais alta a onda, mais distante da Fonte, porquanto sua altura distorce completamente a verdade. Tamas, enfim, resulta de extrema violência sob a forma de tormenta, que agiganta as ondas. As cristas parecem obliterar todo o senso de unidade quando se dissolvem em bolhas inumeráveis. Distanciadas da Fonte Oceânica, elas não deixam entrever a majestade e a calma profunda do mar, mas anulam por completo qualquer sugestão de amplitude.

Convém enfatizar que "mais perto, mais distante e muito longe" são figuras de linguagem e não fatos literais, pois Deus, ou Prakriti, está *igualmente* presente em toda parte. Por isso, vale contrastar essa imagem com outra: o sattwa guna lança apenas um tênue véu sobre a Realidade Eterna. Descreveríamos rajoguna, nessa segunda imagem, como um manto, não um tecido vaporoso, estendido sobre a Realidade. Tamoguna, finalmente, seria uma parede de concreto a cercar essa realidade, separando-a de Deus e de todo o conjunto de boas qualidades. Assim como a violência muitas vezes termina em exaustão, assim a qualidade de tamas mergulha a mente em embotamento, dor e desesperança.

Satã – tema recorrente sobretudo no judaísmo, cristianismo e islamismo – não é, nem poderia ser, uma realidade diversa e separada do Senhor Divino do Universo. Satã não passa de uma exteriorização do poder de *maya* – que se afasta do Espírito e se aproxima da criação. Deve-se entender bem, no entanto – e já enfatizamos esse ponto –, que Satã é uma força *consciente*, uma *vontade*, uma manifestação extremada da consciência na matéria. Devemos, pois, considerá-lo concretamente como a fonte de toda a desarmonia e discórdia. Ele se acha "na raiz" das doenças ou distorções daquilo que, por outro modo, poderia ser uma existência descuidosa na Terra. Pestes, enfermidades, insetos venenosos ou prejudiciais, ataques deliberados da fealdade à beleza e à excelência: essas não são coisas que provenham de entidades superiores, mas devem-se àquela força que *quer* a desarmonia na Terra.

Nas esferas astrais elevadas, não há contratempos desse tipo. Nos mundos materiais, onde predomina o sattwa guna, aborrecimentos assim ou não existem ou não constituem problema. Já nos mundos ou galáxias inteiras que são mais tamásicos que o nosso, tais "contratempos" exacerbam em muito a desgraça geral. Falaremos mais sobre esse assunto logo à frente, mas por ora convém esclarecer que a Natureza, em seu aspecto de Mãe Cósmica, não é responsável pelo sofrimento humano. O que assusta, segundo o ponto de vista relativo do homem, é Prakriti como Aparaprakriti, seu aspecto exteriorizado.

A moderna ciência tem preparado as pessoas para uma visão menos deísta da realidade, porém, ao mesmo tempo, mais visceralmente espiritual. Trata-se, não há como negar – considerando-se o quanto se sabe hoje da vastidão do universo –, de uma postura bem mais impessoal que a vigente no passado. Não mais podemos nos considerar, com a antiga confiança, alvo da benevolente vigilância de um Deus paternal, sempre ocupado dos assuntos humanos – uma Personagem amável, *desejosa* de ver todos bem-sucedidos em suas ambições terrenas e humanamente felizes, *esperando* que João se case com Maria e José obtenha aquele diploma pelo qual ele e seus pais tão fervorosamente rezaram.

No passado, de outro ponto de vista, considerava-se também Deus como colérico e ciumento – mas igualmente muito pessoal em Sua preocupação com o panorama humano, vingativo o bastante para condenar os pecadores ao suplício eterno... embora, já se disse, dê às pessoas todo o incentivo de que precisam para pecar, e pecar à grande! As tentações são às vezes irresistíveis e as consequências não podem ser imputadas apenas ao homem.

Deus *é* impessoal. Deixa sofrer quem O ignora ou se volta contra Ele, negando-Lhe a reverência devida. Mas para com aqueles que O amam, mostra-se também pessoal *por meio* do amor que lhe dedicam.

A visão que as pessoas alimentavam no passado transformava a vida numa espécie de partida de futebol entre uma equipe angélica e uma equipe demoníaca – às vezes, infelizmente, de força igual –, cada lado perseguindo desesperadamente a vitória. Dizia-se que Deus era onipotente, onisciente e infinitamente piedoso (era tudo!); mas havia a tal "víbora" insidiosa, Satã, que teima em atrapalhar todos os bons projetos e faz as pessoas pensar se Deus, realmente, tem mesmo o poder de vencer. Se alguém resolve jogar na equipe de Deus, suas chances de êxito aumentam – mas nunca é demais contar com alguns milagres para garantir que tudo caminhe bem!

A visão cósmica hoje moldada pela revelação científica de como as coisas realmente funcionam não favorece em nada o conceito de favoritismo divino. Ao contrário, a ciência se encaminha para uma perspectiva da realidade que pressupõe uma consciência universal em lugar de uma matéria inerte. Conceitos religiosos antiquados vão sendo minados por descobertas sobre a natureza absolutamente impessoal de tudo. Ao mesmo tempo, a visão científica ortodoxa começa a trocar o materialismo empedernido por uma percepção cada vez mais espiritual – em verdade, vedântica – da realidade.

Sem o mal consciente não haveria o bem consciente. Sem a dualidade, não haveria manifestação cósmica de nada. Na superfície marítima não se notariam ondas, depressões compensatórias não manteriam inalterado o nível geral do oceano. A criação nunca se concretizaria. A idéia que as pessoas já começam a fazer da realidade última, e que o Bhagavad Gita sustenta sem hesitação, não aponta para a vitória final, objetiva, nem do bem nem do mal. Essa vitória é reservada apenas para indivíduos. Quase sempre, neste mundo dual, as vitórias são passageiras: dada a natureza da dualidade, elas têm de ser fatalmente contrabalançadas. Os que buscam individualmente a verdade mergulham, um por um, abaixo da superfície tempestuosa e encontram a paz nas profundezas. A libertação é obtida pelo esforço de cada qual, não de grupos. Embora estes possam oferecer um ambiente de apoio ao aspirante individual, o exercício de consciência tem de ser feito pessoalmente – e às vezes na solidão. Tudo se passa entre o indivíduo e o Criador.

Aos olhos de Deus, não há favoritos. No entanto – estranho dizer –, Suas leis parecem de algum modo favorecer aqueles que O buscam sinceramente. Para o aspirante sincero, o cosmo é como a caixa de ressonância de um instrumento musical: ecoa sua consciência e multiplica sua força. Na presença de gente como essa, milagres de fato acontecem, embora não na forma edulcorada e sentimental que muitos adoradores ortodoxos imaginam. O que sucede lembra mais os episódios de Kurukshetra, com Krishna concordando em ser o auriga de Arjuna sob condição de não tomar parte ativa na batalha. Arjuna aceitou de muito bom grado essa condição, pois concluiu acertadamente que, atuante ou omisso, Krishna, com sua simples presença, garantiria fosse lá como fosse a vitória final. De fato foi o que aconteceu – e o que acontece sempre nas "guerras de Kurukshetra" particulares, travadas dentro de cada indivíduo.

Curiosamente, deixar de acreditar num Deus exclusivamente pessoal e aceitar outro que se abstém de envolvimentos não significa receber uma estátua sólida, talhada em madeira ou pedra, e firme em sua base. Exceções não faltam: a estátua se racha e exige reparos freqüentes. Quem, com efeito, consegue sondar Deus? Ele é impessoal – sem dúvida nenhuma. No entanto, reside em todos nós e *preocupa-se* com cada um de nós pessoalmente, quando Lhe entregamos o coração. Sua impessoalidade consiste em nada querer de nossa parte, exceto, é claro, o nosso amor – pois dentro de cada criatura, por intermédio dos sentimentos humanos, Ele se mostra também intensamente pessoal. Anseia pelo nosso amor!

Sentimentalismos não O demovem. A oferenda sincera e completa do próprio eu, sim. Milagres autênticos são um traço constante da vida espiritual. Quando apelam para a Mãe do universo, as pessoas obtêm resposta favorável. A condição desse relacionamento com Ela é a confiança absoluta, quase infantil, e a ausência total de motivos egoístas.

Permitam-me concluir esta discussão com uma história curta, mas verídica, da vida de Paramhansa Yogananda.

Morando na Califórnia, viajava freqüentemente entre seu domicílio em Mount Washington, Los Angeles, e sua cabana de praia situada a uns cento e cinqüenta quilômetros ao sul, em Encinitas. Em Laguna Beach, pequena cidade no trajeto, descobriu uma confeitaria que fabricava deliciosas rosquinhas escocesas. Um mestre de seu quilate não costuma ligar-se a prazeres e não é movido pelo mínimo desejo de satisfazê-los. Ainda assim, pode *gozar* as coisas deste mundo. Se é forte em seu desapego, não precisa estar sempre distanciado de tudo.

Dito isso, podemos agora relatar que ele às vezes interrompia a viagem entre Los Angeles e Encinitas para entrar na confeitaria. No carro, pouco depois, partilhava com os companheiros o prazer de degustar os doces. Era algo que ele gostava de dividir principalmente com a Divina Mãe.

Certo dia, o carro parou diante da confeitaria e uma discípula desceu para comprar uma pequena porção de roscas. Daí a pouco voltou informando com tristeza que tudo já fora vendido. O Mestre, conforme nos contou depois, não se sentiu desapontado: apenas surpreso. Jamais fizera coisa alguma sem antes consultar a Divina Mãe. Teria Ela, dessa vez, lhe pregado uma peça?

"Divina Mãe", perguntou rapidamente, "que aconteceu?"

Mal acabara e um facho de luz desceu sobre o teto da confeitaria. Um instante depois, o proprietário saiu correndo, segurando um pequeno pacote. "Esperem!", gritou, "não partam já! Podem levar estes biscoitos. Eram encomenda de um freguês, mas farei outros para ele."

Seria, pois, estranho dizer que, neste universo vasto e impessoal, com um Deus tão distante, inacessível, estático e aparentemente alheio a tudo, as antigas verdades estejam sendo reforçadas – e com espírito vingativo! Os jovens, principalmente nos dias que correm, querem uma religião capaz de atender às exigências do bom senso. Mas quando o raciocínio sólido se esgotou e está na hora de fechar as contas, descobrimos que, a despeito de tudo, o universo é mais amável, mais dedicado e mais interessado em relação a nós do que supunham mesmo os nossos ancestrais!

(13:20) Causas e efeitos materiais são obra de Prakriti. Alegria e tristeza (a experiência mental desses efeitos) são obra de Purusha (a alma) no homem.

A consciência divina se dilui na consciência humana. Como a alma, a consciência divina é o observador imparcial. Todavia, a alma nos dota com a própria percepção e capacita-nos a fruir ou a padecer. Para nos tornarmos mais cônscios da alma, devemos reconhecer: "Não é o meu Eu verdadeiro que padece ou frui." A bola rolante das reações emocionais é que mantém a atenção das pessoas fixa no jogo exterior da vida. Meu Guru deu-me este conselho: "Permaneça sempre no Eu. Saia de vez em quando para comer ou conversar um pouco, mas, surgida a oportunidade, volte de novo para o Eu."

(13:21) Purusha, atuando por meio de Prakriti, e a alma, agindo por intermédio do corpo: ambos vivenciam (impessoalmente) os gunas, fruto da Natureza. O apego aos gunas é que força os homens a voltar (à Terra) em ventres bons ou maus.

Os três gunas, ou qualidades, constituem um traço onipresente na Natureza. Sua mistura, que varia sempre, engendra as enormes diferenças observáveis entre os seres humanos. O brilho do diamante não é toldado pelo invólucro que o contém, seja este diáfano, translúcido ou opaco: de igual modo, a alma não é afetada pelos gunas no homem. Quer a pessoa seja santa, mundana ou perversa, isso de forma alguma lhe afeta ou define a alma, que é, dentro dela, a presença do Espírito imutável.

(13:22) O Espírito Supremo, que em cada corpo se manifesta como alma, é uma testemunha imparcial. (Por meio da consciência do homem), faz as vezes do conselheiro que, embora aceite tudo, oferece orientação quando lha pedem. A alma é o Preservador que experimenta (sem reagir com mostras de prazer ou dor) o Grande Senhor e o Eu Supremo.

Em outras palavras, Deus *é* a alma do homem – individualizada, mas sempre perfeita. A alma é a testemunha. Por meio do ego, sua consciência experimenta as alegrias e os dissabores da vida. Por meio da intuição, oferece orientação sábia, quando possível – ou seja, quando as pessoas solicitam ajuda e o ego, vez por outra, se mostra receptivo a seus conselhos.

Não raro o devoto, alheado do espírito ou insuficientemente protegido contra a tentação, comete algum deslize. Se sua receptividade normal à graça divina não foi obliterada por ilusões passageiras, a alma entrará em cena e evitará que ele falhe novamente. Essa possibilidade, contudo, não deve – *claro* que não – servir-lhe de desculpa. Mas tal pensamento pode ajudá-lo a manter-se esperançoso quando o caminho à frente estiver mergulhado em trevas. A graça é um recurso importantíssimo na jornada espiritual. Não é imposto, mas pode ser *conquistado*.

De fato, sucede às vezes que uma pessoa, em grande perigo de queda espiritual, mereça por algum tempo ter experiências espirituais inefáveis, caso seu karma de vidas passadas seja de um modo geral bom. Essa bênção, devida a esforços anteriores na direção certa, irá encorajá-lo a retornar, com boa disposição, às práticas espirituais. Já outros devotos, também a caminho e evocando experiências marcantes, podem imaginar-se bem adiantados – mas na verdade sua alma, instada a agir assim em virtude de um bom karma, está apenas lhes oferecendo uma graça especial. Ai daqueles que repelirem essa oferta!

(13:23) Não importa o seu modo de vida, aquele que (uma vez esclarecido) compreende a relação entre o Espírito (também sua alma individual) e a Natureza (além, no nível individual, do corpo), com seus três gunas, ainda que se entregue às atividades do mundo exterior não precisará renascer de novo.

Aqui, talvez seja útil reiterar que a passagem alude à compreensão intuitiva e não intelectual.

Certa feita meu Guru repreendeu um discípulo por um deslize qualquer. O discípulo, embora mentalmente na defensiva, murmurou como se acatasse a reprimenda: "Compreendo, Mestre."

"Você *não* compreende nada", retorquiu o Mestre. "Se compreendesse, faria o que digo!"

(13:24) Para contemplar o Eu no eu (o ego purificado) por meio do eu (a mente esclarecida), alguns aspirantes seguem o caminho da meditação, outros o do conhecimento e outros ainda o da atividade desprendida (serviço).

Aqui são mencionados, de passagem, os três métodos pelos quais podemos nos aproximar de Deus (ou seja, da realização de Si Mesmo). O primeiro é a meditação – a senda da atividade interior, a que chamamos ciência do Kriya Yoga. O segundo, o Shankhya Yoga, a vereda do discernimento ou Gyana. E o terceiro, o Karma Yoga, o caminho da reta ação.

Poder-se-ia perguntar: "Por que Krishna não mencionou também o caminho do Bhakti Yoga, a devoção?" Em verdade, sem devoção, *nenhum outro caminho* funcionará. Krishna enfatiza freqüentemente, no Gita, a importância da devoção. Neste capítulo, ressalta a necessidade de mover guerra pela causa da verdade (daí as constantes referências ao kshetra e a Kurukshetra, símbolo da luta que o progresso espiritual pressupõe). Quer na meditação, no julgamento ou na ação, uma atitude devota deve inspirar tudo o que se faça. A devoção é a corda que impulsiona a seta para o alvo. Sem ela, todo esforço espiritual reduz-se a amealhar um bom karma. Não poderá garantir libertação.

(13:25) Alguns homens, ignorantes desses três caminhos, atentam para as instruções de seu guru; acolhem o que ele diz como seu supremo refúgio, reverenciam a verdade e, assim, cruzam (o rio) da morte.

Poucas pessoas compreendem a importância do guru humano. Nenhuma escritura é capaz de desempenhar esse papel. Como explicou meu Mestre, "Se você perguntar alguma coisa à escritura, ela não lhe responderá. Um guru vivo, porém, poderá corrigir seus equívocos". O que ele achava mais importante, contudo, era a assistência sutil que o guru presta à alma, sob a forma de orientação ou de bênção e fortalecimento interior. Muita gente interpreta mal o papel do guru, imaginando que ele precisa apenas ser um mestre competente, versado em assuntos espirituais e conhecedor dos obstáculos do caminho. Conforme já dissemos mais atrás, não é incomum que os verdadeiros gurus, na Índia, guardem *maun* ou silêncio completo. O ensinamento autêntico ocorre, principalmente, por transferência de consciência. A função básica do guru é edificar o discípulo por meio de seu magnetismo espiritual.

Ao discípulo cabe ouvir, não indagar. Se tem dúvidas ou perguntas, deve exprimi-las, é claro – mas não em forma de desafio e sim com o propósito honesto de aprender. Nesse caso, quanto mais perguntas fizer, melhor. Infelizmente, sucede o mais das vezes que o discípulo entre na sala onde o guru está assentado cheio de perguntas... para descobrir, na presença do mestre, que todas se evaporaram. O motivo disso é que o questionamento quase sempre diz respeito ao intelecto, ao passo que o guru projeta vibrações de supraconsciência. Essas vibrações não raro satisfazem a curiosidade do discípulo fornecendo-lhe tacitamente as respostas que ele deseja ou anulando o próprio desejo que inspirou as perguntas, porquanto o discípulo encontra alegria e paz plenamente satisfatórias na simples presença do guru.

Aos poucos, à medida que vai entrando em sintonia com a consciência do guru, o discípulo percebe que sua própria consciência mudou, hábitos antigos desapareceram e outros tomaram seu lugar, tornando-o mais receptivo à inspiração e à orientação supraconscientes. Tendências que o discípulo deseja ardentemente eliminar, sem tê-lo ainda conseguido por esforço próprio, podem desaparecer de súbito graças à sintonia com o guru, como se nunca houvessem existido.

Paramhansa Yogananda disse: "O caminho espiritual consiste em 25% de esforço por parte do discípulo; 25% por parte da dedicação do guru e 50% por parte da graça de Deus." Dado que o guru é um canal para a atuação divina, pode-se dizer sem receio que Deus, *com e por meio do guru*, representa 75% da jornada espiritual do discípulo.

Em todo ashram de um guru autêntico existem discípulos nos mais variados graus de maturidade espiritual, desde os principiantes esforçados aos altamente evoluídos. Podemos aprender com seus múltiplos exemplos a melhor maneira de nos beneficiarmos intimamente da ajuda do guru. Os discípulos "verdes" insistem em seguir o mestre por toda parte, na esperança de captar um mínimo gesto ou palavra que possa de algum modo auxiliá-los. Os mais evoluídos espiritualmente buscam a sintonia interior e banham sua consciência nas vibrações edificantes que o guru projeta.

Servir a um guru não é azafamar-se, ora fazendo o papel de babá ora de peticionário ávido por chamar-lhe a atenção. Tudo se passa no íntimo. Servir a um guru significa, antes de tudo, purificar a própria energia e devoção em sua fonte de graça. Servimo-lo melhor com a consciência reta do que com atos exteriores, embora ambos, conforme as circunstâncias, possam ser apropriados. O importante é que a *atitude* seja respeitosa e receptiva.

É imprescindível estar fisicamente com o guru? Nem sempre. A sintonia mental é tudo. Meu Guru explicou-me que às vezes um único contato basta para selar o vínculo. Mas – insistiu – deverá haver pelo menos um encontro pessoal, talvez por mediação de um discípulo adiantado. Aqueles, porém, que quiserem estabelecer o vínculo somente pela aceitação mental de sua parte não obterão os mesmos resultados. As verdades aqui estabelecidas são visíveis e palpáveis, podendo mesmo ser postas à prova. Não dependem da fé cega.

O contato físico com o guru é, certamente, uma grande bênção. Traz, contudo, a desvantagem (a menos que a pessoa seja bastante evoluída) de induzir o discípulo a pensar que conhece bem o guru graças à simples convivência com sua personalidade. Um mestre necessita de um corpo e, conseqüentemente, também de uma personalidade para viver no mundo. Mas *não* é nem essa personalidade nem esse corpo.

Como será a personalidade de um guru? Nem é preciso dizer: radiante, magnética, amável, alegre e cheia de poder divino. À parte isso, porém, ele parecerá inteiramente normal. Mais: conhecer e amar essa personalidade não implica estar em sintonia com seu espírito. A sintonia íntima é a condição necessária para receber, no mais alto grau, sua verdadeira graça.

Discípulos veteranos às vezes assumem atitudes próprias que não refletem as do guru. Eles talvez nem sequer se dêem conta da discrepância, pois se sentem pessoalmente realizados em sua sintonia com o mestre. Não merecem censura pelo que, de outro modo, pareceria uma deficiência. Afinal, num primeiro momento, o que os guiou para junto do mestre foi a ânsia de encontrar Deus. Não obstante, é insensato manter *qualquer* porta da consciência fechada para ele, pensando-se: "Até aqui aceitei tudo; daqui por diante terei minhas próprias idéias, na certeza de que preciso desenvolver minhas próprias forças."

(13:26) Ó Flor dos Bharatas (Arjuna), fica sabendo que as coisas existentes nasceram da união de kshetra (Natureza e corpo) e kshetragya (Espírito e alma).

(13:27) Vê com clareza aquele que sabe estar o Senhor Supremo presente de modo igual em todas as coisas, perecíveis ou imperecíveis.

O Mahatma Gandhi disse-o belamente: "No seio da morte, a vida persiste." A vida, fruto do Espírito por intermédio da Natureza, é o princípio imperecível.

(13:28) Quem contempla a Presença Divina em toda parte não mais é prejudicado pela ignorância. (Assim), alcança a Meta Suprema.

(13:29) Vê com nitidez aquele que considera todas as ações um produto da Natureza (Prakriti) e não do Eu (que está acima da criação).

Essa última estrofe pode ter um segundo significado: o yogue precisa ofertar todos os seus atos a Deus (ou Natureza) e concluir que só Deus (Natureza) age por intermédio dele. Embora esse conceito não seja literalmente verdadeiro, uma vez que elimina por completo a realidade do ego, ajuda a expandir a consciência, do eu pequeno para o Eu infinito.

(13:30) Depois de expandir a consciência (e a compaixão)[1] para nela incluir todos os seres vivos, (o yogue) vê todos os seres no Um e se dissolve em Brahman.

Um aspecto prático do ensinamento dessa estrofe é o que Yogananda disse certa vez: "Ninguém pode amar a Deus pura e inteiramente se tratar um único ser humano com grosseria. O Senhor está presente, por igual, em todos. Ofender ou ter má vontade para com qualquer de Suas criaturas é, pelo menos em certa medida, apartar-se de Deus."

---

1. Embora o autor tenha usado, aqui e em outras passagens, a palavra *sympathy* para expressar a virtude ativa que vincula uma pessoa às outras e a faz querer o bem de todas e cada uma delas, optou-se por traduzi-la por "compaixão", a forma latina da grega *sympathia*. As duas traduzem o sânscrito *karuna*. A idéia implícita é sentir o que o outro está sentindo, se deixar tocar pela situação e pelas necessidades, esperanças e temores de outra pessoa.

(13:31) Arjuna, o Eu Supremo, não tendo começo nem atributos apesar de ocupar um corpo (como mestre realizado), não age nem é afetado por nenhuma ação.

(13:32) Assim como o éter sutil, que tudo permeia, não é afetado (pelo que se move nele), assim o Eu, embora se espalhe pelo corpo inteiro, não lhe sofre a pressão.

(13:33) Ó Bharata (Arjuna), assim como o Sol brilha sobre o mundo inteiro, o Senhor do Campo (Deus e Seu reflexo como alma) ilumina o corpo todo (da Natureza e do homem).

(13:34) Vai para junto do Supremo aquele que percebe, com o olho da sabedoria, a distinção entre o kshetra e o kshetragya, logrando entender como os seres podem libertar-se do (envolvimento com) Prakriti.

Aqui termina o décimo terceiro capítulo, intitulado "O campo de batalha", dos Upanishades do sagrado Bhagavad Gita, o diálogo em que Sri Krishna e Arjuna debatem sobre o yoga e a ciência da realização em Deus.

CAPÍTULO 27

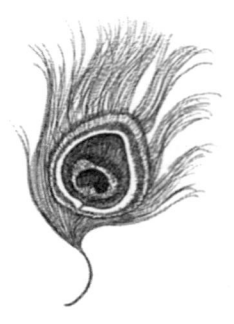

Como transcender os três gunas

(14:1) O Senhor Abençoado disse: Vou explicar-te outra vez a sabedoria suprema, superior a todo conhecimento, por cujo intermédio os sábios alcançaram após a morte a Perfeição Final.

(14:2) Os que dominam essa sabedoria e passam a residir em Mim nunca mais renascem, nem mesmo quando a criação se manifesta de novo, e não são perturbados quando chega o tempo de Pralaya (dissolução cósmica).

Essa estrofe reconforta aqueles que temem, no futuro, quando o universo voltar a se manifestar, ter novamente de se haver com a longa luta pela libertação!

(14:3) A grande Prakriti é Meu ventre, no qual implanto a semente animada que gera todas as formas de vida.

(14:4) Ó Filho de Kunti (Arjuna), qualquer que seja a forma saída de um ventre, seu (verdadeiro) ventre (e fonte cósmica) é o da Grande Prakriti e eu sou o Pai que forneceu a semente.

(14:5) Ó Poderosamente Armado (Arjuna), o que liga a alma imortal ao corpo são os três gunas, trazidos à manifestação por Prakriti!

(14:6) Ó Imaculado (Arjuna), desses gunas, a qualidade pura de sattwa confere saúde e compreensão, mas (ainda) mantém o corpo subjugado por induzir o homem a apegar-se à felicidade e ao conhecimento (intelectual).

Mesmo o sattwa guna, embora edificante, não liberta o homem do conceito do "eu". Ele pensa: "Sou feliz. Sou inteligente. Sou saudável." A consciência egóica é a limitação final, que subsiste quando todos os outros laços se romperam. "Correntes, ainda que de ouro, prendem." E ser feliz não é se deixar prender, obviamente. A idéia do "eu" é que prende o homem – e a tal ponto que o separa dos semelhantes, tornando-se mais e mais coercitiva, ignorando a felicidade alheia e forçando-o a aferrar-se à sua própria em vez de ofertá-la ao júbilo de Deus.

A felicidade, em sua forma superior (bem-aventurança), é o objetivo. Mas o apego à idéia "Eu, João, sou feliz" impede-a de estender-se ao infinito. Isso lembra os discípulos que mencionamos mais atrás, certos de já ter alcançado a realização pessoal com os poucos progressos feitos e indiferentes à urgência de continuar subindo rumo à perfeição espiritual. Desse modo, embora persistam nos esforços certos, agem sempre com o pensamento "Tenho a felicidade pela qual tanto lutei".

O conhecimento intelectual também é uma armadilha ou, melhor dizendo, um beco sem saída na jornada do espírito. Muitos místicos sentem-se realizados com o conhecimento de segunda mão que obtêm da leitura e discussão das verdades espirituais. O saber intelectual, porém, não toca o íntimo das pessoas. Não se baseia na experiência direta, apenas em conceitos, opiniões e vivências alheias.

(14:7) Fica sabendo que (a qualidade de) rajas está imbuída de paixão. Ela ativa desejos e apegos fortes, atando a pessoa ao corpo graças às expectativas ardentes que suscita nela, em decorrência de sua inquietude.

Um bom exemplo de rajas é o entusiasmo da multidão num estádio de futebol: clamor exuberante quando a equipe "certa" marca um gol; raiva quando o árbitro "erra"; xingamentos quando o gol é marcado pelo "adversário"; júbilo incontido quando "nossa" equipe vence; decepção e tristeza quando a vitória vai para "os outros". O que torna isso um bom exemplo em especial é que, no fundo, pouco importa quem vença ou perca. Trata-se apenas de um jogo.

Dá-se o mesmo com a vida: um simples jogo! No entanto, as pessoas a levam muito a sério e investem todas as suas esperanças, ou medos, em certos resultados que, no tocante à alma, nem sequer ocorrerão!

(14:8) Ó Bharata (Arjuna)! Aprende que a qualidade (obscurecedora) de tamas produz a ignorância (espiritual). Esta ilude a mente e torna as pessoas ociosas, descuidadas e por demais propensas ao sono subconsciente.

A embriaguez é tamásica. O vício das drogas é tamásico. O embotamento mental é tamásico. A estupidez é tamásica. Tudo o que compromete a lucidez mental – alimentos ruins, inatividade habitual, falta de exercício adequado, indiferença ou incapacidade de enfrentar desafios, aceitação passiva das coisas tais quais são, degradantes embora para a consciência, e desinteresse por melhorá-las – é tamásico.

Tamas é a qualidade da natureza humana (nascida, porém, da natureza cósmica) que atrai desgraças de todo tipo. Ela ergue uma parede tão grossa em torno do ego que faz a pessoa ver-se, e a seus interesses, como coisa inteiramente desvinculada dos interesses e pessoas de seus semelhantes.

Na analogia do oceano e das ondas, tamas representa a parte da onda que mais se destaca do fundo do mar. A ação de tamas é gerada pela parte mediana, "rajásica", da onda. Tamoguna, em si, não tem poder algum: apenas se desintegra em espuma depois que atinge o pico de sua expressão. No fluxo de energia pela espinha, tamoguna é o impulso para baixo do apego à matéria, após atingir o ponto em que nada mais busca ativamente e apenas se inclina às cegas para qualquer coisa ou condição material que o ego insiste em classificar como "minha e de ninguém mais".

(14:9) Sattwa prende o homem à felicidade; rajas, à atividade e tamas, embotando o discernimento (que engendra a "consciência de solução"), submerge-o em dificuldades.

O sattwa guna exalta a consciência. Rajas mantém-na ligada ao mundo exterior. Tamas anuvia-a a ponto de impedir até os questionamentos sobre o certo e o errado. Sattwa, contudo, caso não esteja nem um pouco contaminada por rajas, pode tornar a pessoa passivamente feliz e, portanto, propensa a cair de novo, de sua posição elevada, na inércia relativa. Assim, a roda continua girando. Há três aspectos em rajas: ascendente, com direção apenas no mesmo plano e descendente. Embora rajas induza a pessoa à atividade, esta pode ser edificante ou destruidora. Cumprir conscienciosamente um dever é agir sob a influência de sattwa-rajas.

Por outro lado, a ação voltada com exclusividade para a auto-realização, sob influência do desejo e do apego, pode tomar diversos rumos. Se a pessoa conseguir, por meio dessa ação, reconhecer e aceitar que os outros também têm suas necessidades, então o ato egoísta a conduzirá para cima, para uma consciência mais livre. Mas se ela teimar em *excluir* as necessidades alheias de sua própria luta para realizar-se, sua consciência se encolherá e sua energia descerá pela espinha na direção dos chakras inferiores.

(14:10) Em algumas pessoas, sattwa predomina, mantendo em obediência rajas e tamas; em outras, rajas prevalece; e em outras ainda, tamas sufoca tanto sattwa quanto rajas.

Todos os homens, é preciso entender, são uma mescla dos três gunas, assim como uma onda tem três partes: aquela que está mais perto do fundo do oceano; a parte mediana, que alteia a onda; e a crista, ponto de onde o próprio mar parece insignificante.

Os santos, em quem obviamente o sattwa guna predomina, demonstram ainda assim o aspecto tamoguna de sua natureza quando correm a cortina do sono sobre sua consciência ou descansam um pouco das atividades sáttwicas. Os santos não deixam também de exibir rajas em sua natureza ao lutar pela felicidade dos outros ou ao buscar alguma descontração contando anedotas e rindo.

As pessoas mundanas, empenhadas unicamente na realização de seu próprio ego, mostram, não obstante, sinais de sattwa quando procuram ajudar os semelhantes (seus filhos, por exemplo) a evoluir e alcançar sucesso na vida. Revelam tamas não apenas quando dormem ou descansam longamente, mas também quando repelem certos deveres por considerá-los "chatos demais".

As pessoas *tamásicas*, de mente embotada, traem rajas em sua natureza no momento em que se propõem fazer *alguma coisa*. Traem sattwa no ato de apreciar *algo* – ou até de perguntar enfastiadas a si mesmas: "A vida valerá mesmo a pena?" (Com efeito, no próprio ato de perguntar, tendem a voltar a mente para cima, embora por pouco tempo, quando menos por estar simplesmente exasperadas!)

Ao tentar ajudar o próximo ou dar lições aos jovens, deveríamos nos lembrar de que só se evolui por etapas. Provocar atitudes sáttwicas em alguém, por exemplo, que seja basicamente tamásico seria pura perda de energia e, mesmo, um absurdo. Se tentarmos induzi-lo a meditar, ele simplesmente cairá no sono ou mergulhará num torpor subconsciente.

A meditação não é para todos. Nem a virtude desinteressada. Peça a uma pessoa tamásica para fazer algo que não seja egoísta e ela não fará nada! Conclame uma pessoa rajásica a "viver mais no Eu" e ela olhará à volta em busca do que possa tomar para si mesma.

Uma semente não pode transformar-se de súbito numa árvore. Todo ser humano precisa crescer a partir da etapa onde se encontra no momento. Em vez de cobiçar uma perfeição imediata no caminho espiritual, precisamos trabalhar realisticamente com as ferramentas que temos à mão. A semente crescerá se for regada com método. O processo de regar, para o devoto, é a meditação diária e a prática constante da presença de Deus.

(14:11) Quando a luz do discernimento atravessa todas as portas dos sentidos, fica óbvio que sattwa predomina nessa pessoa.

A pessoa sáttwica detecta bondade e pureza em todas as coisas, em todas as coisas as vê refletidas, vislumbrando Deus naquilo que sente, degusta ou cheira. Projeta no mundo em derredor aquilo que ela é no íntimo.

(14:12) Quando o homem dá mostras de inveja, inquietude e motivação egoísta, rajas predomina em sua natureza.

A pessoa rajásica contempla tudo em termos daquilo que pode aproveitar para si, para sua própria realização. As "portas de seus sentidos" estão atulhadas das toxinas mentais do desejo. Vê uma bela cachoeira e pensa: "Quanto dinheiro eu poderia ganhar com a eletricidade gerada por essa queda-d'água!" Diante de um quadro magnífico, pergunta-se: "Quanto valerá?" Ouve uma música maravilhosa e só o que lhe vem à cabeça é: "O ritmo poderia ser um pouco mais sensual." Degusta uma fruta deliciosa e reclama: "Não está suficientemente doce." Assim são, para essa pessoa, as experiências dos sentidos.

(14:13) Quando a consciência de alguém é embotada, ociosa, negligente ou inclinada a tudo interpretar de maneira errada, tamas predomina em sua natureza.

As "portas dos sentidos", numa pessoa assim, estão bloqueadas por detritos. Para ela, tudo tem conotação sexual, gustativa ou outra qualquer de natureza material grosseira. Vê, ouve e fala unicamente coisas ruins. Pedir-lhe que seja melhor do que é seria mero exercício de futilidade. O melhor que se poderá fazer por ela é arranjar-lhe boas companhias. E o melhor que faríamos *a despeito* dela seria evitar seu convívio.

(14:14) Aquele que, por ocasião da morte, está sob o jugo de sattwa, sobe às esferas onde moram os conhecedores da verdade.

O momento da morte é o mais importante na vida de qualquer pessoa. Por isso Krishna consagra diversas estrofes do Bhagavad Gita a esse instante sagrado. O pensamento do moribundo reflete o tipo de vida que ele levou. Deverá, contudo, fazer um esforço extra para manter a consciência num plano elevado. Mesmo os mestres, que sempre sabem a hora de sua morte, experimentam com freqüência uma espécie de trepidação ao supor, num átimo, que os conhecimentos acumulados naquela existência possam escapar-lhes para sempre. Isso não quer dizer que nutram apegos. Mais propriamente, diríamos que eles apenas se *acostumaram*.

Meu Guru me confidenciou que, quando viu pela última vez seu mestre em forma corpórea, pouco antes do passamento desse grande homem, um dos presentes lhe disse algo assim: "Logo nos veremos em Kidderpore." Por um instante a mão do Mestre tremeu e ele gritou com força inusitada: "Não vou mais a Kidderpore!" Logo depois retomava a calma e o desprendimento de sempre.

O véu lançado por *maya* é, porém, muito denso. Mesmo os mestres precisam fazer um esforço consciente para livrar-se de seus derradeiros traços na consciência.

Quando, então, a morte se aproximar de você, faça um esforço sério para romper os cordões do apego que o prendem a esta vida. Aos grossos, aplique mentalmente um machado. Aos finos, use mentalmente uma faca afiada para cortá-los e desfazer os nós formados em seu coração. Lance-os com força para longe de si e tente não pensar mais neles.

Comece pelos desejos ou apegos de natureza mais tamásica. Ofereça-os sem hesitar a Deus e diga a você mesmo: "Tudo o que ganhei com esses laços foi sofrimento. De muito bom grado me desfaço deles!" Em seguida, afirme mentalmente: "Sou livre em mim mesmo!"

Suba mais e alcance os vínculos que, por sua natureza rajásica, são mais finos e menos capazes de mantê-lo embaixo, impossibilitado de evoluir.

Mesmo as pessoas espiritualizadas podem sentir de repente o impulso de lamentar deixar para trás lugares e pessoas a quem amaram ou a quem pelo menos se acostumaram. Tenha em mente que o amor é um vínculo entre pessoas; reúne-as amiúde até sua afeição mesclar-se ao vasto oceano do amor divino. Por mais que você tenha sido um devoto sincero, faça um esforço extra quando a morte chegar, concentrando-se unicamente em Deus.

(14:15) A pessoa em quem predomina rajas por ocasião da morte renasce entre aquelas cujo ego se apega fortemente à atividade. Mas o homem que, na morte, é permeado por tamas renasce no ventre de alguém que está mergulhado na ilusão (e numa família, ambiente e circunstâncias objetivas que promovem a ilusão).

Existem inúmeros tipos de pessoa, é claro, em cada uma das três categorias. Uma pessoa sáttwica pode ser um santo, mas mesmo os santos são de diferentes graus, indo daqueles que dedicaram a vida à busca espiritual àqueles que alcançaram seu objetivo. Só os que transcenderam a consciência egóica tornam-se *jivan muktas* – inteiramente libertos quando ainda no corpo, embora essa liberdade só se manifeste no momento da morte. Outros retornam à Terra, atados pelos cordões (de seda, no caso) do antigo karma.

As pessoas rajásicas também costumam ser de diversos tipos. Essencialmente, há quem se mova para cima e quem se mova para baixo, tanto quanto, é claro, quem se mova na horizontal, não sendo pessoa boa nem má, apenas inquieta.

As pessoas tamásicas, enfim, inserem-se em categorias que vão da meramente estúpida à ativamente má. Almas que descem de níveis superiores de expressão para praticar o mal podem adotar práticas duvidosas como a magia negra e o satanismo.

Mencionamos mais atrás a existência de mundos, e mesmo de galáxias, onde predomina um ou outro dos três gunas. Pode-se perguntar com certa pertinência: "Como alguém, seja um mestre embora, saberá alguma coisa dessas nebulosas distantes?" Resposta: no samadhi, o mestre já está *lá*! Uma vez transcendido o ego, foi-se a única barreira concreta à onipresença.

Os moradores das galáxias sáttwicas vivem uma existência ideal, posto que ainda material. Vivem muito, num ambiente esplêndido. O véu que separa os universos material e astral é facilmente rompido.

As galáxias rajásicas parecem-se com a nossa: estão repletas de criaturas que forcejam incessantemente por realizar seus desejos. Ali não faltam a inquietude, a insatisfação, a ansiedade. No entanto, os habitantes "vivem à larga" em comparação com os das galáxias tamásicas, onde bestas ferozes rondam à cata de presa e o canibalismo é comum entre seres humanos. Nestas, tudo é guerra, conflito, emoções violentas, condições primitivas, estupidez.

Surge naturalmente a pergunta: as criaturas de outros planetas são similares a nós na aparência? Os biólogos diriam: "Impossível! A evolução é um fenômeno puramente acidental." Paramhansa Yogananda, porém, explicou que nosso mundo não passa de uma imitação, em nível grosseiro, do mundo astral bem mais sutil. A forma do corpo humano é determinada num nível mais sutil ainda: o causal. Ele lembra, de longe, a estrela no olho espiritual, com suas cinco pontas. No caso do homem, quando ergue os braços lateralmente e afasta as pernas, os quatro membros mais a cabeça reproduzem aquela estrela. Seres dotados de autoconsciência, longe de representar o produto de um simples acidente, seguem um protótipo já estabelecido nos universos astral e causal.

Outra pergunta vem à baila: cada mundo material reflete *necessariamente* apenas *uma* das três qualidades? Claro que não! Por toda parte, os gunas aparecem misturados, mas sempre na mesma relação um com o outro. Não nascem aqui na Terra grandes mestres que anseiam pela evolução espiritual? Essa ânsia existe, mas a esperança espiritual pode ser calada pelas mais que evidentes realidades grosseiras da vida.

As almas são atraídas para cá – para o plano material, obviamente – a fim de ocupar lugares cujas condições reflitam a consciência que desenvolveram até o momento.

As pessoas (e são muitas) exprimem a seguinte dúvida: "Se a reencarnação é um fato e a alma não é criada pela primeira vez a cada novo corpo, como se dá que a população da Terra aumente sempre? De onde vêm tantas almas?" Resposta inevitável: "De toda parte!"

(14:16) Dizem (os sábios) que os frutos da ação sáttwica são a pureza e a harmonia (de coração e mente); os da ação rajásica são a dor e o sofrimento; e os da ação tamásica são as diversas manifestações da ignorância espiritual (embotamento mental, indolência, estupidez e incapacidade de enfrentar as dificuldades da vida).

Essas conseqüências dos vários tipos de atividade, oriundas de qualidades diversas, servem de aguilhão para a iluminação espiritual. Lamentavelmente, a inventividade do homem, querendo escusar-se ao auto-aperfeiçoamento, atinge quase as raias do gênio! Muitas vezes, as pessoas rajásicas – em vez de enfrentar seus próprios complexos – passam a odiar as sáttwicas só porque são harmônicas e puras. As pessoas tamásicas odeiam as enérgicas, vendo a energia alheia como um insulto pessoal à sua fraqueza. Pessoas tamásicas (e também rajásicas) nem sequer admitem a existência de seres sáttwicos. Atribuem aos bons toda sorte de motivos nefandos. Quando não conseguem corromper pessoas bondosas, perseguem-nas e até as trucidam, como fizeram os judeus a Jesus Cristo em sua época.

(14:17) A sabedoria brota de sattwa; a cobiça e a avareza, de rajas; e (a treva da) ignorância (espiritual), de tamas.

Convém entender que, embora cada pessoa seja única, as *qualidades* que manifesta são universais. A letra de uma canção sentimental muito em voga há alguns anos no Ocidente conseguiu, a seu modo, expressar uma verdade eterna: "Nunca, nunca haverá outra como você." Mas convém igualmente entender que o "você" (a personalidade) que a canção incensava nada tinha a ver com o "você" verdadeiramente eterno. As qualidades ou gunas não pertencem a ninguém. São apenas manifestações de Prakriti e podem aderir a qualquer um, parecendo por algum tempo defini-lo.

A sabedoria de sattwa às vezes se transforma, *na mesma pessoa*, na cobiça e avareza típicas de rajas ou na ignorância crassa que caracteriza tamas. Nenhuma qualidade é ou pode ser *propriedade* desta ou daquela pessoa e nunca as define. Os gunas só residem em alguém temporariamente. Diríamos que são viandantes eternos. Toda qualidade que o ser humano manifesta pode ser ampliada, diminuída ou eliminada por completo; mas nunca, de forma alguma, se identificará com o que ele é no íntimo.

E – a pergunta não quer calar – quem é ele, de fato, no íntimo? Satchidananda, decerto!

A guerra de Kurukshetra e o conselho de Krishna a Arjuna para lutar fundam-se nessa verdade eterna. Do lado dos Pandavas, trata-se de uma luta contra qualidades que não podem nunca, em caso algum – são universais e eternas –, ser derrotadas, porquanto não se identificam com ninguém. Do lado dos Kauravas, é o esforço para proteger um território arrebatado falaciosamente e mantido sem consideração pelo bem-estar do povo. Quando a cobiça e a avareza se transmudam em sabedoria, são de certo modo "derrotadas", embora nada se perca. A transformação fez uso dos mesmos "materiais" – energia e consciência – e apenas os vestiu com novas roupas.

Assim, as melhores pessoas, se vivem de maneira errada, vão aos poucos adquirindo atributos ruins. As piores, com o tempo, se vivem de maneira certa, vão adquirindo atributos bons. Os gunas ou qualidades são, em si, abstrações. A pessoa que atacam, agridem ou abençoam é bem real, portanto mais permanente. Mas essa pessoa também age, obviamente, como um ator onírico no drama cósmico. Sua existência sob a forma de ego não dura na eternidade – exceto como lembrança, que subsiste mesmo depois da união final com Deus. Nada é permanente, nada se define com respeito a uma qualidade qualquer.

O que o Gita diz aqui é que os gunas podem ser manipulados. Se você agir de determinada maneira, atrairá o guna correspondente a esse tipo de atividade. Se agir de outra, atrairá outro.

Quanto menos permitir a seu ego identificar-se com uma qualidade, mais conseguirá atrair as que deseja manifestar, aprendendo assim a comportar-se adequadamente sob quaisquer circunstâncias. Se quer ser feliz, procure aprimorar as qualidades sáttwicas. Lembre-se: nenhuma qualidade é "você". Você, no fundo, nunca muda e nunca se identifica com nada – muito menos com esse eu insignificante que é o ego.

A felicidade, caso a manifestemos vivendo uma vida sáttwica, é real, embora não nos defina. Ainda assim deve inspirar-nos a almejar, para além da própria felicidade, a bem-aventurança inefável do Espírito. De outro modo, se ficarmos satisfeitos *com* a situação em que estamos, falharemos de novo devido a essa reafirmação do ego. A verdadeira alegria não está ligada a este pensamento mesquinho: "Eu." Só podemos gozá-la se houver liberdade perfeita. Não há possibilidade de retroagir do estado de libertação completa do ego. É um estado que sobrevém com a realização plena do Eu.

Há um método para transcender cada guna – e também para cada pessoa, dependendo da mescla particular de qualidades que nela se manifesta. É inútil tentar banir as manifestações sombrias e crassas de tamoguna: elas não podem ser modificadas. Cumpre suportá-las e, aos poucos, desgastá-las em contato com outras pessoas – tal qual sucede aos seixos sob constante fricção uns com os outros no fundo do rio. Só no outro extremo do espectro é que a transcendência se torna verdadeiramente possível, pois rajoguna acaba por fazer as pessoas *desejarem* ser mais calmas, mais pacíficas e mais felizes *consigo mesmas*. Apenas pela prática a pessoa sobe a escada da evolução espiritual, aceitando o que *é* como a realidade do momento. O véu quase transparente que cobre a ilusão com o sattwa guna pode, à maneira da metáfora empregada mais atrás no Gita, ser afastado como fumaça por um simples sopro: uma breve meditação logo porá à mostra a chama brilhante da sabedoria por trás da cortina de fumo.

Vemos aqui a importância de ter um guru autêntico. Só ele, com seu elevado grau de sabedoria e percepção nítida da natureza do discípulo, afora o interesse em ajudá-lo a encontrar Deus, merece ser seguido pelo campo minado da ameaçadora mescla de qualidades que cada um de nós manifesta. Com a ajuda do guru, você alcançará o patamar das plenas qualidades sáttwicas e saberá como ir além dele para libertar-se totalmente dos últimos resquícios da consciência egóica, mergulhando na consciência infinita.

Estar em sintonia, mesmo que só mentalmente, com o guru ajudará você a ter melhor compreensão sempre que se vir na iminência de cometer um erro. Sentirá então um certo abalo nervoso nos sentimentos íntimos. Quando, por outro lado, agir às direitas, pressentirá a aprovação tácita do guru no fundo da alma.

De novo percebemos a importância de ter um verdadeiro guru para nos guiar no caminho espiritual. Poucas pessoas chegam a constatar essa necessidade. E em menor número ainda são aquelas que, após conseguir um mestre conspícuo (significando isso, também, ser aceitas por ele), têm fé suficiente para segui-lo sem tergiversar. A fé inabalável no guru não é passiva nem sinal de ignorância. Os discípulos com ela abençoados logo saem da prisão do ego para os céus sem mácula da consciência divina.

Nos anais da espiritualidade, existem uns raros exemplos de obediência. Aqui, devemos esclarecer que o verdadeiro guru tudo faz para assegurar que a obediência do discípulo seja espontânea e inteligente, nunca cega ou submissa.

Swami Shankara estava de pé na outra margem do rio, olhando para um de seus discípulos mais chegados. Meu Guru contou-me certa vez o que aconteceu. Lembro-me bem da expressão contida, do ligeiro movimento da mão e do tom de voz tranqüilo com que me narrou essa parte da história.

Shankara gritou amigavelmente para o discípulo: "Venha até aqui!" Qualquer pessoa olharia à volta em busca de um barco. Aquele discípulo, porém, logo pôs sem hesitar o pé na água. No mesmo instante, uma folha de lótus aflorou debaixo de seu pé e amparou-o. A cada passo, nova folha, de modo que o discípulo logo alcançou a margem oposta. Daí por diante passou a ser conhecido como Padmapada ("Pés de Lótus").

Sadashiva (já mencionado neste livro) tem também sua história. As duas revelam obediência perfeita, tanto quanto a graça disseminada pelo guru. Jovem ainda e no ashram de seu mestre, Sadashiva destacava-se pelo brilho da conversa. Não raro superava na discussão homens bem mais velhos que ele. Certa feita, confundiu um ancião apontando os defeitos de seu raciocínio.

O mestre perguntou-lhe com impaciência (ou assim parecia pelo tom da voz): "Quando é que você aprenderá a refrear a língua?" A tendência do discípulo a alardear seu brilho intelectual era uma manifestação não só de inteligência, mas também – o que é menos louvável – de apego ao ego.

"Agora mesmo, Mestre, se me abençoar!", foi a resposta. Daí por diante, Sadashiva nunca mais pronunciou uma só palavra. Ficou conhecido como um *mauni* que jamais quebrava o silêncio.

(14:18) Quem se apóia em sattwa sobe; quem está mergulhado em rajas permanece nas regiões do meio; quem se afundou em tamas desce para os centros espinais inferiores.

Já falamos sobre os gunas relativamente à direção da energia e da consciência na espinha. Em yoga, a energia flui para dentro. Nas pessoas que vivem segundo a consciência egóica, cheias de desejos e apegos, o fluxo de energia é para fora. A consciência das pessoas sáttwicas, focalizada mais no ponto entre as sobrancelhas (lóbulo frontal do cérebro), volta-se mais para a clareza do intelecto e da compreensão. A das pessoas rajásicas, concentrada primordialmente nas emoções, é governada por gostos e aversões, esperanças e desapontamentos, ambições e fracassos devastadores. A das pessoas tamásicas, ligada aos três chakras inferiores, ocupa-se exageradamente de satisfações e "recompensas" físicas: crueldade, libertinagem desbragada, embriaguez e vocação para contar mentiras com o único propósito de confundir.

(14:19) O vidente que não vislumbra no universo outro elemento ativo senão os três gunas (ou seja, que considera a ação humana

motivada pelos gunas e não pela escolha individual) e sabe que (a consciência imóvel) é superior a elas, esse adere ao Meu ser.

(14:20) Depois de transcender as três qualidades da Natureza, causa da encarnação, o homem se livra da angústia provocada pelo nascimento, velhice e morte, para em seguida alcançar a imortalidade.

(14:21) Arjuna perguntou: Que sinais distinguem aquele que transcendeu os três gunas? De que maneira se comporta? Por que meios revela sua transcendência?

(14:22) O Senhor Abençoado respondeu: Ó Pandava (Arjuna), ele nem apetece nem desdenha as manifestações dos gunas, seja isso iluminação, atividade incessante ou ignorância crassa;

(14:23) despreocupado, indiferente (a toda expressão das qualidades), vendo-as ativas no universo inteiro, permanece sereno e concentrado no Eu.

(14:24) Nunca afetado (pessoalmente) nem pela alegria nem pela dor, elogio ou censura, valorizando de igual modo o barro, a pedra e o ouro, pouco se lhe dá que os outros o tratem bem ou mal.

(14:25) Alheio ao galardão e à desonra, tratando por igual o amigo e o inimigo, livre de ambições pessoais: eis a marca daquele que transcendeu as (três) qualidades da Natureza.

(14:26) O homem que Me serve com amor e devoção inabaláveis transcende os gunas e capacita-se a ser (um com) Brahman.

(14:27) Pois Eu sou o alicerce de tudo quanto há: o Brahman Imperecível em Quem residem a Lei eterna e a Bem-aventurança sem fim.

Krishna fala de si mesmo como pessoa. Ora, como pode uma pessoa ser o alicerce (ou, como preferem alguns, a morada) do Brahman Infinito? Certamente, apenas no sentido de que o devoto percebe o Divino primeiro através do guru, como por uma vidraça: de início pessoal, depois impessoal.

Aqui termina o décimo quarto capítulo, intitulado "Como transcender os três gunas", dos Upanishades do sagrado Bhagavad Gita, o diálogo em que Sri Krishna e Arjuna debatem sobre o yoga e a ciência da realização em Deus.

Capítulo 28

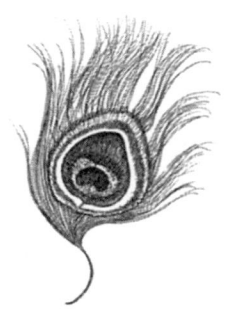

O yoga da criatura superior

(15:1) O Senhor Abençoado disse: Eles (os sábios) falam da árvore Ashvatta imperecível, que tem as raízes em cima e os galhos embaixo. Suas folhas são os hinos védicos. Quem entende essa árvore da vida entende também (o significado dos) Vedas.

Essa árvore, considerada mítica, é o corpo humano. Seu tronco é a espinha. Suas raízes, "em cima", são os raios de energia que emanam do corpo e do cérebro (como também os alimentam) por meio do *sahasrara*, o "lótus de mil pétalas" localizado no alto da cabeça. Os galhos, "embaixo", representam a complexidade do sistema nervoso.

Os "hinos védicos" são as vibrações do conhecimento dos sentidos, transmitidas destes ao cérebro ao longo do sistema nervoso. Assim como a seiva de uma árvore nutre todas as suas partes, inclusive as folhas, assim a força vital que flui para fora a partir da espinha, passando dos nervos para os sentidos, aviva suas "folhas" tremulantes que reagem às vibrações da visão, audição, olfato, paladar e tato.

A alma, conforme já explicamos, está instalada em três corpos: o causal, mais sutil, é o primeiro; o astral vem em seguida, revestido pelo mais superficial, o físico.

Por que se diz que o corpo é imperecível? Porque suas origens remontam a Brahman, o Espírito Supremo, e seu protótipo acha-se em Prakriti (a Natureza). O corpo físico morre; mas os desejos conscientes que presidiram à sua formação refazem-no repetidas vezes. Também o corpo astral – quando esse mundo se torna a "morada" de alguém – é absorvido periodicamente pelo corpo causal e volta a manifestar-se (devido a desejos conscientes de gozo astral). Ainda que o corpo causal mergulhe no Infinito, o princípio criador por trás da manifestação dos três corpos permanece.

A árvore da vida humana é "imperecível", não bastasse o fato de manifestar esse princípio criador eterno, porque o corpo do homem é o único entre as formas animais a ter um sistema nervoso, uma espinha e um cérebro suficientemente refinados para capacitá-lo a perceber Brahman.

O uso metafórico que Krishna faz da árvore Ashvatta deve-se ao fato de ela, *peepul* ou figueira, exibir uma enorme riqueza de folhas. As "folhas" da "árvore da vida" humana também são abundantes: as multiformes vibrações do envolvimento sensorial (sons, cores, sabores, cheiros e sensações táteis) de que o homem dispõe graças à sua maior capacidade (com relação aos animais inferiores) de gozar e apreciar. Os animais inferiores contentam-se com uns poucos prazeres sensoriais. Já o apetite do homem por eles é inesgotável. Assim, mesmo as folhas dessa árvore "imperecível" são grandes e numerosas, porquanto o deleite que delas tiram os homens nunca cessa.

Os cabelos humanos são uma condensação de raios de energia astral que rodeiam o cérebro. Os yogues costumam deixar os seus crescer à vontade, para que mais energia flua do cosmo para o cérebro.

(15:2) Seus galhos estendem-se para baixo e para cima, alimentados pelos gunas. Seus botões são os objetos dos sentidos. Pequeninas raízes também se entranham no mundo dos homens, impelindo-os à ação.

A metáfora da árvore é belíssima. Mas aqui se torna problemática porque nos pede para visualizar os galhos estendendo-se não apenas para baixo, mas também para cima, com as raízes descendo tanto quanto subindo. A mente pede visualizações para simplificar e esclarecer. Aqui, a visualização é complicada e um pouco confusa. Não há, porém, metáfora perfeita. A imagem do oceano e suas vagas apresenta a desvantagem de que estas, inflando o ego e a qualidade de tamas, *projetam-se* de sua fonte no oceano, ao passo que em verdade, para volver à nossa fonte no Espírito e alimentar o sattwa guna, nossa consciência precisa subir e não descer. O movimento descendente na espinha agrava a negatividade. Outro problema – quase trivial demais para mencionar – é que, ao regar a semente da espiritualidade com a fé, a água flui *para baixo* e não *para cima*, enquanto regar nossa consciência com a fé exige um fluxo *ascendente* de energia. Já o problema com a evolução espiritual é que na realidade não *progredimos*: simplesmente nos tornamos completos em nós mesmos.

Poderíamos esmiuçar mais essa questão – mas com que fim? Aceitemos a metáfora pelo que ela é: um par de muletas mental. Nenhuma imagem "ficará de pé por si mesma" após cuidadoso escrutínio!

Atentemos, pois, antes para a função das raízes e dos galhos da árvore que para sua posição em cima ou embaixo. Os galhos indicam as extensões da consciência como expressões dos gunas. Alguns recuam (sobem?) na direção das raízes; outros crescem para os lados e outros pendem para o solo, mas *afastam-se* das raízes, que recebem nutrição do alto.

As folhas nascem dos botões, depois se dilatam para assumir sua forma característica. Como botões, simbolizam os objetos sensoriais da visão, audição, olfato, paladar e tato. Como folhas, permitem o gozo pleno e variegado desses objetos.

As "raízes", que extraem sua energia principal do cosmo, alimentam-se também da reação da consciência aos gostos e aversões deste mundo. As raízes secundárias preservam a vida para a recriação e perpetuação da árvore da humanidade.

(15:3, 4) A verdadeira natureza dessa árvore – seu começo, seu fim, sua continuidade – escapa ao entendimento dos homens comuns. O sábio, depois de cortá-la pela raiz com o machado do desapego, pensa: "Busco refúgio unicamente na essência primeva de Purusha, de onde provém toda a criação (não à sombra de uma árvore qualquer)." Ele anseia pelo Objetivo Supremo, de onde não precisará retornar.

O homem sábio vê na consciência cósmica o começo, a continuidade e o fim da árvore da vida eterna.

(15:5) Atingem o objetivo eterno aqueles que não cobiçam honrarias humanas, que, depois de romper os laços do apego, ficaram livres da vaidade e não se deixam mais impressionar por pares de opostos como prazer e sofrimento, tendo já se estabelecido firmemente no Eu interior.

(15:6) Onde não brilham nem o Sol, nem a Lua nem a chama do fogo, ergue-se a Minha morada; os que lá chegam ultrapassaram o nascimento e a morte.

O Sol no corpo representa a luz do olho espiritual – ou então o *sahasrara* (o "lótus de mil raios") situado no alto da cabeça. A Lua é o reflexo dessa luz no ego, ou *agya chakra* (a medula oblonga), e simboliza portanto o próprio ego humano. A consciência egóica está, na verdade, centrada na medula. O fogo é a energia vital no corpo, que arde como autocontrole no *manipura chakra* ou centro lombar. Ao encontrar Deus, o homem passa além dessas diferenciações da consciência e mergulha na unidade absoluta.

(15:7) Uma parte eterna de Mim, manifestando-se como alma vivente no mundo da humanidade, atrai para si os seis sentidos, inclusive a mente, que estão todos em Prakriti.

(15:8) Quando o Senhor da jiva (a alma individualizada) escolhe um corpo, insufla-lhe a mente e os sentidos. Ao deixar esse corpo, leva os sentidos e a mente consigo, dispersando-Se como o perfume das flores carregado pelo vento.

Assim a jiva, possuindo ainda um corpo astral, leva consigo a capacidade de percepção sensorial e sua individualidade.

(15:9) Conserva, pois, e utiliza os sentidos da visão, audição, olfato, paladar e tato.

(15:10) Sua partida do corpo, como Sua chegada, nunca é percebida pelo ignorante (que só vê o efeito de sua presença: o próprio corpo). Apenas o olho da sabedoria O percebe (tal qual é).

(15:11) Os yogues que lutam pela libertação observam Sua realidade em si mesmos; mas aqueles que, mesmo lutando, não purificaram (o coração) e não têm disciplina, nunca O vêem.

(15:12) A luz do Sol, que ilumina o mundo, a da Lua e a do fogo – fica sabendo que sua radiância provém unicamente de Mim.

(15:13) Permeando o mundo com Minha refulgência, amparo todos os seres; por intermédio da Lua úmida, alimento todas as plantas.

O Sol fornece energia ao mundo. A Lua, seu reflexo, representa a seiva, o sangue e outros líquidos vitais em todas as criaturas, permitindo que a energia flua através da matéria.

(15:14) Sou a chama da vida em todas as criaturas vivas. Só Eu Me manifesto como prana e apana, só Eu digiro seu alimento.

(15:15) De Mim, presente no coração de todos os seres, brota a memória e o conhecimento, como também sua perda. Sou, nos Vedas, a Meta do saber. Também sou seu Autor e Aquele que os conhece.

(15:16) Dois seres (purushas) existem no cosmo: o destrutível e o indestrutível. As criaturas são o destrutível. O Kutastha Chaitanya é o indestrutível.

Essa estrofe alude à Prakriti manifestada em todas as criaturas e à Kutastha Chaitanya, a consciência não-vibrátil no seio de toda manifestação, que dá forma ao universo e não pode ser destruída, pois permanece inalterada quando todas as criaturas são reabsorvidas pelo Espírito.

(15:17) Mas também existe o Eu Supremo que, permeando os três mundos (os planos causal, astral e físico), é o seu Preservador.

(15:18) Eu (o Senhor Supremo) estou além do perecível (Prakriti) e acima do Imperecível (Kutastha Chaitanya). Por isso, nos (três) mundos e no Veda (que reflete a percepção intuitiva perfeita), sou proclamado Purushottama, o Ser Absoluto.

(15:19) Aquele que, livre da ilusão, Me conhece como o Espírito Supremo, conhece tudo (que possa ser conhecido), ó Descendente de Bharata (Arjuna)! Ele Me reverencia com todo o seu ser.

(15:20) Eis, pois, que te ensinei a mais profunda das sabedorias, ó Imaculado! Quem a compreende se torna um mestre, pois cumpriu todos os seus deveres, (ainda que) continue a agir escrupulosamente (neste mundo).

Aqui termina o décimo quinto capítulo, intitulado "O yoga da criatura superior", dos Upanishades do sagrado Bhagavad Gita, o diálogo em que Sri Krishna e Arjuna debatem sobre o yoga e a ciência da realização em Deus.

Capítulo 29

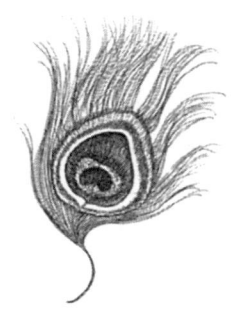

A natureza do divino e do demoníaco

Krishna agora enumera vinte e seis qualidades que enobrecem a mente espiritualmente.

O objetivo do progresso espiritual é, como vimos enfatizando repetidamente, transcender a consciência egóica graças à compreensão de que a separação de outras criaturas e do Eu Absoluto é a grande ilusão da qual todas as demais derivam. O senso de individualidade está enraizado no infinito. Não há outra realidade senão o Eu: Deus, o Eu de tudo. Em Si mesmo, Ele é uma Beatitude sempre consciente, sempre existente e sempre nova. Ninguém O criou; Ele existe por Si.

Uma qualidade espiritualmente enobrecedora, portanto, é uma qualidade que nos leva a essa percepção.

(16:1) O Senhor Abençoado disse: Coragem; pureza de coração; perseverança (na aquisição da sabedoria e na prática da meditação);

caridade (sáttwica); comedimento; execução dos ritos sagrados (auto-oferenda simbólica a Deus e aos devas); homenagem aos santos e *agnihotra* (lançamento de oferendas ao fogo sagrado); estudo das escrituras; autodisciplina; retidão;

(16:2) pacifismo; autenticidade; repúdio à cólera; renúncia; tranqüilidade; indulgência; bondade para com todos; ausência de ganância; gentileza; modéstia (não chamar a atenção para si mesmo); firmeza de propósito;

(16:3) radiância de caráter; capacidade de perdoar; fortaleza de ânimo; limpeza; ausência de malícia; simplicidade. Essas qualidades, ó Descendente de Bharata (Arjuna), são os dons daquele que se inclina para o Divino.

A *coragem* brota do completo desapego. É uma atitude natural naqueles que sabem nada possuir para proteger. O instinto de autopreservação é, sem dúvida, o motivo fundamental para o medo. O ego, ou senso de possuir uma individualidade separada e ser diferente dos demais, dá origem ao instinto do medo. A consciência egóica nasce do apego ao corpo: portanto, o medo brota da ânsia de proteger o corpo e não pode ser vencido enquanto o apego ao corpo persiste.

Quanto mais a consciência corpórea da pessoa se expande – para incluir coisas como sentimento de posse, cuidado com a própria reputação, certeza de poder ou importância –, maior a probabilidade de sentir medo. A coragem, por outro lado, vem da entrega desses apegos – se possível na ordem inversa – ao infinito: anseio de importância pessoal; desejo de poder ou controle sobre alguém ou alguma coisa; desejo de ser benquisto, admirado e respeitado acima dos demais; apego a riquezas; culto da saúde e do bem-estar físicos; e, finalmente, identificação do eu com o corpo.

O caminho mais rápido e seguro para desenvolver a coragem é amar a Deus. Amando-O, sentimo-nos sempre protegidos por uma força maior que qualquer poder pessoal.

A *pureza de coração* vem quando a pessoa removeu de si todos os sentimentos estranhos à sua verdadeira natureza. Portanto, ela começa pela eliminação de tudo o que alimenta a consciência egóica. Isso inclui, é claro, todas as razões para o medo listadas acima e, também, a ausência de motivo egoísta ou "oculto". A pessoa que tem o coração puro é sincera e nunca alberga o mínimo desejo de se aproveitar de alguém sem o seu consentimento. Não guarda rancor aos semelhantes. Em verdade, só com essa pureza, manifesta automaticamente quase todas as qualidades espirituais acima mencionadas: ausência de rancor, pacifismo, capacidade de perdoar, autenticidade (para só dar alguns exemplos).

Perseverança (na aquisição da sabedoria e na prática da meditação). Eis uma qualidade distinta, que exige a aplicação contínua da força de vontade a uma causa que a pessoa considera válida e correta. Em seu aspecto criativo sempre novo, a perseverança se distingue da teimosia. Esta é a recusa em reexaminar os fatos ou reavaliar a própria posição com respeito a eles. Perseverança significa não se permitir ser dissuadido ou desviado de um objetivo que valha a pena, mas enfrentar cada dificuldade criativamente, apresentando novas soluções, até que esse objetivo seja alcançado.

Assim, perseverança é o mesmo que se dispor a reexaminar a própria situação, quando necessário, para corrigir o rumo inicial e buscar outros caminhos que conduzam a fins merecedores do esforço. É o mesmo que se firmar na certeza de que uma coisa verdadeira e louvável *será* obtida, desde que a pessoa adote sem hesitar princípios elevados.

Caridade sáttwica não é apenas dar esmolas. É também a atitude pela qual nos mostramos generosos para com os semelhantes, graças à simples constatação de que todos somos basicamente motivados pelo mesmo desejo: a conquista de Satchidananda, a bem-aventurança divina. A maioria das pessoas busca essa apoteose por caminhos errados; mas o faz unicamente por ignorância. Desse modo, uma atitude caridosa deverá basear-se naquilo que alguém da platéia gritou durante um recital infantil: "Não fique nervosa, Susie, todos aqui somos seus amigos!"

Ao praticar a caridade ou ajudar os outros materialmente, faça de tudo para não dar a impressão de que está criando uma obrigação da parte deles. Tenha em mente também que os necessitados, mesmo recebendo benefícios, precisam preservar seu senso de dignidade e valor pessoal. Permita-lhes fazer por você algo em troca do que fez por eles. Nunca tente torná-los subservientes: a dignidade alheia tem de ser emparelhada à sua própria. De outro modo, receber benefícios poderá ser humilhante, criando a *impressão* de que se contraiu uma obrigação e (até) um certo *ressentimento* contra o benfeitor.

Comedimento significa cultivar sempre, mesmo nas horas de prazer dos sentidos, a sensação de estar concentrado, intimamente, no Eu. Não quer dizer que não se deva usufruir as boas coisas; mas é preciso reconhecer que a *fonte* desse gozo não está nas coisas e sim no próprio coração. Sadhus e outros religiosos recomendam às vezes que a pessoa não se permita apreciar *nada*. Essa é uma atitude muito drástica. Neutralizar os *vrittis*, ou vórtices de chitta, segundo a recomendação de Patanjali, não quer dizer *anular* a capacidade de sentir, mas simplesmente acalmar a qualidade sensorial e torná-la perfeitamente receptiva. Não deve haver consciência sem sentimento. De fato, sentimento *é* consciência. O progresso espiritual depende do aperfeiçoamento da receptividade ao que se sente. Isso só se torna possível quando a intuição é serena e, portanto, pura.

Assim, em qualquer experiência sensorial – gozo do alimento, do sexo ou de seja lá o que for –, nunca se entregue por inteiro à sensação. Permaneça até certo ponto comedido na expressão dos sentimentos. Desse modo adquirirá aos poucos, mas facilmente, o autocontrole e dominará sem grande esforço os sentidos.

A *execução de ritos sagrados* é pedida a todos os que trilham o caminho espiritual. Apresentada como *qualidade*, deve ser entendida primariamente como uma atitude e não como uma prática exterior. O costume de oferecer oblações ao fogo sacrificial, com o acompanhamento de mantras em sânscrito para ajudar o oficiante a entrar em sintonia com os aspectos vibratórios mais sutis, sobretudo a Vibração Cósmica, AUM, pode ajudar a pessoa a obter certos efeitos exteriores bem-definidos; mas esses efeitos, vale lembrar, ficarão limitados à esfera de *maya* e não a tirarão dali exceto se houver paralelamente o *pensamento* da auto-oferenda.

Por outro lado, a auto-oferenda mental (do coração, tanto quanto da mente) representa o sacrifício supremo e não precisa ser acompanhada por nenhum rito externo – cujo maior benefício é simbólico.

O serviço prestado a pessoas santas, principalmente ao guru, também deve pressupor a intenção sincera de absorver sua consciência elevada.

O *estudo das escrituras*, por seu turno, não é uma atitude, mas pode transformar-se nisso caso a pessoa o encare como *reverência* às obras estudadas. Essa reverência levará sem dúvida a seu estudo escrupuloso.

Entretanto, é preciso ser criterioso na escolha da obra, pois nem todos os escritos que passam por escrituras se fundam igualmente na verdade. As pessoas costumam aceitar como revelação os trabalhos de gente bem-intencionada, mas carente de iluminação, ou de gente menos bem-intencionada e ávida de glória pessoal.

Paramhansa Yogananda contou a história de certo homem que escreveu um tratado na intenção de vê-lo tido como escritura. Enterrou o volume ao pé de uma árvore e passou a proferir arengas religiosas. Quinze anos depois, fingindo ter sido orientado pelos anjos, foi "conduzido" em companhia dos adeptos até a árvore, onde logo se pôs a cavar. E ali, eis que a escritura "angelicamente materializada" foi "descoberta"! Assim se fundou uma nova religião e, embora o documento em si se perdesse mais tarde, suas versões copiadas continuaram a atrair multidões.

Outras religiões falsas, de igual modo, aliciaram pessoas com métodos pouco escrupulosos. Contou-se, não com o tirocínio delas, mas com sua credulidade. Não aceite nada que não apele para o seu senso supremo do certo e do verdadeiro. E mesmo então, seja guiado pela confirmação dos sábios. Quando os sábios, em geral, reconhecem a autenticidade espiritual de um documento, este pode com segurança – assim o quer a sabedoria – ser considerado mesmo uma escritura.

A *autodisciplina* está incluída no conselho de moderação em tudo o que Krishna deu mais atrás. Não "flagele" a você mesmo, literal ou figurativamente – privando-se, por exemplo, do sono de que precisa para manter-se mentalmente alerta ou negando ao corpo os elementos vitais de uma alimentação equilibrada.

Retidão é ser completamente honesto e autêntico naquilo que se faz. Todas as excrescências que você "aparar" a esse respeito só enfraquecerão seus poderes de realização e também sua capacidade de perseverar até o êxito final num empreendimento que valer a pena. A honestidade e a confiabilidade associam o poder pessoal ao poder infinitamente maior do universo. É – para retomar uma imagem que já nos foi útil – transferir essa realidade grandiosa a uma espécie de caixa de ressonância de um instrumento musical, aumentando os próprios esforços pela ação de fazê-los "ressoar" com a vibração do infinito.

Pacifismo nem de longe é ineficiência. Resulta, antes, do esforço para captar a simpatia, a cooperação e o apoio daqueles que se sintonizam com os nossos ideais.

Pacifismo também não é passividade, como talvez pareça à primeira vista. Uma vez calado o impulso do ego para arrancar da vida aquilo que ele quer, alcançamos nossos objetivos sem violência, muitas vezes (mas não necessariamente) com a ajuda dos semelhantes.

A *autenticidade* pode ser incluída no âmbito da "retidão". Mas implica a conotação adicional de não *desejar* que a realidade seja diferente do que é. Mostre-se autêntico perante você mesmo. Não finja, nem na intimidade, que seus motivos foram melhores do que realmente possam ter sido. Só quando enfrentamos a realidade *tal qual é* começamos a *torná-la* o que deve ser. Se, por exemplo, falamos rudemente em dada ocasião, só reconhecendo isso com franqueza é que passaremos a ser mais gentis daí por diante.

O *repúdio à cólera* ocorre quando não mais exigimos coisa alguma, nem mesmo um comportamento "certo", de nossos semelhantes. A cólera gera perturbação e inquietude no cérebro. A cólera justa será, certamente, uma virtude – mas apenas quando externada por uma força de vontade serena através do olho espiritual. Uma vez que o ponto localizado entre as sobrancelhas é a sede da força de vontade no corpo, a energia daí projetada poderá acionar as rodas da mudança.

A *renúncia*, na definição de Krishna, é a transcendência sobretudo de motivos egoístas ou por qualquer forma inspirados pelo ego. Por isso, significa também *nishkam karma*: ação sem olhos para os frutos da ação. Renunciar significa livrar-se de todos os *apegos*. O homem que diz: "Meus filhos morreram, minha mulher me deixou, meu patrão me despediu e minha casa pegou fogo. Decidi renunciar ao mundo", não tem ainda uma idéia clara do que seja renúncia. Como brincou meu param-guru Swami Sri Yukteswar, "Esse homem não renunciou ao mundo: o mundo é que renunciou a ele!" A renúncia tem de vir primeiro do coração.

Tranqüilidade significa estar, em quaisquer circunstâncias, concentrado calmamente no Eu interior. Quando vir os outros agitados (ou você mesmo), diga: "Tudo voltará ao normal dentro de algumas horas, dias ou semanas – ou um mês, ou um ano." Não importa a duração do período, ele *terminará*. Eis o motivo pelo qual se diz em certas religiões que o inferno é eterno: quando a dor sobrevém, *parece* não ter fim. Entretanto, nada é permanente. Tudo flui. Tudo muda. Nenhuma onda permanece para sempre levantada; nenhuma onda permanece para sempre deprimida na base. O sábio, face à realização e ao desapontamento, não se perturba e continua tranqüilo no íntimo.

A *indulgência* consiste em aceitar de boa vontade situações e pessoas tais quais são. Não quer dizer que *não* devamos tentar melhorar as coisas ou ajudar os outros a melhorar a si mesmos. Qualquer bem que praticarmos no mundo, todavia, será mais eficaz se o esforço for positivo e não mera *reação* a alguma coisa.

Bondade para com todos não é compaixão, embora às vezes se traduza assim a palavra sânscrita *"daya"*. Seria distorcer as coisas *compadecer-se* de alguém que nos tratou mal, pois isso implicaria condescendência, como se olhássemos a pessoa de cima. Na bondade, não há orgulho: na compaixão, sim, especialmente se quisermos que os outros percebam quão compassivos somos. Ser bondoso é simplesmente aceitar que os demais, tanto quanto nós próprios, estão se esforçando para aperfeiçoar-se.

Ausência de ganância significa não desejar aquilo que não nos pertence de direito.

Gentileza significa não forçar ninguém a agir contra sua vontade.

Modéstia é não procurar atrair a atenção dos outros. Não se parece em nada com ficar, por assim dizer, ao fundo do palco: isso é falsa modéstia. A verdadeira modéstia, no vestuário, consiste em não parecer nem muito nem pouco vestido, mas (sem atentar para a opinião alheia) em envergar roupas discretas e de bom gosto. A modéstia de comportamento cifra-se em não correr adiante dos outros e em não exasperá-los ficando o tempo todo a *desmerecer-se*. A modéstia de expressão pede que falemos num tom alto só o bastante para que os outros nos ouçam; que não tagarelemos demais a nosso próprio respeito; e que mostremos deferência (e, se possível, interesse!) pelas opiniões alheias.

A *firmeza de propósito* aparece, acima, como aliada da perseverança. As duas qualidades são parecidas, mas diferem em alguns pontos. A perseverança (conforme o Gita) consiste em não permitir que nada nos dissuada de nossos ideais espirituais superiores. Tanto a perseverança na busca da verdade quanto a firmeza de propósito nos empreendimentos menores costumam ser confundidas por pessoas de mente dispersa e que alimentam outros interesses, em resultado de pura teimosia. Temos sempre de estar prontos a reconhecer que talvez nos enganamos e que, nesse caso, convém tomar outro rumo. No entanto, se nossos propósitos e ideais forem corretos, será virtude nos apegarmos a eles.

A *radiância de caráter* é mais um atributo que uma qualidade; brilha nos olhos e nas maneiras daqueles que estão inspirados por um impulso supraconsciente.

A *capacidade de perdoar* é muitas vezes puramente mental. Podemos *querer* perdoar, mas a idéia da ofensa que precisa de perdão nem sempre desaparece de nosso coração. Assim, o perdão deve vir acompanhado do *esquecimento*. Mas mesmo este pode se revelar um equívoco quando o fato esquecido é um fato recorrente. Se, por exemplo, o comportamento de uma pessoa revelou uma falha de caráter – perfídia ou deslealdade –, convirá ter essa falha em mente ao tratar de novo com ela, até que se saiba com certeza que tal defeito não mais existe. Podemos aceitar a pessoa como amiga e perdoá-la, mas sem esquecer o que ela é até deixar de sê-lo. Todos os seres humanos (exceto os sábios) têm defeitos. Mundo ruim seria este se achássemos que ninguém é digno de confiança! Devemos nos perguntar com sinceridade: "E eu? Não terei acaso defeitos a corrigir? Então, que tal ser um pouco mais compreensivo com os outros?" Ainda assim, convirá aceitar a verdadeira natureza de uma pessoa pelo que é (ou seja, perdoá-la), mas no futuro tomar cuidado com ela, recorrendo ao tirocínio e ao bom senso. Em última análise, perdoar é dar a uma pessoa a oportunidade de redimir-se, levando sempre em conta que desculpas não são a mesma coisa que reforma.

Fortaleza de ânimo ou paciência (os dois termos são freqüentemente equiparados): isso significa manter o ponteiro de nossa intenção sempre voltado na direção da estrela polar do propósito superior, não importam as influências que teimem em desviá-lo.

A *limpeza* não passa do reflexo externo de uma mente organizada. Quando uma pessoa se mantém limpa – no corpo ou nas roupas –, revela que tem respeito por si mesma e pelos que dela se aproximam. Certa vez, nos Estados Unidos, Paramhansa Yogananda conheceu um homem desgrenhado, sujo, que não parecia ligar a mínima para o que pensassem dele (embora isso talvez fosse apenas uma atitude empostada para chocar os outros, o que não deixa de ser uma maneira de valorizar a opinião alheia!). Yogananda perguntou-lhe: "Por que se apresenta assim?"

"Renunciei a tudo!", exclamou o outro, orgulhosamente.

"Mas apegou-se a outra coisa", ponderou o Mestre. "À sujeira!"

A *malícia* é um defeito muito comum naqueles que, perante o mundo, se julgam credores de alguma coisa – ou de nada. A *ausência de malícia*, como a gentileza e o perdão, permite-nos aceitar – e até com um sorriso – o mundo sem julgamentos, tal qual é.

Simplicidade pode ter por sinônimos *humildade* ou *ausência de orgulho*. No entanto, às vezes se pensa na humildade como humilhação ou reconhecimento do pouco que se vale – não diante de Deus, o que seria correto, normal e mesmo óbvio, mas diante dos outros. Ora, humildade não é complexo de inferioridade! Além disso, a presunção às vezes existe onde não existe o orgulho. É o solo fértil onde as sementes do orgulho, tornando-se propícias as circunstâncias, poderão germinar, crescer e florescer.

Presunção significa, porém, que a pessoa *alimenta* e não apenas tem certos sentimentos com respeito a si mesma. Um cantor famoso, por exemplo, revelaria deficiência em algum ponto caso não *soubesse* que canta bem e ganhou fama por isso. Mas se *alimentar* semelhante pensamento, julgando que este o define e *importa* no grande esquema das coisas, *será* presunçoso.

Krishna passa então a descrever a natureza e o destino daqueles que exibem qualidades opostas.

(16:4) Vanglória, arrogância, presunção, ira, crueldade e ignorância – tais coisas, ó Pandava (Arjuna), assinalam a pessoa cuja natureza é demoníaca.

Vanglória é ostentação, jactância, vaidade extrema e tendência a atribuir importância exagerada àquilo que se faz. Leva a pessoa a encarapitar-se num montículo e bradar aos quatro ventos: "Escalei o Everest!"

Arrogância é atribuir-se importância maior que aos méritos dos demais.

A *presunção* já foi definida e explicada. Em essência, lembra o ato de aproximar do olho um fio de cabelo quase invisível para fazê-lo parecer grosso como um tronco de árvore.

A *ira* é a *tendência* para perder as estribeiras, com ou sem um motivo de peso, na pressuposição de que pessoas ou circunstâncias devem ser diferentes do que são.

A *crueldade* se manifesta em resultado da insensibilidade às necessidades e motivos dos outros, tanto quanto do desejo de impor ao mundo os próprios sentimentos.

A *ignorância*, enfim, denuncia a falta de noção do que é verdadeiro ou falso, real ou irreal. Nem sempre significa pobreza de cultura, embora certamente revele ausência de sentimentos refinados. Mas sempre quer dizer tomar o que não é pelo que é. Trata-se de ignorância *espiritual* e não apenas intelectual.

O que Krishna esboçou foram as qualidades de um *asura* ou demônio. Esses seres não habitam somente as regiões do inferno: podem ser encontrados aqui mesmo na Terra, aos milhares, em forma humana.

(16:5) As qualidades divinas conduzem à libertação. As demoníacas, à servidão (contínua e crescente). Mas não temas, Arjuna, pois foste aquinhoado com as primeiras.

Pode parecer estranho que Arjuna precise dessa garantia. Não precisa. No entanto, todo devoto que deseja ser absolutamente sincero consigo mesmo, que conhece a capacidade aparentemente infinita do ego de enganar-se a toda hora e que descobriu como é difícil para a pessoa ver-se como de fato é precisa perguntar-se às vezes: "Sou como deveria ser?" Não raro sucede que outros o critiquem – especialmente se ele tenta com sinceridade espiritualizar-se e eles não. Portanto, esse é um consolo que todo devoto deve ouvir agradecido. "Krishna", refletiria então, "deu garantias até a um devoto do porte de Arjuna! Afirmou que mesmo o homem perverso, se se empenhar em agir bem, será contado no número dos virtuosos! Por que então me preocupar, se estou buscando por todos os meios aperfeiçoar-me?"

(16:6) Há, neste mundo, dois tipos de homens: os divinos e os demoníacos. Tratei longamente dos divinos. Agora Me ouve, ó Filho de Pritha (Arjuna), falar dos demoníacos.

Há no universo, como vimos, não duas, mas três qualidades (sattwa, rajas e tamas) numa variada mescla de expressões. Ao mesmo tempo, porém, existem só *duas* direções para o movimento: para cima e para baixo ou, mais precisamente, para cima e para baixo da espinha. A *qualidade* de rajas está no meio e como que pergunta, hesitante: "E agora, para onde irei?" Assim como as qualidades sáttwicas são a resposta para cima, as demoníacas são a resposta para baixo.

(16:7) Os demoníacos ignoram o significado da reta ação e não sabem quando devem impedir-se de agir.

Quando atiçados por desejos prementes – sexuais, cúpidos ou por outro modo danosos aos semelhantes –, eles agem sem levar em conta as possíveis conseqüências.

(16:8) Dizem: "O mundo é essencialmente imoral. Não há verdades que nos prendam. Não há Deus. Não há sistema algum no uni-

verso: tudo é acidental. A vida não tem finalidade afora o prazer dos sentidos."

Sua "filosofia", muitas vezes expressada com um sorrisinho, é: "Quando entra a paixão sexual, a consciência sai."

(16:9) Fracos de intelecto, esses homens que a si mesmos se arruinaram aferram-se a seu (tenebroso) sistema de crenças e perpetram incontáveis atrocidades. São inimigos da humanidade e querem destruí-la.

As pessoas virtuosas acham difícil acreditar que exista tamanho mal na Terra. Os porta-vozes do mal, além disso, vivem tentando aliciar (quando têm alguma inteligência) adeptos com ensinamentos do tipo: "O maior bem para o maior número" e "A cada um segundo sua necessidade, de cada um segundo sua capacidade de dar". Mas ao agir concretamente, mostram-se apenas criaturas ávidas de poder, impiedosas e cínicas na aplicação de seus próprios "ideais".

Pessoas assim aparecem em todas as épocas. Em geral, são mais ou menos bem-sucedidas conforme o número de shudras insatisfeitos, ou intelectuais idealistas mas sem critério, que conseguem atrair às suas fileiras.

(16:10) Abandonam-se a desejos insaciáveis: hipócritas, a fingir objetivos nobres, cheios de presunção, insolentes (com quem discorda deles), apregoando idéias (se é que as têm) repassadas de ilusão e agindo unicamente por motivos impuros.

(16:11) Certos de que a satisfação das paixões físicas constitui o objetivo máximo do homem, seguros de que não existe outro mundo (e outra vida) a não ser estes, vivem até o instante da morte engolfados em preocupações e cuidados terrenos.

(16:12) Atados pelos cordões de centenas de esperanças e projetos egoístas, avassalados pelas paixões e pela cólera, tentam por meios desonestos amealhar fortuna a fim de obter prazeres sensuais.

(16:13) "Essa quantia", dizem, "ganhei hoje e (posso agora) satisfazer meu desejo. Tenho isso no presente; mas quero mais."

(16:14) (Ou então:) "(Hoje) dei cabo desse inimigo. Tenho de liquidar outros. O que quis, conquistei. Sou bem-sucedido, poderoso e feliz!"

(16:15) (Dizem também:) "Sou rico e bem-nascido! Quem se compara comigo? Ostentarei minha grandeza dando esmolas e fazendo sacrifícios públicos. Rejubilar-me-ei (em minha glória)!" Assim se gabam, ludibriados por sua própria falta de sabedoria.

(16:16) Vãos de pensamento, apanhados na (teia da) ilusão, ansiando unicamente por "deleites" sensuais, abismam-se (em vida e mais ainda depois da morte) num inferno sórdido.

(16:17) Frívolos (descuidados), teimosos, intoxicados pelo orgulho da riqueza, hipócritas nos sacrifícios que oferecem, descuidosos dos mandamentos das escrituras,

(16:18) egoístas, impiedosos, arrogantes, lascivos, dados a (acessos de) raiva, esses homens mal-intencionados desprezam-Me (embora Eu) resida neles como em todos os seres.

É comum em algumas religiões denegrir a "adoração de ídolos" quando os devotos fabricam imagens para evocar o Deus Abstrato ou certos ideais superiores e impessoais. Os verdadeiros adoradores de ídolos, convém deixar claro aqui, são os que acatam os deuses falsos mencionados nas estrofes acima: ídolos do ego, libertinagem, orgulho e toda a hoste dos objetivos materialistas que as pessoas costumam criar para si mesmas.

(16:19) Esses cruéis representantes do mal, cheios de ódio – os piores da raça humana –, Eu os alojo repetidamente em ventres demoníacos quando retornam à Terra.

(16:20) Amaldiçoados e decaídos, vítimas da ilusão vida após vida, (longe de) Me alcançar, mergulham nos abismos mais profundos.

É assustador observar pessoas que ostentam um ou mais dos traços mencionados acima. São seres humanos e, ao menos por fora, nada diferentes de quaisquer outros. Muitos parecem ricos, bem-sucedidos, respeitados. Alguns são renomados filósofos, pensadores, escritores, cientistas. No entanto, perfilham ao menos algumas das idéias que Krishna considera demoníacas.

Seria conveniente, e sem dúvida tranqüilizador, acreditar que o sucesso mundano é sempre fruto de um bom karma e que riqueza, destaque e mesmo fama, poder ou qualquer realização ostensiva que as pessoas buscam são a prova inequívoca de que elas fizeram alguma coisa acertada nos termos da lei kármica. Infelizmente, a rota de fuga de *maya* não está tão claramente definida assim! Como diz Krishna – e ainda que a felicidade deva ser (e é, quando corretamente entendida) o critério da virtude –, as pessoas más muitas vezes se consideram felizes sem compreender o que é a felicidade pura e verdadeira. Essa "felicidade" não é nada diferente do "prazer" que sentimos ao coçar a picada de um mosquito: um ato que fere mas, ao mesmo tempo, é agradável! Não obstante, pessoas sem coisa melhor a que comparar seu estado ludibriam-se pensando ter tudo o que querem da vida e só precisar de quantidade maior das mesmas coisas (pois, é claro, nunca terão o bastante). A "realização" que buscam é como a cenoura dependurada de uma vara presa à cabeça de um burro: ela o atrai para a frente e ele arrasta um peso enorme. Além disso, por arrogância, tais pessoas calam toda tentativa de persuadi-las de seu erro.

Muitas pessoas dotadas de consciência inferior são ricas, poderosas e, segundo seus próprios termos, "bem-nascidas" (como diz Krishna) – definição que, pelos padrões sáttwicos e mesmo rajásicos, é imprópria e confusa. Como será isso possível? Talvez porque o próprio karma também pareça usualmente uma barafunda. O sucesso mundano das pessoas perversas pode dever-se ao bom karma misturado com o mau. Há muito que dizer sobre isso. Às vezes, o que passa por sucesso aos olhos do mundo nem sequer constitui um bom karma e pode mesmo resultar na queda espiritual do indivíduo, quando não na miséria repentina.

Temos aqui dois fatores a considerar. O primeiro é o fato de o êxito provir da concentração. A energia, concentrando-se, tende a fluir numa determinada direção. Ela só é total quando flui para cima, no rumo da união com Deus. Pode haver, entretanto, graus de concentração de energia, quando então o foco é uma imagem específica: sucesso, fortuna ou poder, por exemplo. Assim, pessoas mundanas e mesmo demoníacas se sentem tão seguras de seus objetivos, por algum tempo, que adquirem realmente o poder necessário para alcançar níveis inferiores de sucesso.

O outro fator a considerar é a imagem já mencionada mais atrás: a da caixa de ressonância de um instrumento musical. Se Deus e as forças angélicas do universo podem ampliar o poder de alguém que se sintonize com eles, segue-se que esse poder será igualmente ampliado pela sintonia com as forças inferiores (na verdade, satânicas).

Diríamos até que é mais fácil ampliar o poder pela sintonia com as forças das trevas. Elas estão mais perto do cenário humano – especialmente quando se observam neste vibrações inferiores. Se a pessoa as invocar, elas responderão sem demora. Não é preciso sequer invocá-las conscientemente – ou seja, com a consciência do mal e o desejo deliberado de contatá-las. Basta que a pessoa viva do modo descrito nas últimas estrofes. A própria descrença no poder consciente de *maya* significa uma de suas vitórias mais esmagadoras.

A espiral descendente implica também o poder que tem o karma passado de reforçar as más tendências atuais. "As pessoas", exclamou certa vez meu Guru, exasperado, "são tão hábeis na ignorância!"

A desgraça é, por certo, o remate do mal; e convém entender que é auto-infligida. Com efeito, a caterva iludida das almas arruinadas considera-se o mais das vezes em muito boa situação, como vimos. Têm o que pensam que queriam ter. Muitas e muitas vidas passarão antes que despertem para sua própria verdade superior – como farão todas no devido tempo, pois a liberdade divina é o destino a que nenhuma fugirá.

Aqui, impõe-se uma pergunta: quão baixo pode cair uma alma? Vimos antes que nosso potencial de expansão da consciência é infinito. Esse potencial inclui forçosamente o de encolher – de tornar a consciência, com o tempo, infinitesimal. O caminho para cima não anula a possibilidade de se caminhar também para baixo: em verdade, necessita dessa premissa.

Krishna falou da descida de malfeitores para ventres demoníacos. Entenda-se de vez que quem desce é a alma em sua identificação com o corpo – em outras palavras, o ego. Um indivíduo pode cair tão baixo a ponto de só achar auto-expressão compatível no corpo de um animal inferior, não de um ser humano. Veio-nos do Tibete, há vários anos, a história de um lama que, em razão de suas malfeitorias, pilhou-se no ventre de uma mula. Como homem, de fato se comportara à maneira dos burros em seus desmandos sexuais!

Meu Guru me garantiu: a queda para o nível dos animais inferiores realmente ocorre. Ressalvou, porém, que esse castigo dura apenas uma encarnação por vez. Depois de uma existência como burro, macaco, tigre ou outra forma qualquer, a alma, que outrora chegou ao nível humano, rapidamente retorna a ele.

No entanto, prosseguiu meu Guru, se a pessoa teimar no pecado existência após existência, não se emendando mesmo depois de repetidas encarnações em formas inferiores, poderá ser lançada bem para baixo na escala evolutiva – ali vivendo como inseto ou forma ainda mais inferior.

Pode parecer incrível, mas se o indivíduo continuar a pecar sem se arrepender, cairá, depois de castigos repetidos e pesados, ao nível do micróbio. Daí terá de reencetar penosamente a escalada evolutiva. Sem tréguas. Não atraiu ele o sofrimento sobre si mesmo *querendo* cultivar as trevas e a ignorância?

Existem galáxias tamásicas cheias dessas hordas de almas degradadas. Epidemias e flagelos semelhantes em nosso mundo são muitas vezes causados por invasões de nuvens de micróbios pestilentos – almas decaídas que aqui vêm arrastadas por seu próprio karma e pelo karma da Terra. Seu destino é ser destruídas pelos instrumentos da medicina moderna.

Um malfeitor pode não estar cônscio de sua desgraça. Pode mesmo persuadir-se, em sua arrogância, de que vai indo muitíssimo bem. Mas quem conheceu uma existência superior, refinada, não pode furtar-se a um sofrimento intenso (posto que reprimido) – pelo menos no nível subconsciente, ao ver-se submetido à indignidade do confinamento em uma existência animal, inferior. Algum desgosto subsistirá, e será mesmo exacerbado, quando a pessoa se descobrir vivendo na pele de um rato. Provavelmente, não terá uma percepção muito nítida do grau de sua indignidade, mas essa percepção não desaparecerá de todo.

E o que dizer do micróbio? Decerto, algum grau de percepção superior se manifestará durante a demorada e penosa ascensão da escada evolutiva – percepção bastante, talvez, para que ele sinta ao menos subconscientemente: "Há algo de errado. Eu devia ser bem mais do que isso." Seja qual for o caso, a alma decaída terá de amargar algum sofrimento. O sofrimento virá da consciência de potenciais não-expressos.

Tais realidades dão o que pensar! Gostaríamos que a vida nos oferecesse alternativas menos difíceis. Mas o devoto deve consolar-se com as palavras singelas de Yogananda: "Se você se esforçar, Deus não o desamparará." E com as de Krishna: "Arjuna, fica sabendo que Meu devoto *nunca* se perde!" Há ainda este pensamento, que ampara as resoluções e ilumina as esperanças: quando o anseio de Deus desperta no coração da pessoa, ele *precisa* ser realizado. Essa é, desde logo, sua garantia de salvação.

(16:21) Sensualidade, cólera e fome de ganho: eis os três caminhos para o inferno e para o fim da felicidade da alma. Em seu próprio interesse, deve o homem evitá-los.

(16:22) Ó Filho de Kunti (Arjuna), evitando os três caminhos que conduzem aos reinos da treva, o homem age em prol de seus próprios interesses superiores e põe-se na vereda (ascendente) da condição suprema.

Um monge, discípulo de Paramhansa Yogananda, apaixonou-se por uma bela mulher e quis casar-se com ela. Quando o Guru tentou dissuadi-lo, o jovem replicou: "Mas ela é uma criatura *maravilhosa!*"

"Decerto que é", assentiu o Guru. "Satã sabe muito bem como tentar você!"

O discípulo renunciou à sua vocação monástica e, em conseqüência, sofreu grandemente por muitos anos.

O atrativo do "sexo, vinho e dinheiro", conforme se tem resumido *maya*, emite uma aura de atração que quase se pode ver. A cólera brota quando esse desejo encontra obstáculos, daí sua inclusão na estrofe 21 (acima). O simples fato de o desejo levar à cólera deveria ser prova suficiente de que os desejos, em si, são manifestações de escravidão, não de liberdade.

(16:23) Aquele que ignora os mandamentos da escritura e segue os desejos de seu próprio ego não encontra nem a felicidade, nem a realização, nem o objetivo supremo da vida.

(16:24) Toma, pois, a (verdadeira) escritura como guia para saberes o que deve ou não deve ser feito. Pela compreensão intuitiva das injunções do texto sagrado, cumpre teus deveres terrenos.

As palavras "compreensão intuitiva ... do texto sagrado" são importantes porque as escrituras mais reverenciadas costumam ser distorcidas por fanáticos, que as usam a fim de justificar suas más ações. Os caminhos de Deus sempre pressupõem a piedade. Deus pode ser às vezes o "fogo purificador" que destrói o mal e restaura a virtude para reequilibrar os negócios humanos; mas Sua justiça jamais é motivada pela cólera, o ódio ou a vingança. O que assim parece aos olhos dos homens afligidos por esses defeitos é apenas uma projeção de sua própria natureza.

Krishna aconselhou Arjuna a travar a batalha justa de Kurukshetra, mas instou-o também a fazê-lo sem paixões, sem preocupação com o desfecho. Esse é o segredo da verdadeira ahimsa, não-violência. Às vezes é preciso destruir para cumprir um dever superior. Mas não é necessário *desejar* a destruição de homens ou coisas.

Para a pessoa com forte consciência egóica, destruição feita é sem dúvida destruição *desejada*. Essa pessoa só vê a cólera de Deus quando ela própria é punida – um destino que, sem querer, atraiu para si mesma. Deus não quer o nosso sofrimento. Sua vontade, manifestada pessoalmente em cada um de nós, é que sejamos para sempre livres em Seu seio.

Aqui termina o décimo sexto capítulo, intitulado "A natureza do divino e do demoníaco", dos Upanishades do sagrado Bhagavad Gita, o diálogo em que Sri Krishna e Arjuna debatem sobre o yoga e a ciência da realização em Deus.

CAPÍTULO 30

Os três níveis da prática espiritual

Krishna, ao final do Capítulo 16 do Bhagavad Gita, recomendou seguir a orientação da verdadeira escritura. A pergunta seguinte de Arjuna, procedente dessa declaração, assinala o início do Capítulo 17.

(17:1) Arjuna perguntou: Aqueles que põem de parte as regras da escritura, mas sacrificam (a Deus) com devoção, que tipo de sacrifício fazem, ó Krishna? Sáttwico, rajásico ou tamásico?

Já dissemos que há escrituras verdadeiras, não tão verdadeiras assim e falsas ou fabricadas pelo homem. Arjuna refere-se aqui às verdadeiras, reveladas. Sua preocupação é dupla: pode o exercício sincero da devoção ser eventualmente errado? E: existem tipos diferentes de devoção? É que não basta dizer: "Ele reza como um devoto." Sim, existem tipos diferentes de devoção, da desprendida à interesseira. Em última análise, o efeito da oração não depende de sua fórmula, por mais válida que seja, e sim da atitude da pessoa que ora.

Basicamente, o que Arjuna faz é montar o cenário para um debate sobre os vários tipos de devoção, não sobre os diferentes tipos de devotos. A maioria das pessoas tamásicas, por exemplo, não pratica devoção alguma. E muitas rajásicas podem praticar devoção de um tipo mais tamásico que rajásico.

(17:2) O Senhor Abençoado disse: (O problema envolve) a qualidade da fé exercida – se ela é de fato sáttwica, rajásica ou tamásica. Ouve Minhas palavras a respeito.
(17:3) A fé depende da natureza de cada um. O que o homem é, sua fé é também. A fé é o homem.

Em outras palavras, somos aquilo em que acreditamos. Os seguidores de uma religião podem proclamar um artigo de fé e empregar exatamente as mesmas palavras dia após dia, semana após semana, ano após ano; mas haverá tantas crenças quanto crentes. A compreensão da pessoa é modelada pelo que a pessoa *é* – sua experiência de vida, seu tirocínio, suas preferências e preconceitos, seus gostos e aversões. Não poderia ser de outra forma porque todo o nosso entendimento baseia-se menos na realidade objetiva do que em nossa natureza. Assim, um vocábulo simples como "lar" terá significação diferente para aquele que foi criado numa família feliz e aquele que cresceu num orfanato. Palavras como "pai" e "mãe" também significam coisas diferentes para diferentes pessoas, dependendo da felicidade ou infelicidade de sua vida doméstica. Diga-se o mesmo de sucesso, trabalho, gentileza, viagens, esportes – em verdade, de qualquer palavra em qualquer idioma.

Podemos declarar: "Acredito em Deus", mas essa simples declaração suscitará imagens diversas na mente das pessoas. Algumas que se dizem atéias apenas rejeitam esta ou aquela concepção formal que outras têm de Deus. Nenhuma, porém, haveria de rejeitar conceitos como amor ou felicidade.

Aos olhos de pessoas boas, Deus parece bom. Pessoas egoístas e ambiciosas verão Nele uma espécie de "cornucópia da riqueza" ou – se não tanto – pelo menos um juiz flexível ou uma espécie de "patrão" mais ou menos indiferente às necessidades humanas. Gente má, quando acredita em Deus, acha-O tomado de inveja, cólera e espírito de vingança – como ela própria. Quem é licencioso O considera, como aos deuses da mitologia greco-romana, dado aos prazeres da carne. Para pessoas gentis, Ele parecerá gentil. Para pessoas de mente estreita ou cheias de preconceitos, será como elas mesmas: sectário e pronto a julgar os homens por seus pecados.

(17:4) A reverência sáttwica é prestada aos devas; a rajásica, aos *yakshas* e *rakshasas*; a "devoção" tamásica é o fascínio que algumas pessoas sentem por fantasmas e espíritos (astrais).

As pessoas boas adoram a Deus, é claro, mas também amam a bondade em seus semelhantes e reverenciam-na nos anjos.

As pessoas mundanas curvam-se com respeito (mesclado de ansiedade) diante de qualquer entidade ou coisa que, a seu ver, possa ajudá-las a realizar seus desejos terrenos. Por isso, a "devoção" rajásica é, no dizer de Krishna, dirigida aos *yakshas* (os lendários guardiões astrais da riqueza). Os *rakshasas*, ao que se conta, são seres astrais cuja antipatia ou favor podem construir ou destruir a fortuna de uma pessoa.

A devoção tamásica não se limita à "religiosidade" das pessoas tamásicas – sentimento que, em verdade, poucas têm –, mas inclui os níveis mais baixos do próprio sentimento religioso, ainda quando praticado por pessoas de natureza superior, até mesmo rajásica.

De particular interesse aqui é a alusão de Krishna a esse último tipo de fascínio "devocional". Muitas pessoas (e não apenas as tamásicas, repetimos) nutrem enorme interesse pela comunicação com seres desencarnados e solicitam insistentemente a ajuda de espíritos da natureza – fadas, elfos e toda uma série de personagens dos chamados "contos de fadas".

É equívoco dos mais comuns supor que quem está "lá em cima", depois de romper o véu estendido entre os mundos material e astral, tem percepções negadas aos habitantes da Terra. O Gita não insinua que quem comete semelhante equívoco é necessariamente uma pessoa tamásica. Tamásica é a *forma* que seu fascínio assume, pois leva à confusão. Sessões espíritas propiciam "orientação dos mestres" e de outras muitas entidades supostamente sábias. Duas coisas tornam tamásicos esses fenômenos e sua manipulação. Em primeiro lugar, são imaginários. Em segundo, para ter acesso às "informações", a consciência precisa entrar num estado de passividade no qual o processo do pensamento não se traduz em supraconsciência, mas esvazia-se a fim de "receber" quaisquer impressões que venham a se insinuar. Eis uma prática que revela ignorância espiritual e abre as portas a toda sorte de mistificações.

Para contatar um mestre espiritual, precisamos alçar a consciência ao nível supraconsciente. Nenhum mestre consentiria em manifestar-se por obra de um médium – não por isso lhe ser impossível e sim porque transmitiria a falsa mensagem de que o espiritismo não é apenas uma forma simples e fácil de comunicar-se com seres superiores, mas também uma prática espiritualmente aceitável. Ela não funciona. É, como diz Krishna, tamásica.

(17:5, 6) A devoção tamásica às vezes assume a forma de um ascetismo extremado, que as escrituras não autorizam; e também de exibições hipócritas, demonstrações do ego, surtos de paixões e apegos carnais, ânsia insensata de poder. Com a maior frieza, (os praticantes desse tipo de devoção) torturam os elementos de seu corpo e com isso Me ofendem, a Mim, que resido em seus corpos.

O ascetismo antinatural mencionado aqui são práticas como a autoflagelação (já mencionada mais atrás), o uso de camisas de penitência, a perfuração do corpo com pregos, a suspensão da respiração (kumbhaka) por meios errados e o risco de morte pela privação de oxigênio a fim de alcançar um estado de atordoamento que os tolos identificam com a supraconsciência. Existem inúmeros métodos igualmente absurdos que os desavisados adotam como atalhos para o êxtase: drogas, cogumelos "sagrados" e coisas assim. Não são, é claro, métodos sancionados pela verdadeira escritura e Krishna os condena como tamásicos.

O corpo é o templo de Deus. Como tal, precisa ser respeitado e não entregue a abusos como se ele e não o ego que o anima devesse ser "vencido".

Outra mostra de devoção tamásica é a indulgência para com a paixão sensual, quer em nome do *tantra* mal compreendido, quer como imitação da "lila" do Krishna menino e suas gopis. O apego voluptuoso aos prazeres mundanos com a desculpa "Ora, tudo é Deus", mais a ânsia de adulação seguida do desejo ulterior de controlar outras pessoas – todas essas práticas, embora pretensamente conduzidas em nome de Deus, não têm outro motivo a não ser a glorificação do ego.

(17:7) Mesmo o apetite por comida é, conforme o caso, sáttwico, rajásico ou tamásico. A isso não escapam os tipos preferidos de yagya, ou sacrifício, penitências e modos de dar esmolas. Atenta bem para essas distinções.

O gosto por determinados pratos denuncia, até certo ponto, o grau de evolução da pessoa. Ocorre o mesmo com suas predileções naturais pelas práticas religiosas.

(17:8) Alimentos que promovem longevidade, vitalidade, resistência, saúde, bom humor e apetite saudável; que agradam ao pala-

dar, são moderadamente temperados, nutritivos e bons para o corpo: eles propiciam (contentamento sáttwico) e gozam da preferência das pessoas sáttwicas.

(17:9) Alimentos amargos, azedos, salgados demais, muito quentes, de gosto picante e ardidos (propiciam satisfação rajásica) e são da preferência do temperamento rajásico. Tais alimentos geram dor, mal-estar e doença.

(17:10) Alimentos pouco nutritivos, sem gosto, pútridos, rançosos, deitados ao lixo ou (por qualquer outro modo) impuros (propiciam contentamento tamásico) e são preferidos pelas pessoas tamásicas.

As qualidades espirituais de um alimento não devem ser confundidas com suas propriedades químicas. O que se discute acima são as *vibrações* daquilo que se come. Também por essa razão, importa muito que o alimento seja *preparado* quando a mente está tranqüila e não comprometida por emoções danosas como a cólera, a mágoa ou a depressão.

Basicamente, o alimento sáttwico ajuda a acalmar os nervos e a torná-los canais desobstruídos para a energia que flui no corpo e a inspiração elevada. O alimento rajásico estimula os nervos a ponto de irritá-los. Mesmo o veneno, se tomado em quantidades diminutas, funciona como estimulante, embora mate em porções maiores. O alimento rajásico produz um efeito excitante no corpo, às vezes leve, às vezes pronunciado, fazendo com que a energia flua sem cessar. O alimento tamásico, enfim – sem nenhum valor nutritivo –, apenas embota o sistema nervoso, tornando a pessoa atoleimada e indolente.

No número dos alimentos sáttwicos estão as frutas e verduras frescas. Estas devem ser levemente cozidas, mas pode-se consumi-las cruas. Esse regime alimentar inclui ainda cereais integrais e legumes, laticínios frescos, nozes e adoçantes naturais como mel, tâmaras e figos. Os alimentos cozidos devem ser combinados e preparados de modo a preservar seus ingredientes naturais. A comida precisa ser agradável tanto aos olhos quanto ao paladar – temperada sem exageros e boa para a constituição corpórea.

Os alimentos rajásicos são, como dissemos, excessivamente estimulantes para as forças vitais do corpo, um tanto irritantes para os nervos e excitantes para a mente. Nem todo esse estímulo é mau, contudo. No caso de pessoas menos ativas que meditativas, uma certa quantidade de rajas é boa para induzi-las à ação. Cebola, alho e ovos são exemplos de alimentos rajásicos que podem ser benéficos para pessoas sáttwicas que também precisam levar uma vida ativa. Os ovos às vezes são equiparados à carne: não são, porém, mais carne que os derivados do leite. Outros alimentos rajásicos incluem os exageradamente quentes, temperados, salgados ou de sabor muito picante. Algumas carnes podem ser consumidas no regime rajásico: de peixe, ave e carneiro.

Os alimentos tamásicos foram muito bem descritos na estrofe acima. Incluem tanto raiz-forte quanto carnes de vaca e porco, com muita razão proscritas por diversas religiões. O abate desses animais bastante evoluídos gera fortes emoções como medo e raiva, que permanecem como vibrações na própria carne, aumentando as tendências naturalmente agressivas ou timoratas das pessoas. A carne de vaca provoca câncer. A de porco é um alimento imundo (a doçura do presunto deve-se, segundo meu Guru, ao pus que ela contém).

Uma vez que afeta a lucidez e a elevação da mente, o alimento consumido desempenha um papel importante não apenas na saúde do corpo, mas também na vida espiritual.

(17:11) O yagya (rito sacrificial ou cumprimento de dever) é sáttwico quando oferecido sem olhos para recompensas (pessoais), cumprido de acordo com (os ensinamentos das) escrituras e na firme crença de sua correção.

(17:12) O yagya oferecido na esperança de recompensa, ó Flor dos Bharatas (Arjuna), e por simples ostentação é rajásico.

(17:13) Enfim, considera-se tamásico o yagya que não é motivado pela atenção às exigências da escritura, que não faz oferendas (convenientes) de alimento ou dinheiro, que não é acompanhado por cânticos e preces, e carece de devoção (a Deus).

A auto-oferenda sáttwica tem por "motivo" superior a união com Deus. As oferendas rajásicas se fazem na expectativa de ganhos egoístas. O conselho para que se obedeça às exigências da escritura levanta duas questões: "Que escritura?" e "Que tipo de exigências?" Como vimos, nem toda "escritura" é verdadeira. Além disso, certas exigências mesmo das escrituras verdadeiras podem ter tido aplicação para outras épocas da história e para determinadas culturas, quando não para a consciência geral do tempo. Jesus Cristo, por exemplo, esclareceu que um dos ensinamentos de Moisés (autêntico mestre do judaísmo em seus dias) fora ministrado por causa da "dureza de coração" dos hebreus da época.

O que Krishna enfatiza para todos ao recomendar obediência à escritura pode ser explicado como respeito a uma tradição venerável. Afinal, muitas pessoas pelo mundo afora não seguem os ensinamentos de alguma religião – nem daquela no seio da qual supostamente foram criadas. Há quem, egoisticamente, desdenhe as consagradas tradições de sua própria cultura, ignorando-as ou substituindo-as por "rituais" de sua própria lavra que refletem o desrespeito pela opinião geral; há rituais realizados para autoglorificação, sem religiosidade nem fé em Deus, sem a devida consideração pelos outros (que seria provada pela distribuição de comida ou dinheiro), sem preces ou mantras a indicar que se invoca a ajuda de um poder superior: práticas dessas são tamásicas.

Existem três ou talvez quatro categorias de tradição religiosa. A primeira, a sáttwica, é a daqueles para quem o homem pode encontrar Deus. As pessoas que cultivam essa tradição reverenciam os santos. Sob rajas, duas categorias se podem discernir: a sattwa-rajas e a rajas "pura". A primeira enfatiza bastante o comportamento ético, com as pessoas desejando ser moralmente boas, mas não santas.

A tradição mais nitidamente rajásica não economiza exibições de emoção. Encoraja cânticos em altas vozes e atos físicos dramáticos como rolar pelo chão ou saltar desordenadamente sob o acicate de uma espécie de êxtase provocado por sentimentos confusos.

A tradição tamásica, enfim, tem influência nefasta sobre a mente. Inclui rituais tenebrosos como o vodu, a magia negra, vários outros tipos de feitiçaria e práticas de efeito hipnótico destinadas a invocar forças malignas para prejudicar pessoas.

(17:14) Veneração dos devas, dos sacerdotes, dos gurus e dos sábios; pureza (de coração e ação); firmeza de propósito; contenção sexual; pacifismo (não-violência): tais as práticas que constituem o ascetismo do corpo.

(17:15) Dizer o que é agradável, benéfico e verdadeiro sem ofender, repetir o *japa* e as passagens da escritura: a isso se chama ascetismo da fala.

(17:16) Equanimidade, simpatia, delicadeza, serenidade, autocontrole, pureza de coração, comunhão meditativa com o Eu verdadeiro: eis o que constitui o ascetismo da mente.

(17:17) Esse tríplice ascetismo (do corpo, da fala e da mente) é sáttwico por natureza; praticam-no os devotos perseverantes, (abençoados com) religiosidade profunda e que não aspiram aos frutos de seus atos.

O "ascetismo" sáttwico é o produto natural de uma consciência desenvolvida. A palavra, nesse contexto, não sugere portanto esforços exagerados de autocontenção; trata-se antes de uma oferta espontânea da mente à supraconsciência.

(17:18) O ascetismo que visa ganhar respeito, honrarias e renome – feito, portanto, por mero exibicionismo – não passa de ostentação, fútil e transitória. Chamamo-lo rajásico.

(17:19) O ascetismo tamásico não tem nenhuma finalidade razoável: destina-se ora a prejudicar a própria pessoa, ora a infligir dano aos semelhantes.

O "ascetismo" rajásico, embora nada louvável, é pelo menos melhor que o tamásico. Disse Yogananda: "Antes fazer o bem em troca de elogios do que não fazer bem nenhum." Os rituais tamásicos de bruxaria, feitiçaria e encantamentos para causar dano a outras pessoas são práticas que se mostram algumas vezes eficazes, mas acabam prejudicando mais o oficiante que as vítimas. Quem tem inteligência suficiente para perceber que maus pensamentos e rituais encantatórios podem funcionar haverá de possuir também bom senso bastante para saber que a mesma força fatalmente retornará, como um bumerangue, à pessoa que a liberou como anátema.

(17:20) Dar sattwicamente é não pensar em retribuição; é dar porque esse ato é correto – mas dar apropriadamente, no local e tempo certos, a alguém que o mereça.

A caridade sáttwica pode ser de três tipos: material, mental e espiritual. Dar dinheiro a alguém necessitado é bom, mas convém levar em conta o conselho de Krishna de dar *apropriadamente*. Se a pessoa tem um milhão para doar e entrega a cada pobre um dólar, o melhor que os favorecidos terão a fazer com a doação será comprar um sorvete. No entanto, essa mesma quantia de dinheiro, concentrada num único projeto bem-elaborado, poderá ajudar significativamente muitas pessoas, durante um longo período de tempo.

Nos primórdios da indústria cinematográfica, vários atores e atrizes enriquecidos doavam dinheiro indiscriminadamente a qualquer amigo que lho pedisse. Acabaram na miséria. Houvessem dado com inteligência e critério, evitariam decerto semelhante destino.

Meu Guru dizia que dar comida ou dinheiro a um necessitado é bom; dar-lhe um emprego, muito bom; qualificá-lo para um emprego melhor, ótimo. Dar sempre à mesma pessoa irá torná-la não apenas financeiramente, mas também psicologicamente, dependente.

No plano mental, é da mesma forma um equívoco oferecer bons conselhos ao acaso, a alguém que não seja capaz de beneficiar-se deles. Só dê conselhos quando eles forem solicitados ou necessários, sem jamais tentar impô-los: eis o aconselhamento sáttwico.

O melhor de tudo é ajudar as pessoas espiritualmente, pois, quando elas se libertam da ignorância espiritual, conquistam a verdadeira riqueza do universo. O aconselhamento espiritual deve levar em conta a satisfação de ajudar e não o prazer de ser ouvido (o que não seria nada sáttwico e nem um pouco espiritual). Mais eficazes que as palavras, sábias embora, são as vibrações positivas partilhadas. Quem quer ajudar espiritualmente deve estar cônscio, acima de tudo, da necessidade de dividir com os semelhantes suas *vibrações* de alegria e inspiração divinas.

A pessoa espiritualmente alerta vê todos os seres humanos como expressões de Deus, *desejosas* do fundo do coração, tanto quanto ela mesma, de usufruir dos bens que só Ele lhes pode dar. Procura ajudar cada qual de acordo com sua capacidade de receber. Acima de tudo, porém, tenta levar seus semelhantes para junto de Deus.

(17:21) Diz-se que uma doação é rajásica quando se faz, talvez relutantemente (devido à idéia de que se está perdendo algo), na esperança de obter algo em troca.

Mais vale, como já dissemos, fazer o bem – inclusive caridade – do que não fazer nada. Dar alguma coisa, ainda que com segundas intenções, pode ser um passo rumo ao aprendizado de como ser caridoso de maneira verdadeiramente sáttwica.

A caridade rajásica, porém, estando contaminada por propósitos egoístas, nunca é muito limpa – é como dar a alguém um copo de água suja.

(17:22) É tamásica a doação feita de maneira inadequada, no lugar e no tempo errados, a uma pessoa que não merece, de maneira desdenhosa ou de má vontade.

Dar dinheiro ou ajudar, por qualquer modo, na hora errada é dar para propósito nenhum ou mesmo prejudicial. Fazer caridade no lugar errado é não ter sensibilidade nem critério, é não levar em conta o que ela acarretará para os outros. Ajudar a pessoa indigna pode ser, em se tratando de dinheiro, habilitá-la a gastar com finalidade igualmente indigna; ou, em se tratando de conselho, sugerir idéias a alguém que as utilizará em propósitos maus. Dar desdenhosamente é ter por motivo a humilhação alheia, alardeando superioridade em relação a ela. E dar de má vontade significa, em certo sentido, amaldiçoar o favorecido com energia potencialmente danosa enquanto se finge passar-lhe energia positiva.

(17:23) AUM, *Tat, Sat:* é assim que, convencionalmente, se designa Brahman (Deus). Desse poder emanaram no começo os sábios conhecedores de Brahman, os Vedas (sagrados) e os ritos sacrificiais (védicos).

Essa Sagrada Trindade, vale notar, equivale à cristã. Muitos estudiosos têm equiparado a Trindade cristã aos três aspectos de AUM: Brahma, Vishnu e Shiva – o Criador, o Preservador e o Destruidor da manifestação.

AUM é a Vibração Cósmica. Já explicamos essa característica da Verdade Espiritual, mas convém examiná-la de novo no presente contexto.

Sat é a *verdade* eterna e absoluta: o Espírito Supremo, acima e além de toda vibração. A partir dessa consciência oceânica, projetaram-se, ao tempo da criação, as ondas da Vibração Cósmica, AUM. As três letras de AUM representam os três aspectos básicos dessa criação, personalizados na tradição hindu (tal qual a Trindade no cristianismo) como Brahma, Vishnu e Shiva.

Na Trindade cristã, *Sat* está para o Pai assim como AUM para o Espírito Santo. "Espírito", nesse caso, é o sopro divino ou "vento" cósmico da ilusão que levanta ondas na superfície do oceano.

Tat ("Isto", como na frase da escritura: "Tu és Isto") é ainda o reflexo, em todos os pontos da criação vibratória, da consciência calma e imóvel do Espírito que está além de toda vibração. Assim, o Espírito se acha em toda parte, embora invisível, pois as criaturas de Deus só conseguem observar, *como* criaturas, a manifestação vibratória.

Tudo o que existe é manifestação de Brahman, o Espírito Supremo. A primeira manifestação do Espírito, porém, é o que mais perfeitamente expressa a consciência superior. Portanto, aqueles (os conhecedores de Brahman) que mais perfeitamente expressam sabedoria, expressam-na nos Vedas e nas escrituras verdadeiras; e o que mais perfeitamente aponta o caminho são, acima de tudo, o rito sacrificial de auto-oferenda ao fogo da sabedoria, e o consumo e reabsorção, no Espírito, da consciência do ego, que se realizam melhor graças ao *autêntico* ritual do fogo do Kriya Yoga, por este magnetizar a espinha e conduzir a energia ao longo dela até o cérebro.

(17:24) Por isso, os atos sancionados pela escritura – sacrifício, caridade e prática do ascetismo (sáttwico) – sempre começam (tradicionalmente) pelo canto de AUM.

Existe poder mesmo no som de AUM, quando corretamente pronunciado. Repitamos, pois, aqui (tanto quanto se pode fazê-lo por escrito) como a sílaba AUM deve ser emitida. O primeiro fonema é um "a" breve e não deve ser prolongado; o segundo é um "u" pronunciado normalmente como se faz em português; e o terceiro é um "m" bem alongado.

Esse som, insistimos, tem grande poder. Serve mais ou menos ao mesmo propósito da palavra "amém" pronunciada ao final das preces cristãs. Na origem, o significado era idêntico.

(17:25) Os que almejam a libertação (espiritual) devem realizar todos os ritos do sacrifício (do ego) (o verdadeiro yagya), praticar a caridade (dividir com os semelhantes as bênçãos recebidas) e entregar-se ao ascetismo (sáttwico) quando se concentrarem no Eu superior (a consciência crística ou o Kutastha Chaitanya em si próprios), sem esperar nenhum resultado (específico).

O Kriya Yoga (e todas as outras práticas meditativas), a partilha (especialmente da verdade e da inspiração elevada) e o ascetismo sáttwico (vide estrofes 14–16 neste capítulo) devem ser levados a cabo com calma profunda e ênfase no Eu interior.

Um dos dons tradicionalmente oferecido após o yagya (sacrifício) é um presente ao guru. Alimentos e dinheiro passam por símbolo imediato da doação superior da verdade e da inspiração aos "necessitados" – ou seja, aqueles que podem se beneficiar realmente desse dom especial. Algumas pessoas, porém, podem objetar: "Como será possível dar presentes tão excelsos, mesmo em caráter simbólico, a um guru?" A resposta é que todo discípulo deve, mentalmente, ofertar tudo o que tem e é ao mestre, em parte para receber mais iluminação, em parte para que algum erro em sua compreensão seja corrigido e em parte como mostra da gratidão que até o discípulo iluminado sente pela fonte de seu saber. Com efeito, o discípulo iluminado, mais que qualquer outro, oferece sua gratidão eterna na forma de obediência àquele de quem auferiu a luz.

Não desejar resultados não significa não desejar iluminação. A uma pessoa autenticamente sáttwica não será necessário aconselhar que desdenhe os frutos de suas ações espirituais. Convirá recomendar-lhe, no entanto, que não busque resultados *específicos* dessas ações, nem mesmo espirituais. Algumas pessoas, por exemplo, aguardam visões e fenômenos quando meditam. Outras, ainda que tocadas pela verdade e a inspiração, *desejam* que alguém seja ajudado em vez de deixar os resultados na mão de Deus ou (coisa difícil de evitar) *anseiam* por manifestações externas da simpatia ou do amor do guru por elas. Quem é dado ao ascetismo *quer* (o que, aliás, é correto e compreensível) ver algumas conseqüências dessa prática. Todos esses resultados aparecem, com o tempo, aos olhos daquele que busca com sinceridade. Mas não se apegar a eles mantém a pessoa concentrada no *fazer* e não no *colher* os benefícios de suas práticas, portanto na continuidade dos esforços até não haver mais o senso de fazer, fazedor e coisa feita – porque, então, ela já terá mergulhado no Infinito.

(17:26) A palavra *"Sat"* designa a Verdade Suprema (para além da criação vibratória) e a bondade absoluta que dela emana. Portanto, refere-se também a qualquer forma superior de ação espiritual.

(17:27) Firmeza na oferenda de si mesmo (sacrifício) ao Infinito, ascetismo, caridade desinteressada e qualquer atividade com vistas à realização do Eu Supremo, também disso se diz que é *"Sat"*.

A prática do yoga leva gradualmente, da unidade com AUM, a Vibração Cósmica, à unidade com *Tat*, o Kutastha Chaitanya (ou consciência crística) e, por fim, ao estado de unidade com *Sat*, o Espírito Supremo, Não-vibrátil (Deus Pai).

(17:28) Ó Partha (Arjuna)! Sacrifício, caridade ou ascetismo praticados sem fé são chamados de *asat* – "inverdade". Nem aqui nem no além possuem valor (espiritual).

A fé profunda é absolutamente necessária no caminho espiritual. Mas há um problema: não podemos ter fé *antes* de encetar o caminho espiritual! Fé, já o vimos, significa muito mais que crença. Ela brota depois de termos *algum* vislumbre espiritual. Em suma, a fé perfeita vem da compreensão clara.

Aqui, portanto, Krishna se refere à fé superficial (na verdade, crença) nascida da convicção de que somente em Deus a pessoa encontrará aquilo que buscou a vida inteira.

Krishna também recomenda que se abandone o mais depressa possível a tendência absurda da mente hesitante que, sentada na margem do rio e temerosa de atravessá-lo, diz: "Sim, mas como terei *certeza* de não me afogar?"

Compare o que recebeu de outras fontes – *nada!* – com a primeira manifestação de paz e consolo íntimo oriunda da prática espiritual ou destas lições edificantes do Gita e decida por si mesmo! A única coisa que faz algum sentido na vida é ir em frente e aventurar-se!

Se você recuar, ficará intimamente dividido e cada passo à frente será anulado por outro passo atrás.

Aqui termina o décimo sétimo capítulo, intitulado "Os três níveis da prática espiritual", dos Upanishades do sagrado Bhagavad Gita, o diálogo em que Sri Krishna e Arjuna debatem sobre o yoga e a ciência da realização em Deus.

Capítulo 31

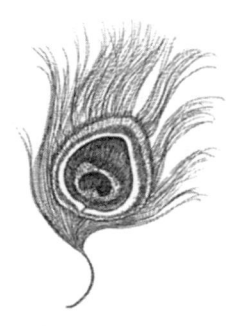

Vinde a mim

Este capítulo final do Bhagavad Gita é um resumo da escritura toda, que começa com o rei cego Dhritarashtra (metáfora para "mente ofuscada") perguntando a Sanjaya (introspecção) o que acontecera no campo de batalha de Kurukshetra. Já na primeira estrofe monta-se o cenário para a reflexão espiritual, não para a história real da guerra épica. É só *depois* de uma luta interior, seja espiritual ou psicológica, que a pessoa indaga: "Quem venceu?" No calor da batalha, ela está preocupada demais para querer saber de fato o que está acontecendo. A pergunta fica para mais tarde: para o tempo da introspecção e da reflexão serena.

O Gita passa imediatamente a catalogar os guerreiros psicológicos que se encaram. E nesse ponto, de súbito, a pergunta é feita no tempo verbal presente: quem *são* os guerreiros, não quem *foram*. Pois, finda a guerra, indubitavelmente muitos terão morrido.

Em última análise, a batalha se trava toda entre o ego (representado por Bhishma, paladino de Duryodhana ou Desejo Material) e a aspiração da alma à união divina. Bhishma conta com a graça de não morrer até ele próprio se *oferecer* à morte. Portanto, em que pese a chuva de flechas, só sucumbirá quando quiser. Ocorre o mesmo com o ego: jamais podemos escorraçá-lo; ele próprio terá de render-se ao Infinito de livre e espontânea vontade.

Assim, a renúncia (do ego) é a mensagem final do Bhagavad Gita. É, pois, bastante apropriado que a primeira solicitação de Arjuna apareça no início do último capítulo.

(18:1) Arjuna pediu: Desejo, ó Poderosamente Armado (Krishna), Vencedor de Keshi (o demônio da ignorância), conhecer o verdadeiro significado de *sannyasa* (renúncia) e também de *tyaga* (auto-entrega), bem como a distinção entre ambas.

Como – está perguntando Arjuna – saberei a diferença entre renúncia e Karma Yoga, cuja essência é a renúncia aos frutos da ação?

(18:2) O Senhor Abençoado respondeu: A renúncia, no entender dos sábios, consiste em evitar toda ação motivada por um desejo (pessoal). Também no entender deles, não é toda ação que deve ser evitada, mas só aquela que cobiça frutos.

Em essência, Krishna recomenda aqui: "Aja, mas não se considere o 'praticante' da ação."

Ninguém, dissera anteriormente, pode abster-se de agir. Respirar, dormir, comer e executar as funções necessárias do corpo, tudo isso vem a ser classificado sob o termo geral "ação". Portanto, ninguém deve renunciar totalmente à ação, exceto se for espiritualmente evoluído a ponto de poder ficar sentado o dia inteiro com a respiração suspensa – o que só a muito poucos é dado.

O importante, então, é pôr de parte a idéia do "praticante da ação". Tudo o que se faz deve ser feito tendo em mente: "Deus está agindo por meu intermédio."

O *tyagi*, por outro lado, pode até certo ponto envolver-se em atividades pessoais – lar, trabalho, família, deveres sociais – sem desejar nada para si próprio. Esse é o verdadeiro significado do Karma Yoga que, decerto, não difere substancialmente do caminho da renúncia exterior exceto na medida em que a pessoa, se não precisar cumprir as obrigações mundanas, estará livre para entregar-se unicamente a Deus e achará *mais fácil* libertar seu ego dos apegos que o limitam.

Todavia, se alguém supuser que o caminho mais fácil implica menos coragem, melhor andará compreendendo que para chegar a Deus precisará de toda a sua ousadia e força. Só um tolo escolheria a senda mais difícil apenas para provar aos outros (e talvez a si mesmo) que possui essas duas qualidades em grau máximo. O *tantra* é uma abordagem religiosa que ensina as pessoas a serem fortes mesmo nas garras da tentação. Trata-se de uma "escada secundária" para Deus, espiritualmente muito perigosa. Mais sábio é aquele que poupa suas forças para a tarefa estafante – sempre a que mais importa – de subir pela "escada principal" da ação reta, meditação e renúncia ao pensamento tanto do "praticante da ação" quanto do ganho pessoal em troca do esforço.

Krishna passa a explicar mais pormenorizadamente essas idéias.

(18:3) Alguns filósofos (teóricos) afirmam que todo esforço é vão. Outros insistem em que certas atividades são válidas, como o sacrifício (yagya), as obras filantrópicas e as (diversas formas de) ascetismo.

(18:4) Ouve agora de Mim, ó Flor dos Bharatas (Arjuna), que *tyaga* (não-apego aos frutos da ação) é considerado, ó Leão entre os Homens, como sendo de três tipos.

(18:5) A atividade decorrente de yagya (sacrifício), obras filantrópicas e ascetismo (vide 17:14–16) deve sem dúvida ser executada e não abandonada, pois se a sabedoria a acompanha, ela purifica o coração.

(18:6) Mas mesmo essas atividades (edificantes) devem ser executadas sem apego quer a elas mesmas, quer a seus frutos. Essa, ó Partha (Arjuna), é a Minha palavra final e definitiva.

Krishna, vemos aqui, mostra-se sublimemente prático. Não é um filósofo teórico nem abstrato. Ele acredita firmemente em fazer o que *funciona*. Em teoria, sabemo-lo, a verdade suprema consiste em mergulhar em Brahman. Quem pode passar o tempo todo em samadhi não precisa de *nenhum* ensinamento! Ainda assim, observa Krishna, não agir de maneira edificante é dar um mau exemplo a quem aspira a esse estado. Portanto, a verdade suprema para a humanidade é aquela que a ajudará a *alcançar* o estado absoluto.

Quanto aos *vairagis* (pessoas inteiramente desprendidas), que recomendam *nada* apreciar na criação divina, esse conselho deve ser considerado um insulto a Deus! Eles ignoram o fato de ter sido Deus quem *fez* tudo por intermédio de Seu instrumento, Prakriti. Como se agradaria Ele de alguém que despreza Sua obra? Seguramente, a melhor atitude – que o próprio Krishna recomenda – é *usufruir todas as coisas no íntimo, com a alegria de Deus.*

(18:7) Não é (louvável nem) correto renunciar ao cumprimento dos deveres. Fazê-lo quando ainda nas brumas da ilusão é (de fato) uma atitude considerada tamásica.

Sem dúvida, não realizar ações corretas e devidas é abrir-se para o mal – como no provérbio "O diabo sempre encontra trabalho para os ociosos".

(18:8) Quem renuncia a um dever por achá-lo difícil ou temer que lhe vá provocar sofrimento, fá-lo com consciência rajásica (animada pelo desejo e o apego). Jamais obterá recompensa por essa renúncia.

Desejo e apego, vale a pena insistir, relacionam-se à esperança não apenas de ganhar, mas também de evitar. Elevar-se acima da dualidade significa desdenhar *ao mesmo tempo* o gosto e a repulsa, a atração e a aversão.

(18:9) Ó Arjuna, aquele que renuncia de maneira sáttwica faz uma boa ação unicamente porque ela precisa ser feita, sem apegos nem esperança de recompensa.

É comum, nas pessoas que almejam praticar o bem, *desejar* certas coisas devido à convicção pessoal de que elas são necessárias ao mundo. Semelhante ação pode ou não ser louvável; a pessoa sáttwica, porém, deixaria que Deus decidisse nessa matéria, pois age sempre para agradar a Ele e por nenhum outro motivo. Além disso, obedece à orientação divina – que recebe de seu guru ou, à falta deste, diretamente de Deus. (O discípulo autêntico de um autêntico guru jamais oporia uma à outra.)

(18:10) Quem se mostra sábio na renúncia é calmo e nunca duvida. Não sente aversão por ações desagradáveis nem gosto pelas agradáveis.

É interessante que Krishna associe a renúncia serena à ausência de dúvida. Com efeito, a dúvida surge da incerteza e a incerteza, de pelo menos certo grau de apego. Onde não há apego nenhum, não há questionamento do que se gosta ou não se gosta de fazer: a pessoa simplesmente faz.

(18:11) Não é possível, ao ser encarnado, deixar de agir por completo. *Tyaga* **(entrega de si mesmo), no entanto, torna-se viável pela renúncia aos frutos da ação.**

Esse ponto já foi meticulosamente esclarecido antes. Aqui, Krishna apenas o enfatiza.

(18:12) Os frutos da ação (para quem a eles se apega) são de três tipos: agradáveis, desagradáveis e mistos. Aumentam após a morte (no mundo astral ou na encarnação seguinte) para a pessoa que a eles não renunciou – mas não para quem fez a oferenda de si mesmo.

Às vezes vem à baila esta pergunta com respeito ao *jivan mukta*, que está livre da consciência egóica: "Ele não cria *nenhum* karma?" Toda ação, vale dizer, *é* karma. A ação dá significado ao karma. Sim, decerto: um ser livre do ego cria karma. No entanto, como seu ego não se identifica com suas ações, os bons resultados daí advindos beneficiam não a ele mesmo, mas a seus discípulos e ao mundo em geral. Toda ação produz necessariamente uma reação, que neste caso será positiva, mas sem nenhum ego ao qual se ligar; assim, sua conseqüência kármica, ou afetará aqueles para o bem dos quais foi praticada, ou, expandindo-se, abençoará o mundo. De fato, todas as ações de um santo são, ou particularmente ou universalmente, benéficas.

(18:13) Ó Poderosamente Armado (Arjuna), ouve agora quais são as cinco causas de toda ação e sua realização, catalogadas na suprema sabedoria Shankhya, e os meios de erradicar (os últimos vestígios do) karma.

O ensinamento de Shankhya baseia-se na necessidade humana de livrar-se do despotismo do karma arrancando-o pela raiz, que pode ser vista como a causa fundamental de seu sofrimento físico, mental e espiritual. As lições do yoga indicam *métodos* para proceder a essa erradicação. O Vedanta, que significa "o fim (ou resumo) dos Vedas", descreve a natureza de Brahman, o Espírito Supremo, a união com o qual constitui o objetivo primário de todo esforço espiritual.

Sem a erradicação do karma, conforme ensinado em Shankhya, e sem as técnicas de controle da mente e da energia, preceituadas na ciência yóguica, ao homem não é possível emergir do sofrimento que padece por sujeitar-se à ilusão cósmica.

Esses três sistemas não são distintos ou isolados – e, com certeza, não se excluem mutuamente, como alguns estudiosos pretenderam. Apenas, cada qual enfatiza um aspecto da mesma verdade. O homem deve saber *por que* é importante escapar ao cipoal do karma, *como* conseguir isso e, pelo menos intelectualmente, *quais* serão as conseqüências dessa decisão.

Sem o método adequado – que prevê, inicialmente, a renúncia aos frutos da ação –, o homem só desperdiçará suas forças. Sem a prática do yoga para ajudá-lo a obter controle sobre a mente, a energia e a respiração, que o mantêm preso à consciência egóica, ele tentará inutilmente, vida após vida, atingir o centro da serenidade perfeita sem o qual a verdadeira renúncia nem sequer é possível. Assim, embora o objetivo de toda prática espiritual seja a renúncia à identificação do ego com esse reflexo insignificante do Espírito, o corpo, e a constatação da unidade fundamental com o Supremo, persistir nesse caminho munido apenas da aspiração mental é inadequado.

(18:14, 15) As cinco causas de toda ação – certa ou errada – empreendida pelo homem no corpo, na fala e no espírito são estas: (1) o próprio corpo humano (sede da ação); (2) o agente causativo da ação (ego ou *jivatma*); (3) os vários instrumentos de ação (sentidos, mente e intelecto); (4) os diversos tipos de ação (o poder da fala e as

atividades motoras das mãos, pés e órgãos da excreção e da geração) e (5) o destino, que é a influência exercida por karmas e ações passadas, a "divindade que preside" a todos os atos.

(18:16) Considerando-se quantos fatores influenciam a ação humana, a pessoa que, por falta de percepção, atribui a seu ego a responsabilidade por tudo que faz, mostra nada compreender.

O homem mal se dá conta de quantas influências o assaltam quando realiza mesmo uma ação corriqueira como sentar-se para comer. Em primeiro lugar, seu corpo não é a realidade fixa e sólida que lhe parece, mas está constantemente mudando: suas células são constantemente removidas e substituídas. Nem sequer fisicamente esse corpo é sólido, pois não passa de uma onda temporária de energia.

Em segundo lugar, João supõe que ele é quem está comendo de acordo com sua própria vontade, gosto e conveniência. À parte o fato de essa "vontade" ser ditada pelas exigências do organismo; de esse "gosto" depender de sua criação e hábitos; e dessa "conveniência" decorrer da convenção social, da vontade e do gosto dos demais, afora as influências de sua criação – à parte todos esses fatores óbvios, não é João quem come! O ego de João, que pensa ter instalado seu corpo à mesa, nada mais é que a alma sonhando com uma existência corpórea separada e estreitamente confinada.

Em terceiro lugar, os instrumentos da ação: sentidos, mente e intelecto – membros do "comitê" do qual ele é o "presidente" – nem sempre obedecem-lhe à vontade e muitas vezes se rebelam. Podem, por exemplo, ver as coisas de maneira diversa, não acatando suas decisões.

Num almoço há alguns anos, a anfitriã, a fim de criar um ambiente pitoresco, suspendeu lanternas japonesas verdes sobre a mesa. Infelizmente para ela, a luz verde brilhando sobre os pratos fez a comida parecer estragada. Embora estivesse deliciosa, todos os convidados passaram mal depois de ingeri-la; alguns precisaram mesmo de uma lavagem estomacal!

Os ouvidos e seu poder de audição também costumam rebelar-se – digamos que, enquanto João come, uma mulher na vizinhança comece a soluçar e a chorar. Vários outros exemplos poderiam ser dados para mostrar como os sentidos do olfato, paladar e tato são similarmente afetados, prejudicando a refeição de João.

Seu intelecto também pode sofrer a influência de toda uma variedade de fatores desagradáveis; e sua mente, embora perceba de maneira passiva, às vezes confunde percepções.

Em quarto lugar, é possível imaginar inúmeras conseqüências adversas dos diferentes tipos de ação – palavras descuidadas que a própria pessoa ou os outros proferem, por exemplo – e perturbações provenientes de outras partes do corpo que afetam as decisões do ego. De fato, mesmo como "presidentes dos comitês" daquilo que tomamos por nosso corpo, não somos tão livres quanto gostaríamos de acreditar.

Além disso, mesmo o presidente de uma grande empresa precisa atentar para as decisões dos acionistas, sobre os quais tem pouco ou nenhum controle. Isso nos leva à causa final da ação, a quinta: o karma passado pode irromper inesperadamente em cena sob as mais variadas roupagens, contrariando ou anulando qualquer decisão tomada há pouco pelo ego.

(18:17) Aquele que está acima da hipnose da motivação do ego, e tem compreensão clara (não distorcida pela falsa percepção), não é o matador no campo de batalha (de Kurukshetra) e não comete pecado algum ao matar.

A verdade, como vimos, é esta logo de início: ninguém é morto, e por duas razões. Não existe morte, apenas transição, e, pelo mesmo motivo, o que "sucumbe" nessa guerra alegórica não são pessoas, mas tendências más no indivíduo. Sua energia apenas é redirecionada para o lado oposto, as tendências virtuosas.

O segundo aspecto do ensino dessa estrofe (que apresenta um breve resumo de material já tratado) é que o pecado de matar incide sobre quem o pratica: o ego. Depois que a consciência egóica se transmuta na compreensão de Deus como o único Responsável por tudo, nenhum karma afeta mais esse ego. Não quer isso dizer que, por estarmos livres do ego, podemos fazer o que quisermos! Nesse estado, só o que "queremos" é fazer a vontade de Deus.

(18:18) Conhecer, conhecedor, conhecido: esses três elementos, juntos, provocam a ação – praticante, consciência de praticar e coisa praticada.

Temos aqui mais limitações ao ego, que explicam a ação em si: não suas "cinco causas", mas o que acontece para tornar um ato possível. Refinamentos desses ajudam a convencer o ego de que sua liberdade é muito pequena quando ele só tem consciência de si mesmo. Na consciência divina, conhecer, conhecedor e conhecido não se distinguem. Na verdade, a pessoa *é* a coisa conhecida e não apenas o conhecedor. Portanto, já não acha difícil conhecer, pois *passou a ser* o conhecimento! Ela é também o ato de conhecer, ou seja, ao aprender não absorve mais nada de novo. Ao agir, quem mergulhou o ego no Eu maior não considera nenhuma tarefa acima de suas forças. Deverá escalar uma montanha? Ele já *é* essa montanha e, portanto, não a vê alteando-se à sua frente. Não se supõe obrigado a empreender a escalada porque esta já faz parte de sua própria realidade: quem sobe, o ato de subir e a montanha a ser subida são uma só coisa. Graças a essa percepção, um empreendimento árduo como esse não tomará, por assim dizer, tempo algum – embora, para quem careça dela, exija possivelmente um longo prazo, sendo rematado só com extremo esforço.

(18:19) A percepção do ato, a realização desse ato e a pessoa que o realiza são, segundo o sistema Shankhya, de três tipos, dependen-

do dos gunas envolvidos. Ouve-Me agora discorrer sobre as manifestações desses três tipos.**

Obviamente, aquilo que fazemos, como o fazemos e o espírito no qual é feito recebem a influência da mescla de sattwa, rajas e tamas. Poucas pessoas são – deveríamos dizer nenhuma é nem pode ser – completamente de um tipo ou de outro, mas seria útil que compreendessem os fatores implícitos naquilo que elas próprias, ou as outras à sua volta, estão procurando realizar.

(18:20) Ó Arjuna, é sáttwica a influência na qual o Espírito indestrutível é percebido (como residente) em todos os seres, não separadamente em cada um deles ("o indiviso no dividido").

A imagem de um cinema é apropriada aqui. As incontáveis imagens na tela não passam de manifestações mutáveis da luz que sai do projetor e atravessa a película. Tal é a visão sáttwica da realidade. Ela influencia tudo o que fazemos instalando unidade naquilo que os outros percebem como multiplicidade e harmonia naquilo que os outros percebem como desunião ou mesmo caos.

(18:21) Essa influência, por outro lado, que se baseia em ver a multiplicidade dos seres como real (em si mesma), é, por natureza, rajásica.

A influência de rajas na natureza da pessoa inclina-a a ver-se e a seus semelhantes como criaturas motivadas pelo ego, o amor-próprio e os anseios pessoais.

(18:22) Finalmente, essa influência é tamásica quando vê todos os efeitos como se eles não tivessem conexão alguma entre si, consi-

derando irrelevante o motivo, importante ou trivial, que está por trás do ato.

As pessoas que agem sob a influência de tamas jamais pensam na ação em termos de causa e efeito kármicos. Consideram real o próprio ato, independentemente daquilo que o motivou. Quando são despedidas do emprego, acham irrelevante determinar se o merece ou não. Apenas se irritam por terem sido alvo do que consideram um tratamento injusto. Se são criticadas por alguma coisa que fizeram, voltam-se contra a crítica em si e não se questionam: "Será que não mereci mesmo ser criticado?" Se realizam um mau trabalho, justificam-se: "Bem, pelo menos o realizei, certo?" E se alguém lhes dá de comer algo que não apreciam, nunca replicam: "Sei que sua intenção foi boa", mas se aborrecem por não terem recebido aquilo de que gostam.

(18:23) Sáttwica é a ação divinamente inspirada, realizada com perfeito desapego, sem levar em conta gostos e aversões, e sem cobiçar seus frutos.

Nesta altura, vem a propósito explicar a verdadeira relação dos três gunas com a atividade, e não discutir as *influências* dos gunas sobre o que se faz.

A ação sáttwica é motivada pela inspiração supraconsciente. É realizada sem apego, sem gostos nem aversões, sem a esperança em seus frutos. De novo, salientemos que isso não é uma informação nova e sim uma retomada do que já ficou dito mais atrás em pormenor.

(18:24) A ação é rajásica quando motivada por desejos, realizada com a consciência egóica e seguida da sensação de um grande esforço (stress).

Quanto mais sáttwico for um ato, maior será a sensação de descontração que o acompanha. Por outro lado, quanto mais rajásico for, maior a sensação de esforço, pois a consciência egóica bloqueia o poder e a inspiração superiores, dando a ilusão de que precisamos solucionar cada problema e completar cada trabalho por nós mesmos, sozinhos.

(18:25) A ação tamásica é realizada com negligência, sem atentar para a própria capacidade e sem olhos para as possíveis conseqüências – por exemplo, fracasso, ferimentos ou qualquer outro acidente desastroso para a pessoa ou os outros.

Fato interessante a notar: quantas vezes os opostos se assemelham! Neste caso, as atitudes classificadas como tamásicas podem aplicar-se, num nível mais elevado, às atitudes sáttwicas: fé, desapego aos frutos da ação, ausência de medo. Mas isso não lembra um círculo a fechar-se sobre si mesmo. Ao contrário, lembra antes uma espiral ascendente, como se a pessoa retomasse algumas das posturas da juventude, mas em nível superior, de compreensão mais amadurecida. O soldado que se arroja impensadamente contra as linhas inimigas aprende à própria custa (se sobrevive!) a ser mais contido, podendo mesmo tornar-se medroso. Mas aquele que ofertou o ego a Deus e sabe que só Deus age por seu intermédio enfrenta conscientemente os perigos da batalha; percebendo que é isso mesmo que Deus espera dele, pode arremessar-se tão impetuosamente quanto o guerreiro tamásico, mas cônscio de tudo quanto sua coragem acarretará.

(18:26) Chama-se sáttwica a ação empreendida sem que o ego a motive, alheia à realização e à não-realização, ao sucesso e ao fracasso, mas animada de coragem e zelo.

Vimos a diferença, em termos de qualidade, entre coragem tamásica e coragem sáttwica. Em tamas, porém, não existe zelo verdadeiro. O zelo vem da dedicação despojada, mas perfeitamente consciente, a uma causa idealista. Assim, a "coragem" de um é cega e turva, baseada na ignorância das possíveis conseqüências (ou na indiferença a elas, o que nesse caso vem a dar no mesmo). A do outro, porém, decorre do conhecimento perfeito e da aceitação do que der e vier. Ela pesa com cuidado, portanto, as probabilidades de sua possível utilidade.

(18:27) O instrumento da ação (a pessoa que a realiza) é chamado rajásico quando cultiva intensamente o apego aos frutos e a esperança de colhê-los, quando é cheio de cobiça, motivações impuras e determinação insensata, mostrando-se jubiloso ou deprimido em face do sucesso ou do fracasso.

Mesmo à luz daquilo que as pessoas desejam para si mesmas, quem festeja ruidosamente a vitória ou lamenta desesperadamente a derrota priva-se da energia pura necessária ao êxito de qualquer empreendimento! Ânsia de ganho, apego, desejo, motivações egoístas, indiferença aos sentimentos alheios – tudo isso, juntamente com uma reação intempestiva ao que acontece, são grandes obstáculos à realização correta ou à conquista de qualquer coisa na vida, seja ela valiosa ou trivial.

(18:28) A ação tamásica é vacilante, exibicionista, obstinada, inescrupulosa, desonesta, (freqüentemente motivada pela) malícia, a preguiça e a procrastinação.

É tempo perdido ensinar às pessoas tamásicas como curar-se de tamas. Elas não acham errado ser como são. Quando fingem aceitar conselhos, é só para "livrar-se de um chato". Pode contar com isto: essas pessoas irão trair você ou deixá-lo em situação crítica na primeira oportunidade. Tratá-las com paciência e perdoá-las só será bom para você próprio, para confirmar seu desapego aos frutos daquilo que também elas andam fazendo. Mas saiba sempre, pelos indícios acima, que tamas está agindo na natureza dessas pessoas. Não se deve confiar nelas; e se, por espírito caritativo, você consentir em trabalhar a seu lado, não se esqueça nunca de suas tendências perigosas. Jamais, por exemplo, peça que elas depositem para você um dinheiro no banco!

(18:29) Ó Conquistador da Riqueza (Dhananjaya: Arjuna), agora explicarei em minúcia as três divisões dos gunas em sua relação com a capacidade humana de compreender e ser forte.

(18:30) Ó Partha (Arjuna), é sáttwico o intelecto que percebe a natureza da reta ação e sabe abster-se até mesmo dela (mesmo que reta); que não ignora o que deve ou não ser feito; que nota a diferença entre o que deve ser temido (por ser errado) e o que deve ser aceito sem receios (por ser correto e direito), e entre a servidão e o caminho para a liberdade.

Essa estrofe profere seu ensinamento com clareza e o faz muito bem. Mal exige algum comentário, exceto talvez para assinalar que as palavras de Krishna podem, ocasionalmente, provocar o medo: quando, por exemplo, a ação em vista induz a pessoa ao erro kármico.

(18:31) Ó Partha (Arjuna), é influenciado por rajas o intelecto que leva a pessoa a perceber de maneira distorcida o dharma e o adharma (ação certa e ação errada), confundindo também a ação devida e indevida.

Considere o leitor a perspectiva de uma guerra entre dois países. Os tambores da propaganda rufam para alardear a probidade da causa de um deles, qualquer que seja. Mas essa causa – à luz de uma lei mais alta – justifica-se ou não? A influência rajásica se atiça e tudo faz para induzir o povo a lutar, repisando lemas grandiloqüentes que proclamam a justiça de sua atitude. As pessoas sáttwicas, porém, devem recolher seus sentimentos para o interior de seu centro de intuição serena e ali perguntar a Deus: "Essa causa é *justa*? Agirei melhor apoiando-a ou evitando me envolver com ela?"

Às vezes, como sucedeu na guerra de Kurukshetra e aconteceria se nosso país fosse invadido por forças hostis, a causa pode ser considerada justa e defensável. Outras vezes, porém, não é karmicamente justificável. Nesse caso, andaríamos bem em objetar, em apelar para a consciência? Ou, estando por demais complicada a ética da situação, deveríamos mostrar nossa lealdade à pátria aceitando um posto nas forças armadas? Essas são questões de consciência e no nível da consciência é que precisam ser resolvidas pela pessoa sensata.

Aos olhos das pessoas rajásicas, porém – ou, pelo menos, da grande maioria delas –, a decisão é muito simples: vamos à guerra, não importa como! A atividade, para os rajásicos, é sua própria recompensa.

(18:32) Ó Partha (Arjuna), é tamásico o intelecto que, envolto na ignorância, pensa que o errado é certo e julga *tudo* (não apenas o dharma e o adharma) de maneira distorcida.

As pessoas tamásicas, quando têm inteligência, recorrem a todos os artifícios racionais ao seu alcance para justificar conclusões obviamente falsas. Dirão (e *têm* dito, como é notório): "Bem, vou 'depenar' este carro que deixaram aberto. Será uma boa lição para o dono: da próxima vez não se esquecerá de trancá-lo para impedir que gatunos como eu o roubem."

Marcharão com zelo farisaico em apoio de ditaduras, vendo os que pensam diferentemente como "inimigos do povo".

(18:33) (Em matéria de firmeza), a robustez sáttwica depende de fortalecer a mente graças à meditação yóguica, mantendo a energia do corpo e dos sentidos sob o controle de *pranayama*.

A robustez sáttwica não depende da determinação cega e sim da concentração no Eu. A respiração e a energia do corpo deverão permanecer serenas, regulando-se o fluxo de prana e apana na espinha.

(18:34) A robustez rajásica manifesta-se pelo apego constante – ao dever, aos objetos de desejo ou às posses – e pela exigência, em proveito próprio, dos frutos de cada esforço despendido.

Esse "apego constante" produz tensão, ansiedade e incerteza em tudo o que se faz sob a influência de rajas. As pessoas sob essa influência vivem reclamando em altos brados seus "direitos". Mostram-se não raro obsessivas quanto à possibilidade de serem roubadas ou ludibriadas. E mesmo quando alimentam um desejo honesto, permitem-se ficar a tal ponto sob seu domínio que não vêem outra "causa" mais urgente no mundo!

(18:35) A robustez tamásica, ó Partha (Arjuna), manifesta-se como o vício do sono, os medos obsessivos, as depressões, o abandono ao desespero, a arrogância sem limites.

O temperamento tamásico tende, em outras palavras, para os extremos – a ponto de a razão ser posta inteiramente de lado. Incapaz de ver além do horizonte de sua realidade atual, qualquer que seja ela, a pessoa tamásica, quando sofre, não consegue imaginar-se de novo serena em relação ao problema; se faz algo bem-feito (ou é elogiada por isso, ainda que sem o merecer), gaba-se absurdamente de sua proficiência. Se tem um medo qualquer, não fala sobre outra coisa dias a fio.

(18:36) Ouve agora de mim, ó Flor dos Bharatas (Arjuna), quais são os três tipos de felicidade, acima da qual só existe a bem-aventurança suprema – resultado da concentração mental constante

(por meio da meditação). Só na bem-aventurança o homem depara com o fim do sofrimento.

É bem apropriado que Krishna comece sua discussão dos tipos de felicidade existentes sob a influência dos três gunas referindo-se à bem-aventurança que as transcende a todas. Toda felicidade humana é relativa. Só na bem-aventurança absoluta atingimos o termo de nossos sofrimentos.

(18:37) A (felicidade humana) que chamamos sáttwica (é alcançada por meio do que) parece a princípio veneno, mas depois é como néctar e leva à percepção nítida do Eu.

É mais difícil subir do que descer uma montanha. A virtude, no princípio, não é nada fácil de praticar e pode, como o veneno, ter um gosto ruim. Após certo tempo, contudo, torna-se mais acessível e toma o sabor do néctar. Há, na consciência superior, um certo magnetismo que puxa a alma para cima, quase sem esforço – depois que se atingiu determinado ponto em sadhana. Há um provérbio que vem aqui a calhar: "Quando pedimos a Deus que nos estenda a mão, Ele nos estende as duas."

(18:38) É rajásica a felicidade que brota do contato dos sentidos com seus objetos. Ela parece néctar a princípio, mas no fim toma gosto de veneno.

Os prazeres dos sentidos, no começo, podem parecer doces como o néctar. Mas tão logo os consideramos a *fonte* de nossa satisfação, tornam-se amargos e acabam por envenenar nossa felicidade. Comida boa é agradável; mas se lhe atribuirmos a causa de nosso gozo, comeremos demais e ficaremos pesados, flácidos, sujeitos a doenças. O vinho encanta o paladar – mas se também a ele atribuirmos a causa de nosso gozo, beberemos em excesso e nos tornaremos alcoólatras. O mesmo pode ser dito de tudo que apreciamos por meio dos sentidos: sexo, drogas, etc. O exagero sempre desanda em tédio, desgosto e às vezes tragédia.

(18:39) É dita tamásica a felicidade esquiva que começa e termina pelo estupor desiludido da preguiça, da embriaguez e do desleixo.

A opção de viver nas trevas da mente vem do mau karma, reforçado pelas más companhias. Há também um motivo muito conhecido: proviemos de níveis de consciência grosseiros, como os dos animais inferiores. Essa lembrança subconsciente permanece conosco, exercendo a atração da preguiça: uma alternativa confortável, parece-nos, à subida longa e difícil da montanha que conduz à Perfeição. Tendo eternamente diante de si a escolha entre esforço e abandono, não surpreende que muitos gritem: "Não me encham a paciência! Deixem-me dormir sossegado!"

Essa tendência tamásica, muito acentuada em certas pessoas, existe ao menos de maneira latente em todas. Tem seu próprio magnetismo, enraizado na saudade de hábitos antigos, subconscientes. Tudo, na Natureza, manifesta uma mescla dos três gunas. Observe sua mente e notará ali certa relutância em fazer o que sabe que precisa ser feito. É a influência de tamoguna, da qual se pode dizer: "Dê-lhe um dedo e ela logo quererá a mão."

(18:40) Não há ninguém no mundo material (ou no universo material), nem entre os deuses dos céus astrais, que esteja livre das três qualidades, ou gunas, nascidas de Prakriti (Natureza Cósmica, manifestação de Deus).

Como dizia meu Guru, o tecido da criação é mantido unido pelos fios dos três gunas. Até os santos manifestam tamoguna (tamas), embora em grau quase imperceptível, relativamente falando. E manifestam-no pelo fato de dormirem ou descansarem. Mesmo pessoas tamásicas ou muito perversas exibem a qualidade sáttwica em pequeno grau, quando fazem algum bem a uma pessoa. Meu Guru contou certa feita a história de uma mulher má que roubou uma cenoura, mordeu-a, achou nela um verme e deu-a descuidosamente a uma criança pobre que por ali passava. Chegando ao inferno após a morte, aquela "boa ação" foi lembrada como seu único mérito (relativo!).

(18:41) Ó Vencedor de Inimigos (Arjuna), os deveres dos brahmins, kshatriyas, vaishyas e também shudras dependem dos gunas que predominam em suas naturezas.

Krishna coloca os shudras à parte (dizendo "e também") porque eles não costumam, por sua mentalidade, levar o conceito de "dever" a sério.

Paramhansa Yogananda sempre dizia que as verdadeiras "raças" humanas pouco têm a ver com a cor da pele das pessoas. Mas têm muito com o grau de sua consciência. A correta divisão das raças deve ser feita verticalmente, não horizontalmente. Elas correspondem às quatro castas naturais.

Por exemplo, num congresso de contadores de vários países e continentes, os participantes exibirão uma unanimidade de posturas básicas que não têm com seus próprios vizinhos. Monges de diferentes regiões sentirão uma proximidade que talvez não sintam sequer com seus parentes. Homens de negócio se entendem natural e facilmente, ainda que precisem conversar por meio de intérpretes. Aquilo que as pessoas fazem e, mais ainda, o tipo de pessoas que *são* congregam-nas em categorias para as quais não existem barreiras de língua, nacionalidade ou cor da pele.

Svabhava (a natureza da pessoa) é a palavra que Krishna emprega aqui, revelando claramente que as distinções de casta não dependem da hereditariedade, mas do que a pessoa é em si mesma. Esse assunto já foi amplamente debatido e não precisa ser retomado em pormenor. O próprio Krishna está apenas recapitulando, por uma questão de ênfase.

(18:42) Os deveres próprios de um brahmin (a casta superior) são: controle da mente (concentração), domínio dos sentidos (graças à prática de *pranayama*), autocontrole, pureza, capacidade de perdoar, integridade, sabedoria, meditação para atingir a auto-realização e fé numa verdade suprema.

Pode-se perguntar: "Essas coisas, por serem boas, não constituem o dever de todos os homens?" Krishna e o sistema de castas (devidamente entendido) simplesmente aceitam a realidade tal qual é. O que as pessoas *deveriam* fazer e o que se pode esperar que façam não são sempre e absolutamente a mesma coisa. Mesmo o autocontrole, a pureza e a integridade que se esperam de uma pessoa espiritualmente refinada diferem do melhor que se pode esperar de pessoas cuja natureza é menos evoluída. O autocontrole em alguém que se dedica a amealhar riquezas significará, quando muito, a "bondade" de não arruinar por completo um concorrente. Pureza talvez equivalha a não enganar um freguês mesmo quando isso parecer fácil. E integridade pode resumir-se ao ato de admitir que comerciantes (vaishyas) em uma cidade longínqua (portanto, a uma distância segura) têm preços melhores para certas mercadorias.

Uma pessoa sáttwica, ou seja, aquela que é por natureza um brahmin, tem o dever de comportar-se de um modo mais refinado porque sua natureza torna o refinamento possível. Ainda assim, ela precisa buscar a perfeição de sua potencialidade para a virtude. Se uma pessoa inferior merece elogios por ações relativamente generosas, uma pessoa sáttwica (portanto, um verdadeiro brahmin) não merece nenhum nem deve desejá-los caso suceda que outros apreciem suas qualidades excelsas. Qualquer elogio a seu comportamento será oferecido e aceito unicamente em razão da *qualidade* da bondade, que essa pessoa apenas manifesta. As virtudes sáttwicas são, como Krishna explicou mais atrás, como a fumaça que obscurece ligeiramente o fogo, mas pode ser dispersada sem dificuldade por um simples sopro do "vento" da meditação. Uma vez que o fogo é entrevisto através da fumaça, só se deve gabar a luz e o calor do próprio fogo, que brilha apesar desse obstáculo. O vento que leva a fumaça para longe é um mero agente, não o benefício final.

(18:43) Eis os deveres naturais de um kshatriya: coragem, vigor, robustez, desembaraço, habilidade na ação, firmeza diante do inimigo (não importa o tipo de "batalha" a ser travada), munificência e liderança (de um tipo capaz de inspirar os outros).

Nem sempre os kshatriyas estão em posição de travar batalhas, mostrar coragem diante do inimigo ou conduzir os outros à vitória. As *qualidades* de um kshatriya, porém, vêm à tona em quaisquer circunstâncias. Numa encarnação a pessoa pode ser rei, em outra, monge. O rei nem sempre – é claro – estará em guerra e o monge às vezes só terá a si mesmo para dar ordens. No *caráter*, contudo, ambos serão basicamente iguais. O *caráter* de um kshatriya é que determina quem ele de fato é. Um verdadeiro kshatriya defende suas crenças, mas de modo apropriado. Por exemplo, não brigará com a mulher caso ela queira sair para jantar enquanto ele próprio deseja ficar em casa. Mostrar-se-á então *munificente* segundo a acepção corriqueira do termo: que não é ceder heroicamente aos desejos da esposa! Como o monge de sua próxima encarnação, talvez não tenha inimigos a combater; mas deverá passar por provas espirituais, tentações e dificuldades com o próximo. Em tais casos, longe de fugir, enfrentará os problemas corajosamente. Quando em conflito com alguém, poderá praticar a munificência mantendo uma atitude compreensiva, pronto a considerar o ponto de vista contrário.

Vê-se, pois, que de muitos modos o kshatriya tem essas qualidades *por natureza* e não as ostenta unicamente quando é necessário.

(18:44) Os deveres naturais de um vaishya são: lavrar a terra, cuidar do gado e fazer negócios. Já o shudra deve servir aos membros das castas superiores.

Os deveres do vaishya prendem-se à sua própria "realidade" individual, que começa por um apelo rajásico, egóico, às coisas. Evidentemente, nem todas as sociedades da Terra e nem todas as regiões de um país se ocupam de agricultura e pecuária: as cidades, por exemplo, oferecem poucas oportunidades, se alguma, para a atividade rural. Mesmo o comércio é uma prática limitada. Não obstante, existem inúmeros tipos vaishya numa ampla variedade de profissões rendosas e devem ter existido até nos tempos mais simples de Krishna, não se podendo inseri-los em categorias exatas.

Temos, pois, de começar pela *finalidade* implícita nas atividades vaishya que o Gita cataloga. Perguntamos de início: que é que transforma uma ação num *dever*? Em se tratando do papel do homem perante a sociedade, um dever é aquilo que melhor a beneficia como um todo. Krishna, porém, se ocupa aqui do progresso *espiritual* do indivíduo. Portanto, os deveres de um vaishya serão as atividades capazes de ajudá-lo a evoluir espiritualmente. Atividades que o ajudam a realizar seus desejos de ganho e de expansão do ego (ou do eu), podendo ao mesmo tempo incentivá-lo a aprimorar sua consciência, são as que incluem todos os tipos de expressão artística. Com efeito, Yogananda coloca os artistas – compositores, romancistas, escultores, músicos – na categoria dos vaishyas. Bem se pode imaginar que aí não estão incluídos aqueles que na arte, na música e na literatura criam obras para edificar seus semelhantes. Yogananda entende como vaishyas quem produz obras artísticas apenas por dinheiro ou para mera diversão e prazer do público.

O "apenas" na última frase não é pejorativo. Dar prazer estético a outros pode ser um meio de aprimorar-lhes a percepção (e a do próprio artista), iluminando o entendimento de todos.

O dever de um vaishya é incluir o benefício dos semelhantes em suas próprias atividades. Assim, tornar-se-á mais sensível às necessidades alheias e desenvolverá, com o tempo, a natureza de um kshatriya.

Os tipos shudra só podem evoluir espiritualmente se se misturarem com pessoas de nível de consciência superior ao deles. E só o conseguem servindo a quem é mais refinado.

(18:45) Atentos todos a seus próprios deveres, os homens obtêm o máximo sucesso. Ouve agora como, dedicada ao cumprimento de suas obrigações, a pessoa consegue avançar para essa meta final.

A casta é determinada, não pelo parentesco ou a sociedade, mas pela natureza do próprio indivíduo. De fato, antes mesmo de ser definida em termos de casta, a pessoa geralmente a descobre por si mesma, de maneira automática. Os pais devem proporcionar à criança o tipo de educação que melhor convenha às suas necessidades reais; mas quando a criança chegar à idade e ao nível de maturidade que lhe permitam resolver por si mesma essas questões – mesmo sair de casa –, só ela deverá decidir, enfim, qual é o seu lugar. Quanto aos deveres, pessoas mais sábias e mais maduras lhe darão ao menos uma idéia de quais sejam.

Sempre, os deveres (distintos dos gostos) devem ser determinados levando-se em conta aquilo que ajudará a pessoa a evoluir – tanto rumo a uma casta superior quanto a uma influência mais acentuada dos gunas.

(18:46) Atinge a perfeição o homem que oferece seus dons especiais Àquele que permeia todo (o universo) e por meio do qual todos os seres se manifestaram.

Qualquer que seja o dom especial de uma pessoa, ela evoluirá mais se ofertar espiritualmente esse dom a Deus. Este, de seu lado, aprimorará o dom e ajudará a pessoa a sair-se bem em tudo o que faça. Também a ajudará, pois que a vê ansiar pela verdade, a avançar na direção da liberdade interior.

Vemos aqui, recapitulado, o conselho de Krishna a Arjuna para agir e não tentar chegar a Deus renunciando a toda atividade. A única restrição a esse ensinamento é: "Se um dever conflitar com outro, de tipo superior, deixará de ser um dever." Em outras palavras, havendo diversas coisas que ele faça bem, o homem se concentrará naquela que lhe expanda os bons sentimentos e lhe exalte a consciência.

Muitos comentadores afirmaram que Krishna, nessa passagem, recomenda seguir a vocação tradicional na família. Estão enganados. Numa sociedade estável (não em transição como a nossa no mundo inteiro), esse conselho talvez pudesse ser aceito de um modo geral (embora não se saiba, então, como alguém que o seguisse iria se tornar um sannyasi!). Entretanto, numa época em que a própria sociedade não pára de modificar-se, tal conselho seria ruinoso! Em verdade, neste mundo, cada qual é cada qual. Aparece em sua família como um convidado. Sendo transitório, nada que está fora poderá definir quem ou o que ele é. Todo homem deve seguir sua própria estrela. Quanto mais subir rumo à liberdade interior, mais imperativo se tornará para ele esse conselho.

(18:47) Mais vale cair tentando seguir o próprio dharma do que vencer seguindo o dharma de outrem. Ninguém peca quando procura cumprir seu dever.

(18:48) Ó Filho de Kunti (Arjuna), o homem não deve abandonar o trabalho ditado por sua própria natureza, mesmo que (o trabalho) tenha algumas imperfeições: todos os empreendimentos (até os melhores) apresentam falhas e até a chama é (obscurecida) pela fumaça.

Deve-se salientar aqui, de passagem, que as coisas feitas com a consciência egóica criam karma e que todo karma criado varia necessariamente em qualidade e conseqüências. Nem seria, pois, preciso acrescentar: *sem dúvida* podemos criar o mau karma, tanto quanto o bom, com aquilo que fazemos – mesmo ao tentar "apenas" cumprir um dever. O que Krishna quer dizer é que, ao cumprir um dever, não estamos estabelecendo um *novo* padrão de atividade (karma) que precisa ser concluída a todo custo. Se, por exemplo, sei que meu dharma é ajudar crianças como professor de curso primário, mas atendendo a conselhos alheios me torno motorista de caminhão para ganhar mais, talvez venha a ser um bom motorista de caminhão, mas em nada me aproximarei da meta de atender ao padrão kármico inicial e posso mesmo acrescentar um padrão novo, criado por um conjunto inteiramente diverso de experiências e amizades.

O dever maior de todos é buscar Deus. No cumprimento desse dever, podemos de fato cancelar os outros padrões kármicos. Assim, se o professor decidir ir embora e conviver com um grupo de pessoas que está procurando Deus, não se sentindo nesse novo ambiente capaz de ensinar crianças, terá em todo caso escolhido um dharma superior – que com mais segurança o levará para o "cume" divino onde findam todos os deveres. Mais: falhar nessa tarefa será melhor para ele do que vencer como professor, pois escapará de vez à necessidade kármica, enquanto a escola só o ajudaria a continuar no caminho do bom karma, não da libertação.

(18:49) Aproxima-se mais da perfeição aquele que mantém o intelecto longe das coisas exteriores ao Eu, subjuga o Eu e faz com que (todos) os desejos se afastem dele.

Os verdadeiros governantes deste mundo não são os que se sentam orgulhosamente em seus tronos, mas aqueles que a si mesmos se governam para alcançar a perfeição. Um rei ou imperador pode controlar as atividades exteriores dos súditos, mas ninguém lhes ditará o que pensar, sentir, acreditar ou simplesmente ser no fundo do coração. Já o homem que controla a si mesmo é capaz de inspirar e, portanto, verdadeiramente comandar milhares.

(18:50) Ó Filho de Kunti (Arjuna), ouve isto: aquele que alcança semelhante perfeição encontra a culminância (de toda busca) em Brahman.

Tornar-se perfeito no próprio Eu é atingir a Consciência Infinita. Não é preciso buscar, fora do Eu, a perfeição. Conhecer mesmo um átomo nas profundezas de seu mistério é já possuir o segredo de toda a verdade. O átomo, em sua concretude, não pode ser conhecido dessa maneira; mas o ego, *sim*. Uma vez perseguido o ego até o seu "esconderijo" e rasgado o derradeiro véu que o isola de Deus, nada mais haverá a descobrir. Tempo e espaço são ilusórios. Conhecer o próprio Eu é conhecer Deus! Conhecer o próprio Eu é conhecer tudo!

(18:51) Eis a pessoa qualificada para se tornar uma com Brahman: aquela que se absorve na pureza absoluta do intelecto; subjuga o corpo e os sentidos por um ato resoluto de autocontrole; protege-se (tanto quanto possível) do barulho e outras complicações dos sentidos; repele tanto o apego quanto a repugnância;
(18:52) mora num lugar solitário, come pouco, controla o corpo, a língua e a mente; absorve-se na divina meditação do yoga; não tem paixões;
(18:53) é serena; humilde; alheia aos atrativos do poder, vaidade, cobiça, cólera, posses – e consciência do "eu" e do "meu".

A pureza de intelecto exige, primeiro que tudo, anular a tendência da razão humana a "solucionar" problemas, como se a vida não passasse de um quebra-cabeça a ser resolvido de qualquer maneira. O yogue aprende a abordar qualquer problema ou questão direcionando a mente para o fluxo inspirador que desce da supraconsciência. A sabedoria não brota do raciocínio meticuloso, mas, muito simplesmente, da certeza (que mora no âmago do Eu) de qual é a resposta certa. "Consciência de solução", não "consciência de problema", eis a chave da sabedoria: ou seja, manter a mente enfocada nesse aspecto superior do conhecimento que já *tem* e pode fornecer qualquer resposta.

Traduziríamos melhor, talvez, proteger-se do "barulho" por proteger-se do "som". Mas acontece que nem todos os sons são intrusivos, motivo pelo qual "barulho" entende-se mais facilmente. Os sons da natureza – o vento nas árvores, o canto dos pássaros e outros sons comuns – não perturbam. Se o barulho do trânsito e outros ruídos atrapalham a concentração quando a pessoa se senta para meditar, certos sons contínuos (como o dos regatos ou cachoeiras) abafam quaisquer outros a ponto de evitar que a pessoa os perceba.

Residir num local solitário é, para a maioria das pessoas, impossível. O próprio Krishna recomenda no Gita o cumprimento de deveres normais – um modo de vida que, para muita gente, inviabiliza a solidão. Como, pois, seguir o conselho que ele dá aqui? A resposta, para a maioria das pessoas, é: criando na própria casa um "local de reclusão". Reserve um cômodo ou mesmo uma parte de seu quarto isolada por uma cortina, onde a única atividade permitida seja a meditação. Ali, as vibrações supraconscientes irão se desenvolver e, literalmente, "marginalizar" a atmosfera mundana circundante.

Os outros pontos abordados nas estrofes explicam-se por si.

(18:54) Atinge a suprema devoção a Mim, podendo absorver-se em Brahman, aquele que é interiormente calmo, nunca se lamenta e nada deseja, vendo todos os seres com olhos iguais.

Uma estátua humana feita de sal, se mergulhada no oceano, dissolver-se-á e desaparecerá. O corpo humano, por uma curiosa coincidência, parece-se muito com a água do mar, pois a percentagem de sal no sangue e nessa água é a mesma. No entanto, quando lançado ao mar, esse corpo não se dissolve porque tem em sua composição outros elementos além de água e sal.

O que mantém a consciência do homem separada de Satchidananda (bem-aventurança divina) é, obviamente, o fato de ela ser composta também de outros elementos. Destacam-se entre esses "elementos": a impaciência; a vontade de que as coisas fossem diferentes do que são (em outras palavras, as queixas em relação a tudo); os desejos (que o impedem de sentir-se completo em si mesmo); gostos e aversões com respeito a pessoas e coisas (que o fazem estar sempre usando suas energias para atrair ou repelir). Só quando esses "elementos" se transformam no "sal" da devoção (aquele sentimento firme que, único entre os demais, pode mergulhar a consciência no oceano da bem-aventurança) a pessoa se torna apta a absorver-se em Brahman.

Sucede muitas vezes que grandes yogues saiam por algum tempo desse vasto oceano no qual sua consciência se dissolveu e reassumam a individualidade que outrora tiveram como seres humanos a fim de gozar outra vez a relação "eu–Tu" com o Senhor. Mas, como agora são "estátuas de sal" puras, feitas apenas dos "elementos" de consciência contidos naquele oceano, podem voltar para Ele a qualquer tempo.

Ramproshad, um grande santo que viveu durante o século XVIII em Bengala, Índia, cantou certa feita: "Oh, embora um milhar de escrituras Te declare *nirakara* (informe), vem a mim na forma que amo: como a Divina Mãe do universo!"

(18:55) Pela suprema devoção a Mim, pode sem tardança perceber-Me em Minha verdadeira natureza: quem e o que Eu sou. Sabedor dessas verdades, entrará em Mim sem hesitação.

(18:56) Afora cumprir fielmente todos os deveres e abrigar-se em Mim (por completo), deverá ainda ser recebido por Minha graça.

É importante compreender que Deus, estando acima de Sua própria lei, não pode ser alcançado senão pelo cumprimento dessa lei. Nenhuma fórmula matematicamente exata O induzirá a revelar-Se. O homem pensa, com muita precipitação, poder *obrigar* as coisas a serem do jeito que ele quer, bastando-lhe esforçar-se adequadamente. Essa é, de maneira destacada, a atitude dos cientistas modernos. É a atitude de inúmeros médicos, para quem a saúde de seus pacientes *depende* deles – de seus diagnósticos corretos e dos remédios que prescrevem. No entanto, os médicos sabem muito bem que casos há nos quais, embora tudo façam "à risca", seus pacientes morrem. E sabem também que pacientes tidos como perdidos acabam se recuperando de súbito, de maneira inexplicável.

O ego se intromete de forma tão sutil que, mesmo no derradeiro passo da jornada, algumas pessoas imaginam ter sido elas próprias que a empreenderam por seu próprio esforço. Esse pensamento fugaz basta para impedi-las de fundir-se completamente com Deus: pequeno fragmento da consciência, revela que a pessoa não absorveu todos os "elementos do oceano". Devemos nos dar por inteiro, livremente, nada esperando em troca e apenas amando-O como à nossa própria essência. Irá Ele então dar-se a nós? Sim, decerto! Mas a presunção implícita na palavra "decerto" é suficiente para impedir-nos de ser (o que é bem mais que adquirir) aquele perfeito estado de consciência!

(18:57) Mentalmente, devota tuas ações a Mim. Considera-Me teu Objetivo Supremo. Ergue até Mim cada discernimento de teu intelecto. Assim, com amor, dissolve todos os sentimentos de teu coração em Mim.

(18:58) Com o coração dissolvido em Mim, conseguirás (também) superar por Minha graça quaisquer obstáculos. Mas se, refreado por algum pensamento insistente do ego, não te voltares para Mim com extrema atenção (mesclando tua consciência à Minha), poderás encaminhar-te de novo para tua ruína.

A ruína aqui mencionada, segundo meu Guru, é temporária. No entanto, mesmo depois de atingir *sabikalpa samadhi*, é possível reincidir por algum tempo na ilusão, até que finalmente a última *samskara* (tendência) de ser uma individualidade separada e, portanto, distanciada de Deus, seja dissolvida.

(18:59) Se, acedendo ao ego, determinares: "Não vou lutar", acabarás lutando de qualquer maneira, forçado a agir assim pela Natureza (a tua própria e a cósmica).

O devoto que, após muitas encarnações de luta e esforço, adquiriu a natureza do guerreiro espiritual determinado a vencer qualquer fragilidade interior, será levado a lutar de qualquer maneira por essa mesma natureza (e também pela Natureza Cósmica, que seus esforços invocaram) até debelar todas as ilusões.

Essas palavras de Krishna são bastante tranqüilizadoras. Pois pode suceder que o devoto, após demorada luta para aperfeiçoar-se, recue subitamente, pensando: "Ah, não, mais isso, *não!*" Uma ilusão qualquer pode lhe ser cara e até induzi-lo a protestar: "Por que devo renunciar também a *esta idéia (tão familiar) ou a este apego (tão compensador)?*" Felizmente para sua devoção, quando decidir de vez ofertar-se por inteiro a Deus, o próprio Deus (por intermédio de Prakriti, a Divina Mãe) o protegerá e manterá seus pés plantados firmemente no bom caminho. Sua leviana nostalgia por aquele aspecto "doce" de *maya* se evaporará e ele se verá de novo resolvido a travar outras batalhas.

A próxima estrofe é um lembrete de que, afinal de contas, nossa força e nossa fraqueza não nos pertencem: são uma operação de energias cósmicas *por meio* de nossa natureza humana. Aqui, porém, Krishna diz que Arjuna já superou essas influências e pode entregar-se às suas aspirações e empreendimentos mais elevados, de cunho espiritual.

(18:60) Ó Filho de Kunti, essa ilusão (momentânea) – o fruto maduro de um karma passado – que te fez desistir de lutar será banida de ti por outro karma (bom) e verás que não tens (escolha) a não ser combater de qualquer maneira.

A princípio, a "segunda natureza" (o hábito) da pessoa impede-lhe os esforços espirituais. Ele poderá querer, digamos, meditar a noite inteira, mas a força do hábito o obrigará a dormir quer queira, quer não. Não logrará manter a mente desperta o bastante para atingir a supraconsciência: para sermos mais exatos, não conseguirá debelar o impulso a cair pesadamente no estupor relativo da subconsciência. (Lembro-me de ouvir meu Guru dizer a seus monges um dia: "Ontem, estirado na cama, experimentei baixar à subconsciência. Não, não gosto de maneira alguma dessa sensação. Vi-me cingido de todos os lados por uma muralha de carne!")

Aos poucos, com o devoto sempre se esforçando, sua natureza superior passa a predominar e um poder que ele julgava impossível se manifesta espontaneamente, impedindo-o de *não* continuar lutando para obter a vitória final.

(18:61) Ó Arjuna, o Senhor habita no coração de todos os seres. A ilusão cósmica obriga-os a revolver-se como se estivessem montados numa máquina.

Essas palavras são pronunciadas para mostrar ao homem quão insignificante é seu ego ao pensar constantemente "Eu faço", "Eu sou". Não são pronunciadas para desencorajar ninguém da tentativa de mergulhar no fluxo que o arrastará para a consciência cósmica e sim para que ele compreenda de onde se origina esse poder.

Uma pergunta brota na mente de algumas pessoas: "Até que ponto a vontade humana é realmente livre?" O homem é livre, explicava meu

Guru, para buscar Deus ou rejeitá-lo. Pondo de lado a imagem da máquina – que quase sempre é uma coisa fixa – e reconhecendo a impropriedade de todas as metáforas, consideremos outra: um regato que vai arrastando seixos inapelavelmente. Na direção oposta, flui outro regato. O homem tem a seguinte opção: a cada existência, escolherá em qual regato irá mergulhar, o que conduz a um maior envolvimento com *maya* ou o que o levará para longe da ilusão, rumo ao oceano cósmico.

(18:62) Ó Arjuna, (só a Ele) transforma de todo o coração em teu refúgio. Por Sua graça encontrarás paz absoluta e abrigo por toda a eternidade.

(18:63) Assim a sabedoria, o mais recôndito (e sagrado) de todos os segredos, te foi dada por Mim. Reflete a respeito. Depois, faze como quiseres.

Chegamos agora à parte do décimo oitavo capítulo que tornou o Bhagavad Gita não só a escritura mais instrutiva, informativa e inspiradora do mundo, mas talvez a mais amada.

Krishna expôs as verdades divinas – sempre as mesmas em toda parte – mais clara, exaustiva e convincentemente do que qualquer outro antes dele; e fê-lo de maneira tão sucinta e bela que nenhuma pessoa inteligente deixará, por certo, de empenhar sua existência inteira na busca de Deus.

É maravilhoso que essa exposição de perto de setecentos versos (até agora), onde Krishna abordou persuasivamente todas as necessidades divinas do homem, termine pelas palavras: "Depois, faze como quiseres."

(18:64) Ouve de novo Minha palavra suprema, a mais secreta (e sagrada) de todas. Pois que te amo ternamente, quero que a recebas para teu maior benefício.

Aqui, as palavras de Krishna a Arjuna têm o sabor do néctar. Mas haverá alguém tão amado de Deus a ponto de merecer que Ele se preocupe tanto com o seu bem-estar? Sim! Todos somos igualmente amados por Deus. Acrescente-se, porém, que, se uma pessoa coligir provas inequívocas desse amor, deverá ter um coração suficientemente puro para recebê-lo. Um copo voltado para baixo não pode acolher o néctar que, de outro modo, o encheria até as bordas.

Imagine-se um jovem nascido na pobreza – talvez numa favela urbana, entre gente degradada, com pouquíssima oportunidade de ir à escola porque precisa trabalhar a fim de sustentar a mãe viúva e os irmãos mais novos. À noite ele estuda com afinco e adquire conhecimentos ao menos suficientes para obter um bom emprego numa grande empresa. Nesta, vai galgando postos e por fim se torna vice-presidente. Nessa altura conhece a filha do patrão. Ambos se apaixonam e, com as bênçãos do patrão, se casam. Mais tarde, o patrão morre. O jovem herda seu cargo e sua mansão.

Ao cabo desse relato, não exclamará o leitor com gosto: "Que história *bonita*!"?

Agora imagine outra. Um jovem, nascido num lar próspero, entra para uma grande empresa e, sem encontrar obstáculos, torna-se vice-presidente e casa-se com a filha do patrão. A história acabaria com o jovem herdando o cargo do chefe e mudando-se com a esposa para a mansão do sogro? Possivelmente, sim. Mas mais possivelmente ainda é que o leitor, enfarado, fechasse o livro bem antes, sem ficar sabendo o que sucedeu no final.

O drama cósmico *precisa* de suspense, excitação, às vezes terror, outras, beleza contagiante. O homem *precisa* sentir que o fim de tudo é altamente incerto, podendo, para ele, revelar-se desastroso. Só assim seu interesse ininterrupto o manterá "na beira da poltrona". A jornada de cada alma é única. Está semeada de incertezas, de alegrias misturadas com sofrimentos, de esperanças misturadas com desesperos, de vitórias misturadas com fracassos esmagadores – sempre contaminada pela dúvida sobre se a vida tem realmente algum significado, e a descoberta do amor humano, do sucesso, do conhecimento, do poder, do riso sempre seguida das lágrimas que cortam o coração. Se o homem pudesse saber, ao longo dessa cansativa jornada, que o amor de Deus está com ele – profunda, eterna e incondicionalmente –, talvez se felicitasse pela "boa sorte", se envaidecesse e nunca adotasse as posturas absolutamente necessárias para alcançar esse amor e nele se absorver.

O homem deve esvaziar o vaso de seu coração de todo orgulho, egoísmo e indiferença. Deve aprender a manter esse vaso levantado bem no alto, em atitude de pura e incondicional devoção, pronto a ser enchido com o néctar do amor divino. Só então, ao cabo de sua aventura que consumiu uma infinidade de éons, aprenderá que Deus sempre o amou. Ouvirá então estas palavras: "Amo-te ternamente." Não – note-se bem isso – "Amo-te" como expressão de um ego pessoal, mas como expressão impessoal de um amor onde não há um indivíduo separado na busca sentimental de outro indivíduo igualmente separado.

(18:65) Dilui teu ser em Mim; devota-te inteiramente a Mim; só diante de Mim te curves em reverência. Assim, sem dúvida Me alcançarás. Isso te prometo sinceramente, pois Me és querido.

(18:66) Pondo de parte quaisquer outros dharmas (deveres), lembra-te de Mim apenas. Eu te livrarei de todos os pecados (mesmo o de não cumprires outros deveres menores). Não te preocupes!

O dever maior do homem é amar a Deus. Todo dharma se presta ao objetivo superior de alimentar a devoção firme e exclusiva ao amor de Deus, o Supremo e, ao final, o único Bem-Amado.

Já contamos a história de Krishna perguntando certa vez a Draupadi: "Por que não praticas as técnicas da meditação do yoga?" Draupadi respondeu: "Bem que gostaria, Senhor. Mas como poderia se não consigo manter minha mente longe de Ti pelo tempo necessário para praticá-las?" Ouvindo essa resposta, dissemo-lo, Krishna apenas sorriu.

É justamente a isso que Krishna se refere aqui com a expressão "deveres menores". Sem dúvida, a prática correta do yoga *inclui* a obrigação de fazê-lo com profunda devoção. Não é preciso afastar a mente de Deus para tanto. Mas se o rio de energia na espinha está fluindo vigorosamente para cima, do coração para o cérebro, que outras técnicas serão necessárias? As técnicas do yoga têm como finalidade dirigir para o alto essa energia, quando a pessoa necessita de uma ajuda extra.

(18:67) Jamais dividas essas verdades com alguém que não tenha autocontrole nem devoção, que, por egoísmo, não partilhe nada com os semelhantes, que seja indiferente a elas ou não se preocupe em buscar-Me.

O homem que teve a vida mudada por ter descoberto a verdade ou, ao menos, o caminho que leva até ela anseia naturalmente por ajudar seus semelhantes a fazer a mesma descoberta. Deve, no entanto, ponderar que cada pessoa deve chegar lá por seus próprios meios e a seu próprio tempo. Com o devido respeito ao grau que os outros porventura tenham alcançado em sua evolução espiritual, não devemos (como disse Jesus) "lançar pérolas aos porcos".

Quem é descontrolado poderá considerar ofensivo qualquer conselho que enfatize o autocontrole. Essa pessoa não está pronta para encarar sua fraqueza e talvez mesmo replique, agastada: "Ainda não chegou a hora." Porém, todos sabem no íntimo que a falta de autocontrole não lhes dá nada, apenas sofrimento. E por causa dessa constatação subconsciente, costumam irritar-se quando ouvem conselhos prematuros a respeito.

Quem não é devoto, quem tem o coração empedernido, quem se dá (tolamente) por satisfeito consigo mesmo, quem está acostumado a aplaudir frases secas do intelecto como "Apenas fatos, por favor" tem o hábito de desdenhar qualquer manifestação de misticismo que expresse uma aspiração sincera a verdades superiores. Para uma pessoa assim, esse sentimento é mero "sentimentalismo". Como oferecer um cálice de ambrosia a alguém que cuspirá nele ou o jogará fora?

Aquele que não faz favores a ninguém, que nada compartilha e, à maneira do avarento, procura amealhar seus ganhos, suas simpatias e sua dedicação (a si mesmo, é claro), jamais sentirá a felicidade despojada de entregar-se por inteiro aos semelhantes. Seu coração se fecha sobre si mesmo, torna-se uma concha ressequida de sentimentos mortos e volta-se com raiva contra todos quantos lhe sugerem preocupar-se um pouco com as necessidades do próximo. Essas pessoas devem ser deixadas de lado, a menos que sejamos abençoados com um poder espiritual enorme de influenciar para melhor a vida dos outros. Só o sofrimento, nesses casos, amolecerá corações tão endurecidos e os abrirá para receber as verdades superiores.

Muitas pessoas estão totalmente satisfeitas consigo mesmas e não querem ouvir falar de uma maneira melhor de viver e crer. Também elas devem ser deixadas de lado, às voltas com seus próprios recursos, até pedirem espontaneamente coisa melhor.

Enfim, pessoas há que gostariam de ver o universo mais bem-organizado do que é; ou acusam Deus por seus padecimentos e, por isso, não querem "ouvir mais nada sobre o assunto"; ou acham que Deus é "injusto". Ao aconselhar os outros, nunca tente *impor* nem mesmo idéias sabidamente boas, das quais você esteja seguro. As pessoas devem perguntar primeiro. Devem *buscar* a compreensão. Procurar meter-lhes na cabeça a própria sabedoria é ignorar seu eterno direito de nascença, o livre-arbítrio.

(18:68, 69) Quem se dispuser, com intensa devoção, a partilhar esse conhecimento supremo e secreto com Meus devotos virá sem

dúvida até Mim. Ninguém, entre os homens, Me prestará serviço melhor. E, no mundo inteiro, Me será mais caro.

Meu Guru disse certa vez ao nosso grupo: "Orem da seguinte maneira: 'Dá-nos Teu ser para que Te possamos dar a todos.' Essa", completou ele, "é a maior das preces." Divulgar verdades supremas sem praticá-las é pouco meritório; mas buscar Deus sinceramente e, ao mesmo tempo, partilhar com os semelhantes inspirações, descobertas e sabedoria crescente é o maior serviço que um homem pode prestar aos outros – e, com isso, servir a Deus.

(18:70) Aquele que estuda e (intuitivamente) compreende este diálogo sagrado entre nós reverencia-Me com o sacrifício (auto-oferenda) da sabedoria. Essas são Minhas sagradas palavras.

(18:71) Mesmo aquele que, cheio de devoção e despido de ceticismo, apenas ouvir este discurso sagrado, absorvendo seus ensinamentos, ficará livre do karma terreno e contará com a bênção necessária para adentrar o reino superior dos virtuosos.

A salvação é de dois tipos: libertação final de todos os karmas e união com Deus; e libertação do karma terreno, com a possibilidade de viver daí por diante em regiões astrais superiores, onde a pessoa poderá desobrigar-se dos karmas astral e causal até alcançar a libertação completa. A salvação da necessidade de aprisionamento neste plano material já é por si uma grande bênção e pode ser obtida mesmo sem alcançar (ainda) a perfeição divina.

(18:72) Ó Partha (Arjuna)! Terás mesmo acolhido essa sabedoria com elevação de consciência? Tua ignorância nascida da ilusão foi enfim, ó Dhananjaya, dissolvida?

(18:73) Arjuna respondeu: Minha ilusão foi demolida! Recuperei graças a Ti, ó Krishna, a lembrança de minha alma. Agora estou

seguro, todas as minhas dúvidas se dissiparam e todas as minhas perguntas foram respondidas. Agirei doravante segundo Tua palavra.

(18:74) Sanjaya disse: Eis o maravilhoso diálogo que ouvi entre Vasudeva (Krishna) e o magnânimo Arjuna. Todos os pêlos de meu corpo se eriçaram (tamanho o espanto e tamanha a alegria que senti).

(18:75) Graças a Byasa (autor do Bhagavad Gita), esse segredo supremo do yoga me foi transmitido, e insinuado em minha consciência diretamente por Krishna, o grande Senhor do yoga.

(18:76) Ó Rei Dhritarashtra, não cesso de alegrar-me sempre que evoco esse magnífico e sagrado diálogo entre Keshava (Krishna) e Arjuna.

(18:77) E quando, ó Rei Dhritarashtra, me vem à lembrança a manifestação cósmica de Hari (Krishna, o "Ladrão de Corações"), encho-me de espanto e de alegria incontida.

(18:78) (Sanjaya conclui:) Hoje minha fé é tal que, não importa onde Krishna se manifeste e onde esteja Partha (o verdadeiro devoto, Arjuna), que verga com destreza o arco do autodomínio, sei que ali haverá êxito, vitória, conquista do poder (necessário a qualquer realização), manifestação de glória e honestidade. Nisso creio firmemente.

Aqui termina o décimo oitavo capítulo, intitulado "O yoga da liberdade pela renúncia", dos Upanishades do sagrado Bhagavad Gita, o diálogo em que Sri Krishna e Arjuna debatem sobre o yoga e a ciência da realização em Deus.

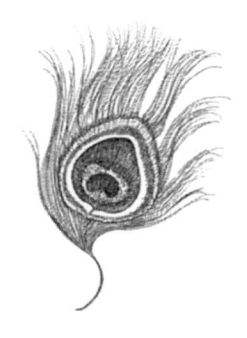

Glossário

Adhibhuta. A consciência presente nas criaturas físicas e no cosmo físico.

Adhidaiva. A consciência manifesta nos corpos astrais e no cosmo astral.

Adhiyagya. O Supremo Espírito Criador e Cognoscente.

Adhyatma. Manifestação de Brahman como alma essencial de todos os seres.

agya chakra. O centro do ego na medula oblonga.

ahankara. O ego.

anahata chakra. Centro dorsal ou do coração (chakra).

apana. A energia descendente na espinha astral.

Aparaprakriti. *Maya*, força criadora da manifestação exterior.

asana. Firmeza, postura ereta durante a meditação.

Ashtanga Yoga. Exposição, por Patanjali, das oito etapas da iluminação.

Ashvatta (árvore). O corpo humano. Seu tronco é a espinha. Suas raízes "superiores" são os raios de energia que ao mesmo tempo brotam do cérebro e alimentam-no, tanto quanto ao corpo, através do *sahasrara* no alto da cabeça. Os galhos "inferiores" são o sistema nervoso com toda a sua complexidade.

astral (corpo). O corpo de luz e energia.

AUM. O som vibrante do cosmo.

AUM-*Tat-Sat*. *Sat* é a Verdade eterna de onde provém toda a criação; AUM é a vibração cósmica, de onde procede a manifestação cósmica e *Tat* é o reflexo ligeiro, no centro de toda vibração, do Espírito imóvel para além da vibração.

avatar. Alma liberta, mandada de volta à existência manifesta pela vontade do Criador a fim de salvar almas ainda mergulhadas na ilusão.

Bhakti Yoga. O caminho do yoga da devoção profunda, pelo qual todos os sentimentos da pessoa são canalizados para cima, na espinha, em direção a Deus.

bishuddha chakra. O centro cervical.

Brahma. A vibração criadora; com Vishnu e Shiva, parte de AUM, a Vibração Cósmica.

brahmacharya. "Fluindo com Brahma"; autocontrole, sobretudo sexual.

Brahman. O Absoluto Divino.

brahmanadi. A "espinha" do corpo causal, assim chamada porque é o canal por onde Brahman – a consciência divina – desce para o corpo.

Brahmisthiti. Unidade absoluta com o Infinito.

buddhi. Intelecto.

castas (sistema de). As quatro castas ou "raças" do homem baseavam-se originalmente, não no nascimento da pessoa, mas em suas capacidades naturais e no objetivo que ela escolhia alcançar. Os objetivos podem ser assim discriminados: (1) *kama*, desejo, atividade dos sentidos (etapa shudra), (2) *artha*, ganho, satisfação controlada dos desejos (etapa vaisha), (3) *dharma*, autodisciplina, vida da ação reta (etapa kshatriya) e (4) *moksha*, libertação, vida da espiritualidade (etapa brahmin).

causal (corpo). O corpo mais interior, constituído de idéias.

chakras. Plexos ou centros na espinha, de onde a energia flui para o sistema nervoso e daí para o corpo, sustentando e ativando as diferentes partes deste.

chitta. A área do sentimento na consciência.

Dia de Brahma. O período, com duração de éons, da manifestação cósmica. Na manhã do Dia de Brahma, toda a criação se manifesta novamente e emerge de seu estado (noturno) de não-manifestação.

devas. Seres angélicos ou astrais.

dharana. Concentração num só ponto.

dharma. Virtude, honestidade, ação reta.

dhyana. Absorção em meditação profunda.

diksha. Iniciação espiritual.

dwaita. Dualidade.

ego. A alma ligada ao corpo.

gunas. As três qualidades básicas que compreendem o universo: sattwa, qualidade excelsa que mais claramente sugere a divindade; rajas, elemento ativador da natureza, e tamas, qualidade obscurecedora, que compromete a unidade intrínseca da vida.

guru. Mestre; salvador espiritual.

Gyana Yoga. O caminho do discernimento.

ida. Um dos dois canais nervosos superficiais na espinha astral, o *ida* começa e termina no lado esquerdo da espinha. A energia sobe por ele e provoca a inspiração do ar.

japa. A repetição constante do nome de Deus.

jiva. A alma, consciência individualizada: o Infinito limitado e identificado ao corpo.

jivan mukta. "Liberto em vida" – estado de libertação da consciência egóica quando ainda se tem karma de vidas passadas a cumprir.

Karma Yoga. O caminho da reta ação espiritual.

karma. Ação.

Kriya Yoga. A antiga ciência do yoga reintroduzida no mundo por Lahiri Mahasaya no século XIX. Consiste numa cuidadosa e consciente circulação de energia à volta da espinha, a fim de magnetizá-la e redirecionar as tendências mentais para o cérebro.

kshetra. O corpo, o "campo" onde se colhe o bom e o mau karma.

kshetragya. O elemento interior que percebe, a alma.

kumbhaka. Retenção da respiração.

Kundalini. Localizada abaixo da base da espinha, onde a energia que flui da espinha para o sistema nervoso é "bloqueada" em seu impulso para baixo. O despertar de Kundalini significa o momento em que o fluxo descendente de energia cessa de correr para fora e volta-se para cima, rumo à sua fonte na consciência divina.

Kutastha Chaitanya. A consciência crística subjacente à criação, que reflete o Espírito imóvel para além da criação.

Kutastha. A sede do olho espiritual, entre as sobrancelhas.

lila. O jogo divino.

Mahabharata. A epopéia mais longa do mundo – profundamente alegórica, da qual o Bhagavad Gita constitui um episódio relativamente curto.

manas. A mente que percebe.

manipura chakra. O centro lombar.

mantra. Cântico poderoso.

maun. Silêncio completo.

maya. Ilusão, manifestação exterior da força criadora.

moksha. Libertação final e perfeita em absoluta união com a Consciência Divina.

mudras. Asanas combinadas com um estímulo especial do fluxo de certas energias internas.

muladhara chakra. O centro coccígeo.

muni. Aquele que dissolveu a consciência egóica em Deus.

Noite de Brahma. Período, com duração de éons, durante o qual toda a criação permanece em estado de não-manifestação.

nirvana. Extinção da individualidade.

nishkam karma. Ação sem desejo dos frutos dessa ação.

nadi. Canal sutil de força vital.

param mukta. Alma totalmente livre.

Paraprakriti. Natureza imanente, oposta à Natureza transcendente: a realidade oculta por trás de todo o universo material.

pingala. Um dos dois canais nervosos superficiais na espinha astral; começa e termina no lado direito da espinha. A energia, descendo por ele, provoca a expiração do ar.

Prakriti. Mãe Natureza inteligente, o "espetáculo" exterior que percebemos pelos sentidos.

prana. Energia; também a energia ascendente da respiração na espinha astral.

pranaba. O som de AUM.

pranayama. Controle dos sentidos graças à retirada da energia.

prarabdha karma. Tendências presentes no indivíduo e resultado de ações passadas, trazidas de outras vidas.

pratyahara. Interiorização da mente.

Purusha. Deus transcendente, o Pai.

purushakara karma. Ações geradas, nesta vida, por influência não do hábito nem do desejo, mas da orientação da alma.

Raja Yoga. O yoga real, que conduz aquele que medita à iluminação, pelo caminho da espinha.

rajoguna. O elemento ativador da natureza.

rishi. Vidente ou sábio.

sadhana. Prática espiritual.

sadhu. Homem santo.

sahasrara. "Lótus de mil raios" no topo da cabeça; a união com esse ponto gera a consciência cósmica.

Samadhi. Êxtase divino. O *sabikalpa samadhi* é um êxtase condicionado. O *nirbikalpa samadhi*, um êxtase incondicionado: a consciência alcançou tal unidade com Deus que não existe possibilidade de um retorno às limitações do ego.

samsara. A atuação externa de *maya* ou ilusão.

samskaras. Tendências passadas.

Sanaatan Dharma. A "Religião Eterna".

sannyasi. Aquele que renunciou ao mundo.

Satchidananda. A bem-aventurança sempre existente, sempre consciente e sempre nova.

satsanga. Boa (especialmente espiritual) companhia.

sattwa guna. A qualidade excelsa que encaminha o homem para a divindade.

Shankhya. Um dos três sistemas principais do pensamento indiano, ou revelação, juntamente com o Yoga e o Vedanta. O Shankhya enfatiza a necessidade de fugir de *maya* ou ilusão.

Shiva. A vibração destruidora, que tudo dissolve; juntamente com Brahma e Vishnu, parte de AUM, a Vibração Cósmica.

siddha. Um ser perfeito.

sloka. Passagem de uma escritura.

smriti. Memória divina.

espiritual (olho). O Kutastha, reflexo da medula oblonga: um campo de luz azul-escura rodeado por um halo dourado, no centro do qual aparece uma estrela de cinco pontas. A auréola dourada representa o mundo astral; o campo azul dentro dela, o mundo causal e também a consciência crística onipresente; a estrela ao centro, o Espírito para além da criação.

sushumna. A espinha profunda pela qual a Kundalini, depois de magnetizada a fim de fluir para cima, começa sua lenta subida rumo à iluminação.

swadisthana chakra. O centro sagrado.

tamoguna. A qualidade que obscurece a unidade subjacente à vida.

tyaga. Auto-entrega, desapego aos frutos da ação.

tyagi. Aquele que se oferece ao Divino.

Upanishades. Escrituras indianas que apresentam a essência dos Vedas.

Vedanta. Um dos três sistemas principais do pensamento indiano, ou revelação, juntamente com o Shankhya e o Yoga. Descreve a natureza de Brahman, a consciência divina.

Vedas. A mais antiga escritura indiana.

Vishnu. A vibração que preserva; juntamente com Brahma e Shiva, parte de AUM, a Vibração Cósmica.

vrittis. Redemoinhos ou turbilhões (de sentimento).

yagya. Rito religioso, oferenda simbólica do eu egóico ao fogo sacrificial da purificação. O verdadeiro yagya é o Kriya Yoga.

Yoga. Um dos três principais sistemas do pensamento indiano, ou revelação, juntamente com o Shankhya e o Vedanta. Ensina ao aspirante sincero *como* fugir de *maya*, a ilusão.

yugas. Idades ou ciclos de tempo; as quatro idades são Kali (escura), Dwapara ("segunda", idade da energia), Treta ("terceira", idade da percepção do poder da mente) e Satya ("Verdade", também chamada *Krita*, idade de elevada percepção espiritual).

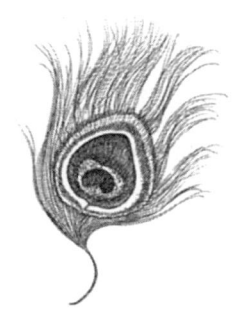

Sobre o autor

"Como uma luz brilhando nas brumas da escuridão, assim foi a presença de Yogananda neste mundo. Almas tão grandes só vêm à terra raramente, quando os homens têm real necessidade delas."

– O Shankaracharya de Kanchipuram

PARAMHANSA YOGANANDA

    Nascido na Índia em 1893, Paramhansa Yogananda foi educado desde a infância para levar ao Ocidente a antiga ciência indiana da auto-realização. Em 1920, mudou-se para os Estados Unidos e ali iniciou um trabalho que haveria de influenciar milhões de vidas em todo o mundo. Os americanos estavam ávidos pelos ensinamentos espirituais da Índia e as técnicas libertadoras do yoga.

Em 1946, Yogananda publicou aquele que se transformaria num clássico e num dos livros mais estimados do século XX, *Autobiography of a Yogi*. Além disso, montou uma sede para seu trabalho de âmbito mundial, escreveu inúmeras obras, preparou cursos, deu palestras perante auditórios de milhares de pessoas nas principais cidades dos Estados Unidos, compôs música e poesia, e treinou discípulos. Foi convidado a visitar a Casa Branca por Calvin Coolidge e iniciou o Mahatma Gandhi no Kriya Yoga, sua técnica de meditação mais avançada.

A mensagem de Yogananda ao Ocidente exalta a unidade de todas as religiões e a importância do amor a Deus em conjunto com técnicas científicas de meditação.

SOBRE O AUTOR

"Swami Kriyananda é um homem sábio, de atos piedosos, verdadeiramente uma das grandes luzes do mundo espiritual contemporâneo."

– Lama Surya Das, Dzogchen Center, autor de *Awakening the Buddha Within*

SWAMI KRIYANANDA

Autor prolífico, compositor, dramaturgo e artista de incontestável mérito, além de mestre espiritual renomado no mundo inteiro, Swami Kriyananda refere-se a si mesmo simplesmente como "um humilde discípulo" do grande mestre realizado em Deus, Paramhansa Yogananda. Conheceu seu guru muito jovem ainda, com 22 anos de idade, e serviu-o durante os quatro últimos anos da vida do Mestre. E tem feito isso desde então.

Kriyananda nasceu na Romênia, de pais americanos, e foi educado na Inglaterra, outras partes da Europa e Estados Unidos. Com propensões filosóficas e artísticas desde a mocidade, logo se pôs a questionar o significado da vida e os valores da sociedade. Durante um período de intensa reflexão, descobriu a *Autobiography of a Yogi*, de Paramhansa Yogananda, e imediatamente iniciou uma viagem de mais de quatro mil quilômetros de Nova York à Califórnia para conhecer o Mestre, que o aceitou como discípulo monástico. Yogananda nomeou-o diretor do mosteiro, autorizou-o a ensinar em seu nome e proporcionar iniciação no Kriya Yoga, confiou-lhe a missão de escrever e fê-lo fundador do que chamava de "colônias mundiais de fraternidade".

Reconhecido como o "pai do movimento de comunidades espirituais" nos Estados Unidos, Swami Kriyananda fundou a Ananda World

Brotherhood Community em 1968, que serviu de modelo para muitas outras surgidas depois nos Estados Unidos e na Europa.

Em 2003, Swami Kriyananda, então com 78 anos, transferiu-se para a Índia em companhia de um grupo internacional de discípulos a fim de dedicar seus últimos anos à divulgação mais ampla dos ensinamentos de seu guru. Para tanto, aparece diariamente na televisão nacional indiana em seu programa *A Way of Awakening*. Fundou a Ananda Sangha, que publicou muitas de suas 86 obras literárias e dissemina as lições de Kriya Yoga por toda a Índia. Seus projetos para os próximos anos incluem a fundação de comunidades espirituais cooperativas na Índia, um templo para todas as religiões dedicado a Paramhansa Yogananda, um centro de retiro, um sistema escolar e um mosteiro, afora o Yoga Institute of Living Wisdom, de nível universitário.

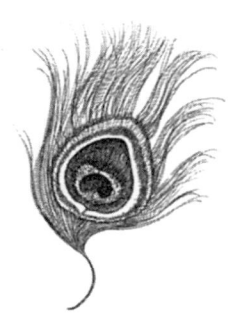

Sobre a pintora

A ilustração da capa foi especialmente encomendada para este livro. Seu título é *"A Visão Divina"*. A pintura original a óleo baseou-se na visão de Arjuna da Forma Infinita, descrita no Capítulo 11 do Bhagavad Gita.

Dana Lynne Andersen é uma artista americana de crescente renome, aclamada pelas idéias que tem sobre a participação da consciência na arte. A seu ver, nosso tempo apresenta uma acentuada carência, sendo portanto um dever espiritual dos artistas de todas as áreas (pintores, escultores, compositores, músicos, prosadores e poetas) ajudar a inspirar uma exaltação da consciência na Terra. Centenas de pessoas,

DANA LYNNE ANDERSEN

em resposta aos esforços pioneiros de Dana, estão aprimorando a percepção da importância de uma consciência mais elevada – não apenas para as artes, mas também para todas as atividades humanas.

Danna Lynne Andersen é a fundadora do Awakening Arts Institute, com sede em Nevada City, Califórnia, Estados Unidos, uma rede internacional de artistas, patrocinadores e amigos das artes para quem estas não devem apenas entreter e muito menos – em nome do "realismo total" – degradar a consciência humana, mas sim inspirar pessoas de todas as partes a reconhecer a necessidade de uma visão superior.

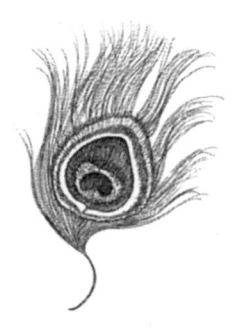

Ananda Sangha

Ananda Sangha é uma confraria de almas dedicadas que seguem os ensinamentos de Paramhansa Yogananda. A Sangha postula a busca de uma consciência superior graças à prática da meditação e ao ideal de serviço a quem se empenha em realizar-se. Aproximadamente dez mil místicos de todo o mundo são filiados à Ananda Sangha.

Fundada em 1968 por Swami Kriyananda, discípulo direto de Paramhansa Yogananda, a Ananda é formada por sete comunidades nos Estados Unidos e Europa. A oitava já começa a formar-se na Índia. No mundo todo, cerca de mil devotos vivem nessas comunidades espirituais, que se inspiram nos ideais de "vida simples e pensamento elevado", de Yogananda.

"Milhares de jovens devem ir para o norte, sul, leste e oeste a fim de cobrir a Terra com pequenas colônias, demonstrando que a simplicidade de vida mais o pensamento elevado conduzem à felicidade suprema!"

Após pronunciar essas palavras numa festa ao ar livre em Beverly Hills, Califórnia, no ano de 1949, Paramhansa Yogananda ergueu os braços, entoou a vibração cósmica sagrada de AUM e "registrou no éter" suas bênçãos sobre o que haveria de tornar-se o movimento das comunidades espirituais. Daí por diante, Swami Kriyananda dedicou-se a transformar essa visão inspirada em realidade, fundando comunidades onde lar, emprego, escola, culto, família, amigos e recreação pudessem evoluir juntos como parte do tecido de uma vida harmoniosa e equilibrada. Yogananda previu que as comunidades se espalhariam como "incêndio na mata", tornando-se o estilo de vida modelar para o próximo milênio.

Swami Kriyananda esteve em íntimo contato com seu guru durante os quatro últimos anos da vida do Mestre e continuou a prestar serviços à sua organização por outros dez, levando os ensinamentos de Kriya Yoga e auto-realização ao público dos Estados Unidos, Europa, Austrália e, de 1958 a 1962, Índia. Em 1968, junto com um pequeno grupo de amigos e alunos próximos, fundou a primeira "comunidade fraterna mundial" ao sopé das montanhas de Sierra Nevada, na região nordeste da Califórnia. A princípio um centro de retiro para meditação localizado em 67 acres de terra coberta de florestas, a Ananda World Brotherhood Community cobre hoje 1.000 acres nos quais cerca de 250 pessoas levam uma vida dinâmica e produtiva, baseada nos princípios e práticas da evolução espiritual, mental e física, em franca cooperação, respeito e amizade divina.

No momento em que escrevemos isto, após perto de quarenta anos de existência, a Ananda é uma das mais bem-sucedidas redes de comunidades do mundo. Comunidades urbanas foram aparecendo em Palo Alto e Sacramento, Califórnia; Portland, Oregon; Seattle, Washington; e Rhode Island. Na Europa, perto de Assis, Itália, estabeleceu-se uma comunidade e um retiro espiritual em 1983, onde vivem hoje cerca de cem residentes de oito países. A Expanding Light, retiro aberto de estudos espirituais, é visitada por mais de 2.000 pessoas anualmente, oferecendo cursos de auto-realização e temas afins.

Para informações sobre a Ananda Sangha

Endereço:
14618 Tyler Foote Road
Nevada City, CA 95959
Telefone:
530.478.7560
Site:
www.ananda.org
E-mail
sanghainfo@ananda.org

Impresso por :

Graphium
gráfica e editora
Tel.:11 2769-9056